Britannica®

ENCICLOPEDIA UNIVERSAL

ILUSTRADA

barreminas
—————
Brunel

ENCYCLOPÆDIA
Britannica®

Britannica
ENCICLOPEDIA UNIVERSAL ILUSTRADA

Edición en español de BRITANNICA CONCISE ENCYCLOPEDIA

© 2006 Encyclopædia Britannica, Inc.

Encyclopædia Britannica, Britannica y el logotipo del cardo son marcas registradas de Encyclopædia Britannica, Inc.

Edición promocional para América Latina desarrollada, diseñada y publicada por Sociedad Comercial y Editorial Santiago Ltda., Avda. Apoquindo 3650, Santiago, Chile.

ISBN 956-8402-79-9 (Obra completa)
ISBN 956-8402-82-9 (Volumen 3)

Impreso en Chile, Printed in Chile.
Código de barras 978 956840282 - 2

barreminas Nave de guerra utilizada para despejar las MINAS SUBMARINAS de una extensión de agua. En las acciones bélicas marítimas se emplean tanto para la protección del tráfico mercante, despejando de minas las rutas marítimas, como para limpiar los cursos de los buques de guerra que entablan combate o participan en acciones anfibias. Las primeras versiones usaban alambres con protuberancias en forma de sierra, extendidos en un amplio radio, para cortar los cables de anclaje de las minas y dejarlas emerger a la superficie, donde se las destruía con fuego de artillería. El uso extendido de minas magnéticas (activadas por el campo magnético de las naves de acero) en la guerra de Corea, llevó al uso de barreminas con casco de madera.

Barreminas francés en operación de limpieza en aguas del canal de Suez, Port Said, Egipto.
FOTOBANCO

barrena Herramienta (o broca) usada con un berbiquí de carpintero para taladrar agujeros, por lo general en madera. Se parece a un sacacorchos y produce agujeros muy limpios, casi sin importar cuán grande sea la broca. Las brocas de barrena expansivas tienen cuchillas ajustables con filos cortantes y proyecciones laterales que se pueden extender radialmente para labrar agujeros de mayor tamaño. Se usan barrenas grandes para abrir agujeros en el suelo con el fin de hincar postes de cercas y postes telefónicos, o en el hielo, para la pesca. En la minería del carbón se emplean barrenas horizontales de hasta 2,5 m (8 pies) de diámetro.

barrera del sonido Aumento brusco en la resistencia aerodinámica por viscosidad del aire que ocurre cuando una aeronave se acerca a la velocidad del SONIDO. Al nivel del mar, la velocidad del sonido es de unos 1.200 km (750 mi) por hora, y a 11.000 m (36.000 pies) es de unos 1.050 km (650 mi) por hora. La barrera del sonido fue inicialmente un obstáculo para el vuelo supersónico. Si una nave vuela a una velocidad algo menor a la velocidad del sonido, las ondas de presión (ondas de sonido) que genera superan en velocidad a sus fuentes y se propagan adelantándose a ella. Una vez que la aeronave alcanza la velocidad del sonido, las ondas no pueden evitar ser alcanzadas por ella. Fuertes ondas de choque locales se forman en sus alas y fuselaje; el flujo del aire alrededor de la nave se hace inestable, y pueden ocurrir severas sacudidas con serios problemas de estabilidad y pérdida de control sobre ciertas características de vuelo. En general, las aeronaves diseñadas para vuelo supersónico tienen poca dificultad para superar la barrera del sonido, pero en aquellas diseñadas para operar en forma eficiente a velocidades subsónicas, el efecto puede llegar a ser muy peligroso. El primer piloto en superar la barrera del sonido fue CHUCK YEAGER (1947), en la aeronave experimental X-1.

Barrès, (Auguste) Maurice (19 ago. 1862, Charmes-sur-Moselle, Francia–5 dic. 1923, París). Escritor y político francés. Fue miembro de la Cámara de Diputados (1889–93) y se convirtió en un acérrimo nacionalista. Junto con CHARLES MAURRAS expuso las doctrinas del Partido Nacionalista Francés en dos periódicos. En sus novelas expresó un individualismo que incluía un profundo arraigo al terruño natal. Su serie de novelas titulada *Les Bastions de l'Est* [Los bastiones del este] alcanzó gran éxito como propaganda francesa durante la primera guerra mundial.

barriada Zona densamente poblada con viviendas de calidad deficiente, por lo general en una ciudad, y que se caracteriza por presentar condiciones sanitarias inadecuadas y desorganización social. La acelerada INDUSTRIALIZACIÓN ocurrida en Europa durante el s. XIX estuvo acompañada por un rápido crecimiento demográfico y por una concentración de la clase obrera en viviendas hacinadas y de construcción deficiente. En 1851, Inglaterra aprobó la primera legislación que establecía una serie de normas mínimas de construcción para viviendas de sectores de bajos ingresos, y en 1868 se dictaron las primeras leyes de erradicación de barriadas. En EE.UU., el desarrollo de las barriadas coincidió con la llegada de grandes oleadas de inmigrantes a fines del s. XIX y principios del s. XX; a fines del s. XIX se aprobaron normas relacionadas con una adecuada ventilación, medidas contra incendios y condiciones sanitarias para las viviendas urbanas. En el s. XX, las organizaciones gubernamentales y privadas construyeron viviendas para los sectores de bajos ingresos y asignaron fondos para la renovación urbana, a la vez que ofrecieron préstamos hipotecarios a bajo interés. Las poblaciones marginales, que suelen surgir alrededor de los centros urbanos en los países en desarrollo, a medida que las poblaciones rurales migran a las ciudades en busca de trabajo, constituyen un tipo de barriada para las cuales aún no se han implementado con éxito medidas que permitan su solución. Ver también PLANIFICACIÓN URBANA.

Barrie, Sir James (Matthew) (9 may. 1860, Kirriemuir, Angus, Escocia–19 jun. 1937, Londres, Inglaterra). Dramaturgo y novelista escocés. Después de mudarse a Londres escribió *Auld Licht Idylls* (1888), un libro sobre su Escocia natal. Su novela más vendida *El pequeño ministro* (1891) fue montada en 1897. Sus obras *La calle Quality* (1901) y *El admirable Crichton* (1902) fueron un éxito en Londres. Después de crear las historias para los hijos de un amigo, obtuvo gran éxito con el clásico del teatro infantil *Peter Pan* (1904). Otras obras de su autoría son *The Twelve-Pound Look* (1910) y *Querido Bruto* (1917).

Barrios de Chamorro, Violeta (n. 18 oct. 1929, provincia de Rivas, Nicaragua). Presidenta de Nicaragua (1990–96). Nacida en el seno de una familia adinerada, se casó con el editor de *La Prensa*, periódico que se opuso a la dictadura de Anastasio Somoza (ver familia SOMOZA). Luego del asesinato de su esposo en 1978, ocupó su lugar como editora. Cuando los SANDINISTAS derrocaron a Somoza, participó brevemente en una junta civil de gobierno, pero pronto su periódico se volvió crítico de DANIEL ORTEGA y proclive a las políticas estadounidenses, que incluían un extenso apoyo a los CONTRAS antisandinistas. Abogando por el fin de los conflictos militares y económicos con EE.UU., fue elegida presidenta en 1990

Violeta Barrios de Chamorro, presidenta de Nicaragua (1990–96).
FOTOBANCO

como representante de la Unión Nacional tras vencer a Daniel Ortega, que izaba la bandera sandinista. En su mandato introdujo reformas que afectaron al ejército y la economía y sufrió continuamente por las profundas divisiones políticas y el considerable poder aún en manos de los sandinistas. En 1997 fue sucedida por Arnoldo Alemán.

barroca, arquitectura Estilo arquitectónico originado a fines del s. XVI en Italia y que perduró en algunas regiones, particularmente en Alemania y América del Sur colonial, hasta el s. XVIII. Tuvo sus orígenes en la CONTRARREFORMA, en un esfuerzo manifiesto de la Iglesia católica por atraer a los fieles apelando a sus emociones y sentidos por medio del arte y la arquitectura. Se favorece el uso de plantas arquitectónicas de formas complejas, a menudo basadas en el óvalo y en la oposición dinámica e interacción de los espacios para realzar la sensación de movimiento y sensualidad. Otras de sus cualidades características son la grandeza, el dramatismo y el contraste (especialmente en iluminación), lo curvilíneo y con frecuencia la disposición vertiginosa de tratamientos lujosos de las superficies, elementos helicoidales y estatuas doradas. Los arquitectos utilizaban con toda libertad colores brillantes y cielos vívidamente pintados que crean ilusiones ópticas. Se destacan en Italia GIAN LORENZO BERNINI, Carlo Maderno (n. 1556–m. 1629), FRANCESCO BORROMINI y Guarino

Galería de los Espejos en el palacio de Versalles, ejemplo de la arquitectura barroca francesa.
FOTOBANCO

Guarini (n. 1624–m. 1683). En Francia, la arquitectura barroca se vio opacada por los elementos clásicos. En Europa central, aunque el barroco llegó tardíamente, floreció en las obras de arquitectos como el austríaco Johann Bernhard Fischer von Erlach (n. 1656–m. 1723). Su impacto en Gran Bretaña puede apreciarse en las obras de CHRISTOPHER WREN. El estilo barroco tardío es con frecuencia llamado estilo ROCOCÓ, y en España y América hispana se lo conoce como estilo CHURRIGUERESCO.

barroco (s. XVII–XVIII). Período de las artes que se originó en Italia en el s. XVII y que prosperó en otras partes ya entrado el s. XVIII. Abarcó la pintura, la escultura, la arquitectura, las artes decorativas y la música. El término, derivado de un vocablo portugués para denominar perlas irregulares, que si bien en un comienzo se usó de manera despectiva, se ha empleado por mucho tiempo para describir una variedad de características que comprenden desde lo dramático a lo extravagante hasta lo sobrecargado. El estilo fue abrazado por los países de la CONTRARREFORMA; las obras de arte encargadas por la Iglesia católica eran manifiestamente emocionales y sensuales. Los representantes más notables del barroco fueron Aníbal Carraci (ver familia CARRACCI), CARAVAGGIO y GIAN LORENZO BERNINI. Un ejemplo grandioso de arte barroco lo constituye el palacio de VERSALLES. En música, la era barroca se extiende desde c. 1600 hasta c. 1750, cuando se introdujeron nuevos géneros vocales e instrumentales tan significativos como la ÓPERA, el ORATORIO, la CANTATA, la SONATA y el CONCIERTO, y florecieron compositores tan imponentes como CLAUDIO MONTEVERDI, J.S. BACH y GEORG FRIEDRICH HÄNDEL.

barroco Segundo Imperio ver estilo BEAUX-ARTS

barroco tardío ver estilo ROCOCÓ

Barrow, Joseph Louis ver Joe LOUIS

Barry, (Marie-) Jeanne Bécu, condesa du *llamada* **Madame du Barry** (19 ago. 1743, Vaucouleurs, Francia–8 dic. 1793, París). Amante francesa de LUIS XV. Dependienta de una tienda de París, fue la amante de Jean du Barry, quien la introdujo en la alta sociedad parisina. Admirada por su belleza, ingresó a la corte de Luis XV en 1769 después de un matrimonio nominal con el hermano de Jean, miembro de la nobleza, lo que le permitió convertirse en la amante oficial de Luis. Aunque tuvo poca influencia política, su impopularidad contribuyó a la pérdida de prestigio de la corona a principios de la década de 1770. Después de la muerte del rey (1774) fue desterrada de la corte. En la Revolución francesa fue condenada como contrarrevolucionaria y guillotinada.

Barry, John (1745, cond. de Wexford, Irlanda–13 sep. 1803, Filadelfia, Pa., EE.UU.). Oficial naval estadounidense de origen irlandés. Emigró a EE.UU. en 1760 y a los 21 años era patrón de buques mercantes de Filadelfia. En 1776 habilitó la primera flota estadounidense y, como capitán de una fragata, capturó varios buques británicos. En marzo de 1783 combatió en la última batalla de la guerra de la independencia de EE.UU., en el estrecho de Florida, donde derrotó a tres barcos británicos. Terminada la guerra, fue llamado otra vez al servicio activo como capitán mayor de la nueva marina de EE.UU. A menudo se le ha llamado "Padre de la marina" porque formó a numerosos futuros oficiales.

Barrymore, familia Familia estadounidense dedicada al teatro. Maurice Barrymore (orig. Herbert Blythe; n. 1847–m. 1905) debutó como actor en Londres antes de emigrar a la ciudad de Nueva York (1875), donde adoptó el nombre artístico de Barrymore. Se unió a la compañía de Augustin Daly, y en 1876 se casó con Georgiana Drew, de la familia DREW, que también se dedicaban al teatro. Su hijo mayor, Lionel Barrymore (orig. Lionel Blythe; n. 1878–m. 1954), llegó a ser actor principal en obras de Broadway como *Peter Ibbetson* (1917) y *The Copperhead* (1918); después se mudó a Hollywood en 1926, donde actuó en películas como *Alma libre* (1931, premio de la Academia) y *Gran Hotel* (1932). Fue famoso como actor de carácter y actuó en más de 200 largometrajes, entre los que se cuentan 15 filmes del Dr. Kildare. Su hermana Ethel Barrymore (orig. Ethel Blythe; n. 1879–m. 1959) debutó en Londres en *Pedro el Grande* (1898) y en Broadway en *Captain Jinks of the Horse Marines* (1901). Inauguró un teatro de Nueva York, nombrado en su honor en 1928, con *El reino de Dios* y después protagonizó *The Corn Is Green* (1940). Actuó en más de 30 películas, entre ellas, *Un corazón solitario* (1944, premio de la Academia) y *La escalera de caracol* (1946). Su hermano John Barrymore (orig. John Blythe; n. 1882–m. 1942) fue aclamado en obras como *Justice* (1916), *Ricardo III* (1920) y especialmente por *Hamlet* (1922). Entre sus películas destacan *Dr. Jekyll y Mr.*

Ethel Barrymore, 1901, artista estadounidense.
GENTILEZA DE LA BIBLIOTECA DEL CONGRESO, WASHINGTON, D.C.

Hyde (1920) y *Cena a las ocho* (1933). Fue un alcohólico de reconocida conducta díscola. Su nieta, Drew Barrymore (n. 1975), obtuvo notoriedad a la edad de siete años con el filme *E.T., el extraterrestre* (1982).

Barsippa ver BORSIPPA

Barth, John *orig.* **John Simmons Barth, Jr.** (27 may. 1930, Cambridge, Md., EE.UU.). Escritor estadounidense. Creció en la costa este de Maryland, escenario de gran parte de su obra, y desde 1953 ha enseñado principalmente en la Universidad de Johns Hopkins. Aparte de los relatos experimentales de su libro de cuentos *Perdido en la casa encantada* (1968), sus obras más conocidas son las novelas *La ópera flotante* (1956), *Fin del camino* (1958), *El plantador de tabaco* (1960), *Giles Goat-Boy* [Giles, el cabrerito] (1966) y la compilación *The Tidewater Tales* [Cuentos costeros] (1987). La mayoría de estos relatos parodian y juegan con las formas narrativas tradicionales, combinando la profundidad filosófica con una sátira mordaz y un humor irreverente y, en ocasiones, subido de tono. En 2001 publicó la novela experimental *Coming Soon!!!: A Narrative* [¡¡Pronto!!: Una novela], que no fue bien recibida por la crítica.

Barth, Karl (10 may. 1886, Basilea, Suiza–9/10 dic. 1968, Basilea). Teólogo suizo. Estudió en las universidades de Berlín, Tubinga y Marburgo; en 1911–21 fue pastor en Safenwil, Suiza. La tragedia de la primera guerra mundial lo llevó a cuestionar la teología liberal de sus maestros, arraigada en ideas del postiluminismo. Con *La epístola a los romanos* (1919) inició un giro radical en el pensamiento PROTESTANTE, comenzando una tendencia hacia la neoortodoxia. Este trabajo lo llevó a ser nombrado profesor en Gotinga (1921), Münster (1925) y Bonn (1930). Fue uno de los fundadores de la Iglesia CONFESANTE, que se opuso al régimen nazi; cuando su negativa de hacer el juramento de fidelidad a ADOLF HITLER le costó su cátedra en Bonn, volvió a Basilea. En 1948 fue uno de los oradores en la inauguración del Concilio mundial de iglesias y visitó Roma después del concilio VATICANO II.

Barthelme, Donald (7 abr. 1931, Filadelfia, Pa., EE.UU.–23 jul. 1989, Houston, Texas). Escritor estadounidense. Trabajó como periodista, editor de periódicos y director de museos, antes de comenzar a publicar sus creaciones literarias. Se distingue por sus "collages" modernistas marcados por la experimentación técnica y una jovialidad melancólica. Sus libros de relatos incluyen *Vuelve, Dr. Caligari* (1964), *City Life* [Vida urbana] (1970), *Sixty Stories* [Sesenta relatos] (1981) y *Overnight to Many Distant Cities* [Viaje nocturno hacia ciudades distantes] (1983); entre sus novelas cabe mencionar *Snow White* [Blancanieves] (1967), *The Dead Father* [El padre muerto] (1975), *Paraíso* (1986) y *El rey* (1990). Su hermano, Frederick (n. 1943), también es novelista (*Second Marriage* [Segundo matrimonio] 1984) y cuentista (*Moon Deluxe* [Luna de lujo], 1983).

Barthes, Roland (Gérard) (12 nov. 1915, Cherburgo, Francia–25 mar. 1980, París). Semiólogo y crítico literario francés. En sus primeros libros examinó las arbitrariedades de los constructos lingüísticos e hizo un análisis en este mismo sentido de los fenómenos de la cultura popular. En *Mitologías* (1957) abordó el tema de la cultura de masas. En tanto, *Sur Racine* [Sobre Racine] (1963) generó una furiosa polémica que lo enfrentó a los críticos literarios más tradicionales de su país. Entre sus otras contribuciones a la SEMIÓTICA destacan su revolucionario *S/Z* (1970) y *El imperio de los signos* (1970), estudio sobre la cultura japonesa, además de una serie de importantes volúmenes críticos que ayudaron a la difusión, algo tardía, de sus teorías durante la década de 1970 y al posicionamiento del ESTRUCTURALISMO como una de las principales corrientes intelectuales del s. XX. En 1976 se transformó en la primera persona en ocupar la cátedra de semiología literaria en el Collège de France.

Bartholdi, Frédéric-Auguste (2 abr. 1834, Colmar, Alsacia, Francia–4 oct. 1904, París). Escultor francés. Estudió escultura y pintura en París. En 1865, junto con otros artistas, concibió la idea de un monumento para la alianza francoestadounidense de 1778. Al iniciar la obra en 1870, Bartholdi diseñó una enorme estatua que vendría a conocerse como la ESTATUA DE LA LIBERTAD (1875–86). Logró verla construida gracias a los fondos recolectados tanto en Francia como en EE.UU. Aunque no tan famosa como la anterior, su obra maestra es el *León de Belfort* (1871–80), tallado en la arenisca roja de un cerro que domina la ciudad de Belfort, en el este de Francia.

El "León de Belfort", escultura de Frédéric-Auguste Bartholdi, tallada en arenisca, Belfort, Francia.
FOTOBANCO

Bartholomaeus (Anglicus) *o* **Bartolomé el Inglés** (c. 1220–40). Enciclopedista franciscano. Aunque se interesó principalmente en las Sagradas Escrituras y la teología, en su enciclopedia *Liber de proprietatibus rerum* [Sobre las propiedades de las cosas], de 19 volúmenes, cubrió todo el conocimiento existente en su época y fue el primero en exponer los puntos de vista de los estudiosos griegos, judíos y árabes sobre temas científicos y médicos. La enciclopedia se imprimió en una traducción al inglés c. 1495.

Barthou, (Jean-) Louis (25 ago. 1862, Oloron-Sainte-Marie, Francia–9 oct. 1934, Marsella). Político francés. Elegido a la Cámara de Diputados en 1889, participó en varios gobiernos conservadores. Fue nombrado primer ministro (1913) y consiguió la aprobación de una ley que estableció el servicio militar obligatorio de tres años. Representó a Francia en la conferencia de GÉNOVA, ingresó al Senado y se convirtió en presidente de la comisión de reparaciones. Nombrado ministro de asuntos exteriores en 1934, fue asesinado junto al rey ALEJANDRO I de Yugoslavia durante la visita de este último a Francia.

John Bartlett.
GENTILEZA DE LITTLE, BROWN AND CO.

Bartlett, John (14 jun. 1820, Plymouth, Mass., EE.UU.–3 dic. 1905, Cambridge, Mass.). Librero y editor estadounidense. Fue empleado y después dueño de la librería de la Universidad de Harvard. En 1855 publicó su obra más destacada, *Familiar Quotations* [Citas conocidas], basada principalmente en el material recopilado en un cuaderno que tenía a disposición de sus clientes. Este libro ha ido ampliándose considerablemente en sus posteriores ediciones. La 17ª edición se publicó en 2002. También escribió una concordancia exhaustiva de las obras de teatro y poemas de Shakespeare (1894), extraordinaria tanto por la cantidad como por la extensión de las citas.

Bartlett, Sir Frederic C(harles) (20 oct. 1886, Stow-on-the-World, Gloucestershire, Inglaterra–30 sep. 1969, Cambridge, Cambridgeshire). Psicólogo británico, conocido por sus estudios sobre la memoria. Fue el primer profesor de psicología experimental en la Universidad de Cambridge (1931–52), y también dirigió el laboratorio de psicología de esa casa de estudios. Su obra principal, *Remembering: A Study in Experimental and Social Psychology* [El recuerdo: un estudio de psicología experimental y social] (1932), describe los recuerdos no como recolecciones directas, sino como reconstrucciones mentales coloreadas por actitudes culturales y hábitos personales.

Bartók, Béla (25 mar. 1881, Nagyszentmiklós, Hungría, Austria-Hungría–26 sep. 1945, Nueva York, N.Y., EE.UU.). Compositor, pianista y etnomusicólogo húngaro. Desarrolló una excelente técnica pianística a temprana edad. En 1904 comenzó a investigar la música folclórica húngara tras descubrir que el repertorio hasta entonces aceptado generalmente como tal, era de hecho en gran medida música gitana urbana (ver GITANO). Su trabajo en terreno con el compositor ZOLTÁN KODÁLY constituyó la base para toda la investigación posterior en este campo y publicó estudios importantes sobre música folclórica húngara, rumana y eslovaca. Incorporó temas y ritmos folclóricos en su propia música, logrando así un estilo que era al mismo tiempo nacionalista y profundamente personal. Realizó además muchas giras y presentaciones como pianista virtuoso. En 1940 emigró a EE.UU., donde no fue debidamente reconocido. Sus obras incluyen la ópera *El castillo de Barbazul* (1911), seis elogiados cuartetos de cuerda (1908–39), la colección didáctica para piano *Mikrokosmos* (1926–39), *Sonata para dos pianos y percusión* (1937), *Concierto para orquesta* (1943) y tres conciertos para piano (1926, 1931, 1945).

Bartolomé el Inglés ver BARTHOLOMAEUS (ANGLICUS)

Bartolomé, san (c. siglo I DC–según la tradición, Albanópolis, Armenia; festividad en Occidente: 24 de agosto; la fecha varía en las Iglesias orientales). Uno de los doce APÓSTOLES de JESÚS. Sólo es mencionado brevemente en los Evangelios, y su nombre hebreo pudo haber sido Nathanael bar Tolmai (Natán, el hijo de Tolomé). Según la tradición, fue misionero en Etiopía, Mesopotamia, en el reino parto (actual Irán), en Frigia, Licaonia (actual Turquía) y Armenia, y murió martirizado por orden del rey armenio Astiages, que lo hizo desollar y decapitar.

Bartolomeo, Fra *orig.* **Baccio della Porta** (28 mar. 1472, Florencia–31 oct. 1517, Florencia). Pintor italiano activo en Florencia. Sus primeras obras, como la *Anunciación* (1497) en la catedral de Volterra, estuvieron influenciadas por PERUGINO y LEONARDO DA VINCI. En 1500 ingresó a la orden dominica. Pintó temas religiosos, principalmente la Madona y el Niño, en varios ambientes, con figuras monumentales agrupadas en composiciones equilibradas. Fue un destacado exponente del estilo del Alto Renacimiento y el principal pintor de Florencia, rivalizando sólo con ANDREA DEL SARTO.

"La Madona y el Niño", obra de Fra Bartolomeo.
FOTOBANCO

Barton, Clara *orig.* **Clarissa Harlowe** (25 dic. 1821, Oxford, Mass., EE.UU.–12 abr. 1912, Glen Echo, Md.). Enfermera estadounidense, fundadora de la CRUZ ROJA de EE.UU. Hizo estudios en el Instituto Liberal, en Clinton, N.Y. (1850–51), y en 1852 estableció, en Bordentown, N.J., una escuela gratuita, la que pronto llegó a ser tan grande que los vecinos no permitieron que siguiera dirigiéndola una mujer. Luego de renunciar a su puesto, entró a trabajar en la Oficina de patentes de EE.UU., en Washington, D.C. (1854–57, 1860). Durante la guerra de Secesión organizó la distribución de medicamentos y suministros a los soldados heridos en la primera batalla de Bull Run. Obtuvo permiso para cruzar las líneas de fuego con el fin de distribuir suministros, buscar a los desaparecidos y cuidar a los heridos, y se la llegó a conocer como el "ángel del campo de batalla". En 1865, a solicitud del pdte. Abraham Lincoln, instaló una oficina de registros destinada a colaborar en la búsqueda de los soldados desaparecidos. Durante una estadía de descanso en Europa, participó en obras de socorro para las víctimas de la guerra franco-prusiana (1870–71), y se relacionó con la Cruz Roja Internacional. En 1881 fundó la Cruz Roja estadounidense. Presionó al congreso para que firmara la Convención de GINEBRA, la que disponía la atención médica a los enfermos y heridos de guerra, y el trato debido a los prisioneros de guerra. Redactó la enmienda estadounidense a la constitución de la Cruz Roja, que estipula la distribución de la ayuda no sólo en la guerra sino también cuando ocurren catástrofes naturales. Ocupó el cargo de presidenta de la Cruz Roja estadounidense hasta 1904.

Barton, Sir Derek H(arold) R(ichard) (8 sep. 1918, Gravesend, Kent, Inglaterra–16 mar. 1998, College Station, Texas, EE.UU.). Químico británico. Insatisfecho en el negocio de carpintería de su padre, ingresó al Imperial College de Londres y recibió su doctorado en 1942. Sus estudios revelaron que las moléculas orgánicas tienen una forma tridimensional preferida, de la cual se pueden inferir sus propiedades químicas. Con esta investigación obtuvo en 1969 el Premio Nobel de Química, el cual compartió con Odd Hassel de Noruega.

Bartram, John (23 mar. 1699, Marple, Pa., EE.UU.–22 sep. 1777, Kingsessing, Pa.). Naturalista y explorador, considerado el "padre de la botánica estadounidense". Fue sobre todo un autodidacta, y amigo de BENJAMIN FRANKLIN, y botánico de JORGE III en las colonias americanas. Fue el primer estadounidense que experimentó con la hibridación de plantas en flor, y estableció un jardín botánico cerca de Filadelfia que se hizo famoso a nivel internacional. Exploró la región de las Alleghenies y Carolina del Norte y Carolina del Sur. En 1743, la corona británica le encomendó que explorara los territorios vírgenes al norte del lago Ontario en Canadá. En 1765–66 exploró detenidamente Florida con su hijo WILLIAM BARTRAM.

Bartram, William (9 abr. 1739, Kingsessing, Pa., EE.UU.–22 jul. 1823, Kingsessing). Naturalista, botánico y artista estadounidense, hijo de John BARTRAM, describió en su obra *Travels through North and South Carolina, Georgia, East and West Florida* [Viajes por Carolina del Norte y del Sur, Georgia y Florida este y oeste] (1791) las ricas ciénagas del sudeste de EE.UU. en su estado original. El libro influyó en los románticos ingleses y franceses (ver ROMANTICISMO). Bartram también fue conocido por sus ilustraciones de plantas y animales.

Baruch, Bernard (Mannes) (19 ago. 1870, Camden, S.C., EE.UU.–20 jun. 1965, Nueva York, N.Y.). Financista estadounidense y asesor presidencial. Se graduó en el City College de Nueva York en 1889 e ingresó a trabajar en las oficinas de corredores de Wall Street, donde amasó una fortuna con la especulación. Durante la primera guerra mundial, el pdte. WOODROW WILSON lo nombró la máxima autoridad de la Junta de Industrias Bélicas. En 1919 integró el Consejo económico supremo en la conferencia de paz de París, realizada en Versalles, y fue uno de los asesores de Wilson en cuanto a las condiciones de la paz. Durante la segunda guerra mundial se desempeñó como asesor no oficial del pdte. FRANKLIN D. ROOSEVELT en materia de reactivación económica. Más adelante ayudó a fijar la política de la ONU relativa al control internacional de la energía atómica.

Barye, Antoine-Louis (24 sep. 1796, París, Francia–29 jun. 1875, París). Escultor francés. Hijo de un orfebre, a los 13 años de edad fue aprendiz de un grabador. Estudió en la École des Beaux-Arts (1818–23) y comenzó a esculpir formas animales c. 1819. Influenciado por THÉODORE GÉRICAULT, poseía un talento único para representar la tensión dinámica y el detalle anatómico exacto. Sus obras más famosas representan animales salvajes devorando sus presas. Representó, asimismo, grupos de animales domésticos. Entre sus notables bronces figuran el *Tigre devorando a un gavial* (1831) y una estatua ecuestre de Napoleón, en Ajaccio, Córcega (1860–65).

Baryshnikov, Mijaíl (Nikoláievich) (n. 28 ene. 1948, Riga, Letonia, U.R.S.S.). Bailarín estadounidense de origen letón. Después de ingresar en 1963 a la escuela del Ballet Kírov de Leningrado, en 1966 se incorporó a la compañía como solista. Se hizo rápidamente famoso ante el público soviético e interpretó papeles principales creados para él en ballets como *Gorianka* (1968) y *Vestris* (1969). En 1974, cuando se encontraba de gira en Canadá, desertó de la compañía y se exilió en EE.UU. Bailó con el AMERICAN BALLET THEATRE hasta 1978, donde fue muy aclamado, y trabajó como director artístico de 1980 a 1989. Bailó y actuó en varias películas y televisión.

Mijaíl Baryshnikov y Gelsey Kirkland en *Cascanueces*.
FOTOBANCO

barzaj, al- (árabe: "obstáculo" o "barrera"). Término que aparece en el CORÁN en tres ocasiones distintas y que ha sido interpretado de varias maneras por los comentaristas musulmanes. En una sura (capítulo), se refiere a la barrera que impide a los muertos volver a la Tierra para hacer el bien que no alcanzaron a completar en vida. Se ha interpretado como una barrera física entre el cielo y el infierno, y como una prohibición moral de Dios. El término se usa en otra parte del Corán para describir una barrera entre dos mares, uno más salado que el otro, cuyas aguas se encuentran pero no se mezclan. En el SUFISMO, *barzaj* es entendido como la barrera entre el mundo material y el mundo de Dios y de los ángeles.

basalto ROCA ÍGNEA oscura de bajo contenido de sílice y comparativamente rica en hierro y magnesio. Algunos basaltos son vidriosos (sin cristales visibles) y muchos son compactos y de grano muy fino. Las lavas basálticas pueden ser esponjosas o parecidas a la piedra pómez. El olivino y la augita son los minerales más comunes encontrados en basaltos; la PLAGIOCLASA también está presente. Los basaltos pueden clasificarse en dos grupos principales. Los basaltos calcoalcalinos predominan entre las lavas de cinturones montañosos; los volcanes activos de Mauna Loa y Kilauea, en Hawai, eyectan lavas calcoalcalinas. Los basaltos alcalinos predominan entre las lavas de las cuencas oceánicas y son también comunes en los cinturones montañosos.

Basalto, variedad más común de roca volcánica.
FOTOBANCO

base En química, cualquier sustancia que en solución acuosa es resbaladiza al tacto, de sabor amargo, que cambia el color de los indicadores ácido-base (p. ej., papel TORNASOL), reacciona con los ÁCIDOS para formar SALES y promueve ciertas reacciones químicas (p. ej., CATÁLISIS básica). Ejemplos de bases son los HIDRÓXIDOS de los METALES ALCALINOS y metales alcalinotérreos (SODIO, CALCIO, etc.; ver SODA CÁUSTICA) y las soluciones acuosas de AMONÍACO o sus derivados (AMINAS). Tales sustancias producen IONES hidróxido (OH⁻) en soluciones acuosas. Las definiciones más amplias de bases cubren situaciones en las cuales el agua no interviene. Ver también teoría ÁCIDO-BASE; ÁLCALI; NUCLEÓFILO.

base de datos Conjunto de datos o información organizados para una búsqueda y recuperación rápida, especialmente por una computadora. Las bases de datos están estructuradas para facilitar el almacenamiento, la recuperación, la modificación y la eliminación de datos en conjunto con algunas operaciones de PROCESAMIENTO DE DATOS. Una base de datos consiste en un archivo o conjunto de archivos que se pueden separar en registros, cada uno de los cuales consta de uno o más campos. Los campos son las unidades básicas del almacenamiento de datos. Los usuarios recuperan información de la base de datos, sobre todo a través de consultas. Mediante palabras clave y comandos de clasificación, los usuarios pueden buscar, reordenar, agrupar y seleccionar en forma rápida el campo de varios registros para recuperar o crear informes de un conjunto de datos determinado, de acuerdo con las reglas usadas por el DBMS.

base de datos relacional BASE DE DATOS en la cual todos los datos se representan en forma tabular. La descripción de una entidad determinada está dada por el conjunto de valores de sus atributos, almacenados como una fila o registro en la tabla, llamada tupla. Los elementos similares de registros diferentes aparecen en una columna de la tabla. El criterio relacional responde a consultas que involucran varias tablas al proveer enlaces automáticos entre ellas. Los datos de una planilla de pagos, por ejemplo, pueden almacenarse en una tabla y los beneficios del personal en otra; la información completa de un empleado se puede obtener uniendo las tablas con un número de identificación de empleado. En modelos de datos relacionales más poderosos, las entradas pueden ser programas, texto, datos no estructurados en la forma de objetos grandes en binario (BLOB, del inglés *Binary Large Objects*), o en cualquier otro formato que el usuario requiera. El criterio relacional es actualmente el modelo más popular para el DBMS. Ver también PROGRAMACIÓN ORIENTADA A OBJETOS.

basenji Antigua raza de PERRO DE CAZA, nativa de África central, donde se usa para señalar, recobrar y dirigir las presas hacia la red. Conocido como un perro que no ladra, produce una variedad de sonidos en vez de ladridos. Su frente finamente arrugada, orejas erectas y cola estrechamente curvada le confieren su característica expresión de alerta. Tiene un pelaje corto, sedoso, de color pardo rojizo, negro o negro bronceado y pies, pecho y punta de la cola blancos. Tiene una alzada de 41–43 cm (16–17 pulg.) y pesa 10–11 kg (22–24 lb). Es limpio y amable.

Ejemplar de raza basenji.
© R.T. WILLBIE/ANIMAL PHOTOGRAPHY

BASF AG Empresa alemana productora de plásticos y productos químicos. Fundada en 1865, BASF (sigla en alemán que significa "Fábrica de anilinas y soda de Baden") fue parte del cartel químico IG FARBEN desde 1925 hasta 1945, año en el que dicho cartel fue disuelto por los aliados. Refundado en 1952, BASF expandió sus operaciones internacionalmente, para convertirse en una de las compañías químicas más grandes del mundo. Produce petróleo y gas natural, fertilizantes, fibras sintéticas, tinturas y pigmentos, tintas y accesorios de impresión. En 2001, esta empresa vendió su compañía farmacéutica Knoll con el fin de concentrarse en el negocio químico. Sus oficinas centrales se encuentran en Ludwigshafen am Rhein, Alemania.

Bashan Antigua región del este de PALESTINA. Citada con frecuencia en el Antiguo Testamento y más tarde en la República e Imperio de ROMA, se situaba en lo que hoy es Siria. En los tiempos del Nuevo Testamento, a Bashan se le consideraba uno de los grandes graneros de Roma. Uno de sus poblados, BOSTRA (Buṣra al-Shām), tuvo importancia tanto para Nabatea como para Roma. AUGUSTO nombró a HERODES soberano de Bashan y en 106 DC TRAJANO incorporó la totalidad del reino nabateo al imperio al crear la provincia de Arabia, con Bostra como su capital. El país comenzó a decaer en el s. VII.

Bashō *o* **Matsuo Bashō** *orig.* **Matsuo Munefusa** (1644, Ueno, provincia de Iga, Japón–28 nov. 1694, Ōsaka).

Poeta japonés, el máximo exponente de la forma poética del HAIKU. A la luz de la filosofía zen, que estudió con gran dedicación, trató de condensar el significado del mundo dentro de la estructura sencilla de sus poemas, expresar el poder de revelación espiritual que esconde hasta los objetos más comunes y mostrar la estrecha interdependencia que guardan entre sí todos los elementos de la realidad. Su *Senda hacia tierras hondas* (también traducida con el título *Sendas de Oku*, 1694), un diario de viajes escrito en prosa poética, es una de las obras más hermosas de la literatura japonesa.

Bashō, maestro del haiku, departiendo con dos campesinos en uno de sus viajes que inspiraron su poesía.
FOTOBANCO

BASIC LENGUAJE DE PROGRAMACIÓN de computadoras creado por JOHN G. KEMENY y Thomas E. Kurtz (n. 1928) en el Dartmouth College, a mediados de la década de 1960. Es uno de los lenguajes de alto nivel más simples, con comandos similares al inglés, que puede ser aprendido con relativa facilidad, incluso por niños en edad escolar y programadores novatos. Desde c. 1980, BASIC ha sido un lenguaje popular para uso en COMPUTADORAS PERSONALES.

basidiomicete Cualquiera de una gran y diversa clase de HONGOS (división Mycota), que comprende hongos gelatinosos y consistentes (pie central con una cabeza); SETAS, BEJÍN, y

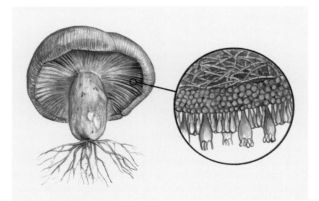

Senderuela (*Marasmius oreades*), basidiomicete, y sus órganos esporíferos.
© ENCYCLOPÆDIA BRITANNICA, INC.

hongos pestilentes; roya y TIZÓN. El órgano claviforme que contiene las ESPORAS (basidio) se sustenta en un órgano esporífero habitualmente grande y conspicuo. Los basidiomicetes incluyen hongos cuyos órganos esporíferos ahuecados parecen nidos que contienen huevos de pájaros. Las 15 especies del orden Exobasidiales son parásitas en plantas superiores, particularmente AZALEAS y RODODENDROS. Los hongos gelatinosos se denominan así porque sus órganos esporíferos llenos de colorido tienen esa consistencia.

Basie, Count *orig.* **William Allen Basie** (21 ago. 1904, Red Bank, N.J., EE.UU.– 26 abr. 1984, Hollywood, Fla.). Pianista y director de bandas de jazz estadounidense. Basie recibió la influencia de JAMES P. JOHNSON y FATS WALLER, pianistas de Harlem. En 1936 formó su propia banda en Kansas City, la que llegó a ser reconocida como la exponente más refinada del SWING. Su sección rítmica alcanzó notoriedad por su ligereza, precisión y sosiego al tocar; sobre esta base, las secciones de instrumentos de viento desarrollaron un vocabulario

Count Basie, 1969.
RON JOY—GLOBE PHOTOS

de *riffs* y motivos. Sus grabaciones exitosas incluyeron "One O'Clock Jump" y "Jumpin' at the Woodside". Con el tiempo el estilo pianístico de Basie se volvió austero y medido. Entre sus solistas destacaron el cantante JIMMY RUSHING, los trompetistas Buck Clayton y Harry ("Sweets") Edison, y el saxofonista LESTER YOUNG. En la década de 1950, Basie reorganizó la banda con énfasis en el trabajo de conjunto y desarrolló un estilo más poderoso a partir de los *riffs* y el ritmo alegre de la agrupación anterior. La banda retomó su popularidad por grabaciones realizadas con el vocalista JOE WILLIAMS.

Basilea *alemán* **Basel** *francés* **Bâle** Ciudad (pob., 2000: ciudad, 166.558 hab.; área metrop., 402.387 hab.) del noroeste de Suiza. Se extiende a ambas orillas del río Rin en el punto donde limitan Francia, Alemania y Suiza. Fue originalmente un asentamiento de la tribu celta de los raurici. Su universidad, la primera del país, fue fundada por el papa Pío II mientras asistía al concilio de BASILEA (1431–49). En 1501, Basilea pasó a formar parte de la Confederación suiza. Cuando ERASMO DE ROTTERDAM impartió clases en la universidad (1521–29), la ciudad se transformó en centro del pensamiento humanista y de la REFORMA. Principalmente de habla alemana y de religión protestante, constituye una importante ciudad mercantil, industrial y puerto fluvial.

Basilea, concilio de (1431–49). Concilio de la Iglesia católica llevado a cabo en Basilea, Suiza. Trató el tema de la autoridad máxima en la Iglesia y el problema de la herejía HUSITA. Sus miembros renovaron el decreto *Sacrosancta* (emitido por el concilio de CONSTANZA), que declaró que la autoridad del concilio era mayor que la del pontífice, y resolvieron recibir a la mayoría de los husitas de regreso en la Iglesia según términos rechazados por el papa. En 1437, el papa Eugenio IV trasladó el concilio a Ferrara para negociar en forma más efectiva la reunificación con la Iglesia ortodoxa, pero varios miembros permanecieron en Basilea como concilio paralelo y declararon depuesto a Eugenio. Eligieron luego un nuevo pontífice, Félix V, y el renovado cisma hizo que el concilio perdiera su prestigio y apoyo popular. A la muerte de Eugenio, su sucesor, NICOLÁS V, obligó al antipapa Félix a abdicar, puso término al concilio paralelo y terminó con el CONCILIARISMO.

basílica Originalmente un edificio público laico de la antigua Roma, por lo general una estructura rectangular con un amplio recinto central abierto y una plataforma elevada en uno o ambos extremos. En un tipo de basílica, el recinto central o NAVE estaba flanqueado por pasillos laterales separados por COLUMNATAS, y la plataforma elevada se encontraba encerrada en un ÁBSIDE. Los primeros cristianos adoptaron este tipo para sus iglesias. En la típica basílica cristiana primitiva, las columnas que separaban la nave central de los pasillos laterales más bajos llevaban arcos o CORNISAMENTOS, sobre los cuales se levantaban los muros del TRIFORIO que soportaban el techo. La larga nave era atravesada justo antes del ábside por un TRANSEPTO más corto, creando la planta cruciforme que constituye la forma usual de la iglesia hasta el presente. Se usa el término "basílica" también como título honorífico otorgado a una iglesia católica romana o griega ortodoxa, que se distingue por su antigüedad o se destaca como un centro internacional de culto. Ver también CATEDRAL.

Fachada de la basílica de San Pedro en Roma, Ciudad del Vaticano.
ARCHIVO EDIT. SANTIAGO

Basilicata Región autónoma (pob., est. 2001: 595.727 hab.) del sur de Italia. Su capital es POTENZA y se compone a grandes rasgos de una zona montañosa, al oeste, y una zona de colinas bajas y extensos valles, al este. Conocida en la antigüedad como Lucania, la región estuvo bajo el dominio de la Liga LOMBARDA, a principios de la Edad Media. Hasta la caída de la dinastía suaba de los HOHENSTAUFEN (1254), tuvo un papel importante en los sucesos y actividades del sur de Italia; más tarde, estuvo a merced de las variables vicisitudes del reino de NÁPOLES hasta que se unió al reino de Italia, en 1861. La región sufrió graves daños durante el catastrófico terremoto de 1980. La agricultura es un pilar económico en esta región.

Basílides (c. siglo II DC, Alejandría). Fundador de la escuela basilidiana del GNOSTICISMO. Según CLEMENTE DE ALEJANDRÍA, Basílides afirmó haber basado sus enseñanzas en una tradición secreta de san PEDRO. Escribió salmos, odas, comentarios sobre los Evangelios y su propio evangelio. Fragmentos de estos escritos y diferentes versiones en relatos de san Clemente y san IRENEO, entre otros, sugieren que su sistema de creencias incluía elementos tomados del neoplatonismo así como del Nuevo Testamento. La escuela basilidiana subsistió en Egipto hasta el s. IV.

Basilio I *llamado* **Basilio el Macedonio** (826/835, Tracia–29 ago. 886). Emperador bizantino (867–86) y fundador de la dinastía macedonia. Nacido en el seno de una familia campesina de Macedonia, obtuvo empleo en círculos oficiales en Constantinopla y fue nombrado chambelán por el emperador reinante, Miguel III. Se convirtió en coemperador en 866 y asesinó a Miguel al año siguiente. Obtuvo victorias frente a las fuerzas musulmanas a lo largo de las fronteras orientales de Asia Menor e impuso su dominio sobre los eslavos en los Balcanes. Logró avances significativos en el sur de Italia, pero perdió Siracusa (878) y otras ciudades claves de Sicilia a manos de los musulmanes. Formuló además el código legal griego llamado Basílica. Al final de su vida, mostró signos de locura.

Basilio I *ruso* **Vasili Dimítrievich** (1371–feb. 1425, Moscú). Gran príncipe de Moscú (1389–1425). Después de ayudar al kan tártaro Tokhtamish a luchar contra TAMERLÁN, sucedió a su padre como gran príncipe de Moscú y Vladímir. Expandió su reino incorporando Nizhni Nóvgorod y Murom en la región central del Volga, pero sus intentos de expandirse hacia el oeste lo hicieron entrar en conflicto con Lituania y Nóvgorod. Se aprestó a luchar contra Tamerlán en 1395, pero el jefe mongol se retiró de Rusia sin presentar batalla. Basilio conservó la independencia de su estado hasta que los tártaros reimpusieron su dominio en 1408.

Basilio II *llamado* **Basilio Bulgaróctono ("Exterminador de búlgaros")** (957/958–15 dic. 1025). Emperador bizantino (976–1025). Coronado coemperador junto a su hermano en 960, tuvo que exiliar al gran chambelán (985) y derrotar a generales rivales (989) con el fin de obtener la autoridad necesaria para gobernar. Se convirtió en uno de los más poderosos emperadores bizantinos, conquistando territorio en los Balcanes, Mesopotamia, Armenia y Georgia. Fue célebre por su victoria (1014) en la guerra con Bulgaria, la que finalizó cegando a todos los soldados del derrotado ejército búlgaro. Fortaleció su autoridad interna atacando los intereses terratenientes de la aristocracia militar y de la Iglesia. Debido a que no dejó a un sucesor capaz, los logros de su gobierno pronto se perdieron.

Basilio II *ruso* **Vasili Varílievich** *llamado* **Basilio el Ciego** (1415–27 mar. 1462, Moscú). Gran príncipe de Moscú (1425–62). A la edad de diez años fue designado para suceder a su padre, BASILIO I, pero por muchos años su tío y sus primos lucharon para arrebatarle el trono. A pesar de haber sido cegado por su primo Dimitri Shemiaka, recobró el poder en 1447 y gobernó Moscovia por otros 15 años. Reprimió disensiones internas hacia 1452 y expandió el territorio de su país absorbiendo principados vecinos. Durante su reinado, la Iglesia rusa aseguró su independencia del patriarca de Constantinopla. Firmó un tratado con Lituania (1449), pero combatió contra las hordas tártaras en las fronteras del sur y del este.

Basilio el Grande, san o **san Basilio Magno** (329 DC, Cesarea Mazaca, Capadocia–1 ene. 379, Cesarea; festividad en Occidente: 2 de enero; en Oriente: 1 de enero). Padre de la Iglesia. Nacido en el seno de una familia cristiana de Capadocia, estudió en Cesarea, en Constantinopla y en Atenas; más tarde estableció un asentamiento monástico en su propiedad familiar de Annesi. Adversario del ARRIANISMO, que apoyaban el emperador VALENTE y su propio obispo Dianius, organizó la resistencia contra los arrianos desde 365. Sucedió a EUSEBIO como obispo de Cesarea en 370. Falleció poco después que el emperador Valente, cuya muerte en batalla abrió la senda para la victoria de la causa de Basilio. Se conservan más de 300 cartas suyas; varias de sus *Epístolas canónicas* se han vuelto parte del derecho canónico en la ORTODOXIA ORIENTAL.

San Basilio el Grande, detalle de un mosaico, s. XII; Capilla palatina, Palermo, Italia.
ALINARI—ART RESOURCE

Baskerville, John (28 ene. 1706, Wolverly, Worcestershire, Inglaterra–8 ene. 1775, Birmingham, Warwickshire). Tipógrafo británico. En 1757 estableció una imprenta y publicó su primera obra: una edición de VIRGILIO. Sus ediciones de los clásicos latinos, los poemas de JOHN MILTON (1758) y una Biblia (1763) se caracterizan por un trabajo de imprenta claro y cuidadoso, que supera lo ornamental. Sus trabajos se consideran entre los ejemplos más notables del arte de la impresión. Se desempeñó como impresor para la Universidad de Cambridge (1758–68) y creó la tipografía Baskerville, ampliamente usada aún por su claridad y equilibrio.

John Baskerville, detalle de un retrato de James Millar, 1774; National Portrait Gallery, Londres.
GENTILEZA DE LA NATIONAL PORTRAIT GALLERY, LONDRES.

Baskin, Leonard (15 ago. 1922, New Brunswick, N.J., EE.UU.–3 jun. 2000, Northampton, Mass.). Escultor y artista gráfico estadounidense. Luego de estudiar en Europa y EE.UU., en 1939 realizó su primera exposición individual en la ciudad de Nueva York. Posteriormente enseñó durante muchos años en el Smith College. Es conocido por sus sombrías representaciones de la figura humana. Sus esculturas en bronce, piedra caliza y madera están dominadas por temas como la muerte, la vulnerabilidad y el deterioro espiritual. En sus xilografías desarrolló un estilo lineal distintivo, que representa figuras que se asemejan a las que aparecen en los diagramas anatómicos. Baskin fue reconocido particularmente por sus monumentos, como el monumento al Holocausto (dedicado en 1994) en Ann Arbor, Mich., EE.UU.

Basora *o* **Al-Baṣrah** Puerto y ciudad (pob., 1987: 406.296 hab.) del sudeste de Irak. Se ubica en la ribera occidental del SHATT AL-ARAB, a unos 120 km (75 mi) del golfo PÉRSICO. Fue fundada en 638 DC y adquirió fama bajo la dinastía ABASÍ; en *Las MIL Y UNA NOCHES* fue la ciudad desde la cual se embarcó Simbad el Marino. Durante los s. XVII–XVIII se transformó en un centro comercial. Durante la primera guerra mundial (1914–18) fue ocupada por los británicos, período en que se realizaron grandes mejoras, tanto en la ciudad como en el puerto, por lo que creció en importancia. Después de la segunda guerra mundial (1939–45), el crecimiento de la industria petrolera iraquí transformó a Basora en uno de los principales centros de refinación del producto. Sufrió extensos daños durante la guerra de IRÁN-IRAK (1980–90) y la primera guerra del GOLFO PÉRSICO (1990–91).

básquetbol ver BALONCESTO

bass En zoología, cualquiera de numerosas especies de peces, muchas apreciadas como alimento o pesca deportiva. La mayoría pertenece a tres familias (todas del orden Perciformes): 400 especies de SERRÁNIDO y MERO; la familia Moronidae, que contiene alrededor de 12 especies, como el bass listado y el europeo, incluidos la PERCA SOL, incluidos la PERCA NEGRA y el bass bocudo, muy apreciados por los pescadores. Muchas otras especies también se conocen como bass, entre ellas el bass de los canales (BURRIQUETA) y el bass calico (ROBOLETA).

Bass, estrecho de Estrecho que separa Australia continental de TASMANIA. Mide 240 km (150 mi) en su punto más ancho y tiene 298 km (185 mi) de largo. Se le dio el nombre en 1798 en honor al cirujano y explorador británico George Bass. La explotación de sus recursos petroleros submarinos comenzó en la década de 1960.

Bassano, Jacopo *orig.* **Jacopo da Ponte** (c. 1517, Bassano, República de Venecia–13 feb. 1592, Bassano). Pintor italiano. Fue el miembro más célebre de una familia de artistas del pequeño pueblo de Bassano, cerca de Venecia, donde trabajó casi toda su vida. Estudió con Bonifacio de' Pitati en Venecia y fue influenciado por otros pintores venecianos. Se hizo conocido por sus obras de estilo renacentista tardío, que representaban temas bíblicos, frondosos paisajes y escenas rústicas. Cuatro pintores continuaron la tradición del taller de los Bassano: Sus hijos Francesco (n. 1549–m. 1592) y Leandro (n. 1557–m. 1622), además de Giovanni Battista (n. 1533–m. 1613) y Gerolamo (n. 1566–m. 1621). Muchas de las obras del taller eran realizadas colectivamente.

basset Raza canina centenaria desarrollada en Francia y mantenida principalmente en Francia y Bélgica como un perro de caza para la aristocracia. Usada en sus orígenes para rastrear liebres, conejos y ciervos, también se utiliza para cazar pájaros, zorros y otros animales de presa. Es un cazador lento y pausado, de voz ronca y olfato agudo sólo superado por el SABUESO. De patas cortas y huesudo, el basset tiene orejas largas y caídas, pelaje corto con una combinación de colores negro, canela y blanco. Tiene una alzada de 30–38 cm (12–15 pulg.) y pesa 18–27 kg (40–60 lb).

Ejemplar de basset, raza canina centenaria.
© SALLY ANNE THOMPSON/ANIMAL PHOTOGRAPHY

Basseterre Puerto marítimo (pob., est. 1994: 12.605 hab.) de la isla de Saint Kitts. Ciudad principal de Saint Kitts y capital del Estado federado de SAINT KITTS Y NEVIS, se ubica en la costa sudoccidental, al oeste de St. John's, Antigua. Fundada en 1627, sirve de depósito de distribución de mercancías a las islas vecinas.

Basse-Terre, isla Isla (pob., est. 1999: 172.693 hab.) y puerto marítimo (pob., est. 1999: 12.410 hab.) en GUADALUPE, en Antillas. Corresponde a la parte occidental del departamento francés de Guadalupe (cuya porción oriental es Grande-Terre). Ubicada al norte de Dominica, tiene 56 km (35 mi) aprox. de longitud. Su superficie extremadamente escarpada culmina en la cumbre volcánica del monte Soufrière, de 1.467 m (4.813 pies). La ciudad de Basse-Terre (fundada en 1643; pob., est. 1999: área metrop., 54.076 hab.), ubicada en la costa sudoccidental, es la capital de Guadalupe.

Bassi, Agostino (25 sep. 1773, cerca de Lodi, Lombardía, territorio de la corona de los Habsburgo–8 feb. 1856, Lodi). Bacteriólogo italiano. Estudió en la Universidad de Pavía. En 1807 inició una investigación sobre la muscardina, una enfermedad del gusano de seda, que causaba graves pérdidas económicas a Italia y Francia. Después de 25 años de investigación, demostró que la enfermedad era contagiosa, y era causada por un hongo parásito microscópico que se diseminaba entre los gusanos de seda por contacto y alimentos contaminados. Anunció sus descubrimientos en 1835 y teorizó que muchas enfermedades de plantas, animales y seres humanos eran causadas por parásitos animales o vegetales, precediendo así a LOUIS PASTEUR y a ROBERT KOCH en la formulación de la teoría de los gérmenes como causas de enfermedades.

Bastet *o* **Bast** *o* **Ubasti** En la religión EGIPCIA, diosa adorada primero como leona y más tarde como gata. Su naturaleza cambió c. 1500 AC tras la domesticación del gato. Se le rendía culto en Bubastis, en el delta del Nilo, y en Menfis. En ambos lugares, durante el período tardío y el período tolemaico, se crearon grandes cementerios para gatos momificados, y miles de estatuillas de bronce de la diosa fueron depositadas en ellos como ofrendas votivas. Bastet era representada como una leona o una mujer con cabeza de gato y sosteniendo por lo general una bolsa, un peto de armadura y un sistro (cascabel de metal). Los romanos llevaron su culto a Italia.

Bastilla Fortaleza medieval en París que se convirtió en símbolo de despotismo. En los s. XVII–XVIII, la Bastilla fue usada como prisión estatal y lugar de detención de importantes personajes. El 14 de julio de 1789, al comienzo de la REVOLUCIÓN FRANCESA, una turba armada de parisinos capturó la fortaleza y liberó a sus prisioneros, dramática acción que se convirtió en símbolo del fin del ANTIGUO RÉGIMEN. Luego fue demolida por el gobierno revolucionario. El día de la Bastilla (14 de julio) es el día nacional de Francia desde 1880.

Estatuilla de Bastet, diosa representada con cabeza de gata; se le rendía culto en Bubastis, XXII–XXV dinastías; Museo Británico.
REPRODUCCIÓN GENTILEZA DEL MUSEO BRITÁNICO

basuto ver SOTHO

Basutolandia ver LESOTHO

B.A.T Industries PLC (1976-98) ver BRITISH AMERICAN TOBACCO PLC

Bataan, marcha de la muerte de (abr. 1942). Marcha forzada de 70.000 prisioneros de guerra estadounidenses y filipinos (segunda guerra mundial) capturados por los japoneses en las Filipinas. Famélicos y maltratados debieron recorrer 101 km (63 mi) a marchas forzadas desde el extremo sur de la península de Bataan hasta un campamento de prisioneros. Sólo 54.000 de ellos llegaron al campamento; más de 10.000 fallecieron en el camino y otros huyeron en la jungla. En 1946, una comisión militar estadounidense condenó al comandante japonés de la marcha y fue ejecutado.

Bataille, Georges (10 sep. 1897, Billom, Francia–9 jul. 1962, París). Escritor y bibliotecario francés. Se formó como archivista y trabajó en la Bibliothèque Nationale y en la Biblioteca de Orleans. Escribió varias novelas firmadas con seudónimo antes de publicar *El culpable* (1944) con su verdadero nombre. Sus novelas, ensayos y poemas muestran una fascinación por el erotismo, el misticismo, la violencia y un ideal de exceso y derroche. En 1946 fundó la influyente revista literaria *Critique*, la que dirigió hasta su muerte.

batak Miembro de cualquiera de los varios grupos étnicos estrechamente relacionados de Sumatra central, Indonesia. Son descendientes de un poderoso pueblo protomalayo que vivió hasta 1825 en relativo aislamiento en las montañas que rodean el lago Toba en Sumatra. Tienen su propio lenguaje escrito. Su religión tradicional considera que los ancestros, las plantas, los animales y los objetos inanimados poseen almas o espíritus. En la actualidad, cerca de un tercio de los 3,1 millones de bataks adhieren a las creencias tradicionales, mientras que el resto profesa el cristianismo o el islamismo.

batallón Organización táctica militar conformada por un cuartel general y dos o más compañías, baterías, o unidades similares, a menudo comandada por un oficial superior, como

un teniente coronel. El término ha sido usado por siglos en casi todos los ejércitos occidentales y ha tenido diversos significados. En los s. XVI–XVII identificaba una unidad de infantería usada en la línea de batalla y era aplicada libremente a cualquier cuerpo importante de hombres. Durante las guerras napoleónicas, los batallones eran las unidades de combate del ejército francés colocadas bajo la unidad administrativa del REGIMIENTO. En los ejércitos de los países de la comunidad británica (Commonwealth), los batallones son unidades tácticas de los regimientos. El batallón típico del ejército de EE.UU. es una unidad de 800 a 900 soldados, divididos en una compañía de cuartel general y tres compañías de fusileros; entre dos y cinco batallones conforman los elementos de combate de una BRIGADA táctica. Ver también UNIDAD MILITAR.

batata *o* **boniato** *o* **camote** Planta comestible (*Ipomoea batatas*; familia Convolvulaceae) originaria de América que se cultiva extensamente en climas tropicales y templados cálidos. La batata no tiene parentesco botánico con la PATATA blanca originaria de los Andes, ni con el ÑAME, y son tubérculos oblongos o de óvalo aguzado. El color de la cáscara varía de un anteado a marrón o rojo púrpura; la pulpa puede ser blanca (la más rica en almidón), anaranjada (también rica en CAROTENO) o púrpura. Los tallos largos y rastreros dan flores infundibuliformes con tonos rosado o violeta rosáceo. Las batatas se suelen hornear como puré y se usan para rellenar tartaletas.

Batata o boniato (*Ipomoea batatas*).
© ENCYCLOPÆDIA BRITANNICA, INC.

Bátava, República República de los Países Bajos después de que el país fue conquistado por Francia en 1795. Su gobierno, establecido en 1798, estuvo ligado a Francia por alianza. En 1805, NAPOLEÓN I le dio el nombre de Comunidad Bátava y puso el poder ejecutivo en manos de un dictador. En 1806 fue reemplazada por el reino de Holanda con LUIS BONAPARTE en el trono. Fue incorporado al imperio francés en 1810.

Bateman, Hester *orig.* **Hester Needham** (1709, Londres, Inglaterra–1794, Londres). Platera británica. En 1760, luego de la muerte de su esposo, John Bateman, se hizo cargo del negocio de la familia. Hasta 1774 realizaba generalmente diseños por encargo de otros plateros. Después de un tiempo, su tienda se hizo conocida por su vajilla, como cucharas, azucareros, saleros y teteras. Los diseños de Bateman eran sobrios y elegantes, y se caracterizaban por sus rebordes de cuentas. Además de la platería doméstica, produjo grandes piezas de adorno.

batería Cualquiera de una clase de dispositivos, que consiste en un grupo de pilas ELECTROQUÍMICAS, que convierten la ENERGÍA química en energía eléctrica; el término es también aplicado generalmente a una sola pila de esta clase. Una pila húmeda (p. ej., una batería de automóvil) contiene ELECTRÓLITO líquido libre; en una pila seca (p. ej., una batería de linterna), el electrólito se mantiene en un material absorbente. Los productos químicos están dispuestos de manera que los ELECTRONES liberados desde el electrodo negativo de la batería fluyan (ver CORRIENTE ELÉCTRICA) a través de un CIRCUITO fuera de la batería (en el dispositivo energizado por ella) hacia el electrodo positivo de la misma. El voltaje de la batería depende de los productos químicos utilizados y del número de pilas (en serie); la corriente depende de la resistencia en todo el circuito (que incluye la batería y, por lo tanto, del tamaño del

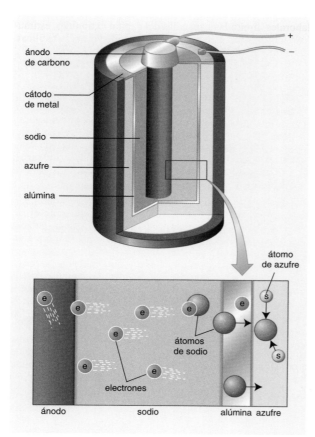

ánodo de carbono

cátodo de metal

sodio

azufre

alúmina

+
–

átomo de azufre

átomos de sodio

electrones

ánodo   sodio   alúmina azufre

La batería de sulfuro de sodio (NaS), que todavía está en desarrollo, ha sido usada en algunos autos eléctricos. Durante la descarga, el sodio reacciona con el electrólito alúmina de cerámica y pierde electrones, los cuales salen del ánodo al circuito que está alimentando la batería. El sodio iónico se combina, entonces, con el sulfuro, el cual ha adquirido electrones del cátodo. La reacción es reversible, de modo que la batería se pueda recargar. La ventaja de esta batería, en comparación con otras recargables (p. ej., baterías de plomo-ácido, níquel-cadmio o hidruro de níquel), es que produce la misma cantidad de energía con una batería más pequeña y liviana. Sin embargo, como las sustancias químicas deben calentarse hasta derretirse y el sodio puro es muy reactivo, una falla en la envoltura de la batería o en el electrólito de cerámica es potencialmente peligrosa.

© 2006 MERRIAM-WEBSTER INC.

electrodo). Múltiples baterías se pueden conectar en serie (el electrodo positivo con el electrodo negativo de la siguiente), lo cual aumenta el voltaje total, o en paralelo (positivo con positivo y negativo con negativo), lo que incrementa la corriente total. Las baterías que no son recargables comprenden pilas secas estándares utilizadas en linternas y ciertas pilas húmedas para uso marítimo, minero, vial y militar. Las baterías de automóviles, muchos tipos de pilas secas utilizadas en aparatos inalámbricos y las baterías para ciertos usos militares y aeroespaciales pueden ser recargadas repetidamente.

Bateson, Gregory (9 may. 1904, Grantchester, Inglaterra–4 jul. 1980, San Francisco, Cal., EE.UU.). Antropólogo estadounidense de origen inglés. Hijo del biólogo británico William Bateson, estudió antropología en la Universidad de Cambridge, pero poco después se trasladó a EE.UU. Su libro más importante, *Naven, un ceremonial Iatmul* (1936), fue un estudio pionero del simbolismo y de los rituales culturales, basado en el trabajo de campo, en Nueva Guinea. Desde 1936 hasta 1950 estuvo casado con MARGARET MEAD, con quien estudió la conexión entre cultura y personalidad, trabajo que publicó en *Balinese Character* en 1942. Amplió su campo de estudio al incluir los problemas de aprendizaje y comunicación entre esquizofrénicos. Su último libro, *Espíritu y naturaleza* (1978), sintetizó muchas de sus ideas.

Bateson, William (8 ago. 1861, Whitby, Yorkshire, Inglaterra–8 feb 1926, Londres). Biólogo británico. En 1900, mientras estudiaba la herencia de los caracteres, fue atraído por las investigaciones de GREGOR MENDEL, que explicaban perfectamente los resultados de sus propios experimentos en plantas. Fue el primer traductor de la obra principal de Mendel al inglés. Junto con REGINALD CRUNDALL PUNNETT publicó el resultado de una serie de experimentos de cruzamiento que no sólo extendieron los principios de Mendel a los animales, sino también mostraron, al contrario de Mendel, que ciertos caracteres se heredaban consistentemente juntos, un fenómeno que pasó a denominarse enlace (ver GRUPO DE LIGAMIENTO). En 1908 se convirtió en el primer profesor de genética de Gran Bretaña, y en 1909 introdujo el término *genética*. Se opuso a la teoría de los CROMOSOMAS de THOMAS HUNT MORGAN. GREGORY BATESON fue su hijo. Ver también CARL ERICH CORRENS; ERICH TSCHERMAK VON SEYSENEGG; HUGO DE VRIES.

Bath Ciudad (pob., est. 1995: 84.000 hab.) del sudoeste de Inglaterra. Situada a orillas del río AVON, fue fundada por los romanos, atraídos por sus aguas termales, como Aquae Sulis. Los anglosajones llegaron en el s. VI DC, seguidos por los normandos c. 1100. En la Edad Media fue un próspero centro de comercialización de telas. Cuando se redescubrieron los baños termales de los romanos, en 1755, Bath ya se había hecho famosa nuevamente como terma; su popularidad se ve reflejada en las obras de JANE AUSTEN, RICHARD BRINSLEY SHERIDAN y TOBIAS SMOLLETT. Fue reconstruida y ampliada en el estilo romano de Palladio durante el s. XVIII. En la actualidad, Bath conserva muchas construcciones del s. XVIII.

Báthory, Esteban I ver ESTEBAN I BÁTHORY

Bathurst ver BANJUL

batik Método de coloración de textiles, principalmente algodones, en el cual se cubren mediante una plantilla ciertas áreas con cera para que estas no reciban color. Se logran efectos multicolores al repetir el proceso de teñido varias veces, hirviendo y retirando la plantilla inicial de cera y aplicando otro diseño antes de volver a teñir. En Indonesia, donde se originó la técnica, se aplicaba la cera con tiras de bambú. En Java, a mediados del s. XVIII, se utilizaba una pequeña olla de cobre con un asa y un pico delgado para aplicar la cera. En el s. XIX se desarrolló un aplicador de madera. Los comerciantes holandeses importaron la tela y la técnica a Europa. Hoy en día, las máquinas que aplican la cera en diseños tradicionales javaneses reproducen los mismos efectos que el proceso de teñido a mano.

batimiento *o* **pulsación** En física, la pulsación que resulta de una combinación de dos ondas de FRECUENCIA levemente diferente. La frecuencia de batimiento es la diferencia entre las frecuencias de las ondas que se combinan. Cuando las frecuencias que se interfieren están en el rango audible, los batimientos se oyen como una alternancia de pulsos suaves e intensos. El oído humano puede detectar batimientos de frecuencias de hasta 10 hertz, o 10 batimientos por segundo. Los afinadores de piano escuchan los batimientos al comparar el tono de un diapasón con el de una cuerda vibrando; cuando no se escuchan batimientos, el diapasón y la cuerda tienen la misma frecuencia. Las frecuencias ultrasónicas o inaudibles pueden superponerse para producir batimientos audibles, lo que permite detectar los sonidos vocales producidos por murciélagos o delfines.

batiní *o* **batinita** Escuela de pensamiento islámico que interpretó textos religiosos exclusivamente sobre la base de significados ocultos en lugar de literales. Tal interpretación ganó aceptación alrededor del s. VIII entre las sectas CHIITAS esotéricas, sobre todo los ISMAELÍES cismáticos, quienes creían que bajo cada significado obvio había un significado oculto y verdadero que el IMÁN tenía el poder de interpretar. Mientras estuvieron influenciados por la filosofía y la teología especulativas, los batiníes preconizaron el conocimiento esotérico. Los musulmanes sunníes condenaron a los batiníes como enemigos del Islam por rechazar la verdad literal y causar confusión y controversia con sus múltiples interpretaciones de los textos.

batipelágica, zona Zona de aguas oceánicas profundas, entre 1.000 y 4.000 m (3.000–13.000 pies) bajo la superficie, distribuida por toda la Tierra. Está habitada por una gran variedad de formas de vida marinas, como anguilas, peces, moluscos y otros.

batiscafo Embarcación sumergible autopropulsada, desarrollada por AUGUSTE PICCARD (con la colaboración de su hijo Jacques), diseñada para alcanzar grandes profundidades en el océano. El primer batiscafo, el *FNRS 2*, se construyó en Bélgica entre 1946 y 1948. Una versión posterior, el *Trieste*, fue adquirido por la armada de EE.UU.; en 1960 se sumergió hasta una profundidad récord de 10.916 m (35.810 pies) en la fosa de las MARIANAS. El batiscafo consta de dos componentes principales: una cabina de acero, más pesada que el agua y resistente a la presión del mar, que sirve de habitáculo para los observadores; y un recipiente liviano, llamado flotador, rellenado con bencina, que al ser más liviana que el agua provee el empuje necesario para ascender (reemplazando los cables que habían sido usados con anterioridad para sostener a las cámaras de inmersión, pero que habían demostrado ser poco confiables a grandes profundidades).

El físico belga Auguste Piccard en el batiscafo *Trieste* de su creación.
FOTOBANCO

Batista (y Zaldívar), Fulgencio (16 ene. 1901, Banes, Cuba–6 ago. 1973, Guadalmina, cerca de Marbella, España). Militar, presidente y dictador que gobernó Cuba en dos ocasiones (1933–44, 1952–59). Se encumbró en el ejército y llegó al poder como hombre fuerte en la sombra, gobernando primero a través de asociados, y luego, a partir de 1940, ya como presidente. Durante su primer mandato cultivó el apoyo de EE.UU., el ejército, el mundo sindical y la administración civil, obteniendo logros en el sistema educacional, en obras públicas y en el conjunto de la economía, al tiempo que se enriquecía junto a sus asociados. Aunque perdió la elección de 1944, volvió al poder mediante una insurrección armada en 1952. Su segundo mandato fue una dictadura brutal y corrupta que preparó el camino para su derrocamiento por FIDEL CASTRO el 1 de enero de 1959.

Batlle y Ordóñez, José (21 may. 1856, Montevideo, Uruguay–20 oct. 1929, Montevideo). Presidente de Uruguay (1903–07, 1911–15). Hijo de un anterior presidente de Uruguay, estuvo involucrado en política desde la década de 1880. Su estrecha victoria en la elección presidencial de 1903 condujo a una breve guerra civil, pero cuando realizó nuevas elecciones en 1905, volvió a ganar. Cedió el poder al finalizar su mandato y fue reelegido en 1911. Inauguró las reformas

laborales, limitó las ganancias del capital extranjero, estimuló la inmigración, nacionalizó y desarrolló las obras públicas, abolió la pena de muerte y protegió a los niños nacidos fuera del matrimonio. Se le atribuye haber transformado a Uruguay en un Estado benefactor democrático y estable.

batolito Gran masa de ROCA ÍGNEA formada bajo la superficie terrestre por la intrusión y la solidificación de MAGMA. Generalmente, los batolitos están compuestos por rocas de grano grueso (p. ej., granito o cuarzo-diorita) y a menudo poseen una forma irregular, con paredes laterales de pendiente pronunciada. Pueden tener una superficie de afloramiento de 100 km^2 (40 mi^2) o más y un espesor de 10–15 km (6–9 mi). En la Sierra Nevada, Cal., EE.UU., se encuentra un batolito muy conocido.

Baton Rouge Ciudad (pob., est. 2000: 227.818 hab.), capital del estado de Luisiana, EE.UU. Ubicada sobre el río MISSISSIPPI, es la segunda ciudad del estado en cuanto a tamaño. Colonizada por los franceses en 1719, debe su nombre a un poste de ciprés rojo que establecía el límite entre las tribus indígenas. La zona fue cedida a Gran Bretaña en 1763 y luego capturada por los españoles durante la guerra de independencia de los Estados Unidos de América. En 1880, España cedió Luisiana a Francia, pero intentó mantener el control de Baton Rouge en el período de la adquisición de LUISIANA (1803). En 1810, la ciudad fue anexada a EE.UU. y en 1849 se convirtió en capital del estado. Cuando tropas federales ocuparon Baton Rouge durante la guerra de SECESIÓN, la capital fue transferida a otras ciudades. En 1882 recuperó su condición de capital. Posee instalaciones portuarias de aguas profundas y es un importante centro de refinación de petróleo.

Battenberg, familia *o* **familia Mountbatten** Familia que adquirió importancia internacional en los s. XIX–XX. Los primeros Battenberg fueron una familia de condes alemanes que se extinguió c. 1314; el título fue restaurado en 1851. En 1917, los miembros de la familia que vivían en Inglaterra renunciaron al título alemán de príncipe de Battenberg y adoptaron el apellido Mountbatten ("Mount" es la traducción de "berg"). Entre los miembros importantes de la familia se encuentran FELIPE DE EDIMBURGO y LOUIS MOUNTBATTEN.

Batu (m. c. 1255, Rusia). Nieto de GENGIS KAN y fundador de la HORDA DE ORO. En 1235 fue elegido comandante en jefe de la parte occidental del Imperio mongol y se le encomendó la invasión de Europa. Sus tropas incendiaron y saquearon Kíev en 1240; hacia fines de 1241 ya había conquistado Rusia, Polonia, Bohemia, Hungría y el valle del Danubio. Sólo la muerte de OGODAY le impidió invadir Europa occidental. Fundó el estado de la Horda de Oro en el sur de Rusia, el que fue gobernado por sus sucesores durante los siguientes 200 años.

batutsi ver TUTSI

Baudelaire, Charles (-Pierre) (9 abr. 1821, París, Francia–31 ago. 1867, París). Poeta francés. Mientras estudiaba leyes en la universidad, Baudelaire se hizo adicto al opio y al hachís, y contrajo sífilis. Sus gastos exorbitantes en ropa y muebles de la más fina calidad lo llevaron a cargar por el resto de su vida con enormes deudas. En 1844 vivió en concubinato con Jeanne Duval, una mulata que inspiró algunos de sus mejores poemas. Publicó sólo una novela, *La Fanfarlo*, en 1847. Su descubrimiento de la

Charles Baudelaire, fotografía de Étienne Carjat, 1863.
GENTILEZA DE LA BIBLIOTHÈQUE NATIONALE, PARÍS

obra de EDGAR ALLAN POE en 1852, lo motivó a estudiar por años la obra del escritor estadounidense, durante los cuales realizó excelentes traducciones y artículos críticos acerca de su obra. Su reputación se debe principalmente a su extraordinario volumen de poemas *Las flores del mal* (1857), donde aborda temas eróticos, estéticos y sociales de una manera que horrorizó a los lectores burgueses de su época, por lo que fue acusado de obsceno y blasfemo. A pesar de que el título pasó a ser sinónimo de depravación, el poemario llegaría a ser tal vez la obra lírica europea de mayor influencia del s. XIX. Sus *Pequeños poemas en prosa* (1868) representaron un importante e innovador experimento en poesía en prosa. También escribió provocativos ensayos y críticas de arte. Los últimos años de su vida se vieron oscurecidos por la desesperanza, la desazón y las crecientes deudas que lo agobiaban. Murió a los 46 años víctima de la sífilis. Es considerado el primero y el más notable poeta de la lírica francesa moderna.

Baudot, (Jean Maurice) Émile (1845, Magneux, Francia–28 mar. 1903, Sceaux). Ingeniero francés. En 1874 patentó un código telegráfico que a mediados del s. XX había reemplazado completamente al código Morse como el alfabeto telegráfico estándar. En el código de Baudot, cada letra es representada por una combinación de cinco unidades de señales de corrientes encendidas o apagadas de igual duración, originando 32 permutaciones (2^5=32) (suficientes para el alfabeto romano, signos de puntuación y control de las funciones mecánicas de la máquina). Baudot también inventó (1894) un sistema de distribución para la transmisión simultánea (multiplex) de varios mensajes en el mismo circuito telegráfico o canal. El baud, la unidad de la velocidad de la transmisión de datos, ha sido nombrado en su honor.

Baudrillard, Jean (n. 1929, Reims, Francia). Sociólogo, filósofo y crítico social francés. Enseñó sociología en la Universidad de París de 1966 a 1987. Es conocido por sus teorías de la cultura de consumo y la cultura de los medios electrónicos de comunicación del mundo de hoy, especialmente la televisión. En una serie de ensayos publicados durante la década de 1970, aplicó algunos de los postulados de la SEMIÓTICA para argumentar que la cultura de consumo, en especial la publicidad, constituye un "código" de imágenes e ideales, en cuyos términos los individuos construyen sus identidades sociales. En otra serie de ensayos publicados en las décadas de 1980–90, afirma que el intercambio de palabras, imágenes y otros símbolos a través de los cada vez más ubicuos medios electrónicos de comunicación han creado un nuevo tipo de realidad, la "hiperrealidad", en la que los símbolos se transforman en parte constitutiva de la realidad que ayudan a representar. Un ejemplo de esto, según Baudrillard, son los noticiarios de televisión, que informan sobre los acontecimientos importantes que ocurren en el mundo y al mismo tiempo confieren importancia a esos acontecimientos por el hecho de que les dan cobertura. En *La guerra del golfo no ha tenido lugar* (1991) sostuvo que la imagen de la guerra del golfo Pérsico presentada por los medios masivos ha hecho que el público lo percibiera como un acontecimiento "irreal". Ver también POSMODERNISMO.

Baugh, Sammy *p. ext.* **Samuel Adrian Baugh** (n. 17 mar. 1914, Temple, Texas, EE.UU.). Primer mariscal de campo sobresaliente del fútbol americano profesional. Lideró la NFL en pases hacia adelante en seis de las 16 temporadas que jugó (1937–52) para los Washington Redskins. Además fue un potente pateador y defensa.

Bauhaus (alemán: "casa de fábrica") (1919–33). Influyente y visionaria escuela alemana de arquitectura y artes aplicadas. Fue fundada por WALTER GROPIUS con el ideal de integrar arte, artesanía y tecnología. Al comprender que la producción en masa debía ser condición previa de un diseño exitoso en la era de las máquinas, sus miembros rechazaron el énfasis del ARTS AND CRAFTS MOVEMENT (Movimiento de artes y oficios) en objetos lujosos ejecutados en forma individual. La Bauhaus se asocia a menudo con un estilo geométrico severo, pero elegante, llevado a cabo con gran economía de recursos;

de hecho, los trabajos realizados por sus miembros eran de una rica diversidad. El profesorado incluía a JOSEF ALBERS, LÁSZLÓ MOHOLY-NAGY, LYONEL FEININGER, PAUL KLEE, VASILY KANDINSKY y MARCEL BREUER. La escuela tuvo su sede en Weimar hasta 1925, Dessau hasta 1932, y Berlín en sus meses finales cuando su último director, LUDWIG MIES VAN DER ROHE, cerró la escuela antes de que lo hicieran los nazis. Ver también estilo INTERNACIONAL.

baúl nupcial ver ARCÓN

Baum, L(yman) Frank (15 may. 1856, Chittenango, N.Y., EE.UU.–6 may. 1919, Hollywood, Cal.). Escritor estadounidense de libros para niños. Baum tuvo gran éxito de ventas con su primer libro, *Father Goose* [Papá Ganso] (1899), que fue seguido al año siguiente por el aun más popular *El maravilloso mago de Oz*. Escribió 13 libros más acerca de Oz, conquistando un grupo cada vez más grande de lectores. La serie fue continuada por Ruth Plumly Thompson luego de la muerte de Baum.

bautismo En el cristianismo, el SACRAMENTO de admisión a la Iglesia, simbolizado por el acto de verter o rociar agua en la cabeza o por la inmersión en agua. Normalmente, la ceremonia es acompañada por las palabras "yo te bautizo en el nombre del Padre, del Hijo y del Espíritu Santo". De hecho, los cristianos creen que después de su resurrección, Jesús se apareció a sus discípulos y les ordenó que bautizaran en el nombre del Padre, del Hijo y del Espíritu Santo. En las enseñanzas de san PABLO, significa el borrar los PECADOS cometidos y el renacimiento del individuo a una nueva vida. El judaísmo practicó la purificación ritual por inmersión, y los Evangelios relataban que san JUAN BAUTISTA bautizó a JESÚS. En la Iglesia primitiva del s. I, el bautismo fue un rito importante, y el bautismo infantil apareció hacia el s. III. La Iglesia católica, la ortodoxa y la mayoría de las Iglesias protestantes, practican el bautismo infantil. Los reformadores ANABAPTISTAS insistieron en el bautismo adulto después de realizada una confesión de fe; los BAPTISTAS modernos y los DISCÍPULOS DE CRISTO también practican el bautismo en edad adulta.

bauxita El más importante mineral de ALUMINIO (así llamado por Les Baux en el sur de Francia, donde se identificó la mena en 1821), de composiciones variables, en las cuales predomina el hidróxido de aluminio o el óxido de aluminio. Los demás constituyentes son en gran medida óxido de hierro, sílice y óxido de titanio. Se ha encontrado bauxita en todos los continentes, excepto en la Antártida. Los yacimientos de bauxita conocidos pueden abastecer de aluminio al mundo por centenares de años a los niveles actuales de producción.

bávara, guerra de sucesión (1778–79). Conflicto en el que FEDERICO II de Prusia impidió a JOSÉ II de Austria adquirir Baviera. Después de la muerte del elector bávaro Maximiliano José (n. 1727–m. 1777), su sucesor, Carlos Teodoro (n. 1724–m. 1799), cedió Baja Baviera a Austria. Federico II reaccionó declarando la guerra (1778). Hubo escasos enfrentamientos debido a que cada una de las fuerzas se dedicó a cortar las comunicaciones y los suministros del oponente. Ante la falta de abastecimientos, los soldados comenzaron a buscar patatas, lo que explica que el conflicto fuese llamado la "guerra de la patata". En 1779, Austria y Prusia firmaron un tratado que cedió a los austríacos una fracción del territorio ocupado originalmente.

Baviera *alemán* **Bayern** Estado del sur de Alemania (pob., est. 2002: 12.330.000 hab.). Luego de que fuera conquistada por los romanos en el s. I AC (ver NÓRICA; RETIA), esta zona fue ocupada por CARLOMAGNO e incorporada a su imperio en 788. Se convirtió en uno de los grandes ducados del SACRO IMPERIO ROMANO. Bajo MAXIMILIANO I, Baviera dirigió la Liga CATÓLICA en la guerra de los TREINTA AÑOS. Fue invadida en forma reiterada durante las numerosas guerras del

s. XVIII. Se incorporó al Imperio alemán en 1871, aunque permaneció como reino. El rey fue destronado en 1918; luego de un breve período de inestabilidad, Baviera se unió a la República de WEIMAR en 1919. ADOLF HITLER estableció su primera base de poder en Baviera en la década de 1920. Adoptó una nueva constitución en 1946 y se convirtió en estado de la República Federal de Alemania en 1949. Por largo tiempo ha sido la zona más católica de Alemania. Sus mayores ciudades son MUNICH (su capital), AUGSBURGO y NUREMBERG. Las regiones más llamativas abarcan los ALPES bávaros, la SELVA NEGRA y la selva de BOHEMIA. Baviera es conocida por la belleza de su paisaje ondulante y por el encanto de sus pueblos.

Vista aérea de la ciudad de Munich, capital del estado de Baviera, Alemania.
FOTOBANCO

Bax, Sir Arnold (Edward Trevor)
(8 nov. 1883, Londres, Inglaterra–3 oct. 1953, Cork, County Cork, Irlanda). Compositor británico. Nacido en el seno de una familia rica, pudo componer durante toda su vida y, en consecuencia, fue un autor prolífico. Sus primeras obras, influidas por la poesía de WILLIAM BUTLER YEATS, evocan frecuentemente las leyendas celtas. Sus composiciones comprenden siete sinfonías, las obras orquestales *Spring Fire* (1913), *November Woods* (1917) y *Tintagel* (1919), sonatas para piano, cuartetos de cuerdas y numerosas piezas vocales.

Bay, laguna de
Lago de LUZÓN central, islas Filipinas. Se ubica al sudeste de MANILA y con sus casi 52 km (32 mi) de extensión es el lago más grande de Filipinas. Desagua en el río Pasig. Tiene muchas islas y la mayor de ellas, Talim, está densamente poblada.

baya
FRUTO simple, carnoso, que contiene generalmente muchas semillas (p. ej., la BANANA, el TOMATE o la ARÁNDANA). Las capas medias e internas de la pared del fruto a menudo son indistinguibles una de otra. Cualquier fruto pequeño, carnoso, es generalmente una baya, en especial si es comestible. Las frambuesas (ver FRAMBUESOS), moras (ver ZARZAMORA) y FRESAS no son bayas verdaderas, sino frutos complejos formados por múltiples frutos más pequeños. El fruto de la PALMA DATILERA es una baya de semilla única cuyo cuesco duro es tejido nutritivo.

Bayaceto I
(c. 1360–mar. ¿1403?, Akşehir, Anatolia). Sultán del Imperio OTOMANO (1389–1402). Después de suceder a su padre, Murat II (m. 1389), expandió el control otomano sobre el mermado Imperio BIZANTINO conquistando vastas extensiones de territorio en los Balcanes, asegurando así su dominio al sur del Danubio. Entre 1391 y 1398 bloqueó Constantinopla (la moderna ESTAMBUL) y aplastó a los cruzados húngaros en la batalla de NICÓPOLIS en 1396. Luego intentó ampliar el dominio otomano sobre Anatolia. Fue derrotado por TAMERLÁN en la batalla de Ankara en 1402 y murió en cautiverio. Lo sucedió su hijo, Mehmet I, después de un interregno de unos diez años.

Bayaceto II
(dic. 1447/ene. ¿1448?, Demotika, Tracia, Imperio otomano–26 may. 1512, Demotika). Sultán que consolidó el dominio del Imperio OTOMANO iniciado por su padre, MEHMET II. Después de apoderarse del trono en 1481, revirtió las políticas de su padre relativas a la expropiación de los bienes religiosos musulmanes y también rechazó su orientación pro europea, pero continuó con la política de conquista territorial. Bajo su reinado, Herzegovina pasó a estar bajo directo control otomano y se fortaleció el dominio otomano sobre Crimea y Anatolia. Combatió a la dinastía SAFAWÍ en el este, a la dinastía de los MAMELUCOS en el sur y a los venecianos en el oeste. Construyó mezquitas, colegios, hospitales y puentes; apoyó a juristas, sabios y poetas. Abdicó en favor de su hijo Selim I un mes antes de morir.

Bayard, Thomas Francis
(29 oct. 1828, Wilmington, Del., EE.UU.–28 sep. 1898, Dedham, Mass.). Estadista, diplomático y abogado estadounidense. Nació en una familia de destacada figuración política y sucedió a su padre como senador por Delaware (1869–85). Se desempeñó como secretario de Estado (1885–89) y como embajador en Gran Bretaña (1893–97), primer representante de EE.UU. en ese país con dicho rango. Campeón del arbitraje, fue un crítico de la postura agresiva del pdte. GROVER CLEVELAND en el conflicto con Gran Bretaña en torno a la frontera venezolana (1895).

Baybars I o Baibars
(c. 1223, al norte del mar Negro–1 jul. 1277, Damasco, Siria). El sultán más destacado de la dinastía de los MAMELUCOS. De origen turco kipchak, fue vendido como esclavo (*mameluco*) después de una invasión mongola en la década de 1240. Acabó sirviendo al sultán de la dinastía AYUBÍ de Egipto, quien le dio entrenamiento militar. En 1250, su ejército capturó al rey cruzado LUIS IX y junto a otros oficiales mamelucos dieron muerte al último sultán ayubí, estableciendo la dinastía de los mamelucos. Se distinguió combatiendo una fuerza invasora mongola en la batalla de 'Ayn Jālūt (1260) y poco después se apoderó del trono, cuando dio muerte al tercer sultán mameluco. Como sultán, reconstruyó las fortalezas sirias que habían sido destruidas por los mongoles y fortaleció el armamento del sultanato. Conquistó territorio de los cruzados, que estos jamás pudieron recuperar. Hostilizó a los mongoles en Persia, atacando a sus aliados (los armenios cristianos) y forjando una alianza en su contra con los mongoles de la HORDA DE ORO. Envió expediciones militares a Nubia y Libia. Mantuvo relaciones diplomáticas con Jaime I de Aragón, Alfonso X de León y Castilla y con Carlos de Anjou, así como con el emperador bizantino. En lo interno, construyó canales y la gran mezquita de El Cairo que lleva su nombre y estableció un servicio postal eficiente entre El Cairo y Damasco. El *Sīrat Baybars*, relato tradicional que pretende ser su biografía, continúa siendo popular en el mundo arabehablante.

Bayer AG
Empresa química y farmacéutica alemana. Fundada en 1863 por Friedrich Bayer (n. 1825–m. 1880), opera actualmente plantas ubicadas en más de 30 países. Bayer ha dado origen a numerosos productos farmacéuticos, químicos y materiales sintéticos. Fue la primera compañía en desarrollar y comercializar la ASPIRINA (1899), el Prontosil (la primera SULFA, 1935) y el poliuretano (1937). Bayer fue parte del cartel químico IG FARBEN desde 1925 hasta 1945, año en que dicho cartel fue disuelto por los aliados. Fue restablecida como una compañía independiente en 1951. Su fármaco más sobresaliente de la década de 1990 fue el antibiótico Cipro. Su sede está en Leverkusen (Alemania).

Bayerische Motoren Werke AG ver BMW

Bayeux, Odón de
(c. 1036–feb. 1097, Palermo). Obispo de Bayeux, Normandía, y hermanastro de GUILLERMO I (el Conquistador). Combatió en la batalla de HASTINGS y probablemente encargó la confección del tapiz de BAYEUX. en 1067 fue nom-

brado conde de Kent; defendió el sudeste de Inglaterra y gobernó (junto a otros) en ausencia de Guillermo. Este lo encarceló (1082–87) por reclutar tropas sin el permiso real; posteriormente participó en una rebelión que apoyaba a ROBERTO II. Ayudó a organizar la primera CRUZADA y murió camino a Tierra Santa.

Bayeux, tapiz de TAPIZ medieval bordado que representa la conquista NORMANDA. Tejido con hebras de lana de ocho colores sobre lino crudo, mide alrededor de 70 m (231 pies) de largo por 50 cm (20 pulg.) de ancho. Consta de 79 escenas consecutivas con inscripciones en latín y bordes decorativos. Estilísticamente se asemeja a los manuscritos iluminados ingleses. Es probable que fuera tejido c. 1066, a pocos años de la conquista y posiblemente encargado por Odón, obispo de Bayeux, hermanastro de GUILLERMO I (el Conquistador). Es la pieza más famosa del arte del bordado y estuvo colgada por siglos en la catedral de Bayeux (Normandía). Hoy se exhibe en el museo de tapicería de esa ciudad.

Soldado inglés con hacha en combate con la caballería normanda durante la batalla de Hastings, detalle del tapiz de Bayeux; Musée de la Tapisserie de la Reine-Mathilde, en el antiguo palacio del Obispo, Bayeux, Francia.
GIRAUDON – ART RESOURCE

Bayle, Pierre (18 nov. 1647, Carla-le-Comte, Francia–28 dic. 1706, Rotterdam, Países Bajos). Filósofo francés. Educado en una escuela jesuita, se convirtió al catolicismo romano, pero después volvió a su fe original calvinista. Debido a sus planteamientos religiosos, perdió sus cargos de profesor, primero en Sedán y después en Rotterdam. Estaba convencido de que el razonamiento filosófico conducía al ESCEPTICISMO universal, pero que la naturaleza impulsaba al hombre a adoptar creencias basadas en la fe ciega. El grueso de su *Diccionario histórico y crítico* (1697) consiste en citas, anécdotas, comentarios y anotaciones eruditas que desvirtúan hábilmente cualquier creencia ortodoxa cristiana expresada en sus artículos; fue condenado por las autoridades religiosas. Su oblicuo método de crítica subversiva fue adoptado más tarde por los colaboradores de la ENCICLOPEDIA de DENIS DIDEROT.

Baylis, Lilian (Mary) (9 may. 1874, Londres, Inglaterra–25 nov. 1937, Londres). Empresaria teatral británica y fundadora del OLD VIC. Fue asistente de su tía, Emma Cons, en la administración del Royal Victoria Hall Coffee Tavern. Después de la muerte de Cons en 1912 convirtió la sala en el Old Vic, que alcanzó fama por sus producciones shakesperianas. Entre 1914 y 1923 el teatro representó todas las obras de WILLIAM SHAKESPEARE, hazaña que no ha sido igualada por ningún otro teatro. En 1931 se hizo cargo del abandonado teatro Sadler's Wells e hizo de él un espacio para la ópera y el ballet.

Bayliss Sir, William Maddock (2 may. 1860, Wolverhampton, Staffordshire, Inglaterra–27 ago. 1924, Londres). Fisiólogo británico. Con ERNEST H. STARLING estudiaron la contracción y dilatación de los vasos sanguíneos bajo control nervioso y descubrieron las ondas peristálticas. En 1902 demostraron que el ácido clorhídrico diluido, mezclado con alimentos parcialmente digeridos, activaba en el duodeno una sustancia química que llamaron secretina, porque estimula la secreción de jugo pancreático. Este hecho señaló el descubrimiento de las hormonas, término que ellos acuñaron. Bayliss también demostró cómo la enzima tripsina se formaba a partir del tripsinógeno inactivo y midió con precisión el tiempo que tardaba en digerir proteínas. Su consejo de emplear inyecciones salinas coloidales en heridos en choque salvó muchas vidas en la primera guerra mundial.

Baylor, Elgin (n. 16 sep. 1934, Washington, D.C., EE.UU.). Basquetbolista estadounidense. Con 1,96 m (6 pies 5 pulg.) de estatura, Baylor jugó para los Minneapolis (posteriormente Los Angeles) Lakers de la NBA desde 1958 hasta 1971. Fue un alero que anotó muchos puntos y cuyo juego tenía características acrobáticas. Baylor promedió 27,4 puntos por partido en su carrera, situándose entre los cinco mejores de todos los tiempos.

Baylor, Universidad de Universidad privada ubicada en Waco, Texas, EE.UU. Es la universidad BAPTISTA más grande del mundo y el *college* (colegio universitario) más antiguo de Texas (fundado en 1845). Su nombre proviene de uno de sus misioneros fundadores, el juez distrital y predicador laico R.E.B. Baylor. Comprende un *college* de artes y ciencias y escuelas de administración de empresas, educación, música, medicina, enfermería, derecho y estudios de posgrado. Asimismo, otorga grados académicos a través del George W. Truett Theological Seminary (seminario teológico George W. Truett).

bayoneta Arma blanca corta, con filo en los bordes, y en ocasiones, con punta, diseñada para ser acoplada a la boca del cañón de un arma de fuego. De acuerdo con la tradición fue desarrollada en Bayona, Francia, a comienzos del s. XVII y su uso se difundió rápidamente por toda Europa. En su diseño más temprano, la bayoneta de taco era insertada en la boca de fuego de un mosquete, impidiéndole disparar mientras no fuera removida la bayoneta. En diseños posteriores, como la bayoneta de cubo inventada por SÉBASTIEN LE PRESTE DE VAUBAN (1688), la sujeción se deslizaba por el exterior del cañón. Las armas de repetición redujeron en gran medida su valor en combate. Ya en la primera guerra mundial, se había convertido en un cuchillo de uso general.

bayou Brazo de agua pantanosa, estancada o de curso lento; generalmente un riachuelo, una corriente de agua secundaria, o un río menor, que es afluente de otro río o canal. Puede presentarse en forma de LAGUNA MUERTA. Los bayous son típicos del DELTA del río Mississippi, en Luisiana, EE.UU.

Bayreuth Ciudad (pob., est. 2001: 74.500 hab.) del centro-este de Alemania. Está situada al nordeste de NUREMBERG. Fue fundada en 1194 bajo la autoridad del obispo Otto II de Bamberg; se sometió al burgrave de Nuremberg en 1248–1398 y a los margraves de Brandeburgo-Kulmbach en 1603–1769. Los margraves patrocinaban las artes y encargaron numerosos edificios barrocos que aún existen. Fue cedida a Prusia en 1791, capturada por NAPOLEÓN I en 1806 y entregada a BAVIERA en 1810. El compositor RICHARD WAGNER se estableció allí en 1872 y concibió la Festspielhaus (teatro del festival), donde se han realizado los festivales desde su inauguración en 1876. Entre los artículos manufacturados destacan la maquinaria, los textiles, los productos químicos, los pianos, la porcelana y la cristalería.

Bazin, Henri-Émile (10 ene. 1829, Nancy, Francia–7 feb. 1917, Dijon). Ingeniero francés. Como asistente de H.-P.-G. Darcy (n. 1803–m. 1858), después de la muerte de este terminó su programa de pruebas sobre la resistencia al flujo del agua en canales, y produjo el estudio clásico sobre el tema. Más adelante, estudió el problema de la propagación de las

ONDAS y la contracción de un fluido al pasar por un orificio. En 1854 ensanchó el canal de Bourgogne y lo hizo rentable para la navegación comercial. En 1867 sugirió el uso de bombas para dragar ríos, lo que condujo a la construcción de las primeras dragas de succión.

bazo Órgano linfoide, alojado en el lado izquierdo del abdomen, detrás del estómago. Es el elemento filtrante primario de la sangre, y un sitio de almacenamiento de glóbulos rojos (ERITROCITOS) y PLAQUETAS. Es uno de los cuatro lugares donde hay células reticuloendoteliales (ver sistema RETICULOENDOTELIAL). En él se entremezclan dos tipos de tejidos, la pulpa roja y la pulpa blanca. La pulpa blanca es el TEJIDO LINFOIDE que contiene los centros productores de LINFOCITOS. La pulpa roja es una red de canales llenos de sangre donde ocurre la mayor parte de la filtración, y es el principal sitio de destrucción de los eritrocitos deteriorados y de reciclaje de su HEMOGLOBINA. Ambas pulpas contienen células (ver LEUCOCITOS) que remueven materiales extraños e inician el proceso de producción de ANTICUERPOS. El bazo crece en algunas infecciones. Su ruptura en lesiones por impacto de alta energía puede requerir su extirpación, lo que deja al paciente más susceptible a infecciones masivas.

bazuca Lanzacohetes portátil, con apoyo en el hombro, adoptado por el ejército de EE.UU. en la segunda guerra mundial. Consistía en un tubo de acero sin estrías, originalmente de alrededor de 1,5 m (5 pies) de largo, abierto en ambos extremos y equipado con una empuñadura, un apoyo para el hombro, un mecanismo de gatillo y una mira. Oficialmente denominado el lanzacohetes M9A1, recibió el nombre de bazuca, por un rústico corno que usaba un popular comediante de la radio. Fue desarrollado principalmente para atacar tanques y posiciones fortificadas a corta distancia. El ejército de EE.UU. dejó de usarlo durante la guerra de Vietnam, prefiriendo armas ANTITANQUE más livianas.

Reclutas de una academia militar libia practicando el manejo del bazuca.
FOTOBANCO

BBC *sigla de* **British Broadcasting Corp.** Cadena estatal de radio y TV británica. Fundada como una compañía privada en 1922, fue reemplazada por una corporación pública en virtud de un decreto real en 1927. El servicio internacional de la BBC comenzó en 1932, y para la década de 1990 emitía programas en 38 idiomas para un público de 120 millones de personas en todo el mundo. El servicio de televisión de la BBC, que conservó el monopolio de la televisión hasta que un canal comercial comenzó a transmitir en 1954, introdujo las transmisiones regulares en color en Europa en 1967. El monopolio de la BBC en la radio terminó en 1972. La BBC todavía cuenta con cinco emisoras radiales y dos canales de televisión de cobertura nacional.

BBS *sigla de* **Bulletin-Board System** (Sistema de fichero). Sistema computarizado utilizado para el intercambio público de mensajes o archivos. Por lo general, se accede a un BBS mediante la conexión vía módem. La mayoría de los BBS están destinados a un interés particular, que puede ser un tema muy restringido. Cualquier usuario puede "poner" su propio mensaje (de modo que aparezca en el sitio para que todos lo puedan leer). El sistema muestra "conversaciones" entre los participantes interesados, quienes pueden descargar o imprimir los mensajes que deseen guardar o enviarlos a otros. Actualmente existen decenas de miles de sitios BBS. Ver también FORO DE INTERCAMBIO.

BBVA S.A. *sigla de* **Banco Bilbao Vizcaya Argentaria, Sociedad Anónima** Grupo financiero de origen español, cuyas fortalezas se encuentran en el negocio tradicional de la banca minorista, administración de activos, banca privada y banca mayorista. El BBVA es el resultado de la fusión en 1999 del Banco Bilbao y Vizcaya (BBV) y del Banco Argentaria. Con anterioridad, el BBV se había formado en 1988 de la fusión entre el Banco de Bilbao y el Banco de Vizcaya. Por su parte, el Banco Argentaria se había constituido en 1998 como un banco federado al unirse los bancos Hipotecarios, Exterior y Caja Postal. El BBVA también mantiene inversiones en empresas industriales de España, especialmente en el área de energía, como REPSOL YPF S.A., Iberdrola y otras. Adicionalmente a sus operaciones en España, el BBVA tiene una fuerte presencia internacional, en especial en América Latina. Sus oficinas centrales se encuentran en Madrid.

BCS, teoría de Teoría integral que explica el comportamiento de los materiales superconductores. Fue desarrollada en 1957 por JOHN BARDEEN, LEON COOPER y J. Robert Schrieffer (n. 1931), con cuyas iniciales se construyó el nombre. Cooper descubrió que los ELECTRONES en un superconductor se agrupan en pares (pares de Cooper) y que el movimiento de todos los pares dentro de un mismo superconductor constituye un sistema que funciona como una sola entidad. Un voltaje eléctrico aplicado a un superconductor hace que todos los pares de Cooper se muevan, formando una CORRIENTE ELÉCTRICA. Cuando se suprime el voltaje, la corriente sigue fluyendo porque el movimiento de los pares es tal que no encuentran oposición. Ver también SUPERCONDUCTIVIDAD.

Beach, Amy Marcy *orig.* **Amy Marcy Cheney** *llamada* **Mrs. H.H.A. Beach** (5 sep. 1867, Henniker, N.H., EE.UU.– 27 dic. 1944, Nueva York, N.Y.). Compositora y pianista estadounidense. Música precoz y brillante, se presentó como solista con las principales orquestas de EE.UU. y Europa. Como compositora se inclinó más hacia el romanticismo alemán que hacia temas o fuentes estadounidenses. Sus obras más apreciadas fueron sus canciones. Su *Sinfonía gaélica* (1894) fue la primera escrita por una mujer estadounidense. Otras obras son un concierto para piano (1899), las piezas corales *The Chambered Nautilus* (1907) y *Cántico del sol* (1928), la ópera *Cabildo* (1932) y un quinteto para piano (1907).

Beach Boys, The Grupo de rock estadounidense. La banda fue fundada en California en 1961 por los hermanos Brian Wilson (n. 1942) en teclados y bajo, Dennis Wilson (n. 1944– m. 1983) en batería y Carl Wilson (n. 1946–m. 1998) en guitarra; su primo Mike Love (n. 1941) en batería, y Alan Jardine (n. 1942) en guitarra. En un año lanzaron una serie de éxitos musicales orientados al mundo del surf y caracterizados por una armonía vocal cerrada, entre ellos, "Surfin' Safari" y "California Girls". En 1966 habían grabado más de diez álbumes, incluido *Pet Sounds* (1966), considerado el mejor de su carrera. A pesar del retiro de Brian Wilson debido a crisis vinculadas con el estrés y las drogas, el grupo siguió grabando en la década de 1980 y realizó giras y presentaciones en la década de 1990.

Beadle, George Wells (22 oct. 1903, Wahoo, Neb., EE.UU.–9 jun. 1989, Pomona, Cal.). Genetista estadounidense. Obtuvo su Ph.D. en la Universidad de Cornell. Mientras estudiaba la *Drosophila*, se dio cuenta que los genes debían influir químicamente en la herencia y diseñó una técnica compleja para determinar la naturaleza de tales efectos, demostrando que algo tan simple en aparien-

George Wells Beadle.
GENTILEZA DEL INSTITUTO TECNOLÓGICO DE CALIFORNIA, PASADENA, EE.UU.

cia como el color de los ojos, resulta de una larga serie de reacciones químicas, que son afectadas por los genes. Junto con EDWARD L. TATUM descubrió que las condiciones ambientales de un moho del pan podían modificarse completamente, de modo tal que los investigadores podían localizar e identificar mutaciones con relativa facilidad, concluyendo que cada gen determina la estructura de una enzima específica, la que a su vez permite que ocurra una sola reacción química. Por el concepto de "un gen, una enzima", compartieron el Premio Nobel en 1958 con JOSHUA LEDERBERG. Beadle se desempeñó con posterioridad como presidente de la Universidad de Chicago (1960–68).

beagle Raza de PERRO DE CAZA pequeño, también popular como mascota. Se parece a un FOXHOUND pequeño, con grandes ojos pardos, orejas caídas y un pelaje corto de una combinación de colores negro, canela y blanco. Los beagles son robustos y macizos para su estatura. Se distinguen dos tamaños: aquellos que tienen una alzada de menos de 33 cm (13 pulg.) y pesan 8 kg (18 lb) aprox. y los que tienen una alzada de 38 cm (15 pulg.) y pesan 13,5 kg (30 lb). Generalmente son excelentes cazadores de conejos y se caracterizan por estar alertas y ser cariñosos.

Ejemplar de raza beagle.
© SALLY ANNE THOMPSON/ANIMAL PHOTOGRAPHY

Beagle, canal Canal del extremo austral de América del Sur. Separa la isla principal de TIERRA DEL FUEGO de las islas menores que constituyen el archipiélago. El canal tiene una extensión de 250 km (150 mi) de largo y 5–13 km (3–8 mi) de ancho. La sección oriental sirve de frontera entre Chile y la Argentina, mientras que la parte occidental está situada completamente dentro del territorio chileno. Su nombre se debe a la embarcación británica *Beagle*, a bordo de la cual CHARLES DARWIN exploró la zona.

Beaker, cultura Cultura del norte y oeste de Europa que se desarrolló a fines del período NEOLÍTICO y principios de la EDAD DEL BRONCE. Es conocida por un conjunto de característicos tazones de barro acampanados y decorados con marcas dentadas, usados probablemente en libaciones rituales. El pueblo Beaker enterraba a sus muertos en sepulturas simples, pero también en tumbas megalíticas en Europa occidental. Usaban arcos y flechas, así como puñales y puntas de lanza de cobre. En su búsqueda de oro y cobre, difundieron la metalurgia en otras partes de Europa. Finalmente se mezclaron con la cultura Battle-Ax (hacha de combate) y se esparcieron desde Europa central hasta el este de Inglaterra.

Bean, Roy (¿1825? cond. de Mason, Ky., EE.UU.–16 mar. 1903, Langtry, Texas). Juez de paz y dueño de bar estadounidense. Salió de Kentucky en 1847 y pasó de pueblo en pueblo; al menos se le atribuyen dos muertos en duelos antes de establecerse en Texas. Durante la guerra de Secesión combatió primero junto a la tropa confederada y luego se dedicó a burlar el bloqueo en Texas, con lo que prosperó tanto que pudo vivir holgadamente en San Antonio durante unos 16 años. En 1882 se trasladó a un lugar sobre el curso inferior del río Pecos, que bautizó en honor de LILLIE LANGTRY; allí abrió un bar y emitió fallos rigurosos, de sentido común o en tono de broma, en calidad de magistrado oficioso, a la vez que se autodenominaba la "ley al oeste del Pecos".

Bear Flag, rebelión de Breve rebelión de colonos estadounidenses en California, en 1846, contra las autoridades mexicanas. En junio de ese año, un pequeño grupo capturó Sonoma, asentamiento situado al norte de San Francisco, de-

claró la independencia e izó una bandera en la que figuraba un oso gris. Pronto llegó el cap. JOHN C. FRÉMONT a prestar su apoyo y fue elegido para dirigir la "república". En julio, fuerzas estadounidenses ocuparon San Francisco y Sonoma, y reclamaron California para EE.UU. La bandera del oso se convirtió más tarde en la bandera del estado.

Beard, James (5 may. 1903, Portland, Ore., EE.UU.– 23 ene. 1985, Nueva York, N.Y.). Experto culinario estadounidense y autor de libros de cocina. En 1945 fue el primer chef que presentó en televisión de cobertura nacional un programa culinario. A través de su escuela de cocina de Greenwich Village influenció a chefs que vendrían después de él, como JULIA CHILD y Craig Claiborne (n. 1920–m. 2000). Propiciaba una cocina basada en platos simples de origen estadounidense e inglés, y escribió uno de los primeros libros que trata seriamente la cocina al aire libre. Editó más de 20 obras sobre el arte de guisar, donde destacan *James Beard's American Cookery* [Cocina americana de James Beard] (1972) y *Beard on Bread* [El pan según Beard] (1973).

Bearden, Romare (Howard) (2 sep. 1914, Charlotte, N.C., EE.UU.–11 mar. 1988, Nueva York, N.Y.). Pintor estadounidense. Estudió con GEORGE GROSZ en el Art Students League, y en la Universidad de Columbia. Después de haber cumplido el servicio militar en la segunda guerra mundial, estudió en la Sorbona y viajó por Europa. Durante este tiempo adquirió cierto renombre por sus complejos y semiabstractos *collages* de fotografías y papel pintado sobre tela. La estructura narrativa de su obra es clara, siendo sus temas predominantes ciertos aspectos de la cultura afroamericana, como el ritual, la música y la familia. En la década de 1960, Bearden ya era reconocido como el mayor artista del *collage* de EE.UU. Es considerado uno de los artistas afroamericanos más importantes del s. XX.

Beardsley, Aubrey (Vincent) (21 ago. 1872, Brighton, Sussex, Inglaterra–16 mar. 1898, Menton, Francia). Ilustrador británico. Su única educación artística formal fueron unos pocos meses de clases vespertinas en la Escuela de arte de Westminster. Su estilo se basó en la obra de EDWARD BURNE-JONES y en xilografías japonesas, y rápidamente se convirtió en un maestro de la ilustración ornamental curvilínea en blanco y negro popularizada por el movimiento ART NOUVEAU. En 1893 ilustró una edición de *La muerte de Arturo* de SIR THOMAS MALORY, y en 1894 logró notoriedad con sus ilustraciones eróticas de la versión inglesa de *Salomé* de OSCAR WILDE. Ese mismo año fue nombrado editor de arte e ilustrador de la nueva revista trimestral *The Yellow Book*. Murió de tuberculosis a los 25 años.

Béarn *o* **Bearne** Región histórica y antigua provincia del sudoeste de Francia. Limitaba con GASCUÑA y los PIRINEOS; su capital era Pau. Durante el dominio de los romanos formó parte de Aquitania; posteriormente fue devastada por los VÁNDALOS y los VISIGODOS. Establecida como condado de Béarn por el futuro rey ENRIQUE IV, pasó a ser posesión de la corona francesa cuando éste llegó al trono en 1589. Durante el s. XVI, Pau se constituyó en un importante centro cultural bajo el patrocinio de MARGARITA DE ANGULEMA.

Beat, movimiento Movimiento social y literario estadounidense. Se desarrolló durante las décadas de 1950–60 y se lo asocia con las comunidades de artistas que se formaron durante esos años en San Francisco, Los Ángeles y Nueva York. Sus adherentes dieron expresión a su rechazo de la sociedad convencional y proclamaron la realización y la iluminación individual a través de la intensificación de las facultades sensoriales y la alteración de los estados de la conciencia. Los poetas beat, entre los cuales se destacan LAWRENCE FERLINGHETTI, ALLEN GINSBERG, Gregory Corso (n. 1930–m. 2001) y GARY SNYDER, buscaron liberar la poesía del refinamiento académico, y crearon un lenguaje poético descarnado que en ocasiones podía estar salpicado de obscenidades, pero que a menudo resultaba impactante y conmovedor. JACK KEROUAC y WILLIAM S. BURROUGHS desarrollaron una escritura en prosa de estilo espontáneo, alejado de las estructuras tradicionales y en ocasiones alucinante, que tenía como propósito transmitir la inmediatez de la experiencia. El movimiento Beat comenzó a perder vigencia c. 1970, aunque su influencia no dejó de sentirse durante las décadas siguientes.

Beatles, The Grupo musical británico que llevó el ROCK a su apogeo. Sus miembros, todos nacidos en Liverpool, fueron PAUL MCCARTNEY, JOHN LENNON, George Harrison y Ringo Starr. Comenzó con la asociación de McCartney y Lennon en 1956; Harrison se integró en 1957 y posteriormente Stu Sutcliffe y Pete Best. En 1960 adoptaron el nombre de The Beatles. En 1962 firmaron un contrato de grabación y reemplazaron a Best por Starr. Entre 1962–63, el lanzamiento de canciones como "Please Please Me" y "I Want to Hold Your Hand" los convirtió en el grupo de rock más popular de Inglaterra y en 1964 la "Beatlemanía" llegó hasta EE.UU. Inspirados originalmente por CHUCK BERRY, ELVIS PRESLEY y BILL HALEY, sus canciones directas y vigorosas los mantuvo en la cima de la popularidad. Su cabello largo y sus gustos en el vestir tuvieron influencia en todo el mundo, así como su experimentación con drogas alucinógenas y con el misticismo de India. Con enormes ventas

El grupo musical The Beatles, 1964.
FOTOBANCO

garantizadas, pudieron experimentar con una variedad de formas, como baladas ("Yesterday"), melodías rítmicas complejas ("Paperback Writer"), canciones infantiles ("Yellow Submarine") y de contenido social ("Eleanor Rigby"). Sus presentaciones públicas terminaron en 1966. Álbumes como *Rubber Soul* (1965), *Revolver* (1966) y *The Beatles* ("White Album", 1968) establecieron nuevas tendencias en el rock. En 1967 realizaron *Sgt. Pepper's Lonely Hearts Club Band*, un álbum novedoso por su concepción como un todo dramático, el uso de música electrónica y su carácter de obra de estudio no reproducible en el escenario. Fueron protagonistas de los filmes *A Hard Day's Night* (1964) y *Help!* (1965). El grupo se escindió en 1971.

Beaton, Sir Cecil (Walter Hardy) (14 ene. 1904, Londres, Inglaterra–18 ene. 1980, Broadchalke, Salisbury, Wiltshire). Fotógrafo y diseñador británico. Cuando recibió su primera cámara a la edad de 11 años, comenzó a retratar a sus hermanas. En la década de 1920 trabajó como fotógrafo de planta de *Vanity Fair* y *Vogue*. En los exóticos y extravagantes retratos de Beaton, el retratado constituye sólo un elemento más de una composición íntegramente decorativa, dominada por fondos recargados. Sus fotografías del bloqueo a Gran Bretaña fueron publicadas en *Winged Squadrons* (1942). Después de la guerra diseñó trajes y escenografías, entre ellos, los de las películas *Gigi* (1958) y *My Fair Lady* (1964).

Beatriz (Guillermina Armgard) (n. 31 ene. 1938, Soestdijk, Países Bajos). Reina de los Países Bajos. Fue al exilio junto a su familia cuando los alemanes invadieron los Países Bajos en la segunda guerra mundial, viviendo los años de guerra en Gran Bretaña y Canadá. En 1965 se prometió en matrimonio a un diplomático alemán y causó controversia debido a que este había sido miembro de las Juventudes Hitlerianas y del ejército

alemán. Se casaron en 1966 y la hostilidad disminuyó con los nacimientos de los primeros herederos varones de la casa de ORANGE desde 1890. Ascendió al trono en 1980 después de la abdicación de su madre, la reina JULIANA.

Beatriz, reina de los Países Bajos.
GENTILEZA DE LA EMBAJADA REAL DE LOS PAÍSES BAJOS; FOTOGRAFÍA, MAX KOOT

Beatty, (Henry) Warren *orig.* **Henry Warren Beaty** (n. 30 mar. 1937, Richmond, Va., EE.UU.). Actor, productor, director y guionista de cine estadounidense. Estudió actuación con la célebre profesora Stella Adler en Nueva York y debutó en el cine con *Esplendor en la hierba* (1961). Después protagonizó y produjo la influyente cinta *Bonnie y Clyde* (1967). A menudo produjo, dirigió y participó como coautor de sus propias películas. Posteriormente protagonizó *Shampoo* (1975), *El cielo puede esperar* (1978), *Rojos* (1981, premio de la Academia al mejor director) y *Bulworth* (1998).

Beaufort, mar de Parte del océano ÁRTICO ubicada al noreste de Alaska, el noroeste de Canadá y el oeste de la isla BANKS en el archipiélago ÁRTICO. Cubre una superficie cercana a los 476.000 km² (184.000 mi²) y su profundidad media es de 1.004 m (3.239 pies); su profundidad máxima es de 4.680 m (15.360 pies). Está congelado prácticamente todo el año y los hielos se abren sólo en los meses de agosto y septiembre. El río MACKENZIE desemboca en él; su principal asentamiento humano se halla en la bahía de PRUDHOE, en Alaska.

Beauharnais, Alexandre, vizconde de (28 may. 1760, Martinica–23 jun. 1794, París, Francia). Político y general francés, primer esposo de JOSEFINA. Noble liberal, se convirtió en una importante figura durante la REVOLUCIÓN FRANCESA. Presidió la Asamblea Constituyente en 1791, sirvió con valentía en el ejército y fue nombrado general en jefe del ejército del Rin en 1793. Fue guillotinado durante el reinado del TERROR, debido principalmente a su condición de noble. Fue padre de EUGÈNE y HORTENSE DE BEAUHARNAIS y abuelo de NAPOLEÓN III.

Beauharnais, Eugène de (3 sep. 1781, París, Francia–21 feb. 1824, Munich, Baviera). Político y general francés. Hijo de JOSEFINA y ALEXANDRE DE BEAUHARNAIS, prestó valiosos servicios militares a su padrastro, NAPOLEÓN I. En 1804 recibió el título de príncipe y fue designado archicanciller del estado. Fue nombrado virrey de Napoleón en Italia (1805), en donde reorganizó las finanzas públicas, construyó caminos e introdujo el sistema legal francés. Como comandante del ejército italiano, combatió en

Eugène de Beauharnais, detalle de un retrato de François Gérard; palacio de Versalles, Francia.
GIRAUDON–ART RESOURCE

forma admirable en varios conflictos. En 1814 resistió en Italia a los austríacos y napolitanos, pero fue forzado a firmar un armisticio. Se retiró a la corte bávara de la familia de su esposa.

Beauharnais, (Eugénie-) Hortense de (10 abr. 1783, París, Francia–5 oct. 1837, Arenenberg, Suiza). Reina francesa de Holanda (1806–10). Hija de JOSEFINA y ALEXANDRE DE BEAUHARNAIS, e hijastra de NAPOLEÓN I, se casó con el hermano de Napoleón, LUIS BONAPARTE. Cuando este fue nombrado rey de Holanda, ella se convirtió en reina. El matrimonio fue infeliz, pero engendraron tres hijos, entre ellos el futuro NAPOLEÓN III. Cuando Napoleón fue exiliado en 1814, se convirtió en el centro de la intriga bonapartista y por apoyarlo cuando regresó, fue desterrada de Francia en 1815 tras lo cual se estableció en Suiza.

Beaujolais Región en los departamentos de Ródano septentrional y Loira nororiental, Francia centro oriental. Se sitúa al este del macizo CENTRAL FRANCÉS y al oeste del río SAONA. La región es arbolada y sostiene la silvicultura local; su punto más alto es el monte Saint–Rigaud, con una altitud de 1.009 m (3.310 pies). Al este de la montaña se encuentran los escarpes de piedra caliza de la *Côte Beaujolaise*, que sustentan una producción de vino tinto de fama mundial.

Beaujoyeux, Balthazar de *orig.* **Baltazarini di Belgioioso** (s. XVI, región de Piamonte–1587, París, Francia). Compositor y coreógrafo francés de origen italiano. En 1555 se trasladó de Italia a París y se incorporó como violinista de la corte de CATALINA DE MÉDICIS. Ahí organizaba las fiestas informales de la corte y llegó a ser ayudante de cámara de la familia real. En 1581 puso en escena el lujoso *Ballet comique de la reine* (Ballet cómico de la reina), considerado el primer ballet; este fue imitado por otras cortes europeas y se transformó en la obra precursora en el desarrollo del ballet durante los siguientes cien años.

Beaumarchais, Pierre-Augustin Caron de (24 ene. 1732, París, Francia–18 may. 1799, París). Dramaturgo francés. Hijo de un relojero, inventó un mecanismo de relojería, por cuya patente se vio involucrado en disputas legales; a raíz de este incidente cobró relevancia como escritor gracias a una serie de agudos panfletos que escribió en su defensa. Su comedia *El barbero de Sevilla* (1772) estuvo tres años sin ser representada debido a su crítica a la aristocracia. Otra obra suya, *Las bodas de Fígaro* (1784), cuestionaba a la nobleza por lo que también fue inicialmente prohibida. Estas obras se convirtieron en óperas famosas compuestas por GIOACCHINO ROSSINI y WOLFGANG AMADEUS MOZART, respectivamente. Fundó la Société des Auteurs (1777) para lograr que los dramaturgos recibieran pagos por derechos de autor. Su fortuna, irónicamente, lo llevó a ser encarcelado por un tiempo durante la misma Revolución francesa lo que, según algunos, se habría desencadenado por causa del contenido de sus obras.

Pierre Beaumarchais, pintura al óleo de Jean-Marc Nattier.
GIRAUDON–ART RESOURCE

Beaumont, Francis (c. 1585, Grace-Dieu, Leicestershire, Inglaterra–6 mar. 1616, Londres). Dramaturgo británico. Es principalmente célebre por diez obras de gran popularidad escritas en colaboración con John Fletcher (n. 1579–m. 1625) c. 1606–13. Entre estas cabe destacar las tragicomedias *The Maides Tragedy* y *Un rey y un no rey*. Otras cuarenta piezas fueron atribuidas a esta dupla, pero posteriormente se descubrió que habían sido escritas por otros dramaturgos. Su obra por separado incluye poemas de Beaumont y su parodia *El caballero del mortero ardiente* (1607), además de la pieza pastoral de Fletcher, *La pastora fiel* (1608). Después del retiro de Beaumont en 1613, Fletcher colaboró con otros dramaturgos, entre ellos probablemente WILLIAM SHAKESPEARE, con quien pudo haber escrito *Enrique VIII* y *Dos parientes nobles*.

Beaumont, William (21 nov. 1785, Lebanon, Conn., EE.UU.–25 abr. 1853, St. Louis, Mo.). Cirujano estadounidense. Sirvió muchos años como cirujano del ejército. Tratando a un trampero cuyo abdomen había sido perforado por el estallido de una escopeta, Beaumont recolectó jugo gástrico para analizarlo y demostró que contenía ácido clorhídrico, lo que respaldó su creencia de que la digestión era un proceso químico. También comunicó los efectos de diferentes alimentos sobre el estómago y estableció que el alcohol era una causa de gastritis.

Beauregard, P(ierre) G(ustave) T(outant) (28 may. 1818, cerca de Nueva Orleans, La., EE.UU.–20 feb. 1893, Nueva Orleans). Jefe militar estadounidense. Egresó de West Point en 1838 y combatió en la guerra mexicano-estadounidense. Cuando Luisiana se separó, en 1861, entregó el mando y pasó a ser general en el ejército confederado. Estuvo al mando de las fuerzas que cañonearon el fuerte Sumnter, S.C., participó en la primera batalla de BULL RUN y tomó el mando en la batalla de SHILOH a la muerte del gral. Albert Sydney Johnston (1862). Dirigió las defensas de Charleston, S.C. y Richmond, Va. Aunque era un hábil comandante, su proclividad a cuestionar las órdenes solía lindar con la insubordinación. Terminada la guerra refutó las versiones de su desempeño que dieron otros generales.

Beauvais, Vicent de (1190, ¿Beauvais?, Francia–1264, París). Enciclopedista y sabio francés. Religioso dominico (c. 1220), se convirtió en lector y capellán de la corte del rey LUIS IX. En 1244 había compilado el *Speculum maius* [Espejo mayor], 80 libros en que se compendiaba el conocimiento sobre la historia humana desde la Creación hasta la época de Luis IX, la historia natural y la ciencia conocida en Occidente, más un compendio de la literatura, el derecho, la política y la economía de Europa. Su obra influyó en estudiosos y poetas hasta el XVIII. Ver también ENCICLOPEDIA.

Beauvoir, Simone (Lucie-Ernestine-Marie-Bertrand) de (9 ene. 1908, París, Francia–14 abr. 1986, París). Escritora y feminista francesa. Mientras estudiaba en la Sorbona, conoció a JEAN-PAUL SARTRE, con quien inició una relación intelectual y romántica de toda la vida. Es conocida principalmente por su tratado *El segundo sexo* (1949), erudito y apasionado alegato por la abolición de lo que Beauvoir llamaba el mito del "eterno femenino". El libro se transformó en un clásico de la literatura feminista. También escribió cuatro aclamados volúmenes autobiográficos (1958–72), ensayos filosóficos que exploran temas relacionados con el EXISTENCIALISMO, y en narrativa se destaca *Los mandarines* (1954, Premio Goncourt). *La vejez* (1970) es una amarga reflexión sobre la indiferencia con que la sociedad trata a los ancianos.

Beaux-Arts, estilo *o* **estilo Segundo Imperio** *o* **barroco Segundo Imperio** Estilo arquitectónico desarrollado en la ÉCOLE DES BEAUX-ARTS en París. Disfrutó de renombre internacional a fines del s. XIX (ver SEGUNDO IMPERIO) y rápidamente se convirtió en el estilo oficial de muchos de los nuevos edificios públicos que requerían las ciudades en expansión y sus gobiernos nacionales. Por lo general, los edificios del Beaux-Arts son imponentes y tienen una planta simétrica con habitaciones ordenadas axialmente, abundante detalle clasicista, y pabellones que se extienden hacia adelante en los extremos y el centro. Entre las más admiradas estructuras del Beaux-Arts está la ÓPERA DE PARÍS.

Bebel, August (22 feb. 1840, Deutz, cerca de Colonia, Alemania–13 ago. 1913, Passugg, Suiza). Socialista y escritor alemán. De oficio tornero, se unió a la Asociación Educacional de Trabajadores de Leipzig (1861) y llegó a ser su presidente (1865). Influido por las ideas de WILHELM LIEBKNECHT, ayudó a fundar en 1869 el Partido Obrero Social Demócrata (luego PARTIDO SOCIALDEMÓCRATA), del que fue su más influyente y popular líder por más de 40 años. Fue miembro del Reichstag en 1867, 1871–81 y 1883–1913. Permaneció en prisión casi cinco años bajo cargos como "difamación a Bismarck". Escribió varias obras, entre ellas *Mujer y socialismo* (1883), una poderosa pieza de propaganda socialdemócrata.

August Bebel, c. 1898.
ARCHIV FUR KUNST UND GESCHICHTE, BERLÍN OCCIDENTAL

Bebey, Francis (15 jul. 1929, Douala, Camerún–28 may. 2001, París, Francia). Escritor y cantautor francés de origen camerunés. Después de estudiar en París y Nueva York, se estableció en París en 1960. Realizó trabajos de investigación y documentación de música tradicional africana para estaciones de radio y después para la UNESCO. Entretanto, también compuso y grabó música de carácter muy experimental donde a menudo incorporó elementos latinoamericanos, occidentales y africanos. Debido a esto, con frecuencia se lo considera "el padre de la WORLD MUSIC". Escribió además dos libros sobre música africana y varias obras de ficción.

bebida alcohólica Cualquier licor fermentado, como VINO, CERVEZA O LICOR DESTILADO, que contiene alcohol etílico o ETANOL como agente espirituoso. Cuando se ingiere una bebida alcohólica, el alcohol es rápidamente absorbido por el estómago y los intestinos, porque no requiere pasar por proceso digestivo alguno. Se distribuye por el resto del cuerpo a través de la sangre y tiene una pronunciada acción depresora sobre el cerebro. Bajo la influencia del alcohol, el bebedor está menos alerta, tiene menor capacidad para discernir objetos que lo rodean, es más lento en la reacción a los estímulos, y generalmente tiende a experimentar somnolencia.

bebida no alcohólica ver GASEOSA

bebop o **bop** Estilo de JAZZ caracterizado por su complejidad armónica, líneas melódicas complicadas y cambio frecuente del acento rítmico. A mediados de la década de 1940, un grupo de músicos, entre ellos DIZZY GILLESPIE, THELONIOUS MONK y CHARLIE PARKER, rechazó las convenciones del SWING para explorar tímidamente la extensión artística del jazz improvisado, orientación que sentó nuevos estándares técnicos de velocidad y sutileza armónica. Dos géneros surgieron del *bebop*, en la década de 1950: el estilo delicado, seco y modesto que llegó a ser conocido como *cool* jazz y el desenfado agresivo con toques de BLUES del *hard bop*.

becada o **chirla** Cualquiera de cinco especies (familia Scolopacidae) de aves migratorias rollizas, de pico aguzado, que habitan terrenos boscosos tupidos y húmedos en América del Norte, Europa y Asia. La becada tiene los ojos situados muy atrás en la cabeza, lo que le brinda un campo visual de 360°. El plumaje moteado de color pardo castaño le sirve de camuflaje. Es un ave solitaria, de hábito crepuscular; tamborilea con sus patas para atraer las lombrices a la superficie, y luego las extrae con su largo pico semejante a un fórceps. Puede comer diariamente dos veces su peso en lombrices. La becada o chirla americana hembra (*Scolopax minor* o *Philohela minor*) mide unos 28 cm (11 pulg.) de largo; el macho es un poco más pequeño. La llamativa exhibición de cortejo del macho incluye una larga secuencia de vuelos en espiral y descensos reiterados. Las becadas han sido aves de caza apreciadas.

Beccafumi, Domenico orig. **Domenico di Giacomo di Pace** llamado **Mecherino** (c. 1484, Cortina, República de Venecia–may. 1551, Siena, República de Siena). Pintor y escultor italiano activo en Siena. Adoptó el nombre de su mecenas, Lorenzo Beccafumi. En 1510 se trasladó a Roma para estudiar la obra de RAFAEL y MIGUEL ÁNGEL. En 1512 regresó a Siena, donde se encuentran la mayor parte de sus mejores obras. Becca-

"El nacimiento de la Virgen", pintura sobre panel de Domenico Beccafumi, c. 1543; Pinacoteca Nazionale, Siena, Italia.
SCALA – ART RESOURCE

fumi destaca por su sentido de fantasía y por la creación de sorprendentes efectos de luz, como en *El nacimiento de la Virgen* (c. 1543). Pintó decoraciones para el ayuntamiento de Siena (1529–35) y realizó diseños para los pavimentos de mármol de la catedral de Siena. Es considerado el pintor sienés más destacado del MANIERISMO.

Beccaria, Cesare (15 mar. 1738, Milán–28 nov. 1794, Milán). Criminólogo y economista italiano. Se convirtió en una celebridad internacional en 1764 con la publicación de *Crimen y castigo*, la primera exposición sistemática de los principios que rigen el castigo penal, en donde fustigó los malos tratos a que eran sometidos los delincuentes, denunció la pena capital y abogó por la prevención del crimen, argumentando que la eficacia de la justicia penal dependía más de la certeza del castigo que de su severidad. La obra ejerció gran influencia en la reforma del derecho penal en Europa occidental. Posteriormente dio clases en la Escuela Palatina de Milán y ocupó diversos cargos públicos, dedicándose a temas como la reforma monetaria, las relaciones laborales y la educación pública.

Bechet, Sydney (14 may. 1897, Nueva Orleans, La., EE.UU.–14 may. 1959, París, Francia). Saxofonista estadounidense. Empezó a estudiar clarinete a los seis años y después se pasó al saxofón soprano, instrumento más poderoso. A mediados de la década de 1920 se consagró como solista de la tradición de improvisación colectiva de Nueva Orleans (ver DIXIELAND). Tenía una cálida sonoridad con un vibrato amplio y rápido. Su dominio de la escena y su uso de desviaciones de tono muy oportunas ("note bending") tuvieron una influencia duradera, ya que fueron absorbidas por su discípulo JOHNNY HODGES. Se estableció en París desde fines de la década de 1940.

Bechtel, Stephen D(avison) (24 sep. 1900, Aurora, Ind., EE.UU.–14 mar. 1989, San Francisco, Cal.). Ingeniero en construcción estadounidense, presidente de W.A. Bechtel Co. (1936–60), y de su empresa sucesora Bechtel Corp. En 1925 se convirtió en vicepresidente de la firma familiar con sede en San Francisco, W.A. Bechtel Co. En 1937, junto con John McCone formaron Bechtel-McCone Corp., una empresa constructora de refinerías y plantas químicas. Durante la segunda guerra mundial, las compañías fabricaron barcos y piezas de aviones. Después de la guerra, la flamante Bechtel Corp. se convirtió en una de las mayores empresas de construcción e ingeniería del mundo, construyendo oleoductos en Canadá, Medio Oriente y muchos otros lugares. Además, la compañía edifica plantas eléctricas en todo el mundo. Las compañías Bechtel participaron en la construcción de la represa HOOVER, el oleducto de ALASKA, y la ciudad de Al-Jubayl en Arabia Saudita. S. Bechtel se retiró de la presidencia en 1960 y permaneció como director jefe de lo que se conoce como Grupo Bechtel.

Bechuanalandia ver BOTSWANA

Beck, Ludwig (29 jun. 1880, Biebrich, Alemania–20 jul. 1944, Berlín). General alemán. Después de prestar servicios en el estado mayor general del ejército en la primera guerra mundial, llegó más tarde a la jefatura del mismo (1935–38). Se opuso a la ocupación de Renania ordenada por ADOLF HITLER y renunció en protesta contra la decisión de invadir Checoslovaquia. Ayudó a planificar la frustrada conspiración de JULIO para asesinar a Hitler y se suicidó cuando el plan falló.

Beckenbauer, Franz (n. 11 sep. 1945, Munich, Alemania). Futbolista alemán. Se le adjudica el mérito de haber inventado la función moderna del líbero que se suma al ataque. Apodado "El Kaiser", Beckenbauer es el único futbolista que ha ganado la Copa del Mundo como capitán y técnico, en 1974 y 1990, respectivamente. Realizó la mayor parte de su carrera en el Bayern Munich (1958–77), obteniendo con este equipo tres Copas de Campeones de Europa (1974–76) y cuatro títulos nacionales. Recibió el Balón de Oro en 1972 y 1976. Luego de un breve paso por Nueva York y Hamburgo, se retiró en 1984 y se dedicó a la dirección técnica.

Becker, Boris (Franz) (n. 22 nov. 1967, Leimen, Alemania Occidental). Tenista alemán. Dejó la educación secundaria cuando le restaban dos años para concluirla, con el fin de concentrarse en el tenis. En 1985 se convirtió en el jugador más joven en ganar las competencias de singles de WIMBLEDON (con 17 años). Es el tenista con menos edad de la historia que consiguió el título de un torneo del Grand Slam, el único ganador que ha salido de las rondas clasificatorias de un torneo Grand Slam y el primer alemán en ganar uno. Volvió a imponerse en Wimbledon en 1986 y 1989, y alcanzó el título, ese mismo año, del Abierto de EE.UU., además del Abierto de Australia en 1991 y 1996.

Becker, Gary S(tanley) (n. 2 dic. 1930, Pottsville, Pa., EE.UU.). Economista estadounidense. Realizó sus estudios en la Universidad de Princeton y en la Universidad de Chicago. Como profesor de la Universidad de Columbia y de la Universidad de Chicago aplicó métodos económicos a aspectos del comportamiento humano, anteriormente considerados del dominio de la sociología y de la demografía. En *Capital humano* (1964) y en *Un tratado sobre la familia* (1981), postuló la teoría de que las opciones económicas racionales, basadas en el interés propio, rigen la mayoría de las actividades humanas, incluso aquellas actividades no económicas como la constitución de una familia. Obtuvo el Premio Nobel en 1992.

Becket, santo Tomás (c. 1118, Cheapside, Londres, Inglaterra–29 dic. 1170, Canterbury, Kent; canonizado en 1173; festividad: 29 de diciembre). Arzobispo de Canterbury (1162–70). Hijo de un mercader normando, fue canciller de Inglaterra (1155–62) durante el reinado de ENRIQUE II, ganando su completa confianza. Brillante administrador, diplomático y estratega militar, ayudó al monarca a incrementar el poder de la realeza. Enrique se oponía al movimiento reformista gregoriano que defendía la autonomía de la Iglesia y pensó fortalecer el control real sobre la Iglesia nombrándolo arzobispo de Canterbury en 1162. Sin embargo, asumió sus nuevos deberes con devoción y se opuso al poder del monarca en la Iglesia, defendiendo en especial el derecho de los clérigos a ser enjuiciados en tribunales eclesiásticos. El rey promulgó las constituciones de CLARENDON, que fijaban los derechos reales sobre la Iglesia, y sometió al arzobispo a proceso. Huyó a Francia y permaneció en el exilio hasta 1170, cuando regresó a Canterbury fue asesinado en la catedral por

"Asesinato de santo Tomás Becket", ilustración de un salterio inglés, c. 1200; Biblioteca Británica.
GENTILEZA DEL DIRECTORIO DE LA BIBLIOTECA BRITÁNICA

cuatro caballeros de Enrique. Se afirma comúnmente que actuaron en respuesta a las airadas palabras del rey. Su tumba, que fue visitada por Enrique en un acto de penitencia, se convirtió en un lugar de peregrinación.

Beckett, Samuel (Barclay) (¿13? abr. 1906, Foxrock, Co. Dublín, Irlanda–22 dic. 1989, París, Francia). Dramaturgo irlandés. Después de estudiar en Irlanda y de viajar por Europa, se estableció en París en 1937. Durante la segunda guerra mundial se ganó la vida como jornalero en el campo y posteriormente se unió a la resistencia. En los años de posguerra escribió, en francés, la trilogía narrativa *Molloy* (1951), *Malone muere* (1951) y *El innombrable* (1953). Su obra *Esperando a Godot* (1952) fue un éxito inmediato en París, y con su traducción al inglés, fue aclamada en todo el mundo. Se distingue por su trama y acción mínima, su humor e ideas existencialistas, y es una pieza representativa del TEATRO DEL ABSURDO. Entre sus trabajos abstractos posteriores, escasamente representados, que abordan el misterio y la desesperación de la existencia humana se cuentan *Final de partida*, *La última cinta* (1958) y *Días felices* (1961). Recibió el Premio Nobel en 1969.

Samuel Beckett, dramaturgo irlandés, 1965.
© GISELE FREUND

Beckford, William (29 sep. 1760, Londres, Inglaterra–2 may. 1844, Bath, Somerset). Novelista, diletante y excéntrico inglés. Es recordado por su novela gótica *Vatek* (1786), sobre un impío hedonista que construye una torre tan alta que constituye una afrenta para Mahoma en el cielo, lo que causa su propia caída al reino del príncipe de las tinieblas. A pesar de ser una obra irregular, la historia es ingeniosa y está llena de estrafalarios detalles. Beckford y su familia se vieron obligados a abandonar Inglaterra durante diez años a causa de un confuso escándalo que involucraba a un joven. A su regreso erigió la abadía de Fonthill, la construcción más espectacular del NEOGÓTICO inglés, cuya torre de 82 m (270 pies) de alto se ha derrumbado varias veces.

Beckmann, Max (12 feb. 1884, Leipzig, Alemania–27 dic. 1950, Nueva York, N.Y., EE.UU.). Pintor expresionista y artista gráfico alemán. Después de estudiar en la conservadora Academia de Weimar, se mudó a Berlín en 1903 y se unió a la SEZESSION de Berlín. Su experiencia como paramédico en la primera guerra mundial cambió su punto de vista, y su obra se colmó de una imaginería horrenda, con colores deliberadamente repulsivos y formas erráticas. Consideraba su obra como una combinación de realismo salvaje y observación social. En 1933, los nazis declararon "degenerado" su arte, y lo forzaron a renunciar a su cátedra en la Escuela Städel de arte, en Francfort. En 1937 huyó a Amsterdam, y en 1947 se trasladó a EE.UU. donde enseñó en St. Louis, Mo., y en la ciudad de Nueva York.

Becknell, William (¿1796?, cond. de Amherst, Va., EE.UU.–30 abr. 1865, Texas). Comerciante estadounidense. Luego de establecerse en Missouri, se dedicó al comercio con el sudoeste. En 1821, cuando se levantó la prohibición española de comerciar con Nuevo México, usó la ruta habitual que cruzaba las montañas Rocosas en Colorado y continuaba al sur hasta Santa Fe, donde vendió sus mercancías con grandes utilidades. Al año siguiente inició una nueva ruta que cruzaba las montañas del nororiente de Nuevo México y que se conoció como la ruta de SANTA FE. A mediados de la década de 1830 se trasladó a Texas, donde combatió por su independencia.

Beckwourth, Jim orig. **James Pierson Beckwith** (26 abr. 1798, Virginia, EE.UU.–¿1867?, Denver, Col.). Montañés estadounidense. Nacido esclavo, hijo de blanco y esclava, su padre lo llevó a St. Louis, donde quedó libre. En 1823–24 lo contrataron diversas expediciones de negociantes en las montañas Rocosas. Se casó con una serie de mujeres indias y vivió unos seis años entre los indios crow.

Durante la fiebre del oro de California (1848) estableció una ruta que cruzaba la Sierra Nevada. En California conoció a Thomas D. Bonner, quien publicó, en 1856, muchos de sus relatos y recuerdos.

Bécquer, Gustavo Adolfo *orig.* **Gustavo Adolfo Domínguez Bastida** (17 feb. 1836, Sevilla, España–22 dic. 1870, Madrid). Escritor español, último representante del ROMANTICISMO en su país. Su corta vida estuvo marcada por el infortunio. Fuera de algunas esporádicas actividades periodísticas y burocráticas, se dedicó principalmente a la creación literaria, parte importante de la cual se gestó en el monasterio de Veruela, donde se recluyó para reponerse de su enfermedad. Su obra, inicialmente publicada en periódicos, sólo fue editada en forma de libros después de su muerte. Con *Rimas* (1871), compuesta de poemas breves sobre el amor y el destino humano, abrió nuevos cauces a la lírica en lengua española, por su tono intimista y su manejo libre del verso. En prosa dejó sus *Cartas desde mi celda y Leyendas* (1872), estas últimas de ambiente mágico y estilo poético.

Becquerel, (Antoine-) Henri (15 dic. 1852, París, Francia–25 ago. 1908, Le Croisic). Físico francés. Su abuelo, Antoine-César (n. 1788–m. 1878), fue uno de los fundadores del campo de la electroquímica, y su padre, Alexandre-Edmond (n. 1820–m. 1891), hizo importantes estudios sobre los fenómenos de la luz. Similarmente, Henri estudió materiales fosforescentes, así como también compuestos de uranio, y empleó la fotografía en sus experimentos. Se lo recuerda por su descubrimiento de la RADIACTIVIDAD, que ocurrió cuando encontró que el elemento uranio (en una muestra de pechblenda) emitía rayos invisibles que podían velar una placa fotográfica. En 1901, su informe sobre una quemadura causada por una muestra del elemento radio descubierto por MARIE CURIE, que llevaba en el bolsillo de su chaleco, condujo a investigaciones por parte de los médicos, y en definitiva, al uso médico de sustancias radiactivas. En 1903, compartió el Premio Nobel de Física con los Curie. La unidad de radiactividad, el becquerel (Bq), lleva su nombre.

Henri Becquerel.
ARCHIVES PHOTOGRAPHIQUES

Beda, san *llamado* **el Venerable Beda** (672/673, trad. Monkton in Jarrow, Northumbria [Inglaterra]–25 may. 735, Jarrow; festividad: 25 de mayo). Teólogo, historiador y cronólogo anglosajón. Criado en un monasterio, fue ordenado sacerdote a los 30 años. Es célebre por su *Historia ecclesiastica gentis anglorum* [Historia eclesiástica del pueblo inglés] (¿732?), donde traza la historia de Gran Bretaña de 55 AC a 597 DC. La obra es una fuente esencial para comprender la historia de la conversión de las tribus anglosajonas de Gran Bretaña al cristianismo. Su método de fechar los acontecimientos tomando la fecha y año del nacimiento de Cristo como un punto de referencia (AC/DC) fue adoptado universalmente gracias a la popularidad de la *Historia ecclesiastica* y a dos tratados de cronología.

Bedford Ciudad de Inglaterra localizada en la región sudeste-central (pob., est. 1995: 81.000 hab.). Sede administrativa de BEDFORDSHIRE, se sitúa a orillas del río OUSE al noroeste de Londres. Fue una estación romana y una ciudad sajona. En manos de los daneses, la ciudad fue reconquistada por los anglosajones en 914. Se piensa que JOHN BUNYAN pudo haber escrito *El viaje del peregrino* mientras estuvo allí encarcelado en el s. XVII.

Bedfordshire Condado geográfico, histórico y administrativo del centro-sudoriente de Inglaterra (pob., 2001: 381.571 hab.). Gran parte del condado la ocupa el valle del río OUSE; su capital es BEDFORD. Colonizado c. 1800 AC por la cultura BEAKER, el valle fue recolonizado por los romanos entre los s. I y V DC. El condado se estructuró primeramente como una unidad política en 1010, y ha sobrevivido aparentemente sin cambios dentro de sus fronteras actuales. Su obra maestra arquitectónica es la abadía de Woburn, sede de los duques de Bedford.

bedlington terrier Raza canina desarrollada en el s. XIX en Northumberland, Inglaterra, y llamada así por Bedlingtonshire, un distrito minero de la zona. Desarrollado originalmente como perro de pelea y caza de alimañas, llegó a ser una mascota popular. Parecidos a corderos, estos perros tienen el dorso arqueado, un mechón en la cabeza y un pelaje rizado y grueso de color azul-gris, pardo rojizo intenso o arenoso pálido, a menudo con marcas canela. Tienen una alzada de 38–40 cm (15–16 pulg.) y pesan 10–11 kg (22–24 lb).

beduino Miembro de una comunidad de nómadas arabehablantes del desierto en el Medio Oriente. Étnicamente, los beduinos son idénticos a otros ÁRABES. A través de la historia han desarrollado una economía ganadera y el rango social entre ellos está determinado por los animales que poseen: los nómadas con camellos disfrutan de máximo prestigio, seguidos por los pastores de ovejas y cabras y, finalmente, los nómadas con ganado vacuno. Por tradición migraban al desierto durante la estación lluviosa y regresaban a las

Beduino cargando un cabrito en Qatar central.
M. ERICSON–OSTMAN AGENCY

áreas cultivadas durante la estación seca, pero a partir de la segunda guerra mundial (1939–45), los gobiernos de muchos países han nacionalizado sus tierras de pastoreo, lo que ha provocado conflictos por el uso de la tierra. Desde entonces, muchos han adoptado formas de vida sedentaria; sin embargo, la mayoría de ellos se mantienen orgullosos de su herencia cultural nómada.

Beecham, Sir Thomas (29 abr. 1879, St. Helens, Lancashire, Inglaterra–8 mar. 1961, Londres). Director de orquesta británico. Nacido en el seno de una familia aristocrática, fue un director de orquesta autodidacta, dedicado a cultivar y ampliar los gustos musicales británicos. En 1909 creó la Orquesta Sinfónica Beecham. En 1932 fundó la Orquesta Filarmónica de Londres y en 1947 fundó la Orquesta Filarmónica Real; además fundó compañías operáticas. Aunque su técnica adolecía de deficiencias notorias, fue un intérprete incomparable de la música que amaba, especialmente la de WOLFGANG AMADEUS MOZART. Entre sus contemporáneos abogó en particular por RICHARD STRAUSS y FREDERICK DELIUS.

Sir Thomas Beecham, 1959.
CAMERA PRESS

Beecher, Catharine (Esther) (6 sep. 1800, East Hampton, N.Y., EE.UU.–12 may. 1878, Elmira, N.Y.). Educadora estadounidense que popularizó y dio forma a un movimiento conservador destinado a aumentar la importancia, como asimismo, a elevar y afianzar el papel de la mujer en el hogar. Hija de Lyman Beecher, clérigo y activista moderado, y hermana de HARRIET BEECHER STOWE y HENRY WARD BEECHER, participó en la fundación del Hartford Female Seminary (1823) y de otras organizaciones destinadas a la educación de la mujer. Su popular obra titulada *Treatise on Domestic Economy* [Tratado de economía doméstica] (1841) contribuyó a estandarizar las actividades prácticas del hogar y, al mismo tiempo, a reforzar la creencia de que el hogar era el lugar más apropiado para la mujer.

Beecher, Henry Ward (24 jun. 1813, Litchfield, Conn., EE.UU.–8 mar. 1887, Brooklyn, N.Y.). Clérigo congregacionalista estadounidense. Hijo de un ministro eclesiástico, era hermano de HARRIET BEECHER STOWE y de CATHARINE ESTHER BEECHER. Tras graduarse en el Amherst College y luego estudiar en el Lane Theological

Seminary, sirvió en Indiana como pastor de congregaciones. En 1847 fue llamado a la iglesia de Plymouth en Brooklyn. Fue famoso como orador y uno de los predicadores más influyentes de su época. Se opuso a la esclavitud y apoyó el sufragio femenino, la teoría de la evolución de CHARLES DARWIN, así como la crítica científica de la Biblia. Tuvo mala publicidad en 1874, cuando fue llevado a juicio por adulterio, pero fue absuelto y volvió a su iglesia.

Henry Ward Beecher, fotografía de Napoleon Sarony.
THE GRANGER COLLECTION

Beerbohm, Sir (Henry) Max(imilian) (24 ago. 1872, Londres, Inglaterra–20 may. 1956, Rapallo, Italia). Caricaturista, escritor y dandi inglés. Sus sofisticadas ilustraciones y parodias captaron de manera excepcional y, por lo general, sin malicia, todo rasgo pretencioso, amanerado o absurdo de sus famosos y elegantes contemporáneos. Su primer trabajo literario, *The Works of Max Beerbohm* [Obras de Max Beerbohm] (1896), y su primer libro de dibujos, *Caricatures of Twenty-five Gentlemen* [Caricaturas de veinticinco caballeros] (1896), fueron seguidos por *El hipócrita santificado* (1897) y su única novela, *Zuleika Dobson* (1911), una sátira de la vida en Oxford. Su volumen de relatos *Seven Men* [Siete hombres] (1919) es considerado una obra maestra del género.

Beersheba Ciudad (pob., est. 1999: 163.700 hab.) del sur de Israel. Históricamente marcó el límite sur de Palestina, de ahí la frase bíblica "de Dan a Beersheba" (Dan se ubica en el extremo norte de Israel). Fue dominada por los árabes en el s. VII y por el Imperio OTOMANO en el s. XVI. Por mucho tiempo fue un lugar de abrevadero para las tribus nómadas beduinas del desierto de NÉGUEV. Fue posesión británica desde 1917 y pasó a formar parte de Israel en 1948. Desde esa época se ha desarrollado como principal centro administrativo, cultural e industrial del Néguev.

Beethoven, Ludwig van (bautizado el 17 dic. 1770, Bonn, arzobispado de Colonia–26 mar. 1827, Viena, Austria). Compositor alemán. Nacido en el seno de una familia de músicos, fue un dotado y precoz pianista y violero. Después de trabajar nueve años como músico en la corte de Bonn, se trasladó a Viena para estudiar con JOSEPH HAYDN y se quedó allí por el resto de su vida. Pronto fue conocido como virtuoso y compositor, y se convirtió en el primer compositor importante que logró vivir sin trabajar para la Iglesia o la corte. Transitó con originalidad entre las épocas clásica y romántica. Enraizado en las tradiciones de Haydn y Mozart, su arte abarcó también el nuevo espíritu humanista expre-

sado en las obras de los escritores románticos alemanes así como en los ideales de la Revolución francesa, con su interés apasionado por la libertad y la dignidad del individuo. Su asombrosa *Tercera Sinfonía* (*Heroica*) (1803) fue el trueno que anunció el siglo romántico y encarna la energía titánica, pero rigurosamente controlada, que fue el rasgo distintivo de su estilo. Empezó a perder la audición c. 1795; c. 1819 estaba completamente sordo. En sus últimos 15 años fue el compositor sin igual más famoso del mundo. Fue un gran innovador de la forma musical, ampliando el campo de la SONATA, SINFONÍA, CONCIERTO y CUARTETO DE CUERDAS. Su logro supremo fue elevar la música instrumental, considerada hasta entonces inferior a la música vocal, al nivel más alto del arte. Sus obras comprenden las famosas nueve sinfonías; 16 cuartetos de cuerda; 32 sonatas para piano; la ópera *Fidelio* (1805, rev. 1814); dos misas, incluida la *Missa Solemnis* (1823); cinco conciertos para piano; un concierto para violín (1806); seis tríos para piano; diez sonatas para violín; cinco sonatas para violonchelo y varias oberturas de concierto.

Begin, Menahem (Wolfovitch) (16 ago. 1913, Brest-Litovsk, Rusia–9 mar. 1992, Tel Aviv, Israel). Primer ministro de Israel (1977–83). Se graduó de abogado en la Universidad de Varsovia, Polonia. Durante la segunda guerra mundial (1939–45), las autoridades soviéticas lo enviaron a Siberia, pero pronto fue liberado y se unió al ejército polaco en el exilio. Escapó a Palestina y ahí, en 1943, encabezó el IRGUN TZEVAÍ LEUMÍ (movimiento clandestino de derecha en favor de un Estado judío). De 1948–77 dirigió la oposición en el Knesset israelí, con excepción de los tres años que estuvo en el Gobierno de Unidad Nacional (1967–70). Como jefe de la coalición del partido LIKUD, llegó a primer ministro en 1977. Com-

Menahem Begin, 1987.
RALPH CRANE/CAMERA PRESS DE GLOBE PHOTOS

partió en 1978 el Premio Nobel de la Paz con ANWAR EL-SĀDĀT por las negociaciones que condujeron al tratado de paz entre Israel y Egipto en 1979. Su invasión al Líbano en 1982 volcó la opinión pública mundial contra Israel, por lo que renunció a su cargo en 1983. Ver también guerras ÁRABE-ISRAELÍES; VLADIMIR JABOTINSKY.

begonia Cualquiera de unas 1.000 especies (género *Begonia*) de plantas, la mayoría SUCULENTAS, tropicales o sub-

tropicales, muchas de las cuales tienen flores u hojas de colores vivos y son usadas como plantas de maceta para interior o como plantas de jardín. El número de variedades cultivadas es impresionante. *B. semperflorens* es la más común como PLANTA DE VIVERO estival; hay begonias que se caracterizan por sus tallos altos y otras velludas con hojas afelpadas. La mayoría son delicadas y no toleran la sequedad, además, requieren protección contra la luz solar fuerte.

Begonia rizomatosa (*B. rex*).
© ENCYCLOPÆDIA BRITANNICA, INC.

behaísmo ver BAHA'I

Behan, Brendan (Francis) (9 feb. 1923, Dublín, Irlanda–20 mar. 1964, Dublín). Escritor y dramaturgo irlandés. Fue un alcohólico desde los ocho años de edad y un consumado rebelde antiinglés arrestado en varias ocasiones. En *Borstal Boy* [Muchacho de Borstal] (1958), recuento del período que pasó detenido en un reformatorio inglés, combina la sátira mundana con una poderosa crítica política. Su primera obra teatral, *The Quare Fellow* (1954) [Un tipo singular], es un furibundo alegato en contra de la pena de muerte y la vida carcelaria. Su segunda pieza, *The Hostage* [El rehén] (estrenada en 1958), es considerada su obra maestra. También escribió poesía, cuentos, libretos radiales, recopilaciones de anécdotas, memorias y una novela.

behaviorismo ver CONDUCTISMO

Behistún *o* **Bisotun** Localidad y emplazamiento histórico en el oeste de Irán. En un acantilado de caliza sobre el actual poblado existe un bajorrelieve y una serie de inscripciones supuestamente encargadas por el rey aqueménido DARÍO I (r. 522–486 AC); las inscripciones en persa antiguo, babilonio y elamita relatan cómo Darío mató a un usurpador, derrotó las fuerzas rebeldes y asumió el trono. Dichas inscripciones fueron copiadas por primera vez (1837–47) por Sir Henry Rawlinson (n.1810– m.1895), funcionario de la COMPAÑÍA INGLESA DE LAS INDIAS ORIENTALES. Llegar a descifrar el persa antiguo fue un importante avance en el estudio de la escritura CUNEIFORME.

Behn, Aphra (jul. 1640, ¿Harbledown?, Kent, Inglaterra–16 abr. 1689, Londres). Poetisa, dramaturga y novelista inglesa, fue quizás la primera escritora inglesa que se ganó la vida escribiendo. Se tienen pocos antecedentes de sus primeros años; sólo se sabe que pasó gran parte de estos en América del Sur. En 1658 se casó con un comerciante de apellido Behn, quien falleció a mediados de la década de 1660. Su novela *Oroonoko o el esclavo real* (1688), que relata la historia de un príncipe africano esclavizado a quien Behn conoció en Sudamérica, constituyó un hito en el desarrollo de la novela inglesa. Su primera obra teatral, *The Forc'd Marriage* [El matrimonio forzado] fue estrenada en 1671. Sus últimas e ingeniosas comedias, entre las que se destaca *El exiliado* (obra que consta de dos partes, de 1677 y 1681), tuvieron mucho éxito. Durante sus últimos años escribió varias novelas que alcanzaron gran popularidad.

Behrens, Peter (14 abr. 1868, Hamburgo, Alemania–27 feb. 1940, Berlín). Arquitecto y diseñador alemán. En 1903 se convirtió en director de la escuela de artes y oficios de Düsseldorf. En 1907, la gran compañía eléctrica AEG lo contrató como su asesor artístico, importante cargo que le permitió diseñar la marca comercial hexagonal de AEG, sus catálogos, papelería, productos como ventiladores eléctricos y luminarias, y sus fábricas y tiendas. La fábrica de turbinas de AEG en Berlín (1909–12), con su extenso MURO CORTINA de vidrio, se convirtió en el edificio más importante de Alemania de esa época. Behrens fue un pionero influyente del modernismo; WALTER GROPIUS, LE CORBUSIER y LUDWIG MIES VAN DER ROHE trabajaron en su oficina.

Peter Behrens, retrato de Max Liebermann.
ARCHIV FUR KUNST UND GESCHICHTE, BERLÍN

Behrman, S(amuel) N(athaniel) (9 jun. 1893, Worcester, Mass., EE.UU.–9 sep. 1973, Nueva York, N.Y.). Dramaturgo estadounidense. Colaboró en diarios y revistas de Nueva York y después estudió teatro en la Universidad de Harvard. A su primera obra exitosa, la comedia ligera *El segundo hombre* (1927), le siguieron las populares *Meteor* (1929), *Brief Moment* (1931) y *Biografía* (1932). Sus obras más serias son *Rain from Heaven* (1934) y *No es tiempo para comedias* (1939). Durante sus 40 años como escritor, se destacó por abordar complejos temas sociales y morales, y la gran mayoría de sus 25 comedias fueron exitosas.

Beiderbecke, (Leon) Bix (10 mar. 1903, Davenport, Iowa, EE.UU.–6 ago. 1931, Long Island, N.Y.). Corneta y compositor de jazz estadounidense. Desarrolló un estilo libre de la influencia de LOUIS ARMSTRONG y se convirtió en el músico líder del estilo de jazz de Chicago en la década de 1920. Se destacó por su sonido amable y claro, así como por su interpretación introspectiva. Su interés en la armonía de compositores como CLAUDE DEBUSSY se reflejó tanto en sus interpretaciones como en sus composiciones. Junto con el saxofonista Frankie Trumbauer, Beiderbecke trabajó en las bandas de Jean Goldkette y de PAUL WHITEMAN. Su alcoholismo y muerte prematura contribuyeron a consagrarlo como una de las primeras leyendas románticas del jazz .

Bix Beiderbecke.
BROWN BROTHERS

Beijing *o* **Pei-ching** convencional **Pekín** *ant. (1928–49)* **Peiping** Ciudad (pob., est. 1999: ciudad, 6.633.929 hab.; est. 2000: municipio, 13.820.000 hab.), municipio con estatus de provincia y capital de China. El municipio limita con la provincia de HEBEI y el municipio de TIANJIN y tiene una superficie de 16.800 km² (6.500 mi²). Situada en una extensa llanura en el nordeste de China, la ciudad ha sido ocupada desde tiempos remotos, siendo conocida por varios nombres. Fue denominada Khanbalik o Cambaluc, cuando en 1264 DC se transformó en la residencia real de KUBLAI KAN y fue visitada por MARCO POLO. Elegida capital en 1421 y permaneció como tal durante la dinastía QING (1644–1911/12). Sufrió serios daños cuando fue ocupada por fuerzas europeas en 1860 y 1900 (ver rebelión de los BÓXERS). En 1928, la capital fue trasladada a NANJING, y a la ex capital se le dio el nombre de Peiping. Poco después, en 1937, se produjo el incidente del puente MARCO POLO. Después de la victoria comunista en 1949, Beijing recuperó la condición de capital y su antiguo nombre. Es el centro educacional y cultural de China. En la CIUDAD PROHIBIDA se encuentra el antiguo palacio imperial. Colindante está ubicada la plaza de TIANANMEN, que se considera la plaza pública más grande del mundo. Las murallas de Beijing (construidas en el s. XV) fueron parcialmente derribadas durante la REVOLUCIÓN CULTURAL. En 2001, la ciudad fue seleccionada como sede de los Juegos Olímpicos de 2008.

Avenida Jianguomennei, con modernos edificios, una de las principales vías céntricas de Beijing, capital de China.
FOTOBANCO

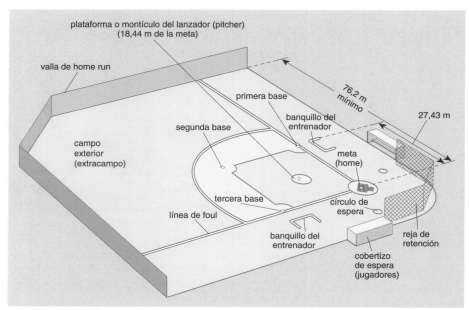

Cancha típica de béisbol universitario o profesional. El bateador se ubica en la meta y el lanzador en su plataforma respectiva. Cuando un batazo cae fuera de las líneas de falta (de *foul*), el bateador no puede correr. Cualquier pelota que sobrepase la valla es un *home run* para el bateador. Los entrenadores situados en la primera y tercera base indican a los corredores cuándo deben correr. Los jugadores esperan su turno para batear en el cobertizo de espera de su equipo. La distancia y las configuraciones de la valla de *home run* varían de una cancha a otra. El *softball* se juega en una cancha similar, pero las bases están más cerca entre sí (por lo general a unos 18,3 m [60 pies] de distancia) y la plataforma de lanzamiento, más cerca de la meta (12,2 m [40 pies] en el caso de las damas y 14 m [46 pies] en el de varones), asimismo, la valla de *home run* puede estar a unos 61 m (200 pies) de distancia.

© 2006 MERRIAM-WEBSTER INC.

Beijing, Universidad de Una de las universidades más antiguas e importantes de China. Fue fundada en 1898 como Escuela Superior de Jingshi, y se convirtió en universidad en 1912. Ya en 1920 se había transformado en un centro de pensamiento progresista. Durante la invasión japonesa a China (1937–45), fue reubicada temporalmente en la provincia de Yunnan. Los primeros disturbios de la REVOLUCIÓN CULTURAL comenzaron en la Universidad de Beijing en 1966, año en el cual se suspendió la educación hasta 1970. Desde entonces la universidad ha reafirmado su lugar como la principal universidad no técnica de China. Cuenta con 25 departamentos académicos y numerosos institutos de investigación, además de poseer la biblioteca universitaria más grande del país.

Beilstein, Friedrich Konrad (17 feb. 1838, San Petersburgo, Rusia–18 oct. 1906, San Petersburgo). Químico ruso. Desde 1866 hasta su jubilación, enseñó en el Instituto técnico de San Petersburgo. Su *Handbuch der organischen Chemie* [Manual de química orgánica] (1ª ed., 1880–83) describe totalmente 15.000 compuestos orgánicos. La cuarta edición (vol. 27, 1937) es actualizada en forma periódica y sigue siendo indispensable para aquellos que trabajan en química orgánica.

Beira Ciudad costera (pob., 1997: 412.588 hab.) del sudeste de Mozambique. Situada cerca de la desembocadura del río Pungue, es el puerto principal de Mozambique central y de los países mediterráneos de Zimbabwe y Malawi. Fundada en 1891 como la sede de una sociedad mercantil, pasó a la administración portuguesa en 1942 y luego a Mozambique independiente en 1975. Es el terminal de vías férreas de Sudáfrica, Zimbabwe, República Democrática del Congo, Zambia y Malawi.

Beirut Ciudad (pob., est. 1998: área metrop., 1.500.000 hab.), capital del LÍBANO. Es el principal puerto y ciudad más populosa del país y se ubica a los pies de la cordillera del Líbano. Poblada inicialmente por los fenicios, alcanzó prominencia bajo la soberanía romana durante el s. I AC. Fue capturada por los árabes en 635 DC. Los cruzados cristianos ocuparon Beirut (1110–1291), que después fue dominada por la dinastía de los MAMELUCOS. En 1517 cayó bajo el control del Imperio OTOMANO. Bajo mandato francés pasó a ser la capital del nuevo estado del Líbano en 1920 y capital del país independiente Líbano en 1943. Floreció como el principal centro bancario y cultural del Medio Oriente. Sufrió graves daños durante la guerra civil LIBANESA (1975–91) así como durante la lucha entre fuerzas israelíes y milicias de la OLP (Organización para la Liberación de Palestina) en 1982. Después de terminada la guerra civil, la ciudad comenzó un lento proceso de reconstrucción.

béisbol Deporte que se practica con un bate y una pelota entre dos equipos de nueve jugadores (diez en caso de que un bateador designado reemplace al lanzador (*pitcher*) en sus turnos al bate y al momento de correr las bases). El béisbol se juega en una amplia cancha que tiene cuatro bases en los vértices de un cuadrado posicionado como un diamante, cuyas líneas exteriores determinan el curso que un corredor debe seguir para anotar. Los jugadores alternan posiciones como bateadores o defensores en el campo, intercambiándose cuando quedan eliminados tres miembros del equipo que batea. Los bateadores tratan de pegarle a una pelota arrojada por el lanzador, a fin de dejarla fuera del alcance (en el campo) del equipo que defiende, para correr a través de las cuatro bases hasta anotar una carrera. Cada jugador que cruza la meta o base inicial gana un punto para su equipo; así, si un jugador consigue conectar la pelota y llegar a la segunda base, y el compañero que le sucede consigue un *home run* o cuadrangular (batazo que permite que el corredor recorra las cuatro bases y anote), dos jugadores llegarán a la base y se sumarán dos carreras. Vence el equipo que anota más carreras en nueve entradas (veces que el equipo batea). Si un partido termina empatado, se juegan entradas adicionales hasta que el marcador se desequilibra. Tradicionalmente, el béisbol es considerado el pasatiempo nacional de EE.UU. Durante algún tiempo se pensó que el juego fue inventado en 1839 por Abner Doubleday en Cooperstown, N.Y. Sin embargo, es más probable que el béisbol se haya desarrollado a partir de un juego inglés del s. XVIII llamado *rounders* que fue modificado por Alexander Cartwright. La primera asociación profesional se formó en 1871; cinco años más tarde se convirtió en la Liga Nacional. Su rival, la Liga Americana se fundó en 1900 y, desde 1903 (excepto en 1904 y 1994), los ganadores de cada liga juegan un campeonato de postemporada conocido como la Serie Mundial. El Salón de la Fama del béisbol está ubicado en Cooperstown. Existen ligas profesionales de béisbol en varios otros países. En América Latina se disputan las Series del Caribe cada febrero, torneo en el que participan Cuba, México, Panamá, Puerto Rico, República Dominicana y Venezuela. Otras competencias importantes de este deporte se realizan en Asia. Japón tiene dos ligas, Central y Pacífico, que juegan la Serie Japonesa cada noviembre; Corea del Sur y Taiwán también tienen ligas de béisbol.

Béjart, familia Familia francesa del s. XVII dedicada al teatro. Madeleine (n. 1618–m. 1672) dirigió la compañía itinerante, conformada por sus hermanos Joseph (n. c. 1617–m. 1659) y Louis (n. 1630–m. 1678) y por su hermana Geneviève (n. c. 1622–m. 1675). Se unieron al Illustre Théatre, la primera compañía de MOLIÈRE en 1643 y crearon numerosos papeles en sus obras. La hermana de Madeleine, o posiblemente su hija, Armande Béjart (n. 1642–m. 1700), se incorporó a la compañía en 1653. Se casó con Molière en 1662 e interpretó a la mayoría de sus heroínas. Después del fallecimiento de su esposo, dirigió la compañía y posteriormente se asoció con otro grupo teatral para formar en 1680 la COMÉDIE-FRANÇAISE.

Béjart, Maurice *orig.* **Maurice Jean Berger** (n. 1 ene. 1927, Marsella, Francia). Bailarín, coreógrafo y director de ópera belga de origen francés. Estudió en París, luego realizó giras con diversas compañías antes de fundar en 1954 la propia, Les Ballets de l'Étoile (luego, Ballet Théatre de Maurice Béjart) en París. En 1959, la compañía se trasladó a Bruselas con el nombre de Ballet du XXe siècle, y se transformó en una de las principales compañías itinerantes. Sus producciones se han destacado por adaptar lo clásico de manera inusual y a menudo polémica. A partir de 1961 también ha trabajado en óperas, al poner en escena *Los cuentos de Hoffman* y *La condenación de Fausto* de Berlioz, entre otras. En 1987, la compañía se trasladó a Suiza y cambió su nombre a Ballet Béjart de Lausana.

bejín Cualquiera de varios HONGOS del orden Lycoperdales de la clase Basidiomycetes, que viven en el suelo o en madera en descomposición en lugares herbosos y boscosos. Liberan un polvillo de esporas al remover los tejidos secos y polvorientos del cuerpo fructífero, esférico y maduro (basidiocarpo). Muchos son comestibles antes de madurar.

Bejín (*Calvatia gigantia*).
© ENCYCLOPÆDIA BRITANNICA, INC.

Bejterev, Vladimir (Mijáilovich) (1 feb. 1857, Sorali, Vyatka, Rusia–24 dic. 1927, Moscú, Rusia, U.R.S.S.). Neurofisiólogo y psiquiatra ruso. Competidor de IVÁN PAVLOV, Bejterev elaboró independientemente una teoría de los reflejos condicionados. Sus trabajos más perdurables fueron las investigaciones sobre la estructura del cerebro y las descripciones de síntomas y enfermedades del sistema nervioso. Descubrió el núcleo vestibular superior (núcleo de Bejterev) y otras formaciones cerebrales, y describió la espondilitis deformante (o enfermedad de Bejterev) y otras afecciones. Fundó la primera revista rusa de enfermedades nerviosas. Su enfoque del estudio de la conducta influyó en el creciente movimiento hacia el conductivismo o behaviorismo en EE.UU.

Bekaa, valle de la *o* **valle de Al-Biqā'** *antig.* **Celesiria** Extenso valle del Líbano central. Está situado entre las cadenas montañosas de la cordillera del LÍBANO y la del ANTILÍBANO; tiene aprox. 130 km (80 mi) de largo y 15 km (10 mi) de ancho. Es un área agrícola, atravesada por el río Litan y por el curso superior del ORONTES. Contiene las ruinas de la antigua ciudad de BAALBEK. La mayor parte de la población es musulmana chiita. Durante la guerra civil libanesa (1975–91), el valle fue escenario de combates entre las distintas facciones. Durante ese tiempo, Israel combatió en forma intermitente en el lugar contra las fuerzas de la Organización para la Liberación de Palestina (OLP), y contra el ejército sirio. Desde la década de 1980, el valle ha sido la plaza fuerte de la organización de militantes chiitas, HEZBOLÁ.

Békésy, Georg von (3 jun. 1899, Budapest, Hungría–13 jun. 1972, Honolulu, Hawai, EE.UU.). Físico y fisiólogo estadounidense de origen húngaro. Emigró a EE.UU. en 1947 y enseñó en la Universidad de Harvard en 1947–66.

Descubrió que las vibraciones sonoras viajan en ondas, a lo largo de una membrana en la cóclea, las que alcanzan su cúspide en diferentes lugares, donde los receptores nerviosos determinan el timbre y la intensidad. Sus investigaciones, en parte gracias a los instrumentos que ayudó a diseñar, incrementaron sobremanera la comprensión de los procesos auditivos y la diferenciación de las distintas formas de sordera, lo que permitió seleccionar tratamientos adecuados para ellas. En 1961 obtuvo el Premio Nobel de Fisiología y Medicina.

Bel Dios acadio de la atmósfera, miembro de una tríada que incluye a ANU (An) y a Ea (Enki). Su equivalente sumerio fue Enlil. Su aliento traía tanto grandes tormentas como suaves brisas primaverales. Era el dios de la agricultura y como tal era más importante que el gran dios Anu. Con el nombre de Bel era conocido como el dios del orden y del destino. Tal como Enlil, había sido desterrado al infierno por violar a su consorte Ninlil (BELIT), según un mito que explica el ciclo de las estaciones.

Bel ver MARDUK

Bel Ḥajj, 'Alī ver Alí BELHADJ

Belafonte, Harry *orig.* **Harold George Belafonte, Jr.** (n. 1 mar. 1927, Nueva York, N.Y., EE.UU.). Cantante, actor y productor estadounidense. Nacido en el seno de una familia de inmigrantes de Martinica y Jamaica, vivió con su madre en Jamaica en 1935–40. A comienzos de la década de 1950 puso en boga el CALIPSO con canciones como "Day-O (Banana Boat Song)" y "Jamaica Farewell". Fue protagonista de los filmes *Carmen Jones* (1954) e *Island in the Sun* (1957) y posteriormente se convirtió en el primer productor afroamericano de televisión. En las décadas de 1960–70 fue un activista prominente en favor de los derechos civiles. A partir de la década de 1970, su carrera de cantante fue una ocupación secundaria y actuó en filmes como *Uptown Saturday Night* (1974) y *Kansas City* (1996).

Belarmino, san Roberto *italiano* **Roberto Francesco Romolo Bellarmino** (4 oct. 1542, Montepulciano, Toscana–17 sep. 1621, Roma; canonizado en 1930; festividad: 17 de septiembre). Cardenal y teólogo italiano. Ingresó a los JESUITAS en 1560, y tras ser ordenado en los Países Bajos españoles (1570), empezó a enseñar teología. Fue nombrado cardenal en 1599 y arzobispo en 1602. Tuvo un rol prominente en el primer examen de los escritos de GALILEO. Aunque en cierta medida simpatizaba con Galileo, pensó que era más conveniente declarar el sistema de COPÉRNICO como "falso y erróneo", cosa que se hizo en 1616. Mantuvo una postura imparcial frente a las obras protestantes y fue considerado un teólogo ilustrado. Murió en la miseria, después de haber dado todos sus bienes a los pobres. En 1931 fue nombrado doctor de la Iglesia.

BELARÚS

▸ **Superficie:** 207.595 km² (80.153 mi²)

▸ **Población:** 9.776.000 hab. (est. 2005)

▸ **Capital:** MINSK

▸ **Moneda:** rublo belaruso

Belarús *ant. (hasta 1991)* **Bielorrusia** País de la zona centro-norte de Europa. La población es principalmente belarusa, con minorías rusa y ucraniana. Idiomas: belaruso y ruso (ambos oficiales). Religión: ortodoxa oriental (predominante). La parte septentrional está cruzada por el río DVINA

OCCIDENTAL; el DNIÉPER corre a través de la región oriental; el sur tiene grandes zonas pantanosas a lo largo del río PRÍPIAT; el curso superior del NIEMAN fluye hacia el occidente y el río BUG OCCIDENTAL sirve de límite con Polonia en el sudoeste. Los principales asentamientos, además de Minsk, son GÓMEL, MOGUILOV y VÍTEBSK. La economía es predominantemente agrícola. Belarús es una república bicameral; el jefe de Estado y de gobierno es el presidente. Mientras los belarusos comparten un lenguaje y una identidad particular, en su historia nunca han disfrutado de soberanía política. Su actual territorio ha sido repartido y ha cambiado de manos con frecuencia; como consecuencia de ello, su historia se ha entrelazado con la de sus vecinos. En los tiempos medievales, la región fue gobernada por lituanos y polacos. A continuación de la tercera partición de POLONIA, Belarús fue gobernada por Rusia. Después de la primera guerra mundial, la parte occidental fue asignada a Polonia, y la oriental pasó a ser territorio soviético. Después de la segunda guerra mundial, los soviéticos expandieron lo que había sido la República Socialista Soviética de Bielorrusia, anexando parte de Polonia. La mayor parte de la zona fue contaminada por el desastre de CHERNOBIL, ocurrido en 1986, hecho que forzó la evacuación de muchas personas. Se declaró república independiente en 1991 y más tarde se incorporó a la COMUNIDAD DE ESTADOS INDEPENDIENTES. En medio de un creciente desorden político en la década de 1990, se ha orientado hacia una estrecha unión con Rusia, aunque ha continuado luchando económica y políticamente a comienzos del s. XXI.

belaruso Lengua ESLAVA oriental de Belarús, hablada por unos 10,2 millones de personas en el mundo. Los rasgos del belaruso comenzaron a aparecer en manuscritos en eslavo eclesiástico del s. XIV (ver ESLAVO ECLESIÁSTICO ANTIGUO). La lengua oficial del gran ducado de Lituania, usada en los s. XV–XVI, contiene un elemento belaruso sustancial mezclado con eslavo eclesiástico, UCRANIANO y POLACO. El belaruso no se elaboró completamente como lengua literaria moderna hasta comienzos del s. XX, cuando se establecieron las normas ortográficas para escribirlo en alfabeto CIRÍLICO. Ha luchado por mucho tiempo para mantenerse frente al RUSO, principalmente en los centros urbanos belarusos, donde existe un alto grado de rusificación y bilingüismo belaruso-ruso.

Belasco, David (25 jul. 1853, San Francisco, Cal., EE.UU.–14 may. 1931, Nueva York, N.Y.). Productor teatral y dramaturgo estadounidense. Actuó en compañías itinerantes antes de dedicarse a la producción teatral, primero en San Francisco, y desde 1880 en Nueva York. En 1890 se estableció como productor independiente, y en 1906 construyó su propio teatro, donde introdujo novedosas instalaciones de iluminación, escenografías de gran realismo y un elevado nivel de producción. Combatió exitosamente el monopolio del Sindicato del Teatro. Escribió o colaboró en numerosas obras, entre ellas *Madame Butterfly* (1900) y *The Girl of the Golden West* (1905), que fueron adaptadas a la ópera por el compositor italiano GIACOMO PUCCINI.

Belém Ciudad (pob., est. 2000: área metrop., 1.271.615 hab.) del norte de Brasil. Capital del estado de Pará, el puerto de Belém se ubica en el río PARÁ, en el enorme delta del río AMAZONAS a 145 km (90 mi) del océano Atlántico. Comenzó como una colonia fortificada en 1616; a medida que se estableció gradualmente, contribuyó a la consolidación de la supremacía portuguesa en el norte de Brasil. Se la designó capital del estado en 1772. A fines del s. XIX disfrutó de prosperidad en su calidad de mayor centro de la industria del caucho de la región amazónica. Luego del fin de la era del caucho en 1912, continuó siendo el centro comercial del norte de Brasil y un puerto importante para la navegación por el Amazonas.

belemnites Miembro de un grupo extinto de CEFALÓPODOS, que poseían una gran concha interna, y que aparecieron por primera vez c. 345 millones de años atrás, en los inicios del CARBONÍFERO, y se extinguieron durante el EOCENO, el cual acabó c. 36,6 millones de años atrás. La concha interna de la mayoría de las especies es recta, pero la de algunas es ligeramente enrollada. La concha servía como soporte y fijación muscular y permitía al animal compensar su propio peso corporal y desplazarse a distintas profundidades. Ver también AMMONOIDEO.

Belemnites, cefalópodos similares a calamares.
GENTILEZA DEL AMERICAN MUSEUM OF NATURAL HISTORY, NUEVA YORK

Belén Ciudad (pob., est. 1997: 11.079 hab.) al sudoeste de JERUSALÉN. Antiguo pueblo de JUDEA donde creció el rey DAVID. Durante la segunda insurrección judía se instaló allí una guarnición romana (135 DC). Los cristianos la consideran como el lugar de nacimiento de JESÚS y a inicios del s. IV se construyó la iglesia de la Natividad, en el lugar que se cree fue el sitio de su nacimiento. Belén formó parte del mandato británico de Palestina (1923–48); luego de la primera guerra ÁRABE-ISRAELÍ (1948–49) fue anexada por Jordania, en 1950. Después de la guerra de los SEIS DÍAS (1967) pasó a formar parte del territorio de CISJORDANIA bajo control israelí. Como parte de un acuerdo alcanzado en 1995, Israel cedió su administración a la Autoridad nacional palestina. Por mucho tiempo ha sido un importante lugar de peregrinaje y de turismo; también es un mercado agrícola estrechamente vinculado con Jerusalén.

beleño negro Planta (*Hyoscyamus niger*) de la familia de las SOLANÁCEAS, originaria de Gran Bretaña, que crece silvestre en suelos pobres y en basura acumulada. También se encuentra en Europa central y meridional y desde Asia occidental hasta India y Siberia; se ha naturalizado hace tiempo en EE.UU. La planta entera tiene un potente olor nauseabundo. Del beleño comercial, que corresponde a las hojas secadas de *H. niger* y a veces de *H. muticus*, de Egipto, se obtienen tres drogas: ATROPINA, hiosciamina y escopolamina. Estas drogas, aisladas y purificadas, se usan como remedio para las contracciones musculares espasmódicas, la irritación nerviosa y la histeria.

Belerofonte Héroe griego legendario. Hijo de GLAUCO y nieto de SÍSIFO, durante su juventud en Corinto domó y montó a PEGASO, el caballo alado. La esposa de Preto, rey de Argos, se enamoró de él, y cuando Belerofonte la rechazó, ella lo acusó falsamente de intentar violarla. Preto lo envió ante el rey de Licia con un mensaje en el que le pedía que fuese ejecutado. En cambio, el rey ordenó a Belerofonte matar al monstruo QUIMERA, tarea que consiguió con la ayuda de Pegaso. Se casó con la hija del rey, pero después perdió el favor de los dioses y terminó como un vagabundo infeliz. Otra versión de la leyenda sostiene que intentó volar al cielo, pero fue arrojado de Pegaso y quedó lisiado.

Belerofonte con su caballo Pegaso, bajorrelieve en piedra; Palazzo Spada, Roma.
ALINARI—ART RESOURCE/EB INC.

Belfast Distrito, puerto marítimo y capital de Irlanda del Norte (pob., est. 1999: 297.200 hab.). A orillas del río Lagan, el emplazamiento fue ocupado durante las edades de piedra y bronce; todavía pueden verse los restos de los fuertes de la edad del hierro. La historia moderna de Belfast empezó a principios del s. XVII cuando Sir Arthur Chichester elaboró un plan para colonizar el lugar con colonos ingleses y escoceses. Después de sobrevivir a la insurrección irlandesa de 1641, el pueblo creció en importancia económica, especialmente luego de la llegada de muchos HUGONOTES franceses, provocada por la derogación del edicto de NANTES (1685), lo que fortaleció el comercio del lino. Pasó a ser el centro del protestantismo irlandés, preparando el camino para el conflicto sectario en los s. XIX–XX. La lucha revivió en la década de 1960 y no aminoró hasta que se alcanzó un acuerdo de paz en 1998. La ciudad es el centro educativo y comercial de Irlanda del Norte.

belgas Habitantes de GALIA, al norte de los ríos Sequana (SENA) y Matrona (MARNE). Al parecer, el nombre fue usado por primera vez por JULIO CÉSAR, cuyas victorias gálicas (54–51 AC) hicieron emigrar a muchos belgas a Britania (actual Gran Bretaña), en donde establecieron varios reinos, los más importantes de los cuales estuvieron en Camulodunum (Colchester), Verulamium (St. Albans) y Calleva Atrebatum (Silchester).

Bélgica Antiguo país ubicado en el nordeste de GALIA. Una de las regiones administrativas en las que AUGUSTO dividió la Galia, se extendía entre los ríos SENA y RIN, incluida la actual BENELUX. Su capital era Durocortorum Remorum (actual REIMS). Parte de la región se transformó en Germania Inferior y Germania Superior, bajo DOMICIANO, y más tarde, bajo DIOCLECIANO, el resto fue dividido en Belgica Prima y Belgica Secunda. En el s. V DC, Bélgica fue absorbida por los FRANCOS. Ver también BÉLGICA.

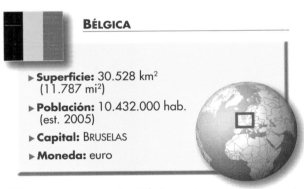

BÉLGICA

▸ **Superficie:** 30.528 km² (11.787 mi²)

▸ **Población:** 10.432.000 hab. (est. 2005)

▸ **Capital:** BRUSELAS

▸ **Moneda:** euro

Bélgica *ofic.* **Reino de Bélgica** País de Europa noroccidental. La población está compuesta principalmente por flamencos y valones. Los flamencos, que constituyen más de la mitad de la población, hablan flamenco (neerlandés) y viven en la mitad septentrional del país; los valones, que comprenden cerca de un tercio de la población, hablan francés y habitan la mitad meridional. Idiomas: neerlandés, francés y alemán (todos oficiales). Religiones: católica (90%), Islam y protestante. Bélgica puede dividirse en varias regiones geográficas. La del sudeste está constituida por las tierras altas del bosque de ARDENAS, que se extiende al sur del valle del río MOSA y que incluye el punto más alto del país, el monte Botrange (694 m [2.277 pies]). La región central del territorio es fértil y está cruzada por afluentes del río ESCALDA. La baja Bélgica comprende la planicie de FLANDES, en el noroeste, con sus numerosos canales. El Flandes marítimo limita con el mar del Norte y tiene una próspera agricultura; el principal puerto del mar del Norte es Oostende, pero AMBERES (Anvers en francés; Antwerpen, en flamenco) tiene mucho más tráfico, por estar cerca de la desembocadura del Escalda. Bélgica posee escasos recursos naturales, razón por la cual la

El Atomium, monumento conmemorativo de la industria atómica, uno de los símbolos de Bruselas, capital de Bélgica.
ARCHIVO EDIT. SANTIAGO

industria manufacturera, basada en materias primas importadas, desempeña un papel importante en la economía y el país está hoy altamente industrializado. Es una monarquía con un parlamento bicameral; el jefe de Estado es el monarca y el jefe de Gobierno, el primer ministro. Habitada en tiempos antiguos por los belgae, pueblo celta, la región fue conquistada por JULIO CÉSAR en 57 AC; bajo el régimen de AUGUSTO pasó a ser la provincia romana de BÉLGICA. Conquistada por los francos, más tarde se disgregó en territorios semiindependientes, como BRABANTE y LUXEMBURGO. A fines del s. XV, los territorios de los Países Bajos, de los cuales era parte la futura Bélgica, se fueron unificando en forma gradual y pasaron a manos de la casa de HABSBURGO. En el s. XVI fue un centro importante para el comercio europeo. El origen de la moderna Bélgica se encuentra en las provincias católicas del sur, que se separaron de las provincias septentrionales después de la Unión de Utrecht en 1579 (ver PAÍSES BAJOS). Invadida por los franceses e incorporada a Francia en 1801, la región se reunificó con Holanda, y con ella se transformó en el reino independiente de los Países Bajos en 1815. Después de la revuelta de sus ciudadanos en 1830, surgió el reino independiente de Bélgica. Bajo LEOPOLDO II, adquirió vastos territorios en África. Invadida por los alemanes en la primera y segunda guerras mundiales, fue escenario de la campaña de las ARDENAS (1944–45). Las discordias internas llevaron a que en las décadas de 1970 y 1980 se aprobara la legislación que creó tres regiones casi autónomas, concordantes con la distribución lingüística: Flandes de habla flamenca, Valonia de habla francesa y la bilingüe Bruselas. En 1993 se transformó en una federación que comprende tres regiones, la cual obtuvo mayor autonomía a comienzos del s. XXI. Es miembro de la UNIÓN EUROPEA (UE).

Belgrado *serbio* **Beograd** Ciudad (pob., 1999: 1.168.454 hab.), capital de la república de Serbia y capital federal de Serbia y Montenegro (anteriormente Yugoslavia). Situada a orillas de la confluencia de los ríos DANUBIO y SAVA, es una de las zonas de comercio y transporte más importante de los Balcanes. Habitada por los celtas en el s. IV AC, fue tomada luego por los romanos que la llamaron Singidunum. Fue destruida por los ávaros en el s. VI. Durante el s. XI DC pasó a ser una ciudad fronteriza de Bizancio, y en el s. XIII quedó bajo el control de SERBIA. Los turcos otomanos sitiaron la ciudad en el s. XV. Finalmente las fuerzas de Solimán I la tomaron en 1521; la ciudad fue de los turcos casi en forma continua hasta principios del s. XIX. Se convirtió en la capital de Serbia en 1882 y, después de la primera guerra mundial, del nuevo reino de los serbios, croatas y eslovenos (Yugoslavia a partir de 1929). Sufrió grandes daños bajo la ocupación nazi (1941–44). Fue atacada por bombarderos de la OTAN en la crisis de KOSOVO (1999). YUGOSLAVIA experimentó continuos cambios fronterizos durante el s. XX y se le dio el nombre de Serbia y Montenegro en 2003.

Vista de la antigua Belgrado a orillas del río Sava, con la catedral ortodoxa al fondo.
TONI SCHNEIDERS

Belgrado, paz de (1739). Cualquiera de los dos acuerdos de paz que dieron término a la guerra de cuatro años del Imperio otomano contra Rusia y a su guerra de dos años contra Austria. En 1735, Rusia había intentado establecerse en el norte del mar Negro. Austria entró a la guerra como su aliada en 1737, pero los fracasos militares la llevaron a firmar la paz por separado en septiembre de 1739, cediendo el norte de Serbia (incluido Belgrado) y la Pequeña Valaquia a los otomanos. Con la defección de los austríacos, Rusia debió aceptar una decepcionante paz ese mismo mes, bajo cuyos términos se le impidió tener buques de guerra en el mar Negro y pasó a depender de la navegación otomana para comerciar en sus aguas.

Belhadj, Alí o **'Alī Bel Hajj** (n. c. 1956, Túnez). Segundo líder del FRENTE ISLÁMICO DE SALVACIÓN (FIS), partido político argelino. Nacido de padres argelinos, se convirtió en profesor de escuela secundaria y en un sacerdote imán. Junto con Abbasi al-Madani, líder más moderado, inscribieron al FIS como partido político en 1989. En 1990, el FIS ganó la mayoría de los votos en las elecciones locales; en 1991, el gobierno argelino declaró la ley marcial y encarceló a ambos dirigentes. En 1994 fue trasladado a su hogar bajo arresto domiciliario.

BELICE

- ▸ **Superficie:** 22.965 km^2 (8.867 mi^2)
- ▸ **Población:** 291.000 hab. (est. 2005)
- ▸ **Capital:** BELMOPAN
- ▸ **Moneda:** dólar de Belice

Belice inglés **Belize** ant. (1840–1973) **Honduras británica** País de América Central. La mayor parte de la población es mestiza: criollos (mezcla de europeos y africanos), indios MAYAS, mestizos maya-europeos y garifuna. Idiomas: inglés (oficial), criollo (creole) y español. Religiones: católica, metodista y anglicana. El país limita al norte con México, al este con el mar Caribe, y al oeste y sur con Guatemala. Belice es una región de montañas, pantanos y selvas tropicales. La mitad ubicada al norte está formada por tierras bajas pantanosas drenadas por los ríos Belice y Hondo; este último río constituye la frontera con México. La mitad que se extiende al sur es más montañosa y allí se encuentra la cumbre más alta del país, el pico Victoria (1.122 m [3.681 pies]). Frente a las costas se halla la barrera de arrecife de Belice, la segunda más grande del mundo. Es un país relativamente próspero y tiene una economía en desarrollo basada en el libre mercado con alguna participación gubernamental. Es una monarquía constitucional bicameral; el jefe de Estado es el monarca bri-

tánico representado por un gobernador general, y el jefe de Gobierno es el primer ministro. La región fue habitada por los mayas (c. 300 AC–900 DC); las ruinas de sus centros ceremoniales, como Caracol y Xunantunich, todavía se pueden observar. Los españoles reclamaron soberanía desde el s. XVI, pero nunca intentaron colonizar Belice, aunque consideraron contrabandistas a los británicos que lo hacían. La explotación forestal comenzó a mediados del s. XVI; la oposición española finalmente fue derrotada en 1798. Cuando los colonos comenzaron a penetrar hacia el interior, se encontraron con la resistencia indígena. En 1862, Honduras británica se transformó en una colonia soberana, pero el incumplimiento de una cláusula de un tratado firmado en 1859 entre Gran Bretaña y Guatemala llevó a que esta última reclamara el territorio. La situación no había sido resuelta cuando se le concedió la independencia a Belice en 1981. Una fuerza británica, instalada allí para dar seguridad al nuevo país, fue retirada después de que Guatemala reconoció oficialmente la independencia del territorio en 1991.

Ruinas del centro ceremonial maya de Xunantunich, Belice.
ARCHIVO EDIT. SANTIAGO

Belice, Ciudad de Puerto principal y antigua capital (pob., 2000: 49.050 hab.) de Belice. Se ubica en la desembocadura del río Belice, el cual fue hasta el s. X una arteria de comercio del Imperio MAYA densamente poblada. Los británicos colonizaron esta área en el s. XVII. La ciudad, construida en terrenos situados levemente sobre el nivel del mar, ha sido azotada por huracanes. Debido a esto su capital fue trasladada tierra adentro a BELMOPAN en 1970.

Belidor, Bernard Forest de (1698, Cataluña, España–8 sep. 1761, París, Francia). Ingeniero militar y civil francés. Luego de servir en el ejército, trabajó en la medición de un arco de la Tierra. En su calidad de profesor de artillería en una escuela militar francesa, escribió libros memorables sobre ingeniería, artillería, balística y fortificaciones, pero su fama descansa primordialmente en su clásica *Architecture hydraulique* (4 vol., 1737–53), que abarca temas de mecánica aplicada a la ingeniería, molinos y ruedas hidráulicas, bombas, puertos y obras marítimas.

Belinski, Vissarion (Grigórievich) (30 may. 1811, Sveaborg, Finlandia, Imperio ruso–26 may. 1848, San Petersburgo, Rusia). Crítico literario ruso. Expulsado de la Universidad de Moscú en 1832, trabajó como periodista y adquirió reputación con sus artículos de crítica literaria en los que expuso su doctrina nacionalista. Su argumento de que la literatura debía expresar ideas políticas y sociales tuvo un gran impacto en la crítica literaria soviética y a menudo fue llamado el padre de la intelectualidad radical rusa.

Belisario (c. 505, ¿Germania, Iliria?–mar. 565). General bizantino. Mientras servía en la guardia del emperador JUSTINIANO I, fue designado (c. 525) para comandar los ejércitos del Oriente, y derrotó a los persas en la batalla de Dara (530). En 532 se ganó aún más la confianza de Justiniano al comandar las tropas que sofocaron la insurrección de Nika que casi derrocó al emperador. Dirigió expediciones destinadas a destronar a los vándalos de África del norte (533), a reconquistar Sicilia y el sur de Italia de manos de los ostrogodos (535–537) y a defender Roma (537–538). Los godos le ofrecieron un reinado, lo que hizo que Justiniano lo hiciera regresar en gesto de desaprobación. Fue enviado nuevamente a Roma (544–548), pero con fuerzas inadecuadas, y fue reemplazado por NARSÉS en 548. Todavía leal a Justiniano, fue llamado de vuelta en 559 para repeler a los invasores hunos.

Belit Diosa acadia del destino, consorte de BEL, y madre de SIN, el dios de la Luna. Su homóloga sumeria era Ninlil. Los asirios a veces la identificaban con ISHTAR. Ninlil era una diosa de los cereales, y la leyenda de su violación por Enlil, el dios del viento, refleja el ciclo estacional de la polinización, maduración y marchitez.

Belitung, isla o **isla Billiton** Isla del centro-oeste de Indonesia. Está situada en el estrecho de Karimata (que la separa de BORNEO hacia el nordeste) y se encuentra entre el mar de CHINA meridional (por el norte) y el mar de JAVA (por el sur). Con una longitud de 88 km (55 mi) y 69 km (43 mi) de ancho, tiene una superficie de 4.833 km^2 (1.866 mi^2). La principal ciudad y puerto es Tanjungpandan. Belitung fue cedida a los británicos en 1812 por el sultán de Palembang, SUMATRA, pero en 1824 Gran Bretaña reconoció la demanda de soberanía holandesa. La isla pasó a formar parte de Indonesia después de la segunda guerra mundial. Es importante por sus minas de estaño, descubiertas en 1851.

Beliveau, Jean (Marc A.) (n. 31 ago. 1931, Trois-Rivières, Quebec, Canadá). Jugador canadiense de hockey sobre hielo. Jugó por los Montreal Canadiens de 1953 a 1971. El récord de su carrera, de 79 goles y 176 puntos marcados durante partidos definitorios, incluidos 17 en partidos de finales por la Copa STANLEY, estuvo vigente hasta 1987.

Bell, Alexander Graham (3 mar. 1847, Edimburgo, Escocia–2 ago. 1922, Beinn Bhreagh, Nueva Escocia, Canadá). Fonoaudiólogo e inventor estadounidense de origen escocés. En 1871 emigró a EE.UU. para enseñar el sistema de lenguaje visible desarrollado por su padre, Alexander Melville Bell (n. 1819–m. 1905). En 1872, fundó en Boston su propia escuela para maestros de sordos y fue muy determinante en la difusión de este método. En 1876 se convirtió en la primera persona en transmitir palabras comprensibles a través de un cable eléctrico ("Watson, venga aquí, le necesito", dijo a su asistente Thomas Watson). Patentó el teléfono el mismo año, y en 1877 cofundó la Bell Telephone Co. Con el dinero del Premio Volta que le otorgó Francia, fundó en 1880 el Laboratorio Volta, en Washington, D.C. Sus experimentos en ese laboratorio condujeron a la invención del fotófono (aparato transmisor de sonido por medio de rayos de luz), el audiómetro (medidor de la agudeza del oído), el grafófono (primer grabador práctico de sonido), y cera como material para soporte de grabación, tanto plano como cilíndrico, para el grafófono. Fue el principal responsable de la creación de la revista *Science*; fundó la Asociación americana para la promoción de la enseñanza de lenguaje a los sordos (1890), y continuó su significativa investigación sobre la sordera durante toda su vida.

Alexander Graham Bell inaugurando en 1892 el servicio telefónico entre Nueva York y Chicago, EE.UU.
FOTOBANCO

Bell, (Arthur) Clive (Heward) (16 sep. 1881, East Shefford, Berkshire, Inglaterra–17 sep. 1964, Londres). Crítico de arte británico. Estudió en la Universidad de Cambridge y en París. En 1907 se casó con Vanessa Stephen, hermana de VIRGINIA WOOLF. Junto con el marido de Virginia, Leonard Woolf y ROGER FRY, formaron el núcleo del grupo de BLOOMS-BURY. Las ideas estéticas más importantes de Bell se publicaron en *Art* (1914) y *Since Cézanne* (1922), donde promovió su teoría de la "forma significante" (la cualidad que distingue a las obras de arte de todos los demás objetos). Su afirmación de que la apreciación del arte involucra una respuesta emocional frente a las cualidades puramente formales, independiente de su temática, resultó influyente por varias décadas.

Bell Burnell, (Susan) Jocelyn orig. **Susan Jocelyn Bell** (n. 15 jul. 1943, Belfast, Irlanda del Norte). Astrónoma británica. Como ayudante de investigación en la Universidad de Cambridge, ayudó a construir un radiotelescopio de gran tamaño y descubrió los PULSARES, fuentes cósmicas que emiten pulsos de radio peculiares, proporcionando la primera evidencia directa de la existencia de ESTRELLAS DE NEUTRONES de rotación rápida. El Premio Nobel de Física de 1974 fue, sin embargo, otorgado a ANTONY HEWISH (su profesor guía de tesis) y a MARTIN RYLE, por el descubrimiento de los pulsares, lo que detonó una controversia por la omisión de Bell Burnell. Posteriormente, fue nombrada profesora en la Open University y vicepresidenta de la Royal Astronomical Society.

Bell, Cool Papa orig. **James Thomas Bell** (17 may. 1903, Starkville, Miss., EE.UU.–7 mar. 1991, St. Louis, Mo.). Beisbolista estadounidense. Fue un jardinero ambidextro durante la mayor parte de su carrera. Jugó primero en las Ligas NEGRAS y se dice que "robó" 175 bases en una temporada de 200 partidos. Tiene la reputación de haber sido el corredor de bases más rápido de todos los tiempos. También fue un excelente bateador, promediando 0,391 batazos en un período de cinco años. Fue incorporado al Salón de la Fama del béisbol en 1972.

Bell, Gertrude (14 jul. 1868, Washington Hall, Durham, Inglaterra–12 jul. 1926, Bagdad, Irak). Viajera, escritora y funcionaria colonial británica. Después de graduarse en Oxford, viajó por todo el Medio Oriente. Tras la primera guerra mundial, escribió un informe, que fue bien recibido, sobre la administración de Mesopotamia entre el fin de la guerra (1918) y la rebelión iraquí de 1920; más tarde ayudó a determinar las fronteras de posguerra. En 1921 contribuyó a que el hijo del jerife (sharif) de La Meca, FAYSAL I, ascendiera al trono de Irak. Al ayudar a crear el Museo Nacional de Irak, promovió la idea de que las antigüedades encontradas en las excavaciones debían permanecer en su país de origen.

Bell, John (15 feb. 1797, cerca de Nashville, Tenn., EE.UU.–10 sep. 1869, Dover, Tenn.). Político estadounidense. Representó a Tennessee en la Cámara de Representantes (1827–41) y en el Senado (1847–59) de EE.UU. Aunque era dueño de un gran número de esclavos, se opuso a las iniciativas de ampliar la esclavitud a los territorios de EE.UU. y votó en contra de la admisión de Kansas como estado esclavista. Su defensa de la Unión le ganó en 1860 la candidatura presidencial con el respaldo de la Unión Constitucional, pero logró triunfar en sólo tres estados. Posteriormente apoyó al Sur en la guerra de Secesión.

Bell, Laboratorios Compañía de investigación y desarrollo estadounidense fundada en 1925, que produce equipos de telecomunicaciones y realiza investigaciones en el campo de la defensa. Esta compañía fue parte de AT&T, y pertenece actualmente a Lucent Technologies Inc., la cual a su vez se escindió de AT&T en 1996. Los Laboratorios Bell han producido miles de invenciones, como por ejemplo el primer sistema de PELÍCULA de sonido sincrónico, la COMPUTADORA DIGITAL a base de relés, el LÁSER, la CELDA SOLAR, UNIX, y los lenguajes de programación C y C++. Varios de los investigadores de Bell han ganado el Premio Nobel: Clinton Davisson, por haber demostrado la naturaleza ondulatoria de la materia; JOHN BARDEEN, WALTER H. BRATTAIN y WILLIAM B. SHOCKLEY por inventar el TRANSISTOR; ARNO PENZIAS y ROBERT W. WILSON por descubrir la radiación cósmica de fondo en longitudes de microondas. Actualmente los Laboratorios Bell operan en 20 países.

belladona Planta alta herbácea, tupida y letal (*Atropa belladonna*), de la familia de las SOLANÁCEAS; también se llama así la droga cruda que se obtiene de sus hojas o raíces desecadas. La planta es originaria de zonas boscosas o yermas de Eurasia central y meridional. Tiene hojas verdes opacas, flores violetas o verdosas, bayas negras brillantes del tamaño de las cerezas y una raíz grande, ahusada. La belladona es muy venenosa y se cultiva por las sustancias medicinales (ALCALOIDES) derivadas de la droga cruda que se utilizan en sedativos, estimulantes y antiespasmódicos. Debido a su toxicidad y efectos secundarios inconvenientes, estas sustancias se están sustituyendo por drogas sintéticas.

Bellamy, Edward (26 mar. 1850, Chicopee Falls, Mass., EE.UU.–22 may. 1898, Chicopee Falls). Escritor estadounidense. A los 18 años, mientras estudiaba en Alemania, adquirió conciencia por primera vez de la grave situación de los desposeídos que habitan en las ciudades. A lo largo de su vida se comprometió con diversas causas progresistas y escribió varios volúmenes donde se reflejaban estos intereses; sin embargo, debe su fama a la novela utópica *Año 2000: una visión retrospectiva* (1888), donde imagina EE.UU. durante el año 2000 como un Estado socialista ideal cimentado en la fraternidad y la cooperación, con una industria orientada a satisfacer las necesidades humanas. La novela vendió más de un millón de ejemplares, y tuvo una continuación, *Equality* [Igualdad] (1897), que no alcanzó el éxito de la anterior.

Belle Isle, estrecho de Canal en el este de Canadá. Es la entrada norte desde el océano Atlántico hacia el golfo de SAN LORENZO y tiene 145 km (90 mi) de largo y 16–32 (10–20 mi) de ancho. Fluye entre el extremo norte de Terranova y el sudeste de LABRADOR y constituye la ruta más directa entre los puertos del canal marítimo de SAN LORENZO y los GRANDES LAGOS y Europa. La corriente fría de Labrador fluye a través del estrecho, lo que extiende el período en que el hielo cubre la zona y limita la navegación entre junio y fines de noviembre.

Bellini, familia Familia de artistas italianos. Jacopo Bellini (n. c. 1400–m. 1470/71) fue discípulo de GENTILE DA FABRIANO, y c. 1440 ya poseía un próspero taller en Venecia. Más importantes que sus pinturas son dos cuadernos de bocetos que se han preservado hasta nuestros días y que contienen cerca de 300 dibujos. Fue padrastro de ANDREA MANTEGNA. A su muerte, su hijo Gentile Bellini (n. c. 1429–m. 1507) heredó los cuadernos de bocetos y asumió como jefe del taller. Sus obras más importantes son dos lienzos de gran formato, *Procesión de la reliquia de la Santa Cruz* (1496) y *Milagro en el puente de san Lorenzo* (1500), que representan escenas de la vida contemporánea veneciana. El hermano de Gentile, Giovanni Bellini (llamado Giambellino, n. c. 1430–m. 1516), fue el principal y más prolífico artista de la familia. Convirtió a Venecia en un centro renacentista que rivalizó con Florencia y Roma. Giovanni fue uno de los primeros maestros de la pintura al óleo. Si bien fue principalmente un pintor de temas religiosos, también se destacó como retratista, siendo el retrato del *Dux Leonardo Loredan* (c. 1501) su trabajo más conocido. Probablemente, TIZIANO y GIORGIONE estudiaron en su taller. Ver también escuela VENECIANA.

Bellini, Vincenzo (3 nov. 1801, Catania, Sicilia–23 sep. 1835, Puteaux, Francia). Compositor italiano. Nacido en una familia de músicos, se educó en el conservatorio de Nápoles. A los 24 años escribió su primera ópera y alcanzó a componer nueve más antes de su muerte a los 33 años. Las más famosas son *El pirata* (1827), *Los Capuletos y los Montescos* (1830), *La sonámbula* (1831), *Norma* (1831) y *Los puritanos* (1835). Sus obras, que descansan fuertemente en bellas melodías vocales (*bel canto*), rivalizaron en popularidad con aquellas de sus contemporáneos GIOACCHINO ROSSINI y GAETANO DONIZETTI.

Vincenzo Bellini, retrato de un artista desconocido; Museo Teatrale alla Scala, Milán.
GENTILEZA DEL MUSEO TEATRALE ALLA SCALA, MILÁN

Bello, Andrés (29 nov. 1781, Caracas, Venezuela–15 oct. 1865, Santiago, Chile). Escritor e intelectual venezolano radicado en Chile. Tras formarse intelectualmente en el seminario y la Universidad de Santa Rosa de Caracas y obtener cierta fama como hombre de letras, partió a Londres en una misión gubernamental, permanencia que fue fundamental para su formación de literato y jurista. Allí redactó sus famosas "Silvas americanas", uno de los primeros intentos de retratar poéticamente la naturaleza de su continente. Se trasladó en 1829 a Chile, país en el que realizó varias de sus obras más significativas: la redacción del *Código civil*, promulgado el 14 de diciembre de 1855, y de la *Gramática de la lengua castellana* (1847). En 1842 fue designado rector de la recién fundada Universidad de CHILE. Se lo considera el mayor humanista de Hispanoamérica y un maestro de la lengua castellana. En Chile favoreció la difusión del ROMANTICISMO, transformó esencialmente el periodismo e introdujo la crítica teatral.

Andrés Bello, maestro de la lengua castellana; óleo de Raymond Monvoisin.
GENTILEZA DE LA UNIVERSIDAD DE CHILE.

Belloc, (Joseph-Pierre) Hilaire (27 jul. 1870, La Celle-Saint-Cloud, Francia–16 jul. 1953, Guildford, Surrey, Inglaterra). Poeta, historiador, apologista católico y ensayista británico de origen francés. Escritor de gran versatilidad, es recordado principalmente por su poesía sencilla, en particular la que escribió para los niños, y por sus lúcidos y elegantes ensayos. Sus obras comprenden *Verses and Sonnets* [Versos y sonetos] (1895), *The Bad Child's Book of Beasts* [El bestiario del niño malo] (1896), *The Modern Traveller* [El viajero moderno] (1898), *Emmanuel Burden* (1904) y *Cuentos prudentes* (1907). También escribió varios libros de historia, entre los que se destaca su *History of England* [Historia de Inglaterra] (1925–31, 4 vol.).

bellota NUEZ del ROBLE (*Quercus*). Las bellotas se encuentran generalmente asentadas en una cúpula leñosa o rodeadas por ella. Maduran en el curso de una o dos temporadas y su aspecto varía según la especie de roble. Sirven de alimento a los animales silvestres y se usan para engordar cerdos y aves de corral.

Bellotto, Bernardo *llamado* **Canaletto** (30 ene. 1720, Venecia–17 oct. 1780, Varsovia, Polonia). Pintor italiano de vistas topográficas, llamadas *veduta* (pinturas panorámicas de la ciudad). Fue sobrino del auténtico CANALETTO y conocido con ese nombre cuando pintaba fuera de Italia. En 1747 dejó Italia para pasar el resto de su vida trabajando en varias cortes europeas, principalmente en Dresde, para Federico Augusto II (1747–66) y en Varsovia para Estanislao II (1767–80). Sus detalladas vistas de la capital polaca se utilizaron como guías para reconstruir los barrios históricos de la ciudad después de su destrucción en la segunda guerra mundial. El estilo de Bellotto se distingue del de su tío, por sus características flamencas (p. ej., sombras profundas, cielos cargados de nubes, tonos y colores sombríos).

Bellow, Saul (10 jul. 1915, Lachine, cerca de Montreal, Quebec, Canadá–7 abr. 2005, Chicago, Ill., EE.UU). Novelista estadounidense de origen canadiense. Nacido en el seno de una familia de inmigrantes judíos provenientes de Rusia, Bellow habló el yiddish con fluidez desde niño. A los nueve años, su familia se trasladó a Chicago, donde creció y se educó. Luego de vivir algunos años en Nueva York, volvió a Chicago a enseñar. Es un fiel representante de la generación de escritores judíos estadounidenses cuya producción literaria fue esencial en el desarrollo de la literatura de posguerra. Su obra aborda, principalmente, la figura del habitante de la ciudad cuyo espíritu no se deja apabullar por un entorno social que lo hostiliza. Parte de su originalidad radica en la combinación que hace entre sofisticación intelectual y cultura callejera. Sus novelas comprenden *Las aventuras de Augie March* (1953, National Book Award), *Carpe diem* (1956), *Henderson, el rey de la lluvia* (1959), *Herzog* (1964, National Book Award), *El planeta de Mr. Sammler* (1970, National Book Award), *El legado de Humboldt* (1975, Premio Pulitzer), *El diciembre del decano* (1982) y *Ravelstein* (2000). Recibió el Premio Nobel de Literatura en 1976.

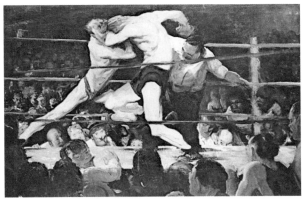

"Stag at Sharkey's", óleo sobre tela de George Wesley Bellows, 1909; Cleveland Museum of Art, Ohio, EE.UU.
GENTILEZA DEL CLEVELAND MUSEUM OF ART, OHIO, HINMAN B. HURLBUT COLLECTION

Bellows, George Wesley (12 ago. 1882, Columbus, Ohio, EE.UU.–8 ene. 1925, Nueva York, N.Y.). Pintor y litógrafo estadounidense. Estudió con Robert Henri en el New York School of Art y se asoció a los artistas de la escuela Ash-Can. Conocido principalmente por sus escenas de boxeo, alcanzó notoriedad con su pintura *Stag at Sharkey's* (1909), la cual representa un encuentro ilegal de boxeo. Fue uno de los organizadores del Armory Show. Desde 1916 hasta su muerte produjo una serie de alrededor de 200 litografías, incluida la famosa *Dempsey and Firpo* (1924).

BellSouth Corp. Compañía estadounidense de servicios de telecomunicaciones. Junto con sus empresas afiliadas, atiende a clientes residenciales y empresariales de EE.UU. y otros 13 países. Fue creada en 1984, tras la separación de las 22 compañías de teléfonos regionales de AT&T Corp., que se asociaron entre ellas para formar las llamadas siete "Hijas Bell". La empresa brinda una completa gama de soluciones de voz, entre ellas telefonía local y larga distancia, banda ancha y acceso a internet, y comercio electrónico. Sus oficinas centrales se encuentran en Atlanta, Ga, EE.UU.

Belmondo, Jean-Paul (n. 9 abr. 1933, Neuilly-sur-Seine, cerca de París, Francia). Actor de cine francés. Después de estudiar en París y de trabajar como actor en compañías de teatro de las provincias, actuó en filmes menores antes de alcanzar la fama internacional con la película de Jean-Luc Godard *Sin aliento* (1960). Sin ser un clásico galán, se convirtió en el principal antihéroe del cine de la Nouvelle Vague, y en 1963, había actuado en 25 largometrajes. Posteriormente protagonizó aclamados filmes como *Pierrot el loco* (1965), *La sirena del Mississippi* (1969) y *Testigo de excepción* (1995).

Belmont, familia Familia estadounidense, destacada en el campo de la banca y las finanzas, la política y el patrocinio del arte. Su fundador en EE.UU. fue August Belmont (n. 1816–m. 1890), un banquero y diplomático judío de origen prusiano. A la edad de 14 años, Belmont ingresó en el grupo bancario Rothschild (ver familia Rothschild), en Francfort, Alemania. En 1837 se trasladó a Nueva York, donde trabajó como agente del Rothschild y colocó los cimientos de su propio banco, el cual llegó a ser uno de los más grandes de EE.UU. Participó activamente en política. Firme opositor a la esclavitud, influyó en comerciantes y financistas de Inglaterra y Francia en favor de la Unión durante la guerra de Secesión. Introdujo las carreras de caballos pura sangre en EE.UU. (ver Belmont Stakes). Contrajo matrimonio con la hija del comodoro Matthew Perry. Su hijo Perry (n. 1850–m. 1947) se convirtió en congresista de EE.UU. y escribió libros de historia y política de ese país. Otro hijo, August Belmont, Jr. (n. 1853–m. 1924), asumió el control del banco y financió la construcción del metro de Nueva York, mientras que su esposa Eleanor, apoyó al Metropolitan Opera.

Belmont Stakes La más antigua de las tres carreras que componen la Triple Corona de la hípica estadounidense. El Belmont, que surgió en 1867, debe su nombre a August Belmont (ver familia Belmont) y se corre a principios de junio en Belmont Park, cerca de Garden City, Long Island. La pista tiene una extensión de 2.400 m (1,5 mi).

Belmopan Ciudad (pob., 2000: 8.130 hab.), capital de Belice. Está ubicada en el valle del río Belice, 80 km (50 mi) tierras adentro respecto de la antigua capital, Ciudad de Belice. Después de que un huracán destruyera Ciudad de Belice, localizada a un nivel demasiado bajo, se escogió un nuevo lugar para instalarla lo suficientemente tierra adentro con el fin de evitar inundaciones. La construcción comenzó en 1966, y Belmopan se convirtió en capital en 1970.

Belo Horizonte Ciudad (pob., est. 2000: ciudad, 2.229.697 hab.; área metrop., 4.208.508 hab.) del este de Brasil. Capital del estado de Minas Gerais, ubicada en la ladera occidental de sierra del Espinhaço, a una altitud de 857 m (2.822 pies). El lugar fue elegido a fines del s. XIX para dar cabida a expansiones que la antigua capital no podía abarcar. Primera ciudad planeada de Brasil, fue diseñada en forma radial siguiendo los modelos de Washington, D.C., y La Plata, Argentina. Es el centro de una gran región agrícola y el núcleo comercial e industrial del área.

Capilla de São Francisco, diseñada por el arquitecto Oscar Niemeyer, Belo Horizonte, Brasil.
LOREN MCINTYRE–WOODFIN CAMP

Belsen ver Bergen-Belsen

Beltaine o **Beltane** o **Cétsamain** En la religión celta, festividad celebrada el primer día de mayo, que festejaba el comienzo del verano y el pastoreo al aire libre. Beltaine era una de las fechas clave del año; la otra era el comienzo del invierno, el 1 de noviembre (Samain). En ambas ocasiones, los límites entre el mundo humano y el sobrenatural se borraban. En la víspera de mayo, las brujas y hadas vagaban libremente, y había que tomar medidas contra sus encantamientos. Hasta entrado el s. XIX en Irlanda, el ganado era conducido entre dos hogueras durante Beltaine, como un medio mágico de protegerlo de las enfermedades. Ver también HALLOWEEN.

Belter, John Henry orig. **Johann Heinrich Belter** (1804, Alemania–1863, Nueva York, N.Y., EE.UU.). Ebanista y diseñador estadounidense de origen alemán. Se formó en Alemania y se estableció en la ciudad de Nueva York en 1833. Abrió una elegante tienda especializada en mobiliario de palisandro, nogal y caoba. En 1854 patentó su invención de procesar el palisandro en varias capas para lograr delgados paneles que, una vez moldeados por medio del calor de vapor, podían ser finamente tallados. Instaló una gran fábrica en 1858, pero muy pronto las competitivas importaciones francesas y los problemas económicos asociados con la guerra de Secesión terminaron por perjudicar su negocio y la firma cerró en 1867.

beluchi ver BALUCHI

Beluchistán ver BALUCHISTÁN

beluga Especie de BALLENA (*Delphinapterus leucas*) de aguas profundas y costeras del océano Ártico y mares adyacentes. Puede incluso adentrarse en ríos que desembocan en los remotos mares nórdicos. La beluga es una BALLENA DENTADA de frente redondeada sin aleta dorsal, que mide alrededor de 4 m (13 pies) de largo. Nace de color azul grisáceo o negruzco aclarándose paulatinamente hasta alcanzar un color blanco o crema a los 4–5 años de edad. Se alimenta de peces, cefalópodos y crustáceos y suele vivir en grupos de cinco a diez ejemplares. Ha sido cazada por su aceite, cuero y carne y se usa en el Ártico como alimento para el hombre y los perros.

Beluga (*Delphinapterus leucas*).
© ENCYCLOPÆDIA BRITANNICA, INC.

belvedere Estructura arquitectónica techada, independiente o adosada a otra, y abierta en uno o más lados. Se construye en una posición elevada para brindar buena vista y captar la luz diurna y el aire fresco. Usada en Italia desde el Renacimiento, a menudo tomaba la forma de una LOGGIA. El término se utiliza también para denominar un MIRADOR en lo alto de un edificio, especialmente el mirador vidriado de una residencia victoriana.

Belvedere, torso del Torso helenístico de mármol que representa una figura masculina de 1,6 m (5 pies y 3 pulg.) de alto, sentada sobre una roca. Tomó su nombre del patio del Belvedere, ubicado en la ciudad del Vaticano, donde una vez se alzó. Hoy se encuentra en el Museo del Vaticano. Está firmado por el escultor griego Apolonio y data posiblemente del s. I AC. Ya era conocido en 1500 y ejerció una profunda influencia sobre MIGUEL ÁNGEL y otros artistas del Renacimiento.

bema (griego: "podio"). Plataforma elevada de piedra, originalmente usada en Atenas como un tribunal donde los oradores se dirigían a los ciudadanos y a las cortes de justicia. Hoy, por lo general, es una plataforma rectangular de madera. La bema se volvió una instalación fija normal de las iglesias orientales ortodoxas, que cumple el papel de un estrado para el altar y los celebrantes. En las sinagogas, la bema (o *bimah*) es una plataforma elevada con un atril desde donde se lee la Torá y pasajes de los profetas.

Bembo, Pietro (20 may. 1470, Venecia–18 ene. 1547, Roma). Prelado y lingüista italiano. Nacido en una familia aristocrática, fue bibliotecario de la catedral de San Marcos y nombrado cardenal en 1539. Después de escribir poesía lírica en latín, se inclinó por lo vernacular, escribiendo poemas en italiano a la manera de PETRARCA y una historia de Venecia. Su *Prosas sobre la lengua vulgar* (1525) fue uno de los primeros libros en codificar la ortografía y gramática italianas, y contribuyó a establecer la lengua italiana literaria. Bembo propició con éxito la adopción del toscano del s. XIV como modelo para el italiano literario.

Ben Alí, Zine el-Abidine (n. 3 sep. 1938, cerca de Sousse, Túnez). Presidente de Túnez (desde 1987). Recibió instrucción militar y encabezó la sección de inteligencia militar del ministerio de defensa durante diez años (1964–74) antes de su ingreso al servicio de relaciones exteriores. Fue embajador en Polonia antes de regresar al país a ocupar varios cargos de gobierno, que culminaron en una doble designación como primer ministro y ministro del interior. En 1987 reemplazó al presidente HABIB BURGUIBA, quien había sido declarado médicamente incapacitado. Fue confirmado en el cargo en las elecciones de 1989, 1994 y 1999.

Ben Bella, Ahmed (n. ¿25 dic. 1918?, Maghnia, Argelia). Primer presidente elegido de Argelia. Después de recibir una educación francesa, ingresó al ejército francés, y fue condecorado durante la segunda guerra mundial (1939–45). Luego de ese conflicto, tomó las armas para luchar contra el dominio de Francia. En 1954 ayudó a fundar el FRENTE DE LIBERACIÓN NACIONAL (FLN), convirtiéndose en su líder político. Fue encarcelado (1956–62) mientras el FLN combatía por la independencia de Argelia. Tomó el control del Comité Político del FLN después de su liberación y fue elegido presidente en 1963. Lo depuso un golpe de Estado en 1965, y permaneció encarcelado hasta 1980, año en que se fue a Francia donde estuvo hasta 1990. Allí organizó el Movimiento para la democracia en Argelia (MDA), el que fue legalizado en 1990, fecha en que regresó a Argelia para participar como líder de la oposición. Ver también MUHAMMAD BOUDIAF; HUARI BUMEDIÁN.

Ben Gurión, David orig. **David Gruen** (16 oct. 1886, Płońsk, Polonia, Imperio ruso–1 dic. 1973, Tel Aviv-Yafo, Israel). Primera persona en ocupar el cargo de primer ministro de Israel (1948–53, 1955–63). Iniciado en el SIONISMO por su padre, en 1906 emigró a Palestina, por entonces parte del Imperio OTOMANO, con la esperanza de cumplir la aspiración sionista de crear un Estado judío en el Israel histórico. Expulsado por los otomanos al estallar la primera guerra mundial (1914–18), viajó a Nueva York, donde contrajo matrimonio. Después de la publicación de la Declaración BALFOUR se unió a la Legión Judía del ejército británico y regresó al Medio Oriente. En las décadas de 1920 y 1930 dirigió varias organizaciones políticas, entre ellas la Agencia Judía, el más alto cuerpo directivo del sionismo mundial. Cuando Gran Bretaña se inclinó más a la causa de los árabes palestinos, llegando a restringir la inmigración judía a Palestina, exhortó a la comunidad judía a sublevarse contra los británicos. Sin embargo, durante la segunda guerra mundial (1939–45) llamó a apoyar a los aliados, mientras que continuaba la inmigración clandestina de judíos a Palestina. Al establecerse el Estado de ISRAEL (1948), se convirtió en primer ministro y ministro de defensa. Logró que las milicias judías clandestinas que habían luchado contra los británicos se fusionaran en un ejército nacional, el que utilizó en la defensa contra los ataques árabes. Impopular en Gran Bretaña y en EE.UU., encontró un aliado en Francia (por entonces envuelta en su propia guerra en el mundo árabe), la que ayudó a armar a Israel en el período que desembocó en la crisis del canal de SUEZ (1956). Se retiró del cargo de primer ministro en 1963 y del Knesset (parlamento) en 1970. Ver también guerras ÁRABE-ISRAELÍES.

Vista del Ben Nevis, la montaña más alta de las islas Británicas, desde el Loch Linnhe, Escocia.
COLOUR LIBRARY INTERNATIONAL

Ben Nevis, pico Montaña más elevada de las islas Británicas. Está situada en las Highlands (Tierras Altas); su cumbre, que alcanza 1.343 m (4.406 pies), es una meseta de cerca de 40 ha (100 acres). La nieve permanece en algunas partes durante todo el año. Está formada por una superestructura de piedras volcánicas que coronan los antiguos esquistos de las Highlands.

Benarés *o* **Varanasi** Ciudad (pob., est. 2001: 1.100.748 hab.) en UTTAR PRADESH, India. Ubicada a orillas del río GANGES, en el sudeste de Uttar Pradesh, es una de las ciudades habitadas más antiguas del mundo, y fue el lugar de un asentamiento ario antes del segundo milenio AC. También es una de las siete ciudades sagradas del hinduismo y posee numerosos santuarios, templos, palacios y varios kilómetros de escalones para los baños rituales. Cada año, más de un millón de hindúes visita la ciudad. Justo al norte de Benarés se encuentra Sarnath, lugar donde BUDA dio su primer sermón.

Escalinata para las abluciones de las viudas, a orillas del Ganges, Benarés, India.
J. ALLAN CASH –RAPHO/PHOTO RESEARCHERS

Benavente y Martínez, Jacinto (12 ago. 1866, Madrid, España–14 jul. 1954, Madrid). Dramaturgo español, miembro de la llamada GENERACIÓN DE 1898. Su obra más aclamada, *Los intereses creados* (1907), está inspirada en la "comedia del arte" italiana. Su tragedia de 1913, *La malquerida*, también alcanzó gran popularidad. Durante la guerra civil española fue detenido por las autoridades durante un tiempo, pero recuperó el favor de estas con *Lo increíble* (1941). Es considerado uno de los principales dramaturgos españoles del s. XX. Benavente escribió hasta el final de su vida y llegó a producir más de 150 obras de teatro. Recibió el Premio Nobel de Literatura en 1922.

benceno El HIDROCARBURO aromático más simple (ver COMPUESTO AROMÁTICO), sustancia patrón de una clase amplia de compuestos químicos. Fue descubierto en 1825 por MICHAEL FARADAY. La fórmula química es C_6H_6; en 1865, AUGUST KEKULÉ VON STRADONITZ fue el primero en proponer la estructura correcta, un anillo de seis miembros de átomos de CARBONO, en el que cada carbono está unido a un átomo de HIDRÓGENO (ver ENLACE). Aunque el benceno a menudo se representa con enlaces simples y dobles alternados entre los átomos de carbono, los electrones en los enlaces son compartidos o deslocalizados de tal manera que hace que todos los enlaces carbono-carbono sean semejantes. El benceno es un líquido incoloro, volátil, con un olor característico. Es un solvente excelente, muy utilizado como base para manufacturar plásticos, colorantes, detergentes, insecticidas y otros químicos industriales. El benceno es altamente tóxico; una exposición prolongada a este producto puede causar LEUCEMIA.

Bench, Johnny (Lee) (n. 7 dic. 1947, Oklahoma City, Okla., EE.UU.). Beisbolista estadounidense. Bench se unió a los Cincinnati Reds en 1967 y, durante sus 17 temporadas como receptor de ese equipo (1967–83), ayudó –junto a Pete Rose y Joe Morgan– a los Reds a ganar cuatro pendones de la Liga NACIONAL (en 1970, 1972, 1975 y 1976) y a obtener dos victorias en la Serie Mundial (1975–76). Bateador diestro, lideró la Liga Nacional en carreras impulsadas para anotar en tres temporadas (1970, 1972 y 1974) y dos veces en *home runs* (1970 y 1972). Es reconocido como uno de los más grandes receptores de todos los tiempos.

Bendición, camino de la Ritual central en el complejo sistema de ceremonias que realiza el pueblo NAVAJO para restaurar el equilibrio del cosmos. De las categorías principales de rituales navajos, el grupo más grande es el camino de los Cantos, que está relacionado con la sanación. El camino de los Cantos comprende un subgrupo de cánticos llamados los caminos sagrados, dividido a su vez en el camino de la Bendición y el camino del Viento (usado para curar las enfermedades). El camino de la Bendición, que dura dos días, es un canto sencillo que no persigue un propósito curativo específico, sino que se realiza para alcanzar el bienestar de la comunidad.

Benedetti, Mario (n. 14 sep. 1920, Paso de los Toros, Tacuarembó, Uruguay). Escritor uruguayo. Su polifacética actividad literaria comprende la poesía: *Poemas de oficina* (1956), *El olvido está lleno de memoria* (1995); la crítica politicosocial: *El país de la cola de paja* (1960); la dramaturgia: *Pedro y el capitán* (1970); la crítica literaria: *Letras del continente mestizo* (1967), *Sobre artes y oficios* (1968), *Del desexilio y otras conjeturas* (1984), *Crítica cómplice* (1988) y la evocación autobiográfica: *La borra del café* (1993). Sin embargo, es en la narrativa realista (ver REALISMO) donde alcanza su mayor relieve con su colección de cuentos *Montevideanos* (1960) y las novelas *La tregua* (1960) y *Gracias por el fuego* (1965), centradas principalmente en las costumbres de las clases modesta y media, y con novelas como *El cumpleaños de Juan Ángel* (1971) y *Primavera con una esquina rota* (1982), sobre la causa de la guerrilla urbana. Sus novelas *La casa del ladrillo* (1977), *Vientos del exilio* (1982) y *Las soledades de Babel* (1991), junto con sus cuentos *Geografías* (1984), constituyen una reflexión en torno al tema del exilio y el retorno. Su experiencia personal del exilio en la Argentina, Perú, Cuba y España se refleja en su novela *Andamios* (1997).

Mario Benedetti, escritor uruguayo.
FOTOBANCO

Benedetto da Maiano (1442, Maiano, República de Venecia–24 may. 1497, Florencia). Escultor italiano activo en Florencia. Fue influenciado por BERNARDO ROSSELLINO; sus diseños de tumbas en mármol son variantes de los diseños de Rossellino. Su obra maestra es un púlpito en la Santa Croce, en Florencia (finalizado en 1485) que consta de cinco relieves narrativos. Con frecuencia trabajaba con sus hermanos, Giovanni y Giuliano, en el diseño y la ejecución de detalles arquitectónicos, como pilastras, capiteles, frisos y nichos. También fue un maestro en retratos de busto naturalistas.

Benedict, Ruth *orig.* **Ruth Fulton** (5 jun. 1887, Nueva York, N.Y., EE.UU.–17 sep. 1948, Nueva York). Antropóloga estadounidense. Obtuvo un Ph.D. bajo la tutela de FRANZ BOAS en la Universidad de Columbia, institución donde realizó docencia desde 1924 hasta su muerte. En su trabajo más famoso, *El hombre y la cultura* (1934), destacó una parte del rango de las posibles conductas humanas que son elaboradas o enfatizadas en cualquier sociedad. Describió la manera en que estas formas de conducta se integran en patrones o configuraciones, y apoyó el relativismo cultural, o el análisis de los fenómenos culturales según el contexto de la cultura en que ocurren. En *El crisantemo y la espada: modelos de cultura japonesa* (1946), aplicó sus métodos a la cultura japonesa. Sus teorías tuvieron una profunda influencia en la ANTROPOLOGÍA CULTURAL.

benedictino Miembro de la orden de san Benito, formada por las congregaciones confederadas autónomas de monjes y de hermanos laicos que siguen la regla benedictina, creada en el s. VI por san BENITO DE NURSIA. La regla se extendió lentamente en Italia y la Galia. En el s. IX, la orden se había establecido en casi todo el oeste y norte de Europa, donde los monasterios benedictinos llegaron a ser centros de conocimiento científico y literario así como de riqueza. Entre los s. XII–XV, la orden decayó, pero se recuperó gracias a las reformas que fijaron el período de duración de los abades en el cargo y exigieron a los monjes hacer sus votos a la congregación en lugar de hacerlos a un monasterio en particular. La REFORMA prácticamente erradicó a los benedictinos de Europa del norte y la orden se redujo en todas partes. En el s. XIX, la orden resurgió fortalecida en Europa, sobre todo en Francia y Alemania, lo que llevó al establecimiento de nuevas congregaciones en todo el mundo.

Benedicto XII *orig.* **Jacques Fournier** (Saverdun, cerca de Toulouse, Francia–25 abr. 1342, Aviñón, Provenza). Papa (1334–42). Teólogo y cardenal francés, se convirtió en el tercer pontífice que reinó en Aviñón (ver PAPADO DE AVIÑÓN), sucedió a JUAN XXII. Obispo de Pamiers y Mirepoix y entusiasta inquisidor antes de convertirse en papa, Benedicto se dedicó a reformar la Iglesia y sus órdenes religiosas. Intentó infructuosamente impedir el estallido del conflicto entre Inglaterra y Francia que más tarde se convirtió en la guerra de los CIEN AÑOS. Su bula *Benedictus Deus* (1336) estableció la doctrina de la visión beatífica como una visión de Dios concedida a las almas de los justos inmediatamente después de morir.

Benedicto XII, detalle de un busto de Paolo da Siena, 1342; Sagrada Gruta Vaticana, Roma.
ALINARI–ANDERSON/ART RESOURCE

Benedicto XIII *orig.* **Pedro de Luna** (c. 1328, Illueca, reino de Aragón–1423, Peñíscola, en Valencia). ANTIPAPA (1394–1423). Profesor de derecho canónico en Francia, fue nombrado cardenal en 1375. Cuando comenzó el gran CISMA DE OCCIDENTE en 1378, apoyó al antipapa Clemente VII. Elegido pontífice en Aviñón (ver papado de AVIÑÓN), resistió la presión francesa para que abdicara y fue sitiado en el palacio papal (1398). Escapó a Provenza en 1403 y recuperó la obediencia de Francia. Rehusó someterse cuando fue depuesto por los concilios de Pisa (1409) y Constanza (1417) y debió huir a refugiarse en Peñíscola donde mantuvo con tesón sus derechos a pesar de haber sido condenado.

Benedicto XIV *orig.* **Prospero Lambertini** (31 mar. 1675, Bolonia, Estados Pontificios–3 may. 1758, Roma). Papa en 1740–58. De origen noble, obtuvo un doctorado en teología y derecho. Su pontificado se caracterizó por fomentar el conocimiento científico y por advertir a quienes redactaban el *Index Librorum Prohibitorum* [Índice de libros prohibidos] que actuaran con moderación. En los Estados Pontificios redujo los impuestos, fomentó la agricultura y apoyó el libre comercio. Mantuvo relaciones conciliadoras con los reinos vecinos. Estudioso de toda la vida, fundó varias sociedades académicas y sentó las bases para el actual Museo Vaticano. Bernard Garnier, clérigo francés que fue contrario a los antipapas (1425–33) en la época en que MARTÍN V era papa y Clemente VIII era antipapa, también fue llamado Benedicto XIV.

Benedicto XV *orig.* **Giacomo Della Chiesa** (21 nov. 1854, Pegli, reino de Cerdeña–22 ene. 1922, Roma, Italia). Papa (1914–22). Ordenado sacerdote en 1878, ingresó al servicio diplomático pontificio. Fue nombrado arzobispo de Bolonia en 1907 y cardenal en 1914. Elegido papa un mes después del estallido de la primera guerra mundial, trató de seguir una política de estricta neutralidad y concentró los esfuerzos de la Iglesia en labores de socorro. Posteriormente realizó enérgicos esfuerzos para el restablecimiento de la paz, aunque su principal intento de mediar en la guerra en 1917 fue infructuoso.

Papa Benedicto XV, 1921.
UPI

Benedicto XVI *orig.* **Joseph Alois Ratzinger** (n. 16 abr. 1927, Marktl am Inn, Alemania). Papa desde 2005. Fue ordenado sacerdote en 1951 y obtuvo su doctorado en teología en la Universidad de Munich en 1953. Desde entonces ejerció una carrera brillante como teólogo y docente en varias universidades. Durante el concilio VATICANO II (1962–65) colaboró como perito consultor y abogó por la reforma. En 1977 fue nombrado arzobispo de Munich y, tres meses más tarde, ungido cardenal. Desde 1981 hasta 2005, en su calidad de prefecto de la Congregación para la Doctrina de la Fe, impuso la uniformidad doctrinal en el seno de la Iglesia y se desempeñó como un asesor cercano al papa JUAN PABLO II. Desde el comienzo de su papado ha tenido que encarar numerosos desafíos, como la creciente inasistencia de los fieles a los servicios religiosos, la merma del número de nuevos sacerdotes, las profundas divisiones respecto del rumbo que debe seguir la Iglesia y los efectos persistentes de los escándalos por abusos sexuales que involucraron a sacerdotes en distintas partes del mundo.

Papa Benedicto XVI saludando a los fieles católicos en Roma.
FOTOBANCO

beneficiario Persona o entidad (p. ej., una fundación de beneficencia o un conjunto de bienes) que percibe los beneficios de una cosa (p. ej., un FIDEICOMISO, un seguro de vida o un CONTRATO). El beneficiario directo tiene prelación sobre los demás beneficiarios del fideicomiso o de la póliza de seguro. El beneficiario condicional percibe los beneficios en caso de producirse un evento determinado, como la muerte del beneficiario previsto. El beneficiario directo es un tercero a quien las partes contratantes pretenden beneficiar con el contrato; el beneficiario condicional se beneficia sin que ello haya sido la intención de las partes contratantes.

beneficio Sistema de tenencia de la tierra usado por primera vez por los francos durante el s. VIII. Un noble franco arrendaba una finca a un hombre libre *in beneficium* (en latín "para el beneficio" [del arrendatario]), normalmente hasta la muerte del noble o del arrendatario, aunque a menudo este lograba transformar los beneficios en tenencias hereditarias. En el s. XII, el término dejó de significar un sistema de tenencia de tierra; en lugar de ello, hacía referencia a un cargo eclesiástico que incluía el derecho a recibir un ingreso. Un noble u obispo escogía a un sacerdote, a quien se le concedía el beneficio a cambio del cumplimiento de deberes espirituales.

beneficio Tratamiento de una materia prima (como una MENA pulverizada) para mejorar sus propiedades físicas o químicas en preparación para un tratamiento posterior. Las técnicas de beneficio comprenden lavado, granulometría y concentración (lo cual implica la separación de minerales valiosos de las otras materias primas recibidas de un molino). En operaciones a gran escala se saca partido de diversas propiedades distintivas de los minerales que se han de separar (p. ej., magnetismo, humectabilidad, densidad), a fin de concentrar los componentes deseables. El beneficio se usa también en las industrias de cerámica y arcilla. Ver también FLOTACIÓN; MINERÍA; tratamiento de MINERALES.

beneficios adicionales Cualquier pago o beneficio otorgado por el empleador al empleado que no es parte del sueldo. Entre ellos se cuentan los planes de PENSIÓN, los programas de participación en las UTILIDADES, las vacaciones pagadas y los seguros de VIDA, de SALUD y de DESEMPLEO pagados por la empresa. Los pagos de beneficios adicionales que realizan los empleadores están incluidos en los costos de remuneración del empleado y, por lo tanto, generalmente no pagan impuestos. Si el costo de los beneficios adicionales fuera pagado en forma directa como salario, el trabajador pagaría impuestos sobre este monto y por consiguiente tendría menos dinero para adquirir beneficios equivalentes en forma independiente.

Bene-Israel (hebreo: "Hijos de Israel"). Uno de los tres grupos de judíos de India. Los orígenes de los Bene-Israel son inciertos, pero debido a que observan ciertas tradiciones y otras no, se cree que escaparon de la persecución en Galilea antes del s. II AC, y naufragaron en las costas de India. Se estima que siete parejas sobrevivieron, quedando sin elementos culturales materiales. Aislados de otros judíos, asimilaron el sistema de castas de India, aunque siguieron practicando las leyes de la dieta judía, la circuncisión de los niños al octavo día y respetando el sabbat. Los Bene-Israel actuales tienen un parecido físico con el pueblo marathi y hablan marathi o inglés. Muchos han emigrado a ISRAEL.

Benelux Región costera ubicada en Europa noroccidental, integrada por BÉLGICA, los PAÍSES BAJOS (en neerlandés: Netherlands) y LUXEMBURGO. Conocida también la región como los Países Bajos, debido a que la mayor parte del territorio a lo largo del mar del Norte está a nivel del mar o bajo este, a menudo se la denomina UNIÓN ECONÓMICA BENELUX, por las iniciales de los países que la integran.

Beneš, Edvard (28 may. 1884, Kozlany, Bohemia, Austria-Hungría–3 sep. 1948, Sezimovo Ustí, Checoslovaquia). Estadista checoslovaco. Discípulo de TOMÁS MASARYK, fue uno de los fundadores de la moderna Checoslovaquia. Fue su primer ministro de asuntos exteriores (1918–35) y su presidente (1935–38). Renunció cuando fue forzado a capitular ante las demandas de ADOLF HITLER sobre la región de los SUDETES. Se fue a Inglaterra, donde encabezó el gobierno checo en el exilio (1940–45) hasta que se restableció un gobierno en su patria en 1945. Aunque reconoció la necesidad de cooperar con la Unión Soviética, rehusó promulgar una nueva constitución comunista y renunció en 1948 poco antes de morir.

Benét, Stephen Vincent (22 jul. 1898, Bethlehem, Pa., EE.UU.–13 mar. 1943, Nueva York, N.Y.). Poeta, novelista y cuentista estadounidense. Es conocido por su poema narrativo sobre la guerra de Secesión, *El cadáver de John Brown* (1928, Premio Pulitzer). El volumen de poemas *A Book of Americans* [Libro de norteamericanos] (1933), escrito a dos manos con su esposa, Rosemary Carr, logró que muchos escolares estadounidenses se familiarizaran con las figuras históricas más importantes de su país. Su cuento "The Devil and Daniel Webster" [El diablo y Daniel Webster] (1937) fue la base de una obra teatral e inspiró una ópera de Douglas Moore (estrenada en 1939) y dos películas (1941, 2001).

Bengala Antigua provincia del nordeste de la India británica. Corresponde en general a la zona habitada por quienes hablan BENGALÍ, y actualmente está dividida entre el estado indio de Bengala Occidental y Bangladesh. Bengala formó parte de la mayoría de los primeros imperios que controlaron el norte de India. Entre los s. VIII y XII estuvo bajo el dominio de una dinastía budista y desde 1576 perteneció al Imperio mogol. En el s. XVIII fue dominada por los nawabs de Bengala; luego entró en conflicto con los británicos que se habían establecido en Calcuta (actual KOLKATA) en 1690. En 1764, los británicos tomaron posesión de Bengala y desde entonces fue la base de la expansión británica en India. Al término del gobierno británico en 1947, la región fue dividida. Bengala Occidental, BIHAR, JHARKHAND y ORISSA se transformaron en parte de la India. Bengala Oriental pasó a Pakistán y en 1971 se convirtió en Bangladesh.

Recolectores de té en Darjeeling, Bengala Occidental, India.
FOTOBANCO

Bengala Occidental Estado (pob., est. 2001: 80.221.171 hab.) del nordeste de India. Limita con NEPAL y BANGLADESH y los estados de ORISSA, JHARKHAND, BIHAR, SIKKIM, ASSAM y MEGHALAYA y cubre una superficie de 88.752 km² (34.267 mi²); su capital es KOLKATA (Calcuta). Está dividido en dos amplias regiones naturales: la llanura indogangética en el sur y los HIMALAYA en el norte. Formó parte del Imperio ASOKA desde el s. III AC. En el s. IV DC fue incorporado al Imperio gupta. A partir del s. XIII estuvo bajo dominio musulmán hasta que pasó a manos británicas en 1757. Al momento de la independencia de India en 1947, se dividió en dos partes: el sector oriental pasó a ser Pakistán oriental (posteriormente Bangladesh) y el sector occidental, el estado indio de Bengala Occidental. Es importante por su producción minera, pero su principal actividad económica es la agricultura. Es conocido tanto por su actividad artística, como por su producción cinematográfica.

Bengala, golfo de Brazo septentrional del océano ÍNDICO. Cubre una superficie cercana a 2.172.000 km² (839.000 mi²) y limita con Sri Lanka, India, Bangladesh, Myanmar y el norte de la península de MALACA. Mide cerca de 1.600 km (1.000 mi) de ancho, con una profundidad media de más de 2.600 m (8.500 pies). Muchos de los grandes ríos desembocan en él, entre ellos el Godavari, el Krishna, el Kaveri, el Ganges y el Brahmaputra. Las islas ANDAMÁN Y NICOBAR, las únicas del golfo, lo separan del mar de ANDAMÁN. Por mucho tiempo cruzaron sus aguas los mercaderes indios y malayos; el comercio marítimo chino data del s. XII. VASCO DA GAMA comandó el primer viaje europeo al golfo en 1498.

Bengala, partición de (1905). División de Bengala llevada a cabo por Lord CURZON, virrey británico de India. La provincia británica de BENGALA, que también incluía BIHAR y ORISSA, a comienzos del s. XX había crecido demasiado como para ser gobernada por una sola administración. Curzon decidió unir Bengala oriental con ASSAM, dejando Bengala occidental con Bihar y Orissa. La partición se llevó a cabo a pesar de masivas protestas, desórdenes y boicots, pero en 1911 ambas Bengala fueron reunificadas. Assam recobró su antigua condición, mientras que Bihar y Orissa fueron separadas para formar una nueva provincia.

bengalí Lengua INDOARIA hablada principalmente en Bangladesh y en el estado indio de Bengala Occidental. El bengalí es una de las lenguas con más hablantes en el mundo –unos 190 millones–. Como otras lenguas indoarias modernas, el bengalí ha reducido drásticamente el sistema de inflexiones complejo del indoario antiguo (ver SÁNSCRITO). Virtualmente ha abandonado el GÉNERO gramatical y ha fijado el acento en la sílaba inicial de una palabra o frase. El bengalí fue la primera lengua india en adoptar los estilos literarios seculares occidentales, como la novela y el drama.

Bengasi ant. **Berenice** Ciudad costera (pob., est. 1995: 650.000 hab.) del nordeste de Libia. Situada en el golfo de la GRAN SIRTE, es la segunda ciudad más grande de Libia, de la que también fue su capital. Fundada por los griegos como Hespérides, recibió de TOLOMEO III el nombre adicional de Berenice en honor a su esposa. Después del s. III DC sustituyó a CIRENE y Barce como la principal ciudad de la región. Luego de que su importancia disminuyera, continuó como un pueblo pequeño hasta que experimentó un gran desarrollo durante la ocupación italiana de Libia (1912–42). Durante la segunda guerra mundial, la ciudad sufrió daños considerables antes de ser capturada por los ingleses en 1942. En la actualidad, es un centro administrativo y comercial y el lugar de una de las plantas de desalinización más grandes del mundo.

Beni, río Río de Bolivia. Nace en la sección oriental de la cordillera de los ANDES, discurre hacia el norte y se une al río MAMORÉ para formar el río MADEIRA en Villa Bella. Cerca de su desembocadura recibe al río MADRE DE DIOS. Tiene 1.599 km (994 mi) de largo.

benimerines, dinastía de los o **dinastía de los mariníes** Dinastía BERÉBER que siguió a la dinastía ALMOHADE en el norte de África durante los s. XIII–XV. Los benimerines fueron una tribu del grupo zanatah, que estaba aliada con los omeya de Córdoba. En 1248, su líder Abū Yaḥyā encabezó la toma de Fez y la convirtió en capital de los mariníes. La toma de Marrakech (1269) convirtió a los benimerines en los amos de Marruecos. Libraron una guerra inconclusa con España y África que agotó gradualmente sus recursos. Su reino derivó en una anarquía durante el s. XV. Los jerifes (sharifes) sadíes tomaron Fez en 1554.

BENÍN

- ▸ **Superficie:** 112.622 km² (43.484 mi²)
- ▸ **Población:** 7.649.000 hab. (est. 2005)
- ▸ **Capitales:** PORTO-NOVO (oficial) y COTONOU (de facto)
- ▸ **Moneda:** franco CFA

Benín ofic. **República de Benín** ant. **Dahomey** País de África occidental. El pueblo FON y grupos emparentados constituyen el 60% de la población; grupos minoritarios son los YORUBA, FULANI y adja. Idiomas: francés (oficial) y fon. Religión: creencias tradicionales (66% de la población), Islam y cristianismo. Se extiende unos 675 km (420 mi) del golfo de GUINEA al interior. La república está constituida por una región de colinas en el noroeste, donde la elevación máxima alcanza 650 m (2.150 pies). Existen llanuras al este y al norte y una región pantanosa al sur, donde el litoral se extiende por unos 120 km (75 mi). El río más largo de Benín es el Ouémé, que fluye hacia el lago Porto-Novo y es navegable en 200 de sus 450 km (125 de 280 mi) de longitud. Benín es un país en vías de desarrollo con una economía de planificación centralizada, basada principalmente en la agricultura y en la explotación de campos petrolíferos a mar abierto. Es una república unicameral; el jefe de Estado y de Gobierno es el presidente, asistido por el primer ministro. En 1625 en Benín meridional, los fon fundaron el reino Abomey. En el s. XVIII, el reino se expandió, incorporando Allada y Ouidah, donde se habían establecido fuertes franceses en el s. XVII. En 1857, los franceses volvieron a instalarse en la región, y así prosiguió el conflicto entre estos y los africanos. En 1894, Dahomey se transformó en un protectorado francés y en 1904 fue incorporado a la federación de ÁFRICA OCCIDENTAL FRANCESA. Alcanzó la independencia en 1960. Dahomey volvió a denominarse Benín en 1975. Al comenzar el s. XXI, el país ha debido enfrentar problemas derivados de la debilidad crónica de su economía.

Benín, bahía de Bahía en la sección septentrional del golfo de GUINEA. Se extiende por la costa de África occidental aprox. 640 km (400 mi) desde cabo St. Paul, Ghana, pasando por Togo y Benín hasta la desembocadura del río NÍGER, en Nigeria. Los puertos principales son LOMÉ, COTONOU y LAGOS. Fue escenario de un importante comercio de esclavos durante los s. XVI–XIX, llegando a conocerse la región de lagunas costeras al oeste del delta del Níger como la Costa de los Esclavos. En la década de 1830, el comercio de aceite de palma llegó a constituir la actividad económica principal. En la década de 1950 se descubrió petróleo en el delta del Níger.

Escultura de greda en relieve, palacio del oba (rey), del antiguo reino de Benín, Nigeria.
JOE B. BLOSSOM—PHOTO RESEARCHERS

Benín, reino de Uno de los principales reinos históricos (s. XII–XIX) de la región boscosa de África occidental. Fundado por el pueblo edo, tuvo su centro en la actual ciudad de Benín, en el sur de Nigeria. Con la ascensión al trono de Ewuare el Grande a mediados del s. XV, el reino se expandió considerablemente, e incluso se fundó la ciudad de Lagos. Los portugueses fueron los primeros en visitar Benín a fines del s. XV y, por un tiempo, el país se dedicó al comercio de marfil, aceite de palma, pimienta y esclavos con los mercaderes portugueses y holandeses. En el s. XVIII dejó de comerciar en esclavos con los europeos y enfocó su interés en las regiones dependientes de los alrededores. En los s. XVIII y XIX, las luchas de sucesión llevaron al trono a una serie de reyes débiles. Después de que los británicos atacaron y quemaron la ciudad de Benín en 1897, el reino fue incorporado a la Nigeria británica.

Benítez Pérez, Manuel ver El Cordobés

Benito de Nursia, san (c. 480, Nursia, Reino de Lombardía–c. 547). Fundador del monasterio Benedictino de Montecassino, Italia, y padre del Monacato occidental. Hijo de una prominente familia de Nursia de Italia central, rechazó la vida inmoral y licenciosa de los ricos y se fue a vivir a las afueras de Roma como ermitaño, atrayendo muchos discípulos. En su monasterio de Montecassino formuló la regla benedictina que se convirtió en norma para todos los monasterios de Europa. La regla establecía un año de prueba previo al voto de obediencia y la residencia vitalicia en un monasterio; la prohibición de poseer bienes personales; que el abad, elegido de por vida, designaría a todos los otros miembros de la jerarquía, y estatuía una disciplina diaria que comprendía entre cinco y seis horas de liturgia y oración, cinco horas de trabajo manual y cuatro horas de lectura de las Sagradas Escrituras y de textos espirituales.

Benjamin, Judah P(hilip) (6 ago. 1811, Santa Cruz, islas Vírgenes–6 may. 1884, París, Francia). Destacado jurista en EE.UU. y Gran Bretaña, miembro del gabinete confederado. Siendo muy joven se trasladó con sus padres desde Santa Cruz hasta Carolina del Sur. En 1832 inició con éxito el ejercicio de la abogacía en Nueva Orleans y fue el primer judío elegido senador (1853–61) de EE.UU., donde se destacó por sus discursos a favor de la esclavitud. Después de la secesión de los estados del Sur, Jefferson Davis lo nombró fiscal general (1861), secretario de guerra (1861–62)

Judah P. Benjamin, jurista estadounidense.
GENTILEZA DE LA BIBLIOTECA DEL CONGRESO, WASHINGTON, D.C.

y secretario de Estado (1862–65). Avanzado el conflicto, enfureció a muchos sureños blancos con su insistencia en que se debía reclutar a los esclavos para el ejército confederado y emanciparlos una vez concluido su período de servicio. Al término de la guerra huyó a Inglaterra, donde recibió el título de abogado (1866) y se desempeñó como abogado de la corona (1872).

Benjamin, Walter (15 jul. 1892, Berlín, Alemania–26 sep. 1940, cerca de Port-Bou, España). Crítico literario alemán. Nacido en el seno de una próspera familia judía, Benjamin estudió filosofía y se desempeñó como crítico literario y traductor en Berlín desde 1920 hasta 1933, cuando huyó a Francia para escapar de la persecución de que eran víctimas los judíos. La ocupación nazi de Francia lo hizo huir nuevamente, esta vez a España. Se suicidó en la frontera española cuando se enteró de que sería entregado a la Gestapo por las autoridades locales. La publicación póstuma de sus ensayos lo confirmó como el crítico literario alemán más importante de la primera mitad del s. XX. Fue, además, uno de los primeros escritores en abordar teóricamente temas como el cine y la fotografía. Su independencia y originalidad quedan de manifiesto en los ensayos reunidos en *Iluminaciones* (3 vol., primera edición española publicada en 1971–1975) y *Ensayos*

escogidos (primera edición en español, 1969). En sus escritos sobre arte se puede rastrear la influencia de Karl Marx y su cercanía con Bertolt Brecht y Theodor Adorno.

benji ver salto en Bungee

Benn, Gottfried (2 may. 1886, Mansfeld, Alemania–7 jul. 1956, Berlín). Poeta y ensayista alemán. Se formó como médico en el ejército y se le designó supervisor médico de los presidiarios y las prostitutas en la ocupada Bruselas durante la primera guerra mundial. Sus primeros poemas, incluidos los de *Fleisch* [Carne] (1917), contienen alusiones a la degeneración y a los aspectos médicos de la descomposición física. A pesar de sus ideas derechistas, su obra fue prohibida durante el régimen nazi, debido al expresionismo de sus poemas. Volvió a acaparar la atención del medio literario con *Statische Gedichte* [Poemas estáticos] (1948) y con la reedición de sus primeros poemas. Entre las ediciones en español de su obra, destacan su recopilación de ensayos *El yo moderno* (1999) y una acertada *Antología poética* (2003).

Bennett, Alan (n. 9 may. 1934, Leeds, Yorkshire, Inglaterra). Dramaturgo, guionista y actor británico. Obtuvo su primer éxito con la brillante revista teatral satírica *Beyond the Fringe* (1960) en que participó como coautor y actor junto con Dudley Moore, Peter Cook y Jonathan Miller. A su primera pieza teatral, *Forty Years On* (1968), le siguieron obras como *Getting On* (1971) y *Enjoy* (1980). Después escribió libretos para la televisión, entre ellas *An Englishman Abroad* (1982) y *Talking Heads* (1988), las que se caracterizaron por su mezcla de comedia irónica y melancolía. Entre sus guiones se destaca *Susurros en tus oídos* (1987), y su exitosa obra *La locura del rey Jorge* (1991) fue adaptada en una aclamada versión cinematográfica en 1994.

Bennett (de Mickleham y de Calgary y Hopewell), Richard Bedford Bennett, vizconde (3 jul. 1870, Hopewell, Nueva Brunswick, Canadá–27 jun. 1947, Mickleham, Surrey, Inglaterra). Primer ministro canadiense (1930–35). Se tituló de abogado en 1893 y ejerció en Nueva Brunswick. Luego se trasladó al oeste y se desempeñó en el poder legislativo de los Territorios del Noroeste y Alberta, y en la Cámara de los Comunes de Canadá (1911). Fue nombrado director general del servicio nacional (1916) y más tarde ministro de justicia (1921). En 1927 llegó a ser el jefe del Partido Conservador y, en 1930, primer ministro, con la promesa de aliviar los efectos de la gran depresión, pero subestimó la gravedad de la crisis y sus medidas no surtieron efecto. Lo derrotaron los liberales encabezados por W.L. Mackenzie King y, en 1939, se retiró a Inglaterra, donde recibió el título de vizconde en 1941.

Bennett, (Enoch) Arnold (27 may. 1867, Hanley, Staffordshire, Inglaterra–27 mar. 1931, Londres). Novelista, dramaturgo, crítico y ensayista inglés. Sus obras más importantes, inspiradas por Gustave Flaubert y Honoré de Balzac, establecen una filiación insoslayable entre la narrativa inglesa y el realismo europeo tradicional. Se lo conoce principalmente por sus detalladas novelas sobre los "Five Towns" [Cinco pueblos] –las alfarerías de su nativa Staffordshire– que forman el escenario de *Anna of the Five Towns* [Ana de los cinco pueblos] (1902), *The Old Wives' Tale* [El cuento de las viejas] (1908) y las tres novelas que componen *Los Clayhanger* (1925). Bennett fue además un crítico connotado.

Arnold Bennett, dibujo de Walter Ernest Tittle, 1923.
GENTILEZA DE LA NATIONAL PORTRAIT GALLERY, LONDRES

Bennett, Michael *orig.* **Michael Bennett Difiglia** (8 abr. 1943, Buffalo, N.Y., EE.UU.–2 jul. 1987, Tucson, Ariz.). Bailarín, coreógrafo y director de musicales estadounidense. Comenzó a bailar a la edad de tres años y dejó la secundaria para irse de gira con una producción de *Amor sin barreras*. Su más importante contribución a la danza fue como coreógrafo y director de musicales como *Promises, Promises* (1968), *Company* (1970), *Follies* (1971) y *Dreamgirls* (1981), y en especial, por la notable *A Chorus Line* (1975, Premio Pulitzer), que fue concebida, dirigida y coreografiada por él. Bennett recibió ocho premios TONY a lo largo de su carrera.

Bennett, Tony *orig.* **Anthony (Dominick) Benedetto** (n. 3 ago. 1926, Astoria, Queens, N.Y., EE.UU.). Cantante de música popular estadounidense. Su primer trabajo fue como mesero cantante y después cantó con el nombre de Joe Bari. En 1949, Pearl Bailey le pidió que integrara su revista en un club nocturno y en 1950 BOB HOPE le sugirió su nuevo nombre. Tuvo muchos éxitos en la década de 1950, pero "I Left My Heart in San Francisco" (1962) se convirtió en su canción emblemática. Con los años, su estilo se orientó más hacia el jazz, y a mediados de la década de 1990 una aparición especial en MTV anunció su regreso.

Benny, Jack *orig.* **Benjamin Kubelsky** (14 feb. 1894, Chicago, Ill., EE.UU.–27 dic. 1974, Beverly Hills, Cal.). Comediante estadounidense. Durante su infancia comenzó a estudiar violín y, en 1912, se inició en el vodevil como instrumentista. Después de descubrir su talento para la comedia en la armada, regresó al vodevil como comediante. Debutó en el cine en 1927 y actuó en 18 películas entre los años 1930–45. Su programa de radio semanal (1932–1955) y el posterior programa televisivo *Jack Benny Program* (1950–65) tuvieron una fiel audiencia, y él se hizo célebre por un particular estilo cómico, que se caracterizó por un sutil juego vocal, silencios expresivos, interpretaciones tragicómicas con su violín y una imagen televisiva de individuo vanidoso y mezquino.

Benois, Alexandr (Nikoláievich) (4 may. 1870, San Petersburgo, Rusia–9 feb. 1960, París, Francia). Director artístico de teatro, pintor e influyente diseñador escenográfico de ballet ruso. En 1899 fundó junto con SERGEI DIÁGUILEV la revista de arte vanguardista *Mir Iskusstva* ("Mundo del arte"). Comenzó su carrera como diseñador escenográfico en 1901 y diseñó varios de los decorados innovadores de los BALLETS RUSOS en 1909–29. Diseñó escenografías para muchas otras compañías de ballet en las décadas de 1940–60.

Bentham, Jeremy (15 feb. 1748, Londres, Inglaterra–6 jun. 1832, Londres). Moralista, filósofo y jurisconsulto británico, primer exponente del UTILITARISMO. Estudiante precoz, se graduó en Oxford a la edad de 15 años. *En Introducción a los principios de la moral y la legislación* (1789), sostuvo que los seres humanos están gobernados por dos motivaciones soberanas, el dolor y el placer. El objetivo de toda legislación, por tanto, debe ser la "mayor felicidad para el mayor número", y ya que todo castigo implica dolor y es por ende malo, sólo debe aplicarse "en tanto prometa evitar un mal mayor". Su obra inspiró muchas reformas legislativas, especialmente con respecto a las prisiones. Fue también exponente de la nueva economía del *laissez-faire* de ADAM SMITH y DAVID RICARDO. Aunque defensor clamoroso de la democracia, rechazó las

Jeremy Bentham, detalle de una pintura al óleo de H.W. Pickersgill, 1829.
GENTILEZA DE LA NATIONAL PORTRAIT GALLERY, LONDRES

nociones de CONTRATO SOCIAL, de ley NATURAL y de derechos naturales como ficticios y contraproducentes ("los derechos son hijos de la ley; de la ley real surgen derechos reales; pero de leyes imaginarias, de 'la ley de la naturaleza', surgen derechos imaginarios"). Contribuyó a fundar la revista radical *Westminster Review* (1823). Conforme a su voluntad, su esqueleto vestido se exhibe en forma permanente en el University College de Londres.

Bentham, Sir Samuel (11 ene. 1757, Inglaterra–31 may. 1831, Londres). Ingeniero, arquitecto naval y oficial de marina británico. Fue hermano de JEREMY BENTHAM y padre del botánico George Bentham (n. 1800–m. 1884). Un antiguo partidario de las armas con municiones explosivas para naves de guerra, Bentham llevó a la victoria, en 1788, a una fuerza de naves rusas equipadas con cañones con municiones explosivas sobre una fuerza turca más numerosa. En Inglaterra desarrolló la clase Arrow de balandras usadas contra Francia. Sirvió como comisionado de la marina (1807–12).

Bentinck, William (Henry Cavendish), Lord (14 sep. 1774, Bulstrode, Buckinghamshire, Inglaterra–17 jun. 1839, París, Francia). Gobernador colonial británico. Nacido en la riqueza y la alcurnia, fue nombrado gobernador de Madrás en 1803. Fue llamado de regreso en 1807 después de que estalló un motín de tropas indias en Vellore. Durante los siguientes 20 años presionó para que se le diese la oportunidad de vindicar su nombre. En 1828 fue nombrado gobernador general de Bengala (en efecto, de toda India), cargo que desempeñó hasta 1835. Reformó las finanzas del país, abrió los cargos administrativos y judiciales a los indios, eliminó a las bandas de asesinos llamados *thugs* y abolió el SUTTEE. Sus políticas ayudaron a preparar el terreno para la independencia que se produjo más de un siglo después.

Bentley, Eric (Russell) (n. 14 sep. 1916, Bolton, Lancashire, Inglaterra). Crítico y traductor teatral estadounidense de origen británico. Fue director de escena en varias ciudades europeas (1948–51). Después de trabajar en una producción de *Madre Coraje* con su autor BERTOLT BRECHT en Munich, tradujo sus obras al inglés. Sus artículos sobre teatro europeo publicados en diversas revistas despertaron el interés por diversos dramaturgos europeos en EE.UU. Escribió numerosos ensayos, como *La vida del drama* (1964) y fue profesor en la Universidad de Columbia (1953–69), entre otras instituciones superiores.

Bentley, Richard (27 ene. 1662, Oulton, Yorkshire, Inglaterra–14 jul. 1742, Cambridge, Cambridgeshire). Clérigo y académico inglés, experto en letras clásicas. Se le concedió la cátedra Boyle en la Universidad de Oxford en 1692, fue conservador de la Biblioteca Real en 1694, y fue nombrado profesor de Trinity College, Cambridge, en 1700. Bentley desplegó su habilidad para las enmiendas textuales y su profundo conocimiento de la métrica antigua en *Epistola ad Joannem Millium* [Epístola a John Mill] (1691). En *Dissertation on the Epistles of Phalaris* [Disertación sobre las epístolas de Falaris] (1699), probó que tales epístolas no eran auténticas; su polémica con Charles Boyle en torno a la autenticidad de las mismas fue satirizada por JONATHAN SWIFT en *La batalla de los libros* (1704). También publicó ediciones críticas de autores clásicos, entre ellos HORACIO, y realizó contribuciones en el área de la lingüística al estudio del griego antiguo.

Benton, Thomas Hart (14 mar. 1782, cerca de Hillsborough, N.C., EE.UU.–10 abr. 1858, Washington, D.C.). Político estadounidense. Luego de trasladarse a St. Louis, Mo. (1815), ocupó el puesto de director del periódico *St. Louis Enquirer*. Con el apoyo de agricultores y comerciantes, fue elegido senador en 1820. Emprendió una cruzada en favor de la distribución de tierras fiscales a colonizadores y pronto se lo reconoció como el vocero principal del incipiente Partido Demócrata en el Senado. En 1851 se opuso a la extensión de la esclavitud en el Oeste lo que le costó su escaño en el Senado, si bien más adelante se desempeñó en la Cámara de Representantes (1853–55). Fue tío abuelo del artista THOMAS HART BENTON.

Thomas Hart Benton, c. 1845–50.
GENTILEZA DE LA BIBLIOTECA DEL CONGRESO, WASHINGTON, D.C.

Benton, Thomas Hart (15 abr. 1889, Neosho, Mo., EE.UU.–19 ene. 1975, Kansas City, Mo.). Pintor y muralista estadounidense. Estudió en el Art Institute of Chicago y en la Académie Julian de París, donde tomó contacto con el SINCRONISMO y el CUBISMO. En 1912 regresó a EE.UU. y se estableció en la ciudad de Nueva York. No tuvo éxito en sus intentos modernistas y se decidió a viajar por zonas rurales de importancia cultural, haciendo bosquejos de personas y lugares. En la década de 1930 pintó varios murales notables, como *La América moderna* (1930–31) en el New School for Social Research. Solía transponer relatos bíblicos y clásicos a escenarios rurales de EE.UU., como en *Susana and the Elders* (1938). Su estilo, que llegó pronto a ser influyente, se caracteriza por formas ondulantes, figuras estereotipadas como de tiras cómicas y colores brillantes. Enseñó en el Art Students League en Nueva York, donde JACKSON POLLOCK fue su alumno más conocido.

Benton, William (Burnett) (1 abr. 1900, Minneapolis, Minn., EE.UU.–18 mar. 1973, Nueva York, N.Y.). Editor de publicaciones, ejecutivo de publicidad y funcionario de gobierno estadounidense. Descendiente de misioneros y educadores, fundó en Nueva York, junto con CHESTER BOWLES, una agencia de publicidad de gran éxito, Benton & Bowles. Más tarde fue vicerrector de la Universidad de Chicago; por su iniciativa, la universidad adquirió la *Encyclopædia Britannica*, la que dirigió y luego compró. En 1945 ocupó el cargo de subsecretario de Estado y más tarde fue senador (1949–52) durante un breve lapso. Después y hasta el fin de su vida, se dedicó a la enciclopedia y murió poco antes de la publicación de la 15ª edición de la obra.

Benue, río *bantú* **Bénoué** Río de África occidental. Nace en el norte de Camerún (como Bénoué), fluye al oeste a través de Nigeria centrooriental (como Benue). Con una extensión aproximada de 1.400 km (870 mi), es el principal afluente del río NÍGER y transporta un volumen considerable de mercaderías.

benue-congo, lenguas Rama más grande de las lenguas NIGEROCONGOLEÑAS, tanto en cantidad de lenguas (900) como en número de hablantes (por lo menos 500 millones). Sus divisiones principales son el defoid, incluido el yoruba, con más de 20 millones de hablantes; el edoid, incluido el edo (ver reino de BENÍN); el nupoid, que comprende el nupe, ebira y gbagyi; el idomoid, incluido el idoma; el igboid, incluidos los numerosos dialectos de los aproximadamente 19 millones de habitantes del pueblo IBO; el kainji, con 40 lenguas; el platoid, un conjunto de 50 lenguas; el *cross river*, grupo de más de 55 lenguas; el bantoid, la rama más extensa, que comprende un grupo septentrional y otro meridional e incluye más de 500 lenguas, 47 de las cuales son habladas por más de 1 millón de personas. Las lenguas BANTÚES constituyen el subgrupo más grande del bantoid meridional.

Benz, Karl (Friedrich) (25 nov. 1844, Karlsruhe, Baden–4 abr. 1929, Ladenburg, Alemania). Ingeniero mecánico alemán que diseñó el primer AUTOMÓVIL práctico propulsado por un motor de COMBUSTIÓN INTERNA. El vehículo original, su Motorwagen de tres ruedas, anduvo por primera vez en 1885. La empresa de Benz fabricó su primer vehículo de cuatro ruedas en 1893, y el primero de su serie de autos de carrera en 1899. Benz se retiró de su compañía en 1906 para formar otro grupo con sus hijos. En 1926, la compañía Benz se fusionó con la empresa fundada por GOTTLIEB DAIMLER.

Benzer, Seymour (n. 15 oct. 1921, Nueva York, N.Y. EE.UU.). Biólogo molecular estadounidense. Obtuvo su Ph.D. en la Universidad de Purdue. Desarrolló un método para determinar en detalle la estructura de los genes virales y acuñó el término *cistron*, para señalar subunidades funcionales de genes. Realizó grandes esfuerzos para explicar la naturaleza de las singularidades genéticas, denominadas mutaciones absurdas, en función de la secuencia de nucleótidos del ADN, y descubrió en ciertas bacterias una regresión o supresión de estas mutaciones.

Beocia Región y antigua república en el centro-este de Grecia. Limita con ÁTICA y el golfo de Corinto y sus principales ciudades son ORCÓMENO y TEBAS. Habitada por los beocios, pueblo etolio de Tesalia, se convirtió en un importante centro político después de la formación de la liga beocia, liderada por Tebas c. 600–550 AC. La liga, hostil a ATENAS, se rebeló c. 447 AC. Durante la guerra del PELOPONESO, Beocia derrotó a Atenas en Delium, en 424 AC. Dominó Grecia hasta que Tebas, su capital, fue destruida por ALEJANDRO MAGNO c. 335 AC.

Beowulf Poema heroico considerado la más alta cumbre de la literatura inglesa antigua y la primera EPOPEYA en una lengua vernácula europea. La obra aborda acontecimientos que datan de comienzos del s. VI, y probablemente fue compuesta c. 700–750. Narra la historia de un héroe escandinavo, Beowulf, quien cobra fama durante su juventud al vencer al monstruo Grendel y a la madre de este. Más tarde, cuando ya es un rey entrado en años, Beowulf mata un dragón, fallece a causa de sus heridas, y es honrado y llorado por los suyos. *Beowulf* pertenece, por su métrica, estilo y temática, a la tradición heroica germánica, aunque en la obra se puede apreciar una clara influencia cristiana.

Berain, Jean, el Viejo (28 oct. 1637, Saint-Mihiel, Francia–24 ene. 1711, París). Decorador y diseñador francés. Fue discípulo de CHARLES LE BRUN, y nombrado jefe de taller para la corte de LUIS XIV en 1674. Era experto en el diseño de tapices, accesorios, mobiliario, trajes y en la elaboración de escenografías para óperas y extravagantes producciones teatrales, que se caracterizaban por la profusión de iconografía fantástica. Satisfacía el gusto del rey por el fasto, y fue la fuente de inspiración para otros ebanistas como ANDRÉ-CHARLES BOULLE.

Berar Región histórica del centro de India. Situada al norte de HYDERABAD, surgió como una entidad política específica después de las incursiones realizadas por los ejércitos musulmanes en el s. XIII DC. Formó parte de varios reinos musulmanes hasta que, a la caída del Imperio mogol, pasó a ser controlada por Hyderabad. Al quedar bajo dominio británico en 1853, fue asignada a varias provincias; ha sido parte del estado de MAHARASHTRA desde 1960. La región incluye una zona rica en cultivos de algodón en la cuenca del río Purna.

berberecho Cualquiera de unas 250 especies (familia Cardiidae) de BIVALVOS marinos distribuidos por todo el mundo. Su diámetro oscila entre 1 y 15 cm (0,5–6 pulg.). Las dos valvas de la concha son de igual tamaño y forma, y su color varía desde pardo

Berberecho gigante (*Dinocardium robustum*).
HARRY ROGERS

a rojo o amarillo. La mayoría de las especies habita justo por debajo de la línea de bajamar, aunque se han obtenido especímenes provenientes de profundidades mayores a 500 m (1.500 pies) o de la zona intermareal. Muchas especies tienen valor comercial como mariscos.

Berbería, costa de Región de la costa mediterránea en el norte de África. Abarca desde Egipto hasta el océano Atlántico. Formó parte del ÁFRICA ROMANA y fue invadida por los VÁNDALOS en el s. V DC. Fue reconquistada por el Imperio romano de Oriente (Imperio BIZANTINO) c. 533 DC, fue invadida por los árabes durante el s. VII y posteriormente dividida en sistemas de gobierno musulmanes conocidos colectivamente como los estados de Berbería (MARRUECOS, ARGELIA [Argel], TÚNEZ y LIBIA [Trípoli]). Por siglos la costa fue notoria como refugio de piratas, que asolaron embarcaciones y cobraron tributo a los estados europeos. Después de la guerra entre EE.UU. y Tripolitania (ver guerra de TRIPOLITANIA), la expedición estadounidense a Argel (1815) y del bombardeo de Argel por los británicos (1816), los piratas cesaron de exigir tributo.

Berberis Género con casi 500 especies de arbustos espinosos, SIEMPREVERDES o deciduos. Es el género más grande y más importante de la familia Berberidaceae, del orden Ranunculales. La mayoría de las especies son originarias de la zona templada septentrional, sobre todo de Asia. Tienen madera y flores amarillas. Con el fruto de varias especies se preparan jaleas. Otros miembros de la misma familia son la nandina (*Nandina domestica*), una planta de maceta de interior; el podofilo (*Podophyllum peltatum*), una flor silvestre de zonas arboladas, y los géneros *Epimedium*, un cubresuelo, y *Mahonia*, arbustos siempreverdes latifoliados.

Agracejo de Canadá (*B. canadensis*), género *Berberis*.
WALTER CHANDOHA

Berbice, río Río del este de Guyana. Nace en las tierras altas de Guyana y discurre hacia el norte 595 km (370 mi) a través de un denso bosque en dirección al océano Atlántico. Su cuenca está restringida por la proximidad de los ríos más grandes, ESSEQUIBO y COURANTYNE. Su nombre se deriva de la colonia holandesa que pasó a ser parte de la Guayana británica (actual Guyana) en 1831.

Berceo, Gonzalo de (¿1195?, Berceo, La Rioja, España–¿1274?). Poeta medieval castellano. Se sabe muy poco de su vida; se supone que fue un clérigo secular, posiblemente con formación universitaria. Sus obras literarias, escritas en la forma métrica de la cuaderna vía (estrofa compuesta por cuatro versos alejandrinos monorrimos), pertenecen al MESTER DE CLERECÍA. Escribió varias vidas de santos y diversos textos de alabanza a la Virgen María, el más conocido de los cuales es *Milagros de Nuestra Señora*, colección de 25 poemas que relatan legendarios acontecimientos milagrosos. Su estilo se caracteriza por su intención didáctica, su carácter popular (con algunos rasgos eruditos) y su contenido teológico de naturaleza dogmática o moral.

Berchtesgaden Pueblo (pob., est. 1992: 8.000 hab.) de Alemania meridional. Localizado en los Alpes bávaros al sur de SALZBURGO, limita por tres lados con territorio austríaco. Fue parte de Austria y pasó a BAVIERA a principios del s. XIX. Fue el lugar de refugio donde se hallaba la residencia de campo de ADOLF HITLER antes y durante la segunda guerra mundial. En 1938, él se reunió ahí con NEVILLE CHAMBERLAIN. Destruida por los bombardeos en 1945, la residencia de campo fue demolida en 1952. Es un lugar muy frecuentado por montañistas y esquiadores.

Berchtold, Leopold, conde von (18 abr. 1863, Viena, Austria–21 nov. 1942, cerca de Csepreg, Hungría). Político austro-húngaro. Uno de los hombres más ricos de Austria-Hungría, ingresó al servicio diplomático en 1893 y llegó a ser ministro de asuntos exteriores en 1912. Después del asesinato del archiduque FRANCISCO FERNANDO en 1914, dio un ultimátum a Serbia, lo que finalmente condujo al estallido de la primera GUERRA MUNDIAL. Fue obligado a renunciar en 1915.

bereber *o* **beréber** *o* **berebere** Miembro de una comunidad nativa del MOGREB que habla alguna de las varias lenguas bereberes, como el tamazight, tashahit y tarifit. Fueron los habitantes originales de África del norte, aunque muchas regiones sucumbieron a la colonización por la República e Imperio de ROMA y más tarde (a partir del s. VII DC) a la conquista de los ÁRABES. Los bereberes aceptaron gradualmente el Islam y muchos adoptaron la lengua árabe o se convirtieron en bilingües. Estas lenguas aún se hablan en algunas áreas rurales y montañosas de Marruecos y Argelia y entre algunos habitantes de Túnez y Libia. Desde la década de 1990, intelectuales bereberes han intentado revivir el interés en su lengua. Las dinastías ALMORÁVIDE y de los ALMOHADE, ambas bereberhablantes, construyeron imperios en África del norte y España en los s. XI–XIII. Ver también ABD EL-KRIM; CABILEÑO; RIFEÑO.

Berengario de Tours (c. 999, Tours, Touraine–10 ene. 1088, priorato de Saint-Cosme, cerca de Tours). Teólogo francés. Se convirtió en canónigo de la catedral de Tours y archidiácono de Angers (c. 1040). Rechazó la teología eucarística prevaleciente y argumentó en contra de cualquier cambio material del pan y el vino. Se le opusieron numerosos teólogos, principalmente LANFRANCO, y puede que haya sido excomulgado (1050) por el papa san LEÓN IX. Fue condenado por el concilio de Vercelli (1050) y por el sínodo de París (1051). Después de llegar a un acuerdo, fue nuevamente condenado en 1076, 1078, 1079 y 1080; pasó el resto de su vida en aislamiento ascético.

Berenice ver BENGASI

berenjena Planta perenne tierna (*Solanum melongena*) de la familia de las SOLANÁCEAS. Requiere un clima cálido y se cultiva extensamente en EE.UU. y en el este y sur de Asia (de donde es originaria). Se cultiva como planta anual por su fruto carnoso. Tiene un tallo erecto ramificado; hojas grandes, ovaladas, levemente lobuladas y flores solitarias, péndulas de color violeta. Su fruto es una baya grande, lustrosa, ovoidea y de un color que varía entre el morado y el rojo,

Berenjena (*Solanum melongena*).
INGMAR HOLMASEN

amarillento o blanco y a veces listado. Es un alimento básico en la cocina de la región del Mediterráneo.

Berenson, Bernard (26 jun. 1865, Vilna, Lituania, Imperio ruso–6 oct. 1959, Settignano, Italia). Historiador, crítico y perito en arte estadounidense de origen lituano. Criado en Boston, estudió en la Universidad de Harvard, pero la mayor parte de su vida la pasó en Italia, donde adquirió reputación de autoridad en el tema de la pintura renacentista italiana. Fue consejero del marchante Joseph Duveen (n. 1869–m. 1939) y de Isabella Stewart Gardner (n. 1840–m. 1924), fundadora del museo Gardner de Boston. Berenson legó su villa, I Tatti (cerca de Florencia), con su colección de arte y su sobresaliente biblioteca a Harvard, para ser administrada como el Centro de estudios renacentistas italianos de Harvard. Entre sus libros se cuentan *The Drawings of the Florentine Painters* (1903, 1938, 1961) y *Los pintores italianos del Renacimiento* (1952).

Bereziná, río Río de Belarús. Tiene una extensión de 587 km (365 mi) y desemboca hacia el sudeste en el río DNIÉPER. Durante la retirada de NAPOLEÓN I de Moscú en 1812, tuvo lugar un enconado combate a orillas del Bereziná en el cruce del río cercano a Baryslaw, y las fuerzas rusas infligieron enormes pérdidas al ejército de Napoleón. En 1941 fue el escenario de una violenta lucha durante el avance alemán sobre SMOLENSK.

Berg Antiguo ducado del SACRO IMPERIO ROMANO. Localizado a orillas del RIN, el área forma parte ahora de los distritos de DÜSSELDORF y COLONIA, Alemania. En el s. XI, los condes de Berg adquirieron las tierras de Westfalia situadas al este de Colonia, que fueron incorporadas como ducado en 1380. Berg se convirtió en el centro principal de fabricación de hierro y textiles en los s. XVII–XVIII. En 1806, NAPOLEÓN I lo convirtió en gran ducado en su CONFEDERACIÓN DEL RIN. Después del Congreso de VIENA, en 1814–15, pasó a ser parte de PRUSIA.

Berg, Alban (Maria Johannes) (9 feb. 1885, Viena, Austria-Hungría–24 dic. 1935, Viena, Austria). Compositor austríaco. Fue un músico principalmente autodidacta hasta que a los 19 años conoció a ARNOLD SCHÖNBERG, acontecimiento decisivo en su vida; Schönberg se transformó en su profesor durante ocho años. Bajo su influencia, las primeras obras tonales del romántico tardío de Berg cedieron paso a una creciente ATONALIDAD, y finalmente (1925) a la composición serial dodecafónica. Su ópera expresionista *Wozzeck* (1922) se convirtió en la ópera posromántica más aclamada del mundo. Su segunda ópera, *Lulu*, en la cual trabajó durante seis años, quedó inconclusa con su muerte. Otras obras de Berg son dos cuartetos de cuerda, entre ellos la *Suite lírica* (1926), *Tres piezas para orquesta* (1915) y un concierto para violín (1935).

Berg, Paul (n. 30 jun. 1926, Nueva York, N.Y. EE.UU.). Bioquímico estadounidense. Obtuvo su Ph.D. en la Universidad Western Reserve. Mientras estudiaba las acciones de genes aislados, diseñó métodos para partir moléculas de ADN en lugares específicos y unir los segmentos resultantes al ADN de un virus o un plasmidio, los que luego podían ingresar a células bacterianas o animales. El ADN extraño se incorporaba al huésped y causaba la síntesis de proteínas que no se encontraban en él habitualmente. Uno de los primeros resultados prácticos de su investigación fue el desarrollo de una cepa de bacterias que contenía el gen para producir insulina. En 1980, Berg compartió el Premio Nobel con Walter Gilbert (n. 1932) y FREDERICK SANGER.

bergamoto Cualquiera de varias plantas perennes de Norteamérica del género MONARDA de la familia de las Labiadas (ver MENTA). Las hojas se utilizan como hierba para aromatizar el té, el ponche, la limonada y otras bebidas frías. La *Monarda didyma*, originaria de EE.UU., se utiliza para preparar el té de Oswego, una bebida usada por la tribu indígena estadounidense de Oswego. Se dice que dicha bebida fue adoptada por los colonos en el s. XVIII, durante el motín del té de Boston. El fruto piriforme del limero (*Citrus bergamia*), que se encuentra principalmente en Calabria, Italia, es apreciado por la industria de la perfumería y de los saborizantes, debido al ACEITE ESENCIAL extraído de su cáscara. La pera bergamota, una fruta popular de invierno cultivada en Gran Bretaña, es grande, redonda, con la cáscara verde amarillenta.

bergantín Velero de dos mástiles con velamen cuadrado en ambos mástiles. Hubo tanto bergantines de guerra como mercantes. Como naves mercantes, frecuentemente siguieron rutas comerciales costeras y otros, viajes oceánicos e incluso algunos bergantines fueron empleados como balleneros y en la caza de focas. Los bergantines de guerra llevaban 10–20 cañones en una sola cubierta. En los s. XVIII–XIX sirvieron como correos para las flotas de guerra y como buques escuela para la instrucción de cadetes. En la naciente armada de EE.UU., los bergantines ganaron reputación en la guerra anglo-estadounidense (1812), en los Grandes Lagos. Debido a que el aparejo cuadrado requería de una tripulación numerosa, los bergantines mercantes se tornaron no rentables, y en el s. XIX empezaron a ceder espacio a naves como la GOLETA y el bergantín goleta.

Bergen Ciudad (pob., est. 2000: municipio, 229.496 hab.) del sudoeste de Noruega. Es la segunda ciudad de Noruega y su principal puerto. Fundada en 1070 por el rey Olaf III, fue la capital de Noruega en los s. XII–XIII. En el s. XIV, los comerciantes alemanes de la Liga HANSEÁTICA adquirieron el control de su comercio; su influencia en una Noruega debilitada duró hasta el s. XVI. A pesar de haber sido destruida en forma repetida por el fuego (en especial en 1702 y 1916), Bergen ha sido reconstruida cada vez. Su economía se basa principalmente en la industria pesquera y la construcción naval. Fue el lugar de nacimiento de EDVARD GRIEG y del violinista OLE BULL.

Bergen, Edgar *orig.* **Edgar John Bergren** (16 feb. 1903, Chicago, Ill., EE.UU.–30 sep. 1978, Las Vegas, Nev.). Comediante y ventrílocuo estadounidense. Durante su infancia desarrolló su habilidad para

Edgar Bergen junto a su muñeco Charlie McCarthy.
FOTOBANCO

la VENTRILOQUÍA, oficio que le permitió ahorrar para costear sus estudios en la Northwestern University. Después de esporádicas actuaciones en espectáculos de vodevil y clubes nocturnos, tuvo la oportunidad de presentarse en el medio radial, y el posterior *Edgar Bergen-Charlie McCarthy Show* (con su mordaz e incorregible muñeco Charlie McCarthy) fue uno de los programas más populares durante 20 años (1937–57). Su hija Candice (n. 1946) es una exitosa actriz de cine y televisión.

Bergen-Belsen *o* **Belsen** CAMPO DE CONCENTRACIÓN nazi ubicado cerca de las aldeas de Bergen y Belsen, en lo que por entonces era la provincia de Hannover, en Prusia, Alemania. Establecido en 1943, en parte como un campo de prisioneros de guerra y en parte como un campo para judíos en tránsito, fue diseñado para 10.000 prisioneros, pero acabó por tener cerca de 60.000, la mayoría de los cuales carecían de alimento y abrigo. No tenía cámaras de gas, pero unos 35.000 prisioneros murieron allí, entre ellos ANA FRANK, entre enero y mediados de abril de 1945. Fue el primer campo de este tipo en ser liberado por los aliados occidentales (15 abr. 1945), por lo que adquirió una inmediata notoriedad. Unos 28.000 prisioneros murieron por enfermedades y otras causas en las semanas siguientes a su liberación por tropas británicas.

Berger, Victor (Louis) (28 feb. 1860, Nieder-Rehbach, Austria-Hungría–7 ago. 1929, Milwaukee, Wis., EE.UU.). Cofundador del Partido Socialista de EE.UU. Inmigró a este país desde Austria-Hungría en 1878, fundó un periódico en alemán en 1892 y dirigió el *Social Democratic Herald* (más adelante *Milwaukee Leader*) entre 1898 y 1929. Junto con EUGENE V. DEBS, fundó el Partido Social Demócrata que, en 1901, se convirtió en el Partido Socialista. Fue miembro de la Cámara de Representantes (1911–13) como el primer socialista elegido parlamentario. Reelegido en 1918, se le denegó su escaño luego de ser condenado, en virtud de la ley de espionaje, por oponerse a la participación de EE.UU. en la primera guerra mundial. Al anularse la condena, nuevamente accedió a la Cámara (1923–29) y sucedió a Debs como presidente del Partido Socialista (1927–29).

Bergerac, Savinien Cyrano de ver Savinien CYRANO DE BERGERAC.

Bergey, David Hendricks (27 dic. 1860, Skippack, Pa. EE.UU.–5 sep. 1937, Filadelfia, Pa.). Bacteriólogo estadounidense. Enseñó en una escuela antes de asistir a la Universidad de Pensilvania, donde obtuvo un doctorado en salud pública. Después asumió como director de investigaciones biológicas en la National Drug Company (Compañía Nacional de Medicamentos) en Filadelfia. Es más recordado como el autor principal del *Bergey's Manual of Determinative Bacteriology* [Manual de Bergey de bacteriología determinativa], una obra de referencia para la clasificación de las bacterias, e investigó diversos temas como tuberculosis, preservantes para alimentos, fagocitosis (absorción de partículas por las células) y reacciones alérgicas.

Bergman, (Ernst) Ingmar (n. 14 jul. 1918, Uppsala, Suecia). Director de cine y guionista sueco. Hijo rebelde de un pastor luterano, trabajó en teatro antes de dirigir su primera película, *Crisis* (1945). Se consagró internacionalmente con sus filmes *El séptimo sello* (1956) y *Fresas salvajes* (1957). Junto con un grupo de actores, entre ellos MAX VON SYDOW y LIV ULLMANN, y el director de fotografía SVEN NYKVIST, realizó una serie de impactantes películas que develaban sombríos retratos de la soledad humana: *Como en un espejo* (1961), *Gritos y susurros* (1972), *Sonata otoñal* (1978) y *Fanny y Alexander* (1982). Después escribió los guiones de *Las mejores intenciones* (1992) y *Confesiones privadas* (1996). A lo largo de su carrera Bergman continuó dirigiendo producciones teatrales, especialmente para el Real teatro dramático de Estocolmo.

Ingmar Bergman.
CAMERA PRESS

Bergman, Ingrid (29 ago. 1915, Estocolmo, Suecia–29 ago. 1982, Londres, Inglaterra). Actriz de cine y teatro sueca. Después de su actuación en la película sueca *Intermezzo*, viajó a EE.UU. para actuar en la versión en inglés (1939). Su esplendor y encanto natural la convirtieron en una estrella en largometrajes como *Casablanca* (1942), *Luz de gas* (1944, premio de la Academia) y en las películas de ALFRED HITCHCOCK *Recuerda* (1945) y *Encadenados* (1946). El escándalo provocado por su romance con ROBERTO ROSSELLINI (1949) la alejó de las pantallas de EE.UU.

Ingrid Bergman, actriz sueca.
EB INC.

por siete años, tiempo durante el cual actuó en Europa antes de ser bienvenida en Hollywood con *Anastasia* (1956, premio de la Academia). Entre sus últimos filmes se cuentan *Indiscreta* (1958) y *Asesinato en el Expreso de Oriente* (1974, premio de la Academia).

Bergson, Henri (-Louis) (15 oct. 1859, París, Francia–4 ene. 1941, París). Filósofo francés. En *Evolution créative* [Evolución creadora] (1907) afirmó que la evolución, que aceptó como hecho científico, no es mecanicista, sino que está movida por un *élan vital* ("impulso vital"). Fue el primero en elaborar una FILOSOFÍA DE PROCESO, rechazando los valores estáticos y adoptando valores dinámicos como el movimiento, el cambio y la evolución. Su estilo literario ha sido ampliamente admirado por su gracia y lucidez; obtuvo el Premio Nobel

Henri Bergson, filósofo francés, 1928.
ARCHIV FUR KUNST UND GESCHICHTE, BERLÍN OCCIDENTAL

de Literatura en 1927. Muy popular en su tiempo, continúa siendo una figura influyente en Francia.

Beria, Lavrenti (Pávlovich) (29 mar. 1899, Merjeuli, Rusia–23 dic. 1953, Moscú, Rusia, U.R.S.S.). Político soviético y director de la policía secreta soviética. Trabajó en actividades de inteligencia y contrainteligencia a partir de 1921. Como jefe del Partido Comunista de las repúblicas transcaucasianas (1932–38), supervisó personalmente las PURGAS POLÍTICAS iniciadas por STALIN. Fue jefe de la policía secreta soviética (1938–53) y después de la muerte de Stalin se convirtió en primer vicepresidente del consejo de ministros y jefe del ministerio del interior. Fue arrestado y ejecutado después de que intentó suceder a Stalin como único dictador.

beriberi *o* **deficiencia de vitamina B1** Trastorno nutricional, que afecta el corazón y los nervios, causado por falta de TIAMINA. Su nombre proviene de la palabra cingalesa que denota "debilidad extrema". Sus síntomas son fatiga, problemas digestivos, adormecimiento y debilidad de las extremidades. El beriberi seco implica degeneración progresiva de los nervios periféricos con atrofia muscular y pérdida de los reflejos. El beriberi húmedo es más agudo, con EDEMA por insuficiencia cardíaca y mala circulación. La tiamina abunda en los alimentos, pero se pierde durante su procesamiento; una dieta equilibrada, rica en alimentos no procesados, puede prevenir el beriberi. En los países occidentales, la causa más frecuente del trastorno es el alcoholismo crónico.

berilio ELEMENTO QUÍMICO, el más liviano de los METALES ALCALINOTÉRREOS, símbolo químico Be, número atómico 4. No se encuentra combinado en la naturaleza sino que se halla principalmente como mineral BERILO (del cual la esmeralda y el aguamarina son variedades de piedra preciosa). El METAL berilio tiene muchas aplicaciones estructurales y térmicas, particularmente en ALEACIONES, y se utiliza en reactores nucleares. El berilio tiene VALENCIA 2 en todos sus compuestos, los cuales son por lo general incoloros y de sabor marcadamente dulce. Todos los compuestos solubles del berilio son tóxicos. El óxido de berilio se emplea en cerámica especializada para dispositivos nucleares, y el cloruro de berilio es un CATALIZADOR para reacciones orgánicas.

berilo Mineral compuesto de silicato de berilio y aluminio, $Be_3Al_2(SiO_3)_6$, fuente comercial del BERILIO. Muchas variedades son apreciadas como piedras preciosas: el AGUAMARINA (verde-azul clara), la ESMERALDA (verde oscura), el heliodoro (amarillo dorado) y la morganita (rosada). Antes de 1925, el berilo sólo fue usado como piedra preciosa, pero desde entonces se le han encontrado muchos usos importantes (p. ej., en reactores nucleares, vehículos espaciales y tubos de rayos X). No se ha descubierto ningún yacimiento grande, y la mayoría de su producción es un subproducto de la minería del feldespato y de la mica. El principal productor es Brasil; otros productores son Zimbabwe, Sudáfrica, Namibia y EE.UU.

Bering, disputa por el mar de Disputa entre EE.UU. y Gran Bretaña (y Canadá) por la categoría internacional del mar de BERING. En 1881, en un intento por controlar la caza de lobos marinos frente a la costa de Alaska, EE.UU. reclamó jurisdicción sobre el mar de Bering y el derecho a capturar los barcos loberos. Cuando a fines de la década de 1880 varias naves canadienses fueron capturadas, Gran Bretaña protestó por la reclamación estadounidense. Un convenio, fechado en 1891, permitió que ambos países vigilaran la zona. En 1893, un tribunal internacional determinó que la zona formaba parte de alta mar y que ningún país tenía jurisdicción sobre ella.

Bering, mar de Masa de agua en el norte del océano Pacífico. Circundado por Alaska, las islas ALEUTIANAS, la península de KAMCHATKA y SIBERIA oriental, cubre 2.292.150 km² (885.000 mi²). Tiene muchas islas, entre las que figuran las Aleutianas, Nunivak, San Lorenzo y PRIBILOF. La LÍNEA INTERNACIONAL DE CAMBIO DE FECHA cruza este mar en diagonal. Está también conectado con el océano ÁRTICO por el estrecho de Bering, que separa a Asia de América del Norte; al parecer fue un puente terrestre durante la edad de hielo que permitió la migración desde Asia a América del Norte. La exploración realizada por VITUS BERING del mar y del estrecho en 1728 y 1741 constituyeron la base de los derechos alegados sobre Alaska por los rusos.

Bering, Vitus (Jonassen) (1681, Horsens, Dinamarca–19 dic. 1741, isla de Bering, cerca de la península de Kamchatka). Navegante ruso nacido en Dinamarca. Se unió a la flota del zar ruso PEDRO I (el Grande) y en 1724 fue nombrado jefe de una expedición para determinar si Asia y América del Norte estaban conectadas por tierra. En 1728 zarpó de la península de Kamchatka en Siberia y pasó a través de lo que más tarde sería llamado estrecho de Bering. Su plan de realizar una segunda expedición se convirtió en la Gran expedición al norte de Rusia (1733–43), que trazó la cartografía de gran parte de la costa ártica de Siberia. Tras explorar la costa de Alaska, cayó enfermo de escorbuto y murió después de que su buque naufragó. Su exploración preparó el camino para que Rusia estableciera posiciones en América del Norte.

Berio, Luciano (24 oct. 1925, Oneglia, Italia–27 may. 2003, Roma). Compositor italiano. Fue un innovador importante en la música electrónica, la combinación de música en vivo y grabada, música aleatoria, notación gráfica, "collage" musical con uso de material prestado y (tal vez de forma más significativa) en "piezas de representación" musical. Su primera esposa, la cantante Cathy Berberian (n. 1925–m. 1983), fue su principal colaboradora. Sus obras más conocidas son *Omaggio a Joyce* (1958), *Visage* (1961), *Sinfonia* (1968), *Opera* (1970) y su serie de 14 piezas denominadas *Sequenze* (1958–2002).

Luciano Berio, 1970.
GENTILEZA DE RCA RECORDS

Berkeley Ciudad (pob., est. 2000: 102.743 hab.) del oeste de California, EE.UU. Ubicada en la bahía de San Francisco, la ciudad fue fundada bajo el nombre de Oceanview en 1853 y seleccionada para instalar un recinto universitario por el College (posteriormente Universidad) de California. Este centro universitario, que debe su nombre al filósofo GEORGE BERKELEY, fue inaugurado en 1873. Ver también Universidad de CALIFORNIA.

Berkeley, Busby orig. **William Berkeley Enos** (29 nov. 1895, Los Ángeles, Cal., EE.UU.–14 mar. 1976, Palm Springs, Cal.). Director de cine y coreógrafo estadounidense. Hijo de actores itinerantes, actuó y bailó en rutinas teatrales desde los cinco años de edad. Posteriormente se desempeñó como coreógrafo de más de 20 comedias musicales en Broadway, y fue invitado a Hollywood para dirigir los números de baile de *Whoopee* (1930). La elaborada producción, sus innovadoras técnicas de filmación y los opulentos sets en películas como *Vampiresas de 1933* y *Desfile de candilejas* (1933) revolucionaron el género del musical y ofrecieron una amena evasión a los espectadores durante la gran depresión. Más tarde, cuando los crecientes costos de producción hicieron poco factibles estos espectáculos extravagantes, Berkeley se dedicó a dirigir películas menos innovadoras, pero aun así populares como *The Gang's All Here* (1943).

Berkeley, George *llamado* **obispo Berkeley** (12 mar. 1685, cerca de Dysert Castle, ¿cerca de Thomastown?, cond. de Kilkenny, Irlanda–14 ene. 1753, Oxford, Inglaterra). Obispo, filósofo y activista social irlandés. Trabajó principalmente en el Trinity College, Dublín (hasta 1713) y como obispo de Cloyne (1734–52). Se lo conoce sobre todo por su afirmación de que, para los objetos materiales, ser es ser percibido ("Esse est percipi"). Su vocación religiosa puede haberlo impulsado a hacer la salvedad de que, incluso si ningún ser humano percibe un objeto, Dios sí lo hace, con lo cual asegura la existencia continua del mundo físico cuando no es percibido por ningún ser finito. Fue uno de los fundadores del EMPIRISMO moderno, junto con JOHN LOCKE y DAVID HUME. A diferencia de Locke, no creía que existieran sustancias materiales fuera de la mente, sino más bien que los objetos existían sólo como colecciones de ideas sensibles. Entre sus obras se cuentan *An Essay Towards a New Theory of Vision* [Ensayo hacia una nueva teoría de la visión] (1709), *Tratado sobre los principios del conocimiento humano* (1710) y *Tres diálogos entre Hylas y Philonous* (1713). Pasó parte de su carrera en América del Norte, donde propugnó la educación de los americanos nativos y los negros. La ciudad de Berkeley, California, EE.UU., lleva el nombre en su honor.

Berkeley, Sir William (1606, Somerset, Inglaterra–9 jul. 1677, Twickenham, Middlesex). Gobernador colonial británico de Virginia. Nombrado gobernador en 1641, introdujo la diversificación de los cultivos, estimuló la manufactura y promovió la paz con los indios. Fuerte partidario de la monarquía, se vio obligado a retirarse a su hacienda de Virginia durante la época de la República de Cromwell en Inglaterra (1652–59). Repuesto en el cargo en 1660, tuvo que encarar pérdidas de cosechas y ataques indígenas en la frontera. En 1676, NATHANIEL BACON organizó una expedición contra los indios en despecho de la política que favorecía el comercio. Debió luchar contra Bacon por el control de la colonia y finalmente lo recuperó.

Berkshire Condado geográfico del sur de Inglaterra. Abarca los valles del TÁMESIS intermedio y de su tributario, el Kennet, inmediatamente al oeste de LONDRES. Los asentamientos humanos de esta región datan de la edad del hierro, y el emplazamiento bélgico en Silchester pasó después a ser centro de la ruta romana. Con la conquista NORMANDA, quedó en evidencia la importancia estratégica del valle del Támesis, y se construyó el primer castillo de WINDSOR. Windsor y Eton, en el límite oriental de Berkshire, cuentan con las construcciones más destacadas del condado. Berkshire fue condado administrativo entre 1974 y 1998, con READING como capital.

Berkshire, colinas de Segmento de los montes APALACHES en el oeste de Massachusetts. Muchas de sus cumbres superan los 600 m (2.000 pies), entre ellas la del monte Greylock (1.064 m o 3.491 pies), el punto más elevado del estado. Las colinas cubiertas de bosques son una continuación de las GREEN MOUNTAINS de Vermont y comprenden las montañas TACONIC y Hoosac. Berkshire, que es atravesada por el APPALACHIAN NATIONAL SCENIC TRAIL (ruta panorámica nacional de los Apalaches), contiene bosques y parques estaduales y alberga también al festival musical de verano de Tanglewood (en Lenox), EE.UU.

Berlage, Hendrik Petrus (21 feb. 1856, Amsterdam, Países Bajos–12 ago. 1934, La Haya). Arquitecto holandés.

Hendrik Petrus Berlage, litografía de C. Le Beau.
GENTILEZA DEL SERVICIO DE INFORMACIÓN DE LOS PAÍSES BAJOS, LA HAYA

Después de seguir estudios en Zurich, comenzó su práctica en Amsterdam (1889). Su trabajo más conocido es la Bolsa de Amsterdam (1897–1903), destacable por el uso decidido del acero estructural y de la albañilería tradicional holandesa. Mientras visitaba EE.UU. (1911) conoció las obras de LOUIS H. SULLIVAN y FRANK LLOYD WRIGHT y luego introdujo sus métodos e ideas en Europa. Su trabajo se caracterizó por el uso correcto de los materiales, basado en sus propiedades fundamentales, y por la prescindencia de la ornamentación sin sentido.

Berle, Milton *orig.* **Milton Berlinger** (12 jul. 1908, Nueva York, N.Y., EE.UU.–27 mar. 2002, Los Ángeles, Cal.). Comediante estadounidense. A la edad de 10 años comenzó su carrera en espectáculos de VODEVIL y más tarde actuó en más de 50 películas mudas. Trabajó principalmente como comediante en clubes nocturnos (1939–49). Su búsqueda de una audiencia radial no tuvo éxito, pero sus gesticulaciones faciales y sus rutinas bufonescas fueron idóneas para el medio audiovisual. Entre 1937 y 1968 actuó en 19 largometrajes. Su mayor éxito llegó con el programa de televisión de variedades *Texaco Star Theater* (1948–54), un show tan popular que mucha gente decía haber comprado un televisor sólo para ver al "Tío Miltie".

Berlín Ciudad y estado (pob., est. 2002: ciudad, 3.388.000 hab.; área metrop., 4.101.000 hab.), capital de Alemania. Fundada a comienzos del s. XIII, fue miembro de la Liga HANSEÁTICA en el s. XIV. Se convirtió en la residencia de la dinastía HOHENZOLLERN y en la capital de BRANDEBURGO. Fue sucesivamente la capital de PRUSIA (desde 1701), del Imperio alemán (1871–1918), de la República de WEIMAR (1919–32) y del TERCER REICH (1933–45). Durante la segunda guerra mundial, gran parte de la ciudad fue destruida por el bombardeo aliado. En 1945 fue dividida en cuatro zonas de ocupación: estadounidense, británica, francesa y soviética. En 1948 las tres potencias occidentales integraron sus sectores en una entidad económica única; los soviéticos respondieron con el bloqueo de BERLÍN. Una vez que los gobiernos independientes se establecieron en Alemania Oriental y Occidental en 1949, Berlín Oriental se convirtió en la capital de Alemania Oriental y Berlín Occidental, a pesar de estar circundada por Alemania Oriental, pasó a formar parte de Alemania Occidental. Durante la década de 1950, la continua emigración de Berlín Oriental a Berlín Occidental, condujo en 1961 a la construc-

ción del muro de BERLÍN. La zona se convirtió inmediatamente en el foco más intenso de la GUERRA FRÍA. La dramática caída del muro en 1989 marcó el movimiento internacional que encauzó el término de la Unión Soviética. Berlín se reunificó y pasó a ser la capital oficial de Alemania en 1991; el traslado del gobierno de BONN a esta ciudad se completó en 1999. En Berlín se encuentran la universidad del mismo nombre (ver Universidad de BERLÍN), el palacio de Charlottenburg, la puerta de BRANDEBURGO

El Ayuntamiento rojo (Rotes Rathaus) en la gran plaza llamada Alexanderplatz, Berlín, Alemania.
ARCHIVO EDIT. SANTIAGO

y el zoológico de Berlín; la ciudad es sede de la Ópera de Berlín y de la Orquesta Filarmónica de Berlín.

Berlín, bloqueo y puente aéreo de (1948–49). Crisis internacionales por un intento de la Unión Soviética de obligar a las potencias aliadas (EE.UU., Reino Unido y Francia) a abandonar sus jurisdicciones de posguerra en Berlín Occidental. Los soviéticos, que en 1948 veían en la consolidación económica de las zonas de ocupación aliada una amenaza contra la economía de Alemania Oriental, bloquearon todas las rutas de transporte entre Berlín y Alemania Occidental. En respuesta, EE.UU. y el Reino Unido aprovisionaron la ciudad con alimentos y otros artículos mediante el uso de aviones militares, con los cuales también transportaron las exportaciones de Berlín Occidental. Cumplidos once meses, un embargo aliado sobre las exportaciones del bloque oriental obligó a los soviéticos a suspender el bloqueo.

Berlín, conferencia de (1884–85) Un conjunto de negociaciones efectuadas en Berlín entre las principales naciones europeas para determinar el futuro de África central. Los participantes declararon que la región de la cuenca del río Congo sería neutral, garantizaron la libertad de comercio y navegación para todas las potencias coloniales, prohibieron el comercio de esclavos y rechazaron las demandas de Portugal sobre la región.

Berlín, Congreso de (13 jun.–13 jul. 1878). Encuentro diplomático de las principales potencias europeas en el que se reemplazó el tratado de SAN STEFANO por el tratado de Berlín. Bajo la influencia dominante de OTTO VON BISMARCK, el congreso solucionó una crisis internacional mediante la revisión del convenio de paz para satisfacer los intereses de Gran Bretaña y Austria-Hungría. La humillación de Rusia y la falta de un adecuado conocimiento de las aspiraciones de los pueblos balcánicos sentaron la base de futuras crisis en los Balcanes.

Irving Berlin, compositor estadounidense.

Berlin, Irving *orig.* **Israel Baline** (11 may. 1888, Mogilyov, Rusia–22 sep. 1989, Nueva York, N.Y., EE.UU.). Compositor estadounidense. Hijo de un solista litúrgico judeorruso, emigró con su familia a Nueva York en 1893. Trabajó como cantante callejero y mesero cantante antes de comenzar a escribir canciones. Su primera canción publicada, "Marie from Sunny Italy", apareció en 1907;

su nombre fue impreso como "Irving Berlin" por error. En 1911 escribió el éxito de moda del RAGTIME de TIN PAN ALLEY, "Alexander's Ragtime Band". Se estima que escribió más de 1.500 canciones. Algunas de ellas son "Cheek to Cheek" y "God Bless America". Escribió la partitura para varios filmes exitosos; su música para *Holiday Inn* (1942) incluyó "White Christmas", una de las canciones de mayor éxito comercial de todos los tiempos. Berlin compuso la partitura de 19 shows de Broadway (entre ellos *Annie Get Your Gun*, 1946) y de 18 películas.

Berlín, muro de Barrera construida alrededor de BERLÍN Occidental, que cerró el acceso de los alemanes orientales a esta parte de la ciudad desde 1961 hasta 1989 y que fue símbolo de la división entre Alemania Oriental y Alemania Occidental durante la GUERRA FRÍA. El muro fue construido como reacción a la huida de cerca de 2,5 millones de alemanes orientales a Alemania Occidental en los años 1949–61. Erigido inicialmente en la noche del 12–13 de agosto de 1961, evolucionó hacia un sistema de murallas de concreto, rematadas con alambre de púas y protegidas con torres de vigilancia, ametralladoras y minas. Fue abierto en 1989 durante el proceso democratizador que sacudió Europa oriental y ha sido derribado en gran parte.

Sección del muro de Berlín (lado este), tras la Alemania reunificada.
ARCHIVO EDIT. SANTIAGO

Berlín, pintor de (500–460 AC, Atenas, Grecia). Pintor de jarrones griego, el más destacado del período arcaico tardío. Se le conoce principalmente como el decorador de una ánfora, hoy día en Berlín. Mientras la costumbre consistía en enmarcar los grupos de figuras en cada lado del jarrón, con bandas con diseños, el pintor de Berlín eliminó el marco, permitiendo que las figuras dominaran y se destacaran nítidamente contra el fondo negro. Se le atribuyen alrededor de 300 jarrones.

Berlin, Sir Isaiah (9 jun. 1909, Riga, Letonia–5 nov. 1997, Oxford, Inglaterra). Filósofo político e historiador de las ideas británico de origen letón. Su familia emigró a Gran Bretaña en 1920. Educado en la Universidad de Oxford, donde enseñó de 1950 a 1967, fue rector del Wolfson College de 1966 a 1975 y después enseñó en el All Souls College. Sus escritos sobre filosofía política tratan principalmente del problema del libre albedrío en sociedades crecientemente totalitarias y mecanicistas. Sus obras más importantes son *Karl Marx* (1939), *El erizo y la zorra* (1953), *Lo inevitable en la historia* (1955), *The Age of Enlightenment* [La edad de la Ilustración] (1956) y *Cuatro ensayos sobre la libertad* (1969).

Berlín, Universidad de o **Universidad Humboldt de Berlín** Universidad pública ubicada en Berlín, Alemania. Fue fundada con el nombre de Universidad Friedrich

Wilhelm en 1809–10 por el barón von HUMBOLDT. A mediados del s. XIX alcanzó renombre mundial por su moderno programa de estudios y sus institutos de investigación científica. Por sus aulas pasaron G.W.F. HEGEL, JOHANN GOTTLIEB FICHTE, ARTHUR SCHOPENHAUER, LEOPOLD VON RANKE, HERMANN VON HELMHOLTZ, FRIEDRICH SCHLEIERMACHER y JACOB Y WILHELM GRIMM. En la década de 1930 fue convertida al nazismo y muchos de sus docentes huyeron al extranjero. Bajo el régimen de la República Democrática Alemana, luego de la segunda guerra mundial, cambió de nombre a Universidad Humboldt, y se le dio una orientación marxista-leninista. Fue reorganizada en 1990, tras la reunificación de las dos Alemanias.

Berlinguer, Enrico (25 may. 1922, Sassari, Cerdeña, Italia–11 jun. 1984, Padua). Político italiano. Nació en una familia sarda de clase media y se unió al Partido Comunista en 1943; desempeñó una serie de funciones antes de convertirse en secretario general en 1972, cargo que conservó hasta su muerte. Fue un importante defensor del "comunismo nacional", buscando independizarse de Moscú y favoreciendo la adaptación del MARXISMO a las necesidades locales. Su propuesta de formar una coalición de gobierno con la Democracia Cristiana nunca se hizo realidad.

Berlioz, (Louis-) Héctor (11 dic. 1803, La Côte-Saint-André, Francia–8 mar. 1869, París). Compositor francés. En su juventud estudió guitarra y después, en contra de los deseos de sus padres, estudió música en el conservatorio de París. Su primera gran obra fue la tormentosa *Sinfonía fantástica* (1830), que se convirtió en un hito de la era romántica. Impulsivo y apasionado, fue un crítico contencioso y un tábano en guerra constante contra la institucionalidad musical. Aunque fue la figura musical francesa más imponente de su época, su estilo tan personal de composición mantuvo a su música fuera del repertorio hasta mediados del s. XX. Entre sus obras figuran las óperas *Benvenuto Cellini* (1837) y *Los troyanos* (1858), las sinfonías programáticas *Haroldo en Italia* (1834) y *Romeo y Julieta* (1839) y los dramas corales *La condenación de Fausto* (1846) y *La infancia de Cristo* (1854). Fue reconocido además como un director brillante con un conocimiento insuperable de la orquesta; su tratado de orquestación (1843) es la obra más influyente que se ha escrito sobre el tema.

Berlusconi, Silvio (n. 29 sep. 1936, Milán, Italia). Magnate de los medios de comunicación y primer ministro italiano en 1994 y nuevamente en 2001. Después de graduarse en la Universidad de MILÁN, se convirtió en empresario de bienes raíces y amasó una considerable fortuna en la década de 1970. En la década de 1990 poseía más de 150 empresas, entre ellas tres redes de televisión y la más grande casa editorial de Italia. En 1994 fundó Forza Italia, un partido político conservador, y fue elegido primer ministro. Acusado de conflicto de intereses y otros cargos, renunció en diciembre de 1994. Más tarde fue declarado culpable de fraude y corrupción, aunque fue absuelto de evasión de impuestos. A pesar de estas condenas y de la oposición al control que ejerce sobre gran parte de los medios italianos, continuó como líder de Forza Italia y en 2001 accedió por segunda vez al cargo de primer ministro.

Bermejo, Bartolomé o **Bartolomé de Cárdenas** (c. 1440, Córdoba, España–1495, Barcelona). Pintor español. Artista activo en Valencia (1468), Aragón (1474–85) y Barcelona (desde 1486). La obra maestra más temprana de Bermejo es el retablo *Santo Domingo de Silos* (1474). Su *Piedad* (1490), en la catedral de Barcelona, es considerada una obra maestra de la primera pintura al óleo española; se observa la influencia de ROGIER VAN DER WEYDEN en la riqueza de los detalles y del color. Bermejo cultivó el estilo flamenco y fue considerado el pintor español más importante antes de EL GRECO.

Bermejo, río Río del norte de la Argentina. Nace en la frontera con Bolivia, discurre hacia el sudeste 1.045 km (650 mi) hasta confluir con el río PARAGUAY en la frontera entre Paraguay y la Argentina. Los abundantes sedimentos que lleva en suspensión dan origen a su nombre. Es navegable para embarcaciones pequeñas en su curso central, conocido como río Teuco.

Bermudas Colonia británica (pob., est. 2002: 63.600 hab.) en el oeste del océano Atlántico. Compuesta por aprox. 300 islas, sólo 20 de ellas habitadas, está a unos 920 km (570 mi) al sudeste del cabo HATTERAS, N.C., EE.UU. El archipiélago tiene una superficie total de 52 km² (20 mi²) aprox. Su capital es HAMILTON en la isla Bermuda. Debe su nombre a Juan de Bermúdez, quien puede haber visitado las islas en 1503. Colonizada por los ingleses en 1612, Bermudas se convirtió en una colonia de la corona en 1684. Su economía se basa en el turismo y las finanzas internacionales; su producto nacional bruto per cápita se encuentra entre los más altos del mundo.

Bermudas, triángulo de las Zona triangular del océano Atlántico. Habitualmente se dice que sus vértices son BERMUDAS, MIAMI, Florida en EE.UU., y SAN JUAN en Puerto Rico. La región atrajo la atención internacional después de que se afirmara que numerosos aviones y barcos habían desaparecido allí en forma misteriosa. Se hicieron comunes los informes acerca de sucesos anormales, pero a fines del s. XX gran parte del mito que rodea al triángulo de las Bermudas se había desvanecido.

Berna Ciudad (pob., est. 2000: ciudad 128.600 hab.; área metrop., 317.300 hab.), capital de Suiza. Ubicada junto a un meandro del río AARE, fue fundada en 1191 como un puesto militar por el duque Bertoldo de Zähringen. En 1218 se convirtió en ciudad imperial libre. Fue extendiendo gradualmente su poderío hasta convertirse en un estado independiente, y en 1353 pasó a formar parte de la Confederación suiza. En 1528 fue escenario de disputas entre católicos y reformadores, lo que derivó en su posterior defensa de las doctrinas protestantes. Ingresó como miembro de la República Helvética y en 1848 fue convertida en la capital de Suiza. Berna es la sede de las uniones internacionales de correos, de ferrocarriles y de derechos de autor.

Berna, convención de *ofic.* **convención de Berna para la protección de las obras literarias y artísticas** Acuerdo internacional adoptado en Berna, Suiza, en 1886, para proteger los derechos de AUTOR a nivel internacional. Fue modificada en varias ocasiones a lo largo del s. XX. Sus signatarios forman la Unión de derechos de autor de Berna. Cada país miembro otorga a los autores de los demás miembros los mismos derechos que su legislación les otorga a sus connacionales. Las obras protegidas comprenden toda clase de producción literaria, científica y artística, sin consideración de su modo de expresión, ya sea pintura, escultura, planos arquitectónicos o arreglos musicales. Los derechos de autor están ahora protegidos por 70 años después de la muerte del creador.

Bernabé, san *orig.* **José el Levita** (c. siglo I; festividad: 11 de junio). Padre apostólico y uno de los primeros misioneros cristianos. Nacido en Chipre, era un judío helenizado que ingresó a la Iglesia en Jerusalén poco después de su fundación. Según los Hechos de los Apóstoles, contribuyó a fundar la Iglesia de Antioquía y pidió a san PABLO que lo ayudara. Finalmente, un conflicto los separó y Bernabé volvió a su isla natal. Una leyenda afirma que fue martirizado en Chipre. Su supuesta tumba está cerca del monasterio de san Bernabé, en Salamina (cerca de Famagusta, Chipre), cuya comunidad cristiana fue fundada por Pablo y Bernabé.

Bernadotte (af Wisborg), Folke, conde (2 ene. 1895, Estocolmo, Suecia–17 sep. 1948, Jerusalén). Militar, benefactor y diplomático sueco. Sobrino del rey GUSTAVO V, encabezó la Cruz Roja sueca en la segunda guerra mundial y se le reconoció haber salvado a unos 20.000 prisioneros de campos de concentración. En 1948 fue nombrado mediador en Palestina por el Consejo de Seguridad de la ONU y logró un cese del fuego entre Israel y los estados árabes. Se hizo de enemigos al proponer que a los refugiados árabes se les permitiera regresar a sus hogares en el recién creado Israel, y fue asesinado por extremistas judíos.

Georges Bernanos.
H. ROGER-VIOLLET

Bernanos, Georges (20 feb. 1888, París, Francia–5 jul. 1948, Neuilly-sur-Seine). Novelista y polemista francés. Fue uno de los escritores católicos más originales e independientes de su época y, al mismo tiempo, un hombre de gran humor y profunda humanidad. Detestaba el materialismo y toda claudicación ante el mal. Su obra maestra, *Diario de un cura rural* (1936), es la historia de la lucha personal que un joven sacerdote sostiene contra el pecado. *Diálogos de carmelitas* (1949), guión cinematográfico sobre el martirio que padecieron 16 monjas durante la Revolución francesa, sirvió de base para una ópera de FRANCIS POULENC (1957).

Bernard, Claude (12 jul. 1813, Saint-Julien, Francia–10 feb. 1878, París). Fisiólogo francés. Docente en varias instituciones superiores francesas, fue nombrado senador en 1869. Descubrió el papel del páncreas en la digestión, la función del glicógeno hepático en el metabolismo de los carbohidratos y la regulación del suministro de sangre por los nervios vasomotores. Contribuyó a establecer los principios de la experimentación en las ciencias vitales, y la necesidad de plantear una hipótesis. Su concepción del medio interno del organismo condujo a la comprensión actual de la HOMEOSTASIS. Bernard también estudió los efectos de venenos como el monóxido de carbono y el curare. Le fue concedido tres veces el gran premio en fisiología de la Académie des Sciences de Francia.

Bernardino de Siena, san (8 sep. 1380, Massa Marittima, Siena–20 may. 1444, L'Aquila, reino de las Dos Sicilias; canonizado en 1450; festividad: 20 de mayo). Sacerdote y teólogo FRANCISCANO. Nacido en el seno de una familia noble, quedó huérfano tempranamente. Ingresó a los Observantes (1402), una estricta rama de la orden franciscana a la que luego ayudó a extenderse a través de Europa. En 1417 comenzó a predicar a lo largo de Italia, luchando contra la ilegitimidad, los conflictos y la inmoralidad, que fueron la consecuencia del gran CISMA DE OCCIDENTE. En el concilio de Florencia, se esforzó para unir las Iglesias griega y romana. Se afirma que en su tumba han ocurrido numerosos milagros.

Bernardita de Lourdes, santa *orig.* **María Bernarda Soubirous** (7 ene. 1844, Lourdes, Francia–16 abr. 1879, Nevers; canonizada 8 dic. 1933; festividad: 16 de abril, aunque a veces el 18 de febrero en Francia). Visionaria francesa. Hija de un molinero, de niña fue muy enfermiza y tuvo una infancia muy pobre. En 1858 tuvo una serie de visiones de la Virgen María y le tocó defender su autenticidad frente a las dudas de sus padres, el clero y las autoridades civiles. Entró al convento de las Hermanas de la Caridad en Nevers (1866), donde permaneció en clausura hasta su muerte, a la edad de 35 años. La gruta de LOURDES se volvió un lugar de peregrinación y sus aguas tienen la reputación de poseer poderes curativos.

Bernardo de Claraval, san (1090, probablemente en Fontaine-les-Dijons, cerca de Dijon, Borgoña–20 ago. 1153, Claraval, Champaña; canonizado en 1174; festividad: 20 de agosto). Monje CISTERCIENSE francés, místico y doctor de la Iglesia. Nacido en el seno de una familia aristocrática, cerca de Dijon, en 1112 dejó su educación en letras por la vida monacal, e ingresó a la austera comunidad religiosa de Cîteaux. Como abad del monasterio cisterciense de Claraval, Champaña, que él mismo fundó en 1115, contribuyó a establecer la gran popularidad de la orden. Entre 1130 y 1145 actuó como mediador en varios concilios civiles y eclesiásticos y en debates teológicos. Dio su apoyo al papa Inocencio II, cuando este fue elegido en conjunto con Anacleto. Bernardo fue el confidente de cinco papas y llegó a ser la figura religiosa de más renombre en Europa. Predicó activamente la segunda CRUZADA y escribió varios sermones acerca del Cantar de los Cantares de Salomón. Se opuso a las enseñanzas de PEDRO ABELARDO y de Enrique de Lausanne, y defendió la devoción a la Virgen María.

Bernays, Edward L. (22 nov. 1891, Viena, Austria–9 mar. 1995, Cambridge, Mass., EE.UU.). Publicista estadounidense, conocido como el "padre de las relaciones públicas". Sobrino de SIGMUND FREUD, nació en Austria pero se crió en Nueva York. Descubrió su vocación por la publicidad, organizando patrocinios para una obra sobre el tema tabú de las enfermedades venéreas. Sus primeros clientes fueron el Departamento de guerra de EE.UU. y el gobierno lituano. Editó *La ingeniería del consentimiento* (1955), cuyo título es su definición tan citada de las RELACIONES PÚBLICAS. Murió a la edad de 103 años.

Berners-Lee, Tim (n. 8 jun. 1955, Londres, Inglaterra). Físico británico. Hijo de científicos en computación, se graduó en

Tim Berners-Lee, físico británico, inventor del World Wide Web.
FOTOBANCO

la Universidad de Oxford, y en 1980 aceptó una beca de investigación en el CERN, en Ginebra. En 1989 propuso el desarrollo de un proyecto de hipertexto global. Junto con sus colegas del CERN creó un protocolo de comunicaciones llamado Protocolo de transferencia de hipertexto (HTTP, del inglés, *HyperText Transfer Protocol*) que estandarizó la comunicación entre servidores de computadoras y clientes. Su navegador de web, basado en texto, fue puesto en circulación para el público en 1991, marcando el inicio del WWW y el uso de internet por el público en general. Rechazó todas las oportunidades de lucrar con su inmensamente valiosa innovación. En 1994 se incorporó al Laboratorio de ciencias de la computación del MIT como director del Consorcio World Wide Web.

bernés de la montaña Raza canina de trabajo de origen suizo, llevada a ese país hace más de 2.000 años por los invasores romanos. Esta raza resistente fue muy usada para tirar carros y arrear el ganado desde y hacia los campos de pastoreo. Tienen un pecho amplio, orejas triangulares colgantes y un pelaje negro, largo y sedoso. Poseen manchas pardas en el pecho, miembros delanteros y cejas y, algunas veces, manchas blancas en el pecho, nariz, patas y la punta de la cola. Tienen una alzada de 53–70 cm (21–28 pulg.) y pesan 40 kg (90 lb) aprox.

Bernhard (n. 29 jun. 1911, Jena, Alemania). Príncipe de los Países Bajos. Hijo del príncipe Bernhard Casimir de

Bernés de la montaña.
© SALLY ANNE THOMPSON/ANIMAL PHOTOGRAPHY

Lippe-Biesterfeld, en 1937 contrajo matrimonio con JULIANA, princesa heredera a la corona neerlandesa, y adquirió la ciudadanía de ese país. Se opuso a la invasión alemana a los Países Bajos y se trasladó con su familia a Gran Bretaña después de la rendición holandesa (1940). En la segunda guerra mundial fue el enlace neerlandés con las fuerzas armadas británicas, voló con la Royal Air Force (1942–44) y dirigió las tropas neerlandesas en la ofensiva aliada en los Países Bajos (1945). Después de la guerra y de la ascensión al trono de Juliana (1948–80), se convirtió en embajador de buena voluntad de los Países Bajos.

Bernhardi, Friedrich von (1849, Estonia, Imperio ruso–1930). Militar y escritor militar alemán. Luchó en la guerra franco-prusiana y se convirtió en comandante del Séptimo cuerpo de ejército en 1909. En 1911 publicó *Alemania y la siguiente guerra*, en donde argumentó que Alemania tenía el derecho y el deber de hacer la guerra para obtener el poder que merecía. Más tarde, los aliados consideraron que su libro fue un factor que contribuyó al estallido de la primera guerra mundial, en la que participó como comandante de cuerpo.

Bernhardt, Sarah *orig.* **Henriette-Rosine Bernard** (22/23 oct. 1844, París, Francia–26 mar. 1923, París). Actriz francesa. Hija ilegítima de una cortesana, fue animada a seguir la carrera de actriz por el duque de MORNY, uno de los amantes de su madre. Después de participar breve tiempo en la COMÉDIE-FRANÇAISE (1862–63), se unió al teatro Odéon (1866–72), donde actuó en *Kean* de ALEXANDRE DUMAS *padre* y *Ruy Blas* de VICTOR HUGO, con la cual encantó al público con su "voz dorada". Al regresar a la Comédie-Française (1872–80), protagonizó *Fedra* con gran éxito en París y Londres. Formó su propia compañía en 1880 y realizó una gira mundial

Sarah Bernhardt, fotografía de Napoleón Sarony, 1880.
GENTILEZA DE LA BIBLIOTECA DEL CONGRESO, WASHINGTON, D.C.

con *La dama de las camelias* de Alexandre Dumas *hijo*, *Adriana Lecouvreur* de EUGÈNE SCRIBE, cuatro obras escritas para ella de VICTORIEN SARDOU y *El aguilucho* de EDMOND ROSTAND. Después de sufrir la amputación de una pierna a causa de una herida (1915), se ciñó una pierna ortopédica, y escogió roles en que pudiera actuar principalmente sentada. Es una de las figuras más célebres en la historia del teatro. Fue nombrada miembro de la Legión de Honor de Francia en 1914.

Bernicia Antiguo reino anglosajón del norte. Se extendía hacia el norte desde un punto casi tan meridional como el río TEES, hasta alcanzar finalmente el estuario del río FORTH. Hacia fines del s. VII DC se unió con su vecino DEIRA para formar el reino de NORTHUMBRIA. Tenía una residencia real en el poblado costero de Bamburgh. El primer rey de que existe registro, Ida, fue coronado allí en 547; su nieto Aethelfrith (r. 593–616) unió Bernicia y Deira.

Bernini, Gian Lorenzo (7 dic. 1598, Nápoles, Reino de Nápoles–28 nov. 1680, Roma, Estados Pontificios). Arquitecto y artista italiano a quien se le atribuye la invención de la escultura ba-

"Apolo y Dafne", escultura en mármol de Gian Lorenzo Bernini, 1622–24; Galería Borghese, Roma
SCALA/ART RESOURCE, NUEVA YORK

rroca. Comenzó su carrera trabajando para su padre, que era escultor. Entre sus primeras esculturas figuran *Apolo y Dafne* (1622–24) y un dinámico *David* (1623–24). Bajo el mecenazgo de Urbano VIII, el primero de ocho papas a quien hubo de servir, creó el BALDAQUÍN sobre la tumba de san Pedro en Roma. Los deberes de Bernini como arquitecto aumentaron después de 1629, al ser nombrado arquitecto de la basílica de SAN PEDRO y del palacio Barberini. A menudo, sus obras representan una fusión de la arquitectura y la escultura, como en la capilla Cornaro, en Santa Maria della Vittoria, Roma, con su celebrada e histriónica escultura *Éxtasis de santa Teresa* (1645–52). Su mayor logro arquitectónico es la columnata que encierra la plaza de San Pedro. Entre sus muchas otras contribuciones a Roma figuran sus fuentes de mármol, las que destacan por su detalle y composición arquitectónica.

Bernoulli, familia Dos generaciones de distinguidos matemáticos suizos. Jakob (n. 1655–m. 1705) y Johann (n. 1667–m. 1748) eran los hijos de un farmacéutico que quería que uno de ellos estudiara teología y el otro medicina. A pesar de sus objeciones, ambos estudiaron matemática e hicieron descubrimientos importantes en CÁLCULO, cálculo variacional y ECUACIONES DIFERENCIALES. Algunas veces trabajaron juntos, pero con algunas desavenencias. El hijo de Johann, Daniel (n. 1700–m. 1782), realizó importantes contribuciones a la dinámica de fluidos (ver principio de BERNOULLI) y a la teoría de PROBABILIDADES. Muy admirado en Europa, también estudió y dio conferencias sobre medicina, física, astronomía y botánica.

Bernoulli, principio de *o* **teorema de Bernoulli** Principio que relaciona entre sí la PRESIÓN, la VELOCIDAD y la altura o cota para un fluido sin viscosidad con un flujo constante. Una consecuencia es que, para un flujo horizontal, a medida que la velocidad del fluido aumenta, decrece la presión que ejerce. Deducido por Daniel Bernoulli (ver familia BERNOULLI), el principio explica la SUSTENTACIÓN de un aeroplano en movimiento. A medida que la velocidad del aeroplano aumenta, el aire fluye más rápido sobre la parte curva superior del ala que bajo ella. La presión que el aire ejerce hacia arriba debajo del ala es mayor que la que ocurre en sentido inverso sobre el ala, resultando una fuerza neta hacia arriba, es decir, un empuje ascensional. Los autos de carrera utilizan el principio para mantener sus ruedas presionadas contra el suelo mientras aceleran. El alerón de un auto de carrera –con la forma de un ala invertida, que tiene la superficie curvada por debajo– produce una fuerza neta hacia abajo.

Bernstein, Eduard (6 ene. 1850, Berlín, Prusia–18 dic. 1932, Berlín, Alemania). Político y escritor alemán. Se unió al

Eduard Bernstein, c. 1918.
ARCHIV FUR KUNST UND GESCHICHTE, BERLÍN OCCIDENTAL

PARTIDO SOCIALDEMÓCRATA DE ALEMANIA (SPD) en 1872 y luego pasó largos años en el exilio como editor de periódicos socialistas. En Londres conoció a FRIEDRICH ENGELS y fue influido por la FABIAN SOCIETY. Regresó a Alemania en 1901 y se convirtió en el teórico político de los revisionistas y en uno de los primeros socialistas en modificar dogmas marxistas como el inminente colapso del capitalismo. Vislumbraba un tipo de democracia social que combinaba la iniciativa privada con las reformas sociales. Como miembro del Reichstag (1902–06, 1912–16, 1920–28) inspiró gran parte de los programas reformistas de los socialdemócratas.

Bernstein, Leonard (25 ago. 1918, Lawrence, Mass., EE.UU.–14 oct. 1990, Nueva York, N.Y.). Director de orquesta, compositor y escritor estadounidense. Recién después de egresar de la Universidad de Harvard resolvió seguir la carrera musical. Estudió dirección de orquesta en el Curtis Institute de música con FRITZ REINER y después en Tanglewood (en Lenox, Mass.), donde conoció a AARON COPLAND y se convirtió en el asistente de SERGE KOUSSEVITZKI. La fama llegó repentinamente cuando en 1943 reemplazó de urgencia al director de la Orquesta Filarmónica de Nueva York y fue alabado por su seguridad técnica y su excelencia interpretativa. En 1944 triunfó con la música que compuso para el ballet *Fancy Free* de JEROME ROBBINS y para el *show* de Broadway *On the Town*. Como compositor recurrió a diversos elementos que abarcan desde temas bíblicos hasta ritmos de jazz. Su composición más conocida es la partitura que escribió para el célebre musical *West Side Story* (1957). Otras obras son los musicales *Wonderful Town* (1952)

Leonard Bernstein.
LAUTERWASSER, GENTILEZA DE DEUTSCHE GRAMMOPHON

y *Candide* (1956), tres sinfonías, los *Salmos de Chichester* (1965) y la teatral *Misa* (1971). Reconocido conferencista de televisión, también fue un activista político prominente.

Bernstorff, Johann Heinrich, conde von (14 nov. 1862, Londres, Inglaterra–6 oct. 1939, Ginebra, Suiza). Diplomático alemán. Después de ingresar al servicio diplomático (1899), representó a Alemania en Londres y El Cairo antes de ser embajador en EE.UU. (1908–17). Durante la primera guerra mundial trabajó con WOODROW WILSON para facilitar la mediación del conflicto, pero no recibió el apoyo que esperaba de las autoridades en Berlín. Fue delegado de la Liga alemana para la unión de las naciones hasta 1933, cuando se marchó al exilio en Ginebra.

Berra, Yogi *orig.* **Lawrence Peter Berra** (n. 12 may. 1925, St. Louis, Mo., EE.UU.). Jugador, empresario y entrenador de béisbol estadounidense. Se unió a los New York Yankees en 1946 y jugó como receptor titular desde 1949 hasta su retiro, en 1963. Fue nombrado Jugador Más Valioso de la Liga AMERICANA en 1951, 1954 y 1955. Además fue el receptor que más partidos jugó de la Serie Mundial (75) y conectó 20 o más *home runs* en cada temporada hasta 1958. Se desempeñó como gerente de los Yankees en 1964, pero fue despedido y se convirtió en entrenador y gerente (1965–75) de los New York Mets. Retornó a los Yankees como técnico (1976–82) y luego fue gerente (1983–85). El dibujo animado estadounidense Oso Yogui fue nombrado en su honor.

berrendo RUMIANTE de las planicies y semidesiertos de Norteamérica (*Antilocapra americana*), el único miembro viviente de la familia Antilocapridae. El berrendo tiene una alzada de 80–100 cm (30–40 pulg.). Es de color pardo rojizo con una melena corta de color marrón oscuro, dos bandas blancas en la garganta y una mancha blanca circular en la grupa. Ambos sexos presentan dos cuernos bifurcados y erectos; los cuernos más largos se curvan hacia atrás, mientras los más cortos lo hacen hacia delante. Los berrendos son solitarios o circulan en grupos pequeños durante el verano y en grandes manadas en invierno. Es el mamífero más veloz de Norteamérica, pudiendo correr hasta 70 km/h (45 mi/h) y brincar hasta 6 m (20 pies). Antiguamente erraban por decenas de millones en el oeste de Norteamérica, pero fueron casi exterminados por cazadores a principios del s. XX; los esfuerzos conservacionistas han permitido incrementar su número.

Berrendo (*Antilocapra americana*).
© ENCYCLOPÆDIA BRITANNICA, INC.

Berrigan, Daniel (Joseph) y Philip (Francis) (n. 9 may. 1921, Virginia, Minn., EE.UU.) (5 oct. 1923, Two Harbors, Minn., EE.UU.–6 dic. 2002, Baltimore, Md.). Sacerdotes y activistas políticos estadounidenses. Luego de hacerse sacerdotes católicos (Daniel era jesuita, Philip, josefita), los hermanos participaron en activismo político no violento y llevaron a cabo campañas de desobediencia civil contra el racismo, la carrera armamentista nuclear y la guerra de Vietnam. Se hicieron célebres por su asalto a los archivos de la junta de reclutamiento de Catonsville, Md., los que destruyeron con sangre de aves y napalm. También se destacaron por la persistencia de su activismo. Philip abandonó posteriormente el sacerdocio. Ambos escribieron numerosos libros relativos a su obra y sus creencias; Daniel también escribió poesía y obras de teatro.

berro Planta perenne (*Nasturtium officinale*) de la familia de las CRUCÍFERAS, originaria de Eurasia y naturalizada en toda América. Crece sumergida, flotando en el agua o en las superficies fangosas de riachuelos fríos y torrentosos. Da flores blancas, las que se convierten en pequeñas vainas faseociformes. Los berros suelen cultivarse en tanques por sus brotes tiernos que se emplean en ensaladas. Sus hojas delicadas, de color verde claro y con sabor a pimienta, son ricas en vitamina C. Los berros pueden crecer próximos a corrales de alimentación y contaminarse con las heces del ganado que contienen quistes de duelas, que causan la distomatosis, una enfermedad del hígado. Existen normas específicas que protegen los cultivos comerciales de berro de este tipo de contaminación.

Berruguete, Alonso (c. 1488, Paredes de Nava, Castilla–1561, Toledo, Castilla). Escultor y pintor español. Su padre, PEDRO BERRUGUETE, fue un gran pintor del Renacimiento. Alonso trabajó en Florencia y Roma c. 1508–16. En 1516 regresó a España y en 1518 fue nombrado pintor de la corte de Carlos V. Sin embargo, tuvo éxito principalmente como escultor y se hizo conocido por sus esculturas manieristas (ver MANIERISMO) intensamente emotivas, de figuras retratadas en tormento espiritual o en arrebatos de éxtasis religioso. Su obra más reconocida es un grupo de relieves en madera con figuras muy expresivas, realizadas para los sitiales del coro de la catedral de Toledo (1539–43). El uso de una ornamentación rica y extravagante, pero delicada a la vez en sus decoraciones de iglesias es característica del estilo PLATERESCO de España. Berruguete es considerado el principal escultor español del s. XVI.

Berruguete, Pedro *o* **Pedro Español** *o* **Pietro Spagnuolo** (c. 1450, Paredes de Nava, Castilla–6 ene. 1504, Ávila, Castilla). Pintor español. Después de una residencia temporal en Italia, regresó a España, donde pintó numerosos retablos y trabajó también como pintor de frescos en la catedral de Toledo (1483–99). La influencia del arte flamenco e italiano es evidente en sus retablos, los que se caracterizan por una lujosa ornamentación y decoración dorada. Fue el primer gran pintor renacentista en España. Su hijo ALONSO BERRUGUETE fue escultor y pintor.

Berry Región histórica y antigua provincia del centro de Francia. Originalmente estaba habitada por la tribu gala de los Biturigos Cubi, que hizo frente a VERCINGETÓRIX. Bajo el dominio de los romanos, la ciudad formaba parte de Aquitania Prima. Condado durante el período carolingio, en el s. XI cayó en manos de la corona francesa. Cuando AQUITANIA fue adquirida

"Auto de fe presidido por santo Domingo", pintura sobre panel de Pedro Berruguete, c. 1503; Museo del Prado, Madrid.
ARCHIVO MAS, BARCELONA

por ENRIQUE II de Inglaterra, Berry se transformó en motivo de disputa entre Inglaterra y Francia. Como ducado, anteriormente estuvo sometida a Juan de Francia, duque de Berry, importante patrocinador de las artes. En 1601, Francia recuperó Berry, que siguió siendo una provincia hasta 1798.

Berry, Chuck *orig.* **Charles Edward Anderson Berry** (n. 8 oct. 1926, St. Louis, Mo., EE.UU.). Cantautor estadounidense. Aunque al principio se interesó en la música country, a comienzos de la década de 1950 dirigió un trío de BLUES que tocaba en clubes nocturnos para afroamericanos en St. Louis. En 1955 viajó a Chicago y grabó su primer éxito, "Maybellene", al que pronto siguieron "Sweet Little Sixteen", "Johnny B. Goode", "Rock and Roll Music" y "Roll Over, Beethoven". Fue uno de los primeros en transformar el blues de ritmo fuerte en lo que después se llamó "rock and roll" (ver ROCK) y uno de los primeros en lograr gran popularidad en audiencias blancas. Después de dos juicios contaminados de alusiones racistas, en 1959 fue encarcelado por cinco años debido a conductas inmorales. En 1972 encabezó por primera vez la lista de éxitos "My Ding-A-Ling". Realizó presentaciones hasta la década de 1990. The BEATLES y The ROLLING STONES fueron algunos de los muchos grupos que recibieron una fuerte influencia de Berry.

Berry, duque de *orig.* **Charles Ferdinand de Bourbon** (24 ene. 1778, Versalles, Francia–14 feb. 1820, París). Noble francés. Hijo del futuro CARLOS X, abandonó Francia al estallar la Revolución francesa, y vivió en el extranjero hasta 1815. Su asesinato a manos de un fanático bonapartista marcó un momento decisivo en la restauración de los BORBONES al precipitar la caída del gobierno moderado de Decazes y la polarización en liberales y monárquicos.

Berry, Jean de France, duque de (30 nov. 1340, Vincennes, Francia–15 jun. 1416, París). Noble francés y mecenas de las artes. Hijo del rey JUAN II. Como duque de Berry y Auvergne, controló al menos un tercio de Francia a mediados de la guerra de los CIEN AÑOS. Participó en el gobierno de Francia y trabajó por establecer la paz tanto con Inglaterra como dentro del país, actuando como diplomático y mediador. Gastó una fortuna en tesoros artísticos que se convirtieron en su mayor legado: pinturas, tapices, joyería y manuscritos iluminados, entre ellos el famoso *Las bellas horas del duque de Berry*.

Berryman, John (25 oct. 1914, McAlester, Okla., EE.UU.–7 ene. 1972, Minneapolis, Minn.). Poeta estadounidense. Estudió en las universidades de Columbia y de Cambridge y más tarde impartió clases en varias universidades. *Homenaje a la señora Bradstreet* (1956), uno de sus primeros poemas experimentales, lo consagró de inmediato como un poeta de

importancia. Su audacia técnica se hizo aun más evidente en su libro de poemas *77 canciones del sueño* (1964, Premio Pulitzer), que tuvo una edición aumentada (a 385 canciones) en *His Toy, His Dream, His Rest* [Su juguete, su sueño, su descanso] (1968). Entre sus últimos trabajos figuran el volumen de poemas engañosamente informales *Amor y fama* (1970) y *Recuperación* (1973), una relación de lucha contra el alcoholismo. Su poesía se destaca por su tono confesional con notas de humor. Berryman se suicidó arrojándose desde un puente, inmerso en una profunda depresión.

John Berryman.
GENTILEZA DE LA UNIVERSIDAD DE MINNESOTA, EE.UU.

berserker (del antiguo nórdico *beserkr*, "piel de oso"). En la historia y el folclore nórdico y germánico premedieval y medieval, los miembros de las ingobernables bandas de guerreros que adoraban a ODÍN y que se ofrecían a las cortes reales y nobiliarias como guardias y tropas de choque. Violaban y asesinaban a voluntad en las comunidades en que servían. Su salvajismo en las batallas y sus atavíos de pieles de animales (también se dice que combatían desnudos) contribuyeron al desarrollo de la leyenda del HOMBRE LOBO en Europa.

Bert, Paul (17 oct. 1833, Auxerre, Yonne, Francia–11 nov. 1886, Hanoi). Fisiólogo francés, fundador de la MEDICINA AEROESPACIAL moderna. Enseñó por muchos años en la Sorbona y se desempeñó en el gobierno como diputado en 1872–86. Sus investigaciones sobre los efectos de la presión del aire sobre el cuerpo permitieron la exploración del espacio y de las profundidades del océano. Descubrió que la causa principal del mal de altura es el bajo contenido de oxígeno en la atmósfera y demostró que la enfermedad por descompresión se debe a burbujas de nitrógeno formadas en la sangre durante los descensos rápidos de la presión exterior.

Bertelsmann AG Compañía mediática alemana. Desde sus inicios en 1835 como una imprenta y editorial de textos de religión, la compañía creció en forma constante durante el siglo siguiente. Aunque quedó casi del todo destruida por el bombardeo aliado en 1945, se recuperó rápidamente después de la segunda guerra mundial. En 1998, el crecimiento experimentado por esta compañía la había llevado a ser propietaria de más de 300 compañías mediáticas en el mundo, con más de la mitad de sus empleados trabajando fuera de Alemania. Entre sus adquisiciones internacionales más importantes están las editoriales estadounidenses Bantam Doubleday Dell y RANDOM HOUSE. A principios del s. XXI, Bertelsmann AG se había convertido en uno de los conglomerados mediáticos más grandes del mundo.

Berthelot, (Pierre-Eugène-) Marcelin (27 oct. 1827, París, Francia–18 mar. 1907, París). Químico francés. Primer profesor de química orgánica en el Collège de France (desde 1865); también mantuvo altos cargos en el gobierno, como el de ministro de relaciones exteriores (1895–96). Desarrolló investigaciones sobre ALCOHOLES y ácidos CARBOXÍLICOS, síntesis de HIDROCARBUROS y VELOCIDADES DE REACCIÓN, estudió el mecanismo de la explosión, descubrió muchos derivados del alquitrán de hulla y escribió sobre la historia de la química antigua. Fue pionero en el uso del análisis químico como una herramienta de la arqueología. Su trabajo contribuyó a romper con la división tradicional entre compuestos orgánicos e inorgánicos. Se opuso a la idea, entonces en boga, de que una "fuerza vital" es responsable de la síntesis, y fue uno de los primeros en probar que todos los fenómenos químicos dependen de fuerzas físicas mensurables.

Berthoud, Ferdinand (19 mar. 1727, Plancemont, Suiza–20 jun. 1807, Groslay, Francia). Relojero y escritor suizo-francés cuya obra versó sobre temas de relojería. Trabajó en París desde 1748, y su ingenio como sus muchas publicaciones pronto lo hicieron influyente. Su interés en el problema de determinar la longitud en alta mar (ver LATITUD Y LONGITUD) condujo a su mayor logro, un CRONÓMETRO DE NAVEGACIÓN perfeccionado y menos costoso. Las mejoras de Berthoud se conservan en los instrumentos modernos. Ver también JOHN HARRISON.

Bertoia, Harry (10 mar. 1915, San Lorenzo, Italia–6 nov. 1978, Barto, Pa., EE.UU.). Escultor y diseñador estadounidense de origen italiano. Estudió en Cranbrook Academy of Art, y más tarde enseñó en ella (1937–43). Trabajó en California con el diseñador CHARLES EAMES antes de unirse a Knoll Associates, en la ciudad de Nueva York, en 1950. Entre sus logros en esa empresa se cuenta la silla Diamond (comúnmente conocida como la silla Bertoia), hecha de varillas de acero pulido y forrada con tapicería elástica Naugahyde. También realizó "esculturas sonoras" que se activaban con el viento, y numerosos trabajos para corporaciones y espacios públicos.

Bertolucci, Bernardo (n. 16 mar. 1940, Parma, Italia). Director de cine italiano. Fue poeta y autor de un libro premiado, y en 1961 comenzó su labor en el cine como un asistente de PIER PAOLO PASOLINI. A sus primeras películas como director, *La commare seca* (1962) y *Antes de la revolución* (1964), le siguió la bien recibida *El conformista* (1970). La erótica *El último tango en París* (1972) lo convirtió en una celebridad comercial e internacional. Después dirigió filmes como *1900* (1976), *El último emperador* (1987, premios de la Academia por mejor dirección y mejor película) y *Belleza robada* (1996).

Escena de la película *El último emperador* del director Bernardo Bertolucci, cuyo trabajo destaca por su espectacularidad visual.
FOTOBANCO

berza Planta comestible, de hojas desprendibles (*Brassica oleracea*, grupo Acephala) derivada de la COL, de la familia de las CRUCÍFERAS. La berza común tiene tallos de hasta 60 cm (2 pies) de largo, con una roseta de hojas alargadas, verde azuladas oscuras, onduladas o rizadas. Se cultiva principalmente para ser cosechada en otoño e invierno, ya que el clima frío mejora la calidad de este vegetal resistente. Generalmente se sirve cocida. Es muy nutritiva. Ver también COL BERZA.

Berzelius, Jöns Jacob, barón (20 ago. 1779, cerca de Linköping, Suecia–7 ago. 1848, Estocolmo). Químico sueco. Como profesor en Estocolmo (1807–32) logró una serie de innovaciones y descubrimientos importantes. Es conocido en

Jöns Jacob Berzelius, detalle de una pintura al óleo de Olof Johan Södermark, 1843; Real academia sueca de ciencias, Estocolmo.

GENTILEZA DE SVENSKA PORTRATTARKIVET, ESTOCOLMO

especial por la introducción de equipos básicos de laboratorio que hasta hoy permanecen en uso; también por su determinación de los PESOS ATÓMICOS, su creación del sistema moderno de SÍMBOLOS QUÍMICOS, su teoría de ELECTROQUÍMICA, su descubrimiento de los elementos CERIO, SELENIO y torio y el aislamiento del SILICIO, CIRCONIO y TITANIO, su contribución a las técnicas clásicas de ANÁLISIS, y sus investigaciones de ISOMERISMO y CATÁLISIS, ambas denominadas por él. Publicó más de 250 documentos de investigación originales. Es considerado uno de los fundadores de la química moderna.

Bes Deidad menor egipcia de apariencia grotesca. Su figura debía inspirar alegría o exorcizar el dolor y la aflicción y, probablemente, se pensaba que su fealdad espantaba a los malos espíritus. Estaba asociada con la música y el parto. El nombre Bes se usa hoy para designar un grupo de deidades de apariencia similar con varios nombres antiguos.

Besant, Annie *orig.* **Annie Wood** (1 oct. 1847, Londres, Inglaterra–20 sep. 1933, Adyar, Madrás). Reformadora social británica. Fue una importante socialista fabiana en la década de 1880, antes de convertirse en adherente de la TEOSOFÍA en 1889. Fue presidenta internacional de la Sociedad teosófica desde 1907 hasta su muerte, y sus escritos aún se consideran entre las mejores exposiciones de la doctrina teosófica. Después de emigrar a India, se convirtió en líder activista en favor de la independencia de ese país, donde fundó la Indian Home Rule League (Liga pro autonomía india) en 1916.

Besarabia Región ubicada en Europa oriental. Limita con los ríos Prut y DNIÉSTER, el mar NEGRO y el delta del DANUBIO. Se fundaron colonias griegas en sus costas del mar Negro en el s. VII AC, y probablemente fue parte de DACIA en el s. II DC. Se transformó en parte de MOLDAVIA en el s. XV; más adelante, los turcos anexaron la porción meridional al Imperio otomano. El resto cayó en sus manos en el s. XVI, cuando Moldavia se rindió a los turcos; Besarabia permaneció bajo control turco hasta el s. XIX. En 1812, Rusia la adquirió, así como la mitad de Moldavia, y retuvo su control hasta la primera guerra mundial. Se desarrolló un movimiento nacionalista y después de la REVOLUCIÓN RUSA DE 1917, Besarabia declaró su independencia y decidió unirse a Rumania. La Unión Soviética nunca reconoció los derechos de Rumania sobre la provincia y en 1940 exigió que esta se la cediera; cuando Rumania accedió, la Unión Soviética creó la República Socialista Soviética de MOLDAVIA e incorporó la región septentrional a la República Socialista Soviética de Ucrania. Besarabia se mantuvo dividida después de que Ucrania y Moldavia se declararon independientes en 1991.

Bessel, Friedrich Wilhelm (22 jul. 1784, Minden, Brandeburgo–17 mar. 1846, Königsberg, Prusia). Astrónomo alemán. Fue el primero en medir (por medio de PARALAJE) la distancia a una estrella distinta del Sol. Uno de sus descubrimientos más importantes fue

Friedrich Wilhelm Bessel, grabado de E. Mandel basado en una pintura de Franz Wolf.

THE BETTMANN ARCHIVE

que las estrellas brillantes SIRIO y Proción tenían pequeños movimientos, explicables sólo por la existencia de compañeros invisibles que perturbaban sus movimientos. Su observación de pequeñas irregularidades en la órbita de Urano, causadas según Bessel por un planeta desconocido ubicado más allá de su órbita, condujo al descubrimiento de Neptuno. Sus funciones matemáticas para estudiar el movimiento planetario fueron muy usadas para resolver un amplio rango de ecuaciones diferenciales.

Bessemer, proceso Técnica para convertir arrabio en acero, inventada por HENRY BESSEMER en Inglaterra, en 1856, e incorporada por él a la producción comercial en 1860. El aire insuflado a través de la masa de arrabio líquido, en un convertidor revestido con material refractario, oxida el carbono y el silicio presentes en el hierro. El calor liberado por la oxidación mantiene el metal fundido. R.F. MUSHET aportó la técnica para desoxidar el metal convertido, que hizo que el proceso fuese un éxito. William Kelly llevó a cabo experimentos con un convertidor con insuflación de aire, entre 1856 y 1860 en Kentucky y Pensilvania, pero no logró fabricar acero. Alexander L. Holley construyó la primera acería Bessemer operativa en EE.UU. en 1865. La producción de un gran volumen de acero de bajo costo en Gran Bretaña y en EE.UU., por medio del proceso Bessemer, pronto revolucionó la construcción de edificios y proporcionó acero para reemplazar el hierro en rieles de ferrocarril y en muchos otros usos. El proceso Bessemer fue reemplazado con el tiempo por el proceso del horno SIEMENS-MARTIN o proceso de horno de solera abierta. Ver también proceso básico BESSEMER.

Bessemer, proceso básico Modificación del proceso BESSEMER para convertir arrabio en acero. El convertidor Bessemer original no eliminaba el FÓSFORO del hierro hecho de los minerales con alto contenido de fósforo, comunes en Gran Bretaña y Europa. En Inglaterra, el invento del proceso básico por Sidney G. Thomas (n. 1850–m. 1885) y PERCY GILCHRIST superó este problema; el convertidor Thomas-Gilchrist estaba revestido con un material básico, como piedra caliza calcinada, en vez de un material silíceo ácido. La introducción en 1879 del proceso básico Bessemer permitió usar, por primera vez, mineral rico en fósforo para elaborar ACERO.

Bessemer, Sir Henry (19 ene. 1813, Charlton, Hertfordshire, Inglaterra–15 mar. 1898, Londres). Inventor e ingeniero británico. Hijo de un metalurgista, estableció su propio negocio de fundición a los 17 años de edad. En esa época, los únicos materiales de construcción basados en hierro eran el HIERRO FUNDIDO y el HIERRO FORJADO. Por entonces se fabricaba un acero, agregando CARBONO a formas puras de hierro forjado (ver acero WOOTZ); el material resultante se usaba casi exclusivamente para herramientas cortantes. Durante la guerra de Crimea, Bessemer trabajó en el diseño de un hierro fundido más resistente para los cañones. El resultado fue un proceso para la producción barata de grandes lingotes de acero, carentes de escoria, y que se podían trabajar igual

Sir Henry Bessemer, detalle de una pintura al óleo de Rudolf Lehmann; Iron and Steel Institute, Londres.

GENTILEZA DEL IRON AND STEEL INSTITUTE, LONDRES; FOTOGRAFÍA, THE SCIENCE MUSEUM, LONDRES

a cualquier hierro forjado. Con el tiempo descubrió cómo eliminar del hierro el exceso de oxígeno. El proceso BESSEMER (1856) condujo al desarrollo del convertidor Bessemer. Ver también proceso básico BESSEMER; ROBERT MUSHET; PUDELACIÓN.

Bessey, Charles E(dwin) (21 may. 1845, cerca de Milton, Ohio, EE.UU.–25 feb. 1915, Lincoln, Neb.). Botánico estadounidense. Enseñó en el Iowa State Agricultural College (1870–84) antes de incorporarse a la facultad de la Universidad de Nebraska. Para ese entonces, había desarrollado hasta tal punto el estudio experimental de la morfología de las plantas, que la universidad, recién fundada, se constituyó en forma inmediata en uno de los centros más destacados en investigaciones botánicas de esa nación. Escribió textos de estudio de gran popularidad, que dominaron por más de 50 años la enseñanza de botánica en EE.UU.

Charles E. Bessey, c. 1910.
GENTILEZA DEL HUNT INSTITUTE FOR BOTANICAL DOCUMENTATION, UNIVERSIDAD CARNEGIE MELLON, PENSILVANIA, EE.UU.

Besson, Jacques (1540, Grenoble, Francia–1576, Orleans). Ingeniero francés. Sus mejoras hechas al TORNO fueron de gran importancia en el desarrollo de la industria de las MÁQUINAS HERRAMIENTA y del instrumental científico. Sus diseños se ilustraron con gran detalle en su obra *Theatrum instrumentorum et machinarum* (1569). Entre muchas innovaciones, Besson introdujo LEVAS y plantillas (modelos usados para guiar la forma de una pieza que se está fabricando) en el torno de roscar; aumentó así el control del operador sobre la herramienta y la pieza trabajada y permitió realizar trabajos en metal de mayor precisión y complejidad.

Best, Charles H(erbert) (27 feb. 1899, West Pembroke, Maine, EE.UU.–31 mar. 1978, Toronto, Ontario, Canadá). Fisiólogo canadiense de origen estadounidense. Fue profesor y administrador de la Universidad de Toronto entre 1929 y 1967. Con FREDERICK BANTING, fueron los primeros en obtener un extracto pancreático de INSULINA en una forma útil para controlar la DIABETES MELLITUS (1921). No se le otorgó el Premio Nobel de Fisiología y Medicina de 1923, que recibieron Banting y J.J.R. MACLEOD, porque aún no se había graduado de médico, sin embargo, Banting compartió voluntariamente con Best su parte del premio. Best también descubrió la vitamina llamada colina, la enzima histaminasa y fue uno de los primeros en introducir los anticoagulantes para tratar la trombosis.

Charles H. Best.
GENTILEZA DE LA UNIVERSIDAD DE TORONTO; FOTOGRAFÍA, ASHLEY & CRIPPEN, TORONTO, CANADÁ

bestiario Obra medieval europea en verso o prosa, a menudo ilustrada, que consistía en una colección de historias, cada una de ellas centrada en la descripción de ciertas cualidades de un animal o planta. Estas historias eran alegorías que se utilizaban para la instrucción y guía moral y religiosa. Sus orígenes se remontan al *Physiologus* griego, texto compilado por un autor desconocido antes de mediados del s. II DC. Muchas de las cualidades que tradicionalmente se asocian con criaturas reales o míticas provienen de los bestiarios. Tal es el caso del fénix, animal mítico que renace de sus propias cenizas, y del amor paternal del pelícano, que, según la tradición, se rasgaba el pecho para alimentar a sus crías con su propia sangre, lo que lo convirtió en un símbolo de Cristo.

beta Pez tropical de agua dulce (*Betta splendens*; familia Belontiidae o Anabantidae), conocido por la belicosidad entre los machos. Especie nativa de Tailandia, fue domes-ticada para emplearla en peleas. El combate consiste principalmente en morderse las aletas, lo que ocurre mientras ambos contendientes despliegan sus opérculos y aletas, e intensifican sus colores. Este pez enjuto crece hasta alrededor de 6,5 cm (2,5 pulg.) de largo. En estado natural su color predominante es pardo o verdoso, con aletas rojas, en cambio, domesticado presenta variedades con aletas largas, ondulantes y de varios colores, como rojo, verde, azul y violáceo.

Combate entre peces beta (*Betta splendens*).
DOUGLAS FAULKNER

Betancourt, Rómulo (22 feb. 1908, Guatiré, Miranda, Venezuela–28 sep. 1981, Nueva York, N.Y., EE.UU.). Presidente de Venezuela (1945–48, 1959–64). En su juventud se opuso activamente al régimen dictatorial de Juan Vicente Gómez (n. 1857–m. 1935). Tras un breve período en el Partido Comunista, se volvió contra él y ayudó a fundar el partido de izquierda anticomunista Acción Democrática, que llegó al poder en 1945 después de un golpe. Como presidente provisional, siguió una política de reforma social moderada antes de renunciar para permitir la elección de un sucesor. Elegido para un segundo mandato en 1959, se mantuvo en una posición intermedia entre los comunistas pro cubanos y los atemorizados conservadores, iniciando un ambicioso programa de obras públicas e impulsando el desarrollo industrial, financiados principalmente por las considerables exportaciones de petróleo de Venezuela. Se retiró en 1964.

betarraga Variedad cultivada de la planta *Beta vulgaris* de la familia Chenopodiaceae, considerada una de las HORTALIZAS más importantes. Se cultivan cuatro variedades: la betarraga, que se consume como hortaliza; la REMOLACHA, una de las principales fuentes de azúcar y de mayor importancia comercial, la remolacha forrajera, un pienso suculento, y la ACELGA, por sus hojas comestibles. Las hojas de la betarraga son fuente de riboflavina, hierro y vitaminas A y C. Las betarragas se cultivan sobre todo en las regiones de climas templados fríos o bien durante las estaciones más frías.

Betarraga (*Beta vulgaris*).
GRANT HEILMAN

betel Cualquiera de dos plantas diferentes que mezcladas, son ampliamente utilizadas para fines masticatorios en Asia meridional y las Indias Orientales. La nuez del betel es la semilla de la palma areca o betel (*Areca catechu*) de la familia Palmae (ver PALMERA); la hoja del betel proviene de la pimienta de betel (*Piper betle*), de la familia Piperaceae. Para masticar, se envuelve un pedacito del fruto del betel en una hoja de la pimienta de betel, junto con una pelotita de cal para provocar la salivación y para liberar los ALCALOIDES estimulantes. La masticación da lugar a un flujo espeso de saliva de color rojo ladrillo, que puede teñir temporalmente la boca, los labios, y las encías de color anaranjado marrón. Las nueces de betel producen un alcaloide que los veterinarios utilizan como agente vermífugo.

Bet-el Antigua ciudad de PALESTINA. Se situaba cerca del actual pueblo de Baytīn, Cisjordania, a unos 16 km (10 mi) al norte de Jerusalén. Fue importante en los tiempos del Antiguo Testamento y se la asociaba con ABRAHAM y JACOB. Después de la división de Israel, Bet-el pasó a ser el principal santuario del reino del norte (Israel) y más tarde fue el centro para el ministerio profético de AMÓS.

Betelgeuse La ESTRELLA más brillante de la constelación de Orión, que marca el hombro este del cazador. A una distancia de alrededor de 430 años-luz de la Tierra, Betelgeuse es fácilmente identificable por su brillo, su posición en la brillante constelación de Orión y su color rojizo intenso. Es una ESTRELLA SUPERGIGANTE roja, una de las más grandes conocidas; su diámetro es aproximadamente 500 veces superior al diámetro solar.

Bethe, Hans (Albrecht) (2 jul. 1906, Estrasburgo, Alemania–6 mar. 2005, Ithaca, N.Y., EE.UU.). Físico teórico estadounidense de origen alemán. Huyó de Alemania en 1933 y enseñó en la Universidad de Cornell (1937–75). Demostró cómo el campo eléctrico que rodea a un átomo en un cristal afecta los estados de energía del átomo, trabajo que ayudó a la formulación de la MECÁNICA CUÁNTICA y aumentó el conocimiento de las fuerzas que gobiernan las estructuras de los núcleos atómicos. Fue el primero en proponer el ciclo del carbono, para la reacción de fusión termonuclear del hidrógeno en helio, como fuente de producción de energía en las estrellas (1939). Dirigió la división de física teórica del proyecto MANHATTAN, pero trabajó en la era de posguerra para denunciar la amenaza de una guerra nuclear. Se le otorgó la Medalla Max Planck (1955) y el Premio Enrico Fermi (1961); en 1967 obtuvo el Premio Nobel de Física.

Bethlehem Steel Corp. Corporación estadounidense creada en 1904 con el fin de amalgamar las empresas Bethlehem Steel Co., Union Iron Works y algunas empresas menores. Su fundador principal fue CHARLES SCHWAB. En sus primeras décadas, Bethlehem Steel (ubicada en Bethlehem, Pa.) produjo principalmente carbón, mineral de hierro y acero. En décadas posteriores, la empresa diversificó su negocio hacia las áreas de productos plásticos, químicos y minerales no ferrosos. Hacia fines del s. XX, la corporación se había convertido en una de las productoras de acero más grande de EE.UU., con operaciones en Pensilvania, Indiana, Maryland y Nueva York.

Bethmann Hollweg, Theobald von (29 nov. 1856, Hohenfinow, Prusia–1 ene. 1921, Hohenfinow, Alemania). Político y canciller alemán (1909–17). Funcionario de la administración pública, fue nombrado ministro del interior de Prusia en 1905 y se convirtió en canciller alemán en 1909. Antes de la primera guerra mundial permitió a las facciones militaristas controlar el gobierno. En 1914 apoyó dar un "cheque en blanco" a Austria-Hungría para que tomara medidas contra Serbia. En 1916 intentó sin éxito conseguir la mediación de EE.UU. para poner fin a la guerra y también fracasó en cuanto a poner límites a la guerra submarina. En 1917 provocó el enojo de los conservadores al prometer reformas electorales en Prusia y se vio forzado a renunciar.

Theobald von Bethmann Hollweg, detalle de un retrato de Brant, 1909.
ARCHIV FUR KUNST UND GESCHICHTE, BERLÍN OCCIDENTAL

Bethune, (Henry) Norman (3 mar. 1890, Gravenhurst, Ontario, Canadá–12 nov. 1939, Huang Shikou, Hebei, China). Cirujano y activista político canadiense. Inició su carrera médica en 1917, cuando formó parte de las fuerzas canadienses en la primera guerra mundial. Durante la guerra civil española estuvo con las fuerzas republicanas e instaló el primer servicio móvil de transfusión de sangre. Luego de viajar a la Unión Soviética en 1935, ingresó al Partido Comunista de Canadá. En 1938 salió de Canadá para actuar como cirujano en el ejército chino durante la guerra con Japón; allí organizó hospitales de campaña y escuelas de medicina. Se convirtió en héroe nacional de China.

Bethune, Louise Blanchard *orig.* **Jennie Louise Blanchard** (21 jul. 1856, Waterloo, N.Y., EE.UU.–18 dic. 1913, Buffalo, N.Y.). Primera arquitecta profesional en EE.UU. En 1881 abrió una oficina independiente en Buffalo en 1881. Su empresa diseñó cientos de edificios por todo el estado de Nueva York, muchos de ellos en el estilo del resurgimiento románico, popular a fines del s. XIX. En 1888 se convirtió en la primera mujer elegida como miembro del Instituto americano de arquitectos.

Bethune, Mary (Jane) McLeod *orig.* **Mary Jane McLeod** (10 jul. 1875, Mayesville, S.C., EE.UU.–18 may. 1955, Daytona Beach, Fla.). Educadora estadounidense. Hija de ex esclavos, logró abrirse paso en la sociedad a través de la educación, y en 1904 fundó una escuela que posteriormente pasó a formar parte del Bethune-Cookman College, en Daytona Beach, Fla. Fue presidenta de esa institución en 1923–42 y 1946–47, además fue asesora especial del pdte. FRANKLIN D. ROOSEVELT. Fue una figura prominente en varias organizaciones afroamericanas, principalmente grupos de mujeres, y dirigió la Division of Negro Affairs of the National Youth Administration (División de asuntos relacionados con los afroamericanos de la administración nacional juvenil) (1936–44).

betilo *o* **betulo** En la religión GRIEGA, piedra o pilar sagrado. En la antigüedad hubo numerosas piedras sagradas, la mayoría asociada a una deidad. El ejemplo más famoso es la piedra sagrada conocida como el Omfalos en el templo de Apolo en DELFOS. A veces las piedras se ordenaban formando pilares o grupos de tres pilares.

Betjeman, Sir John (28 ago. 1906, Londres, Inglaterra–19 may. 1984, Trebetherick, Cornwall). Poeta inglés. Entre sus libros de poesía se cuentan *Mount Zion* [Monte Sión] (1933), *High and Low* [Alto y bajo] (1966) y *A Nip in the Air* [Aire fresco] (1974). Sus obras en prosa comprenden guías turísticas de algunos condados ingleses y ensayos sobre ciertos edificios y lugares. Su nostalgia por el pasado cercano, su apreciación exacta de cada lugar y su descripción precisa y matizada de la vida social le atrajeron numerosos lectores en una época en la que muchas de las cosas sobre las que escribía estaban desapareciendo. Desde 1972 hasta su muerte fue poeta laureado de Inglaterra.

Bettelheim, Bruno (28 ago. 1903, Viena, Austria–13 mar. 1990, Silver Spring, Md., EE.UU.). Psicólogo estadounidense de origen austríaco. Formado en Viena, fue arrestado por los nazis y enviado a los campos de concentración (1938–39). Emigró a EE.UU., donde a partir de 1944 dirigió la escuela ortogénica de la Universidad de Chicago, una escuela laboratorio para niños con trastornos que se hizo conocida sobre todo por el trabajo que realizó con niños autistas. Aplicó principios psicoanalíticos a problemas sociales, especialmente en la crianza de niños. Sus obras abarcan un ensayo influyente sobre la adaptación al estrés extremo (1943), *El amor no es suficiente* (1950), así como *The informed Heart* [El corazón informado] (1960), *La fortaleza vacía* (1967), *Children of the Drean* [Niños del ensueño] (1967) y *Psicoanálisis de los cuentos de hadas* (1976). Deprimido a raíz de la muerte de su esposa y luego de haber sufrido una apoplejía, se suicidó. Posteriormente su reputación se vio empañada ante revelaciones de haber inventado sus credenciales académicas y de abusar y efectuar diagnósticos errados a niños que asistían a su escuela.

Better Business Bureau Cualquiera de varias organizaciones de EE.UU., Puerto Rico y Canadá creadas para proteger a la comunidad de prácticas comerciales y publicitarias desleales, engañosas o fraudulentas. El Better Business Bureau está organizado a nivel local. Su objetivo es investigar y definir estándares para las prácticas comerciales, recibir quejas sobre prácticas impropias y llevar a cabo campañas educacionales que alerten al público acerca de los métodos engañosos y fraudulentos existentes en la publicidad y las ventas.

Betti, Ugo (4 feb. 1892, Camerino, Italia–9 jun. 1953, Roma). Dramaturgo italiano. Ejerció la carrera judicial, y se desempeñó en calidad de juez y bibliotecario del ministerio de justicia en Roma. Escribió tres volúmenes de poesía, tres colecciones de relatos breves y 26 piezas teatrales. Su primera obra, *El ama* (1927), recibió comentarios dispares, pero sus trabajos posteriores fueron más exitosos. Numerosas obras fueron traducidas al francés y al inglés, y se representaron en París, Londres y Nueva York. Entre ellas cabe destacar *Derrumbe en la estación norte* (1933), *Corrupción en el palacio de justicia* (1949), *La reina y los sublevados* (1951) y *La fugitiva* (1953).

betulo ver BETILO

Betwa, río Río del norte de India. Nace en MADHYA PRADESH occidental y fluye hacia el nordeste por 579 km (360 mi) a través de UTTAR PRADESH hasta unirse al río YAMUNA, cerca de Hamirpur. Casi la mitad de su curso no es navegable. Es fuente de regadío para un gran territorio; los ríos Jamni y Dhasan son sus tributarios principales.

Beust, Friedrich Ferdinand, conde von (13 ene. 1809, Dresde, Sajonia–24 oct. 1886, Schloss Altenberg, cerca de Viena, Austria-Hungría). Estadista alemán. Diplomático de carrera en Sajonia desde 1830, se desempeñó como ministro de asuntos exteriores (1849–53) y ministro del interior (1853–66). A menudo se opuso a OTTO VON BISMARCK y fue obligado a renunciar en 1866. Como aliado de Sajonia, el emperador Habsburgo FRANCISCO JOSÉ lo nombró ministro de asuntos exteriores de Austria (1866) y canciller imperial (1867–71). Como canciller negoció el COMPROMISO DE 1867 y ayudó a restaurar la posición internacional de los Habsburgo. Posteriormente fue embajador en Inglaterra (1871–78) y Francia (1878–82).

Beuys, Joseph (12 may. 1921, Krefeld, Alemania–23 ene. 1986, Düsseldorf, Alemania Occidental). Escultor de vanguardia y artista performático alemán. Sirvió en la fuerza aérea alemana durante la segunda guerra mundial y más tarde estudió arte en Düsseldorf (1947–51); en 1961 fue nombrado profesor de escultura en la academia de arte de esa ciudad. En la década de 1960 trabajó con el grupo internacional FLUXUS, cuyo énfasis no se centraba en lo que el artista hacía sino en su personalidad, acciones y opiniones. La *performance* más famosa y polémica de Beuys fue *Cómo explicar cuadros a una liebre muerta* (1965), en la que caminó en una galería de arte con su cara cubierta de miel y láminas de oro, hablándole a una liebre muerta acerca de la conciencia humana y animal. También se hizo conocido por sus obras escultóricas que utilizaban grasa y capas de fieltro. Tuvo éxito en la creación de una mitología popular personal y fue uno de los artistas y profesores más influyentes de fines del s. XX.

Bevan, Aneurin (15 nov. 1897, Tredegar, Monmouthshire, Inglaterra–6 jul. 1960, Chesham, Buckinghamshire). Político británico. En su juventud ingresó al Partido Laborista y en 1929 fue elegido a la Cámara de los Comunes. Superó un defecto en el habla para convertirse en un brillante orador. Como ministro de salud en el gobierno de CLEMENT ATTLEE (1945–51), "Nye" Bevan estableció el NHS, Servicio nacional de salud. Fue ministro del trabajo (1951), pero renunció en protesta contra los gastos de rearme que redujeron la inversión en programas sociales. Figura controvertida en el Partido Laborista, encabezó su ala izquierdista (bevanista) y fue líder del partido hasta 1955.

Beveridge, Albert J(eremiah) (6 oct. 1862, cond. de Highland, Ohio, EE.UU.–27 abr. 1927, Indianápolis, Ind.). Senador e historiador estadounidense. En 1887 se tituló de abogado en Indiana y comenzó a ejercer en Indianápolis. Elegido al Senado por el Partido Republicano (1900–12), apoyó las leyes progresistas propuestas por el pdte. THEODORE ROOSEVELT. En 1912 rompió con el ala conservadora de su partido con el fin de presidir la convención en la que se organizó el PARTIDO PROGRESISTA y se nombró a Roosevelt candidato a presidente de la República. Luego se retiró de la vida pública y escribió diversas obras históricas, entre ellas el libro en cuatro tomos, *Life of John Marshall (Vida de John Marshall)* (1916–19), que ganó el Premio Pulitzer.

Beveridge (de Tuggal), William Henry, 1er barón (5 mar. 1879, Rangpur, India–16 mar. 1963, Oxford, Oxfordshire, Inglaterra). Economista británico. Su interés de toda la vida fue el problema del desempleo. Fue director de bolsas de trabajo (1909–16), dirigió la London School of Economics (Escuela de economía de Londres) (1919–37) y fue luego decano del University College, Oxford (1937–45) y miembro del parlamento por el Partido Liberal. Invitado por el gobierno a ser el arquitecto del nuevo ESTADO BENEFACTOR británico, ayudó a diseñar las políticas e instituciones sociales de Gran Bretaña mediante el plan de seguro social "desde la cuna hasta la tumba" que lleva su nombre (1942). Entre sus libros se encuentran *Insurance for All* [Seguro para todos] (1924), *Full Employment in a Free Society* [Pleno empleo en una sociedad libre] (1944) y *Pillars of Security* [Pilares de la seguridad] (1948).

Beverly Hills Ciudad (pob., 2000: 33.784 hab.) del sudoeste de California, EE.UU. Se encuentra rodeada por la ciudad de LOS ÁNGELES y colinda con HOLLYWOOD. Fue establecida en 1906 como una zona residencial llamada Beverly. En 1912 se construyó el Beverly Hills Hotel. Las estrellas de cine MARY PICKFORD y DOUGLAS FAIRBANKS vivieron allí en 1919, dando inicio a la moda entre las celebridades de Hollywood de construir residencias fastuosas en Beverly Hills. Ocupa una superficie de 14,8 km² (5,7 mi²) y la cruzan las famosas calles de Sunset Boulevard, Santa Mónica Boulevard y Rodeo Drive.

Ernest Bevin, 1945.
BASSANO & VANDYK

Bevin, Ernest (9 mar. 1881, Winsford, Somerset, Inglaterra–14 abr. 1951, Londres). Dirigente obrero y estadista británico. Activo miembro de organizaciones laborales desde 1905, se convirtió en jefe del Sindicato de trabajadores portuarios. En 1921 fusionó varios gremios en la Unión general de trabajadores del transporte, que se convirtió en el sindicato más grande del mundo; fue su secretario general hasta 1940. Ese año fue elegido diputado por el Partido Laborista y poco después se lo llamó a colaborar como ministro del trabajo en el gobierno de coalición de guerra de WINSTON CHURCHILL (1940–45). Como secretario de asuntos exteriores en el gobierno laborista de CLEMENT ATTLEE (1945–51), negoció el tratado de BRUSELAS y ayudó a establecer la OTAN.

Bewick, Thomas (12 ago. 1753, Cherryburn, Inglaterra–8 nov. 1828, Gateshead). Xilógrafo británico. A los 14 años fue aprendiz de un grabador en metal, con quien se asoció después en Newcastle. Bewick permaneció ahí la mayor parte de su vida. Redescubrió la técnica de la xilografía, que había declinado hacia una técnica reproductiva, aportando brillantes innovaciones, como el uso de líneas paralelas en lugar del sombreado, para lograr un amplio rango de tonos y texturas. Asimismo desarrolló un método para imprimir fondos grises, con el cual poder intensificar el efecto de atmósfera y espacio. Algunas de sus mejores obras corresponden a ilustraciones para libros de historia natural. Fundó una escuela de grabado en Newcastle.

THE TAWNY OWL.*

"El autillo", xilografía de Thomas Bewick, de su libro *History of British Birds*, 1797–1804.
GENTILEZA DEL DIRECTORIO DEL MUSEO BRITÁNICO; FOTOGRAFÍA, J.R. FREEMAN & CO. LTD.

Bezos, Jeff(rey P.) (n. 12 ene. 1964, Albuquerque, N.M., EE.UU.). Empresario de internet estadounidense. Estudió en la Universidad de Princeton. Antes de fundar Amazon.com, Inc. en 1995, trabajó en la banca y en inversiones en el Bankers Trust y en D.E. Shaw & Co. Amazon.com comenzó como una vendedora de libros, expandiéndose posteriormente al negocio de la música grabada, vídeos, equipos electrónicos, herramientas y otras áreas, como las subastas en línea. La compañía llegó a ser famosa por el extraordinario aumento de la valorización de mercado de sus acciones, a pesar de las continuas pérdidas año tras año –reflejo de la confianza del inversionista en el futuro de la venta al detalle en línea que caracterizó a los últimos años de la década de 1990–. La empresa presentó su primer balance trimestral con utilidades en enero de 2002.

Bhadracarya-pranidhana Texto budista MAHAYANA que también es importante para el BUDISMO TIBETANO. Se relaciona con el AVATAMSAKA-SUTRA y es considerado por algunos como su última parte. Presenta diez votos del bodhisattva Samantabhadra. Estos se volvieron lecciones diarias en los monasterios chinos. Al guardar los votos, incluido el infatigable servicio a todos los budas y la aceptación de todos los universos, los creyentes pueden comprender el universo de fenómenos interdependientes manifiestos en BUDA y entrar en la Tierra Pura de AMITABHA.

Bhagavadgita (sánscrito: "Canto de Dios"). Una de las obras más célebres de las escrituras hindúes, que forma parte del *Mahabharata*. Está escrito en la forma de un diálogo entre ARJUNA, un príncipe guerrero, y KRISHNA, su auriga, quien es una encarnación de VISNÚ. Fue compuesto probablemente entre el s. I y el s. II AC, posterior a la mayor parte de la epopeya. Preocupado por el sufrimiento que la batalla inminente desencadenaría, Arjuna vacila, pero Krishna le explica que el camino más elevado es el cumplimiento desapasionado del deber que no busca el triunfo personal. El *Bhagavadgita* considera la naturaleza de Dios y la realidad última, y ofrece tres disciplinas para trascender las limitaciones de este mundo: *jñana* (conocimiento o sabiduría), KARMA (acción desapasionada) y BHAKTI (amor a Dios). El *Bhagavadgita* ha inspirado numerosos comentarios a través de los siglos, como los hechos por RAMANUJA y por MOHANDAS K. GANDHI.

Fragmento de una escultura de Bharhut construida en el período Sunga (s. II AC).
FOTOBANCO

bhagavata Miembro de la secta hindú más antigua de la que se tiene registro, que representa el comienzo del teísmo, del culto devocional y del VISNUISMO moderno. La secta Bhagavata es originaria de la región de Mathura c. siglo III–II AC, y se extendió por el norte, sur y oeste de India. Su fe se centra en la devoción a un dios personal, llamado indistintamente: VISNÚ, KRISHNA, Hari o Narayana. El BHAGAVADGITA (s. I–II DC) es la primera exposición del sistema bhagavata, pero su escritura central es el Bhagavata PURANA. La secta se destacó dentro del vaishnavismo hasta el s. XI, cuando el movimiento BHAKTI (culto devocional) fue revitalizado por RAMANUJA.

bhakti Movimiento devocional de Asia meridional, particularmente en el HINDUISMO, que enfatiza el amor de un devoto a su dios personal. En contraste con el ADVAITA, el bhakti asume una relación dual entre el devoto y su deidad. A pesar de que VISNÚ, SHIVA y Sakti (ver SAKTI) tienen sus cultos, el bhakti se caracteriza por desarrollarse en torno a las encarnaciones de Visnú, como RAMA y KRISHNA. Las prácticas comprenden recitar el nombre del dios, cantarle himnos, llevar su emblema y hacer peregrinaciones. El fervor de los cantantes de himnos del sur de India durante los s. VII al X extendió el movimiento bhakti e inspiró una abundante creación poética y artística. Poetas como Mirabai concibieron la relación entre el adorador y el dios en términos humanos comunes (p. ej., el amante y su amada), mientras poetas más abstractos como KABIR y su discípulo NANAK, el primer GURÚ sij y fundador del SIJISMO, retrataron a la divinidad como singular e inefable.

bharatanatya Principal estilo de danza clásica de India, originaria de TAMIL NADU y prevalente en el sur del país. Expresa temas religiosos hindúes, y sus técnicas y terminoWlogía se encuentran en el tratado *Natya-shastra*, escrito por el sabio Bharata (s. III DC). Una bailarina realiza el programa completo de dos horas, acompañada de tambores, gaita y un cantante. Originalmente, la danza sólo era ejecutada por las bailarinas de los templos, pero el arte cayó en el descrédito cuando la danza de los templos llegó a asociarse con la prostitución. Su pureza original fue rescatada a fines del s. XIX. Recién en la década de 1930 vino a representarse en el escenario.

Bharatpur o **Bhurtpore** Ciudad (pob., est. 2001: 204.456 hab.) del estado de RAJASTHAN, India noroccidental. Ubicada al oeste de AGRA y fundada c. 1733, fue la capital del estado principesco de Bharatpur. Estaba tan bien fortificada que resistió con éxito el sitio británico de 1805; sólo lograron conquistarla en 1826. La ciudad es reconocida por el magnífico santuario de aves en el cercano parque nacional Keoladeo.

Bharhut, escultura de Escultura india de mediados del s. II AC que decoró la gran stupa o monumento en terraplén de Bharhut, en Madhya Pradesh, India. Hoy está casi completamente destruida; las balaustradas y puertas de acceso que permanecen se encuentran en el Museo Indio de Calcuta. Los medallones ornamentales, que representan leyendas de los nacimientos previos de Buda y acontecimientos de su vida, están rotulados y por eso son indispensables para la comprensión de la iconografía budista. El estilo de Bharhut marcó el comienzo de una tradición budista de relieves narrativos y de decoración de edificios sagrados que continuó por varios siglos.

Bhartrhari (¿570?, Ujjain, Malwa, India–¿651?, Ujjain). Filósofo, poeta y gramático hindú. Nació en el seno de una familia noble; según la leyenda intentó siete veces renunciar al mundo y abrazar la vida monástica antes de llegar a ser un yogui y retirarse a vivir en una caverna, cerca de Ujjain. Su obra más importante es el *Vakyapadiya*, que versa sobre filosofía del lenguaje. También se le atribuyen tres poemarios, cada uno compuesto por 100 versos: *Sringara-shataka* (acerca del amor), *Niti-shataka* (acerca de ética y política) y *Vairagya-shataka* (acerca del desapasionamiento). Su poema *Bhatti kavya* demuestra las sutilezas de la lengua sánscrita.

Bhasa (n. s. III DC). Dramaturgo indio. El primer dramaturgo en sánscrito del que se tenga registro. Era conocido sólo por referencias de otros dramaturgos en su lengua hasta que en 1912 se descubrieron y publicaron 13 de sus obras. La mayoría de sus escritos son adaptaciones de temas heroicos y románticos extraídos de las obras épicas *Ramayana* y *Mahabharata*. Se apartó de las convenciones teatrales de su época al exhibir batallas y asesinatos en escena. Su influencia se puede apreciar en las obras del dramaturgo del s. V, KALIDASA.

Bhaskara I (c. 629, posiblemente en Valabhi, India). Astrónomo y matemático indio. Su fama se basa en tres tratados que compuso sobre las obras de Aryabhata I (n. 476). Dos de ellos, conocidos en la actualidad como *Mahabhaskariya* [Gran libro de Bhaskara] y *Laghubhaskariya* [Pequeño libro de Bhaskara], son obras astronómicas en verso, mientras que *Aryabhatiyabhashya* (629) es un comentario en prosa del *Aryabhatiya* de Aryabhata. Bhaskara enfatizó la importancia de demostrar las reglas matemáticas en lugar de confiar en la tradición o en la conveniencia.

Bhaskara II (1114, Biddur, India–c. 1185, probablemente Ujjain). El matemático más destacado del s. XII. Fue el sucesor directo de BRAHMAGUPTA como jefe de un observatorio astronómico en Ujjain, el principal centro matemático de la antigua India. Sus obras matemáticas fueron las primeras en usar el sistema decimal en forma integral y sistemática. Es evidente que fue el primero en lograr entender algo del significado de la división por cero. Utilizó letras para representar cantidades incógnitas, de manera muy similar a como se hace en álgebra moderna, y resolvió ecuaciones indeterminadas de primer y segundo grado. Escribió sobre sus observaciones astronómicas de las posiciones planetarias, conjunciones, eclipses, cosmografía, geografía, y las técnicas matemáticas y equipos astronómicos usados en estos estudios. Fue también un connotado astrólogo.

bhikku En el BUDISMO, miembro de la SANGHA, la comunidad de hombres ordenados establecida por Buda. (Las órdenes femeninas existen en algunas tradiciones del budismo mahayana). Originalmente eran discípulos de Buda, mendicantes que enseñaban los caminos del budismo a cambio de comida. Hoy, los niños pueden ingresar a la vida monástica como novicios, pero los candidatos a la ordenación deben tener 21 años. Un bhikku se compromete a acatar unas 200 reglas de la orden, que prohíben, entre otras cosas, las relaciones sexuales, matar, robar y jactarse de un logro espiritual y cuya transgresión conduce a la expulsión. Un bhikku debe afeitar su cabeza y cara, puede poseer sólo unos pocos artículos esenciales y debe mendigar su comida cotidiana. En el budismo THERAVADA se prohíbe a los monjes manejar dinero y trabajar. En cambio, en el budismo chan (ZEN) se exige a los monjes que trabajen. Ver también VINAYA PITAKA.

Bhima, río Río del sur de India. Nace en el estado de MAHARASHTRA, en los montes Ghates occidentales al este de MUMBAI (Bombay), fluye hacia el sudeste por 645 km (400 mi) cruzando el sur de Maharashtra, el norte de KARNATAKA y ANDHRA PRADESH central hasta unirse al río KRISHNA. Las riberas del Bhima están densamente pobladas. El nivel de sus aguas aumenta en forma abrupta durante los monzones, y el retroceso de las inundaciones forma fértiles zonas de cultivo.

Bhopal Antiguo estado principesco de India central. Su frontera meridional es el río NARMADA y lo cruzan los montes Vindhya. Fue fundado en 1723 por un caudillo afgano que sirvió bajo el emperador mogol AURANGZEB. En sus luchas contra los mahratta, Bhopal fue proclive a los británicos y en 1817 firmó un tratado con ellos. Fue el principal estado de la Agencia de Bhopal y el segundo principado musulmán más grande del Imperio británico. Con la independencia de India, Bhopal se mantuvo como provincia india. Cuando fue incorporada al estado de MADHYA PRADESH en 1956, la ciudad de BHOPAL pasó a ser la capital estatal.

Mezquita de Taj-ul-Masjid en Bhopal, Madhya Pradesh, India.
BALDEV/SHOSTAL ASSOC.

Bhopal Ciudad (pob., est. 2001: 1.433.875 hab.), capital del estado de MADHYA PRADESH, India. Se ubica al norte de NAGPUR y principalmente es una ciudad industrial e importante punto de empalme ferroviario. Allí se encuentra la mezquita más grande de India y es la sede de varias instituciones de educación superior. En 1984, Bhopal fue testigo de uno de los peores accidentes industriales de la historia, cuando toneladas de gas tóxico escaparon de una planta manufacturera de insecticidas de la empresa Union Carbide expandiéndose sobre un territorio densamente poblado; el total de víctimas mortales se estimó en 3.800 personas.

Bhubaneswar Ciudad (pob., est. 2001: 647.302), capital de ORISSA, en el este de India. Su historia, a partir del s. III AC, está representada en restos arqueológicos cercanos. Desde el s. V hasta el s. X DC fue la capital provincial de muchas dinastías hindúes. Sus numerosos templos muestran cada fase de la arquitectura de Orissa, cuya fecha de construcción data de los s. VII–XVI. Se convirtió en la capital estatal en 1950.

Bhumibol Adulyadej o **Phumiphon Adunyadet** o **Rama IX** (n. 5 dic. 1927, Cambridge, Mass., EE.UU.). Noveno rey de la dinastía CHAKRI, cuyo reinado es el más largo de Tailandia. Nieto del rey CHULALONGKORN, ascendió al trono en 1946 después de la muerte de su hermano mayor, el rey Ananda Mahidol (r. 1935–46). Su papel como jefe de Estado es en gran parte ceremonial, pero ejerce una función moderadora entre los partidos extremos de la política tailandesa y actúa como un foco de unidad nacional.

Bhurtpore ver BHARATPUR

Bhutto, Benazir (n. 21 jun. 1953, Karachi, Pakistán). Política pakistaní, primera mujer líder de un país musulmán en la historia moderna. Después de estudiar en Harvard y Oxford, lideró la oposición política al pdte. MUHAMMAD ZIA-UL-HAQ tras la ejecución de su padre, ZULFIKAR ALÍ BHUTTO en 1979. Sufrió luego frecuentes arrestos domiciliarios (1979–84) y el exilio (1984–86). Cuando Zia murió en un accidente aéreo en 1988, ella se convirtió en primera ministra de un gobierno de coalición. No logró superar la extendida pobreza, la corrupción gubernamental y la creciente delincuencia, y su gobierno fue destituido en 1990 bajo cargos de corrupción y otros delitos. Su segundo período como jefa de gobierno (1993–96) tuvo un fin similar. En 1999 fue declarada culpable de recibir comisiones ilícitas de una compañía suiza y condenada en ausencia a cinco años de prisión.

Bhutto, Zulfikar Alí (5 ene. 1928, cerca de Larkana, Sind, India–4 abr. 1979, Rawalpindi, Pakistán). Presidente (1971–73) y primer ministro (1973–77) de Pakistán. Hijo de un prominente político, fue educado en India, EE.UU. y Gran Bretaña. Participó durante ocho años en el gobierno de Muhammad Ayyub Kan (n. 1907–m. 1974), al que renunció para formar el Partido Popular de Pakistán (1967). Después del derrocamiento del régimen de Ayyub Kan y de la guerra civil pakistaní, se convirtió en presidente (1971). Nacionalizó varias industrias importantes y sometió a impuestos a las familias terratenientes. Llegó a ser primer ministro en 1973 y su gobierno inició, bajo ley marcial, un proceso de islamización. Su partido ganó las elecciones en 1977, pero la oposición lo acusó de fraude electoral. El gral. Zia-ul-Haq tomó el poder, lo encarceló y posteriormente lo hizo ejecutar. Es el padre de Benazir Bhutto.

Biafra Antiguo Estado separatista de África occidental. Constituyó la antigua Región Oriental de Nigeria, habitada principalmente por los ibo. En un período de inestabilidad política y económica durante la década de 1960, el resentimiento de los hausa, en el norte, hacia los ibo más prósperos y educados hizo estallar la lucha y las masacres, que llevó a la secesión de la Región Oriental como el Estado de Biafra en 1967. Una costosa guerra civil y la muerte por hambruna de más de un millón de civiles terminó con la caída de Biafra y su reincorporación a Nigeria en 1970.

Biafra, bahía de *actualmente* **bahía de Bonny** Ensenada del océano Atlántico en África occidental. Es la bahía más protegida del golfo de Guinea, limita con Nigeria, Camerún, Guinea Ecuatorial y Gabón, y tributan los ríos Níger y Ogooué. Tiene varias islas, como Bioko. Sus puertos son, entre otros, Malabo, Calabar y Douala. Entre los s. XVI y XIX, la bahía fue el escenario de una extensa trata de esclavos. En la década de 1830, la comercialización de aceite de palma había superado el comercio de esclavos. Actualmente el petróleo es su principal recurso económico.

Białystok Ciudad (pob., est. 2000: 285.500 hab.) del nordeste de Polonia. Fundada en el s. XIV, fue anexada a Prusia en 1795–1807. Luego pasó a Rusia, en 1915 fue capturada por Alemania y en 1919 restituida a Polonia. En 1941, durante la segunda guerra mundial, fue invadida por los alemanes y, en 1944, reocupada por las tropas soviéticas. Devuelta a Polonia en 1945, actualmente constituye un importante empalme ferroviario y desde 1863 ha sido un gran centro de producción textil.

Vista de villa Belza en Biarritz, a orillas del golfo de Vizcaya, Francia.
FOTOBANCO

Biarritz Ciudad (pob., 1999: 30.005 hab.) del sudoeste de Francia. Se encuentra a orillas del golfo de Vizcaya, cerca de Bayona, a 18 km (11 mi) de España. Inicialmente un pequeño pueblo pesquero, desde 1854 se transformó en un elegante centro de veraneo a partir de las visitas de Napoleón III. Igualmente visitada por la realeza inglesa, se desarrolló también como un centro de residencia invernal. Su clima templado y su variedad de playas, además del folclore y tradiciones de los vascos de la región, sigue atrayendo visitantes internacionales.

Bias, río *antig.* **Hifasis** Río del noroeste de India. Uno de los "cinco ríos" que dan su nombre al estado de Panjab; nace en los Himalaya, al este de Dharmsala, en Himachal Pradesh y fluye en dirección oeste-sudoeste por 467 km (290 mi) hasta el río Sutlej, al sudoeste de Kapurthala. Este fue el límite aproximado de la invasión de India realizada por Alejandro Magno en 326 ac.

biatlón Deporte de invierno que combina el esquí de fondo con el tiro de precisión con rifle. Esta especialidad se originó a partir de la caza escandinava y fue incluida, por primera vez, en el programa de los Juegos Olímpicos de Invierno en 1960. Los competidores recorren un trazado llevando un rifle de un solo tiro y municiones, y deben detenerse en cuatro puntos para disparar cinco tiros a pequeños blancos. Las pruebas son de 10 ó 20 km de extensión y existe una variedad de tipos de carrera, como los relevos, la velocidad y la persecución.

Bibiena, familia ver familia Galli Bibiena

Biblia Sagradas escrituras del judaísmo y del cristianismo. Las Escrituras judías comprenden la Torá (o Pentateuco), el Neviim ("Profetas") y el Ketuvim ("Escritos"), que juntos constituyen lo que los cristianos llaman el Antiguo Testamento. El Pentateuco y Josué relatan cómo Israel se constituyó en una nación y tomó posesión de la Tierra Prometida. Los profetas describen el establecimiento y el desarrollo de la monarquía y relata los mensajes de los profetas. Los escritos comprenden poesía, especulación acerca del bien y del mal e historia. La Biblia católica romana y la ortodoxa oriental contienen escritos judíos adicionales llamados apócrifos. El Nuevo Testamento contiene la literatura primitiva. Los Evangelios describen la vida, persona y enseñanzas de Jesús; los Hechos de los Apóstoles relatan la historia de los albores del cristianismo; las Epístolas (Cartas) son la correspondencia de los dirigentes de las primeras comunidades cristianas (especialmente las de san Pablo), y aluden a las necesidades espirituales de esas congregaciones. El Apocalipsis de san Juan es el único libro canónico entre una abundante literatura apocalíptica de los primeros cristianos. Ver también fuente bíblica; traducción bíblica.

bíblica, fuente Cualquiera de los materiales originales, orales o escritos, compilados que conforman la Biblia. Mientras la paternidad literaria de muchos libros bíblicos es anónima o seudónima, los estudiosos han utilizado los elementos de juicio interno y las herramientas de la crítica bíblica para identificar las fuentes y colocarlas en orden de composición cronológico. Existen cuatro fuentes del Pentateuco: J (fuentes en las que Dios es llamado YHWH, en alemán JHVH), oriental (fuentes en las que Dios es llamado Elohim), D (fuentes en el estilo del Deuteronomio) y P (fuentes con estilo y contenido sacerdotal). También se han identificado partes de libros perdidos en el Antiguo Testamento. Las fuentes del Nuevo Testamento son los escritos originales y las tradiciones orales. Los tres primeros Evangelios (sinópticos) tienen una fuente común, ya que Mateo y Lucas se basan en Marcos y en una fuente perdida llamada Q; Juan representa una tradición independiente. El estudio de las fuentes bíblicas tiene por objeto develar la historia de las Escrituras y dejar los textos lo más fiel posible a su contenido original. Los eruditos también pueden analizar las fuentes bíblicas a fin de reconstruir la tradición oral que las respaldan.

bíblica, traducción Arte y práctica de traducir la Biblia. El Antiguo Testamento fue escrito originalmente en hebreo, con pasajes dispersos en arameo. Primero se tradujo en su

Antiguo Testamento: escrituras judías

Génesis	Isaías	Nahum	Cantar de los Cantares
Éxodo	Jeremías	Habacuc	Rut
Levítico	Ezequiel	Sofonías	Lamentaciones
Números	Oseas	Ageos	Eclesiastés
Deuteronomio	Joel	Zacarías	Ester
Josué	Amós	Malaquías	Daniel
Jueces	Abdías	Salmos	Esdras
I y II de Samuel	Jonás	Proverbios	Nehemías
I y II de Reyes	Miqueas	Job	I y II Crónicas

Antiguo Testamento: cánones católicos romanos y protestantes

Católico	Protestante	Católico	Protestante
Génesis	Génesis	Sabiduría	
Éxodo	Éxodo	Sirach	
Levítico	Levítico	Isaías	Isaías
Números	Números	Jeremías	Jeremías
Deuteronomio	Deuteronomio	Lamentaciones	Lamentaciones
Josué	Josué	Baruc	
Jueces	Jueces	Ezequiel	Ezequiel
Rut	Rut	Daniel	Daniel
I y II de Samuel	I y II de Samuel	Oseas	Oseas
I y II de Reyes	I y II de Reyes	Joel	Joel
I y II Crónicas	I y II Crónicas	Amós	Amós
Esdras	Esdras	Abdías	Abdías
Nehemías	Nehemías	Jonás	Jonás
Tobías		Miqueas	Miqueas
Judith		Nahum	Nahum
Ester	Ester	Habacuc	Habacuc
Job	Job	Sofonías	Sofonías
Salmos	Salmos	Ageo	Ageo
Proverbios	Proverbios	Zacarías	Zacarías
Eclesiastés	Eclesiastés	Malaquías	Malaquías
Cantar de los Cantares	Cantar de Salomón	I y II de Macabeos	

Antiguo Testamento: libros apócrifos

I y II de Esdras	Añadiduras a	Baruc	Bel y el
Tobías	Ester	Oración de Azarías	Dragón
Judit	Sabiduría de	Susana	Oración de
	Salomón		Manasés
	Eclesiásticos		I y II de Macabeos

Nuevo Testamento

Mateo	Romanos	Colosenses	Hebreos
Marcos	I y II de	I y II de	Santiago
Lucas	Corintios	Tesalonicenses	I y II de Pedro
Juan	Gálatas	I y II de Timoteo	I, II y III de Juan
Hechos	Efesios	Tito	Judas
de los Apóstoles	Filipenses	Filemón	Apocalipsis

integridad al arameo y con posterioridad, en el s. III DC, al griego (Versión de los SETENTA). Los eruditos hebreos crearon el texto masorético autorizado (s. VI–X) a partir del TÁRGUM arameo, ya que los pergaminos hebreos originales se habían perdido. El NUEVO TESTAMENTO fue escrito originalmente en griego con algo de arameo. Los cristianos tradujeron ambos Testamentos al copto, al etíope, al gótico y al latín. La Vulgata latina de san JERÓNIMO (405) fue la traducción cristiana clásica durante un milenio. En los s. XV–XVI, nuevos conocimientos dieron origen a nuevas traducciones. MARTÍN LUTERO tradujo la Biblia completa al alemán (1522–34). La primera traducción completa al inglés se atribuye a JOHN WYCLIFFE y apareció en 1382, pero fue la versión del rey Jacobo I (1611) la que devino la versión clásica por más de tres siglos. Hacia fines del s. XX, la Biblia íntegra estaba traducida a 250 lenguas, y partes de ella, a más de 1.300.

bibliografía En términos amplios, el estudio y la descripción sistemáticos de los libros. El término se refiere también a una lista de libros ordenados según algún sistema (bibliografía descriptiva o enumerativa), al estudio de los libros como objetos tangibles (bibliografía crítica o analítica) o al producto de esas actividades. El propósito de una bibliografía es organizar la información acerca de los materiales relativos a un tema determinado para que los estudiosos del tema puedan acceder a ella. Una bibliografía descriptiva puede adoptar la forma de información acerca de las obras de un autor determinado o acerca de las obras relacionadas con algún tema,

una nación o período determinados. La bibliografía crítica, surgida a mediados del s. XX, realiza descripciones meticulosas de los aspectos físicos de los libros, incluido el papel, el empastado, la impresión, la tipografía y los procesos de producción utilizados para contribuir al establecimiento de hechos como las fechas de impresión y la autenticidad de los volúmenes en cuestión.

biblioteca Colección de recursos informativos impresos o de otro tipo, organizados y accesibles para la lectura y el estudio. El término deriva del griego *biblion* ("libro"). Las bibliotecas tuvieron su origen en la preservación de registros escritos, una práctica que se remonta por lo menos al tercer milenio AC en Babilonia. Las primeras bibliotecas que consistían en colecciones de libros fueron las de los templos griegos y las que se fundaron como parte de las escuelas griegas de filosofía en el s. IV AC. Las bibliotecas actuales suelen contener periódicos, microfilmes, cintas sonoras, vídeos, discos compactos y otros materiales además de libros. El crecimiento de las redes de comunicaciones en línea ha permitido que los usuarios tengan acceso electrónico a bases de datos de todo el mundo. Ver también BIBLIOTECONOMÍA.

Biblioteca Bodleiana Biblioteca de la Universidad de Oxford, una de las más antiguas y más importantes bibliotecas de consulta en Gran Bretaña. La Biblioteca Bodleiana está especialmente bien dotada de manuscritos asiáticos y colecciones de literatura inglesa, historia local y los primeros textos que se imprimieron a partir del s. XV. Aunque existía desde antes, no fue incorporada oficialmente a la universidad hasta 1410. Tras un período de decadencia, fue restaurada por Sir Thomas Bodley (n. 1545–m. 1613), coleccionista de manuscritos medievales, y reabrió sus puertas al público en 1602. A raíz de las disposiciones legales establecidas en 1610 y 1662, ha pasado a ser una biblioteca de depósito legal, es decir, tiene derecho a recibir una copia gratis de todos los libros que se imprimen en Gran Bretaña.

Biblioteca Británica Biblioteca nacional de Gran Bretaña, fundada por ley (1972) y organizada el 1º de julio de 1973. Comprende la antigua biblioteca del MUSEO BRITÁNICO, la Biblioteca Nacional Central, la Biblioteca Nacional de Préstamos de Ciencias y Tecnología y la Bibliografía Nacional Británica. La biblioteca del Museo Británico, fundada en 1753 sobre la base de diversas colecciones existentes y acrecentada luego por la donación de las bibliotecas reales, tenía derecho a una copia gratuita de todos los libros publicados en el Reino Unido. Su colección incluía una importante serie de cédulas y cartas constitucionales (incluidas las de los reyes anglosajones), códices, salterios y otros documentos del s. III AC hasta la época moderna. La Biblioteca Británica actual recibe una copia de todos los libros editados en el Reino Unido e Irlanda.

Vista interior de la Biblioteca Británica, Londres, Gran Bretaña.
ARCHIVO EDIT. SANTIAGO

biblioteca, clasificación de Sistema de ordenamiento que se adopta para establecer determinados patrones destinados a localizar en una biblioteca sus materiales en forma rápida y fácil. Las clasificaciones pueden ser naturales (p. ej., por tema), artificiales (p. ej., por orden alfabético, de formato numérico), o circunstanciales (p. ej., cronológico o geográfico). También varían en grado; algunas tienen subdivisiones muy pequeñas, mientras otras son más amplias. Los sistemas más usados son la clasificación decimal de DEWEY, la clasificación de la Biblioteca del Congreso, la clasificación Bliss y la clasificación Colon; algunas bibliotecas especiales suelen tener sistemas propios y únicos de clasificación.

Biblioteca de Alejandría La biblioteca más famosa de la antigüedad clásica. Formaba parte del Museo de Alejandría, instituto de investigación situado en Alejandría, Egipto. El museo y la biblioteca fueron fundados y mantenidos por los miembros de la dinastía de los Tolomeos desde principios del s. III AC. Esta biblioteca pretendía convertirse en una biblioteca internacional que incorporase toda la literatura griega y también las traducciones al griego, pero no se sabe hasta qué punto se logró realizar este ideal. Una bibliografía de la biblioteca, compilada por CALÍMACO y perdida en el período bizantino, fue por largo tiempo una obra estándar de referencia. El museo y la biblioteca fueron destruidos durante una guerra civil a fines del s. III DC; una biblioteca auxiliar que permanecía activa fue destruida por los cristianos el 391 DC.

Biblioteca del Congreso Biblioteca de EE.UU., la más grande y una de las mejores bibliotecas nacionales del mundo. Fundada en Washington, D.C., en 1800, estuvo emplazada en el Capitolio hasta que el edificio fue quemado por las tropas británicas en 1814; se trasladó a su ubicación definitiva en 1897. Además de servir como colección de referencia para los miembros del congreso y otros integrantes del gobierno, ocupa un lugar muy destacado entre las instituciones de investigación del mundo, con magníficas colecciones de libros, manuscritos, música, grabados y mapas. Contiene cerca de 18 millones de libros, 2,5 millones de registros sonoros, 12 millones de fotografías, 4,5 millones de mapas y más de 54 millones de manuscritos.

Biblioteca del Congreso, clasificación de la o **Sistema LC** *inglés* **Library of Congress Classification (LC)** Sistema de organización de biblioteca desarrollado durante la reorganización de la Biblioteca del Congreso de EE.UU. Consiste en clasificaciones especiales, separadas, mutuamente excluyentes, y que por lo general no tienen ninguna conexión, salvo la notación accidental del orden alfabético. El ordenamiento se hace en función de categorías generales como ciencias sociales, humanidades y ciencias naturales y físicas. Divide el campo de conocimiento en 20 grandes áreas y un área adicional para obras generales. Cada área tiene un resumen que además sirve como guía. El orden resultante es de lo general a lo particular y de lo teórico a lo práctico. El sistema de clasificación LC prácticamente ha reemplazado la clasificación decimal de DEWEY, en especial en las universidades y en las bibliotecas del gobierno de EE.UU.

Biblioteca Nacional de Francia La biblioteca más importante de Francia y una de las más antiguas del mundo. La primera biblioteca real del país, la Bibliothèque du Roi (Biblioteca del Rey), fue fundada durante el reinado de Carlos V (r. 1364–80), pero más tarde sus colecciones fueron dispersadas; se restableció otra bajo el poder de Luis XI (r. 1461–83). A partir de 1537, la biblioteca empezó a recibir una copia de todas las publicaciones que se hacían en Francia. Fue trasladada de Fontainebleau a París a fines del s. XVI y se abrió al público en 1692. Adquirió su nombre actual en 1795 y su colección se incrementó gracias a las expropiaciones revolucionarias y a las adquisiciones de Napoleón I. En 1995 se trasladó a nuevas dependencias, cuyo diseño ha sido motivo de gran controversia. Este edificio alberga ahora todos sus libros (más de 12 millones), periódicos y revistas.

biblioteconomía Principios y prácticas de la operación y administración de bibliotecas y su estudio. Surgió como campo de estudios independiente en la segunda mitad del s. XIX. El primer programa de formación de bibliotecarios en EE.UU. fue fundado por MELVIL DEWEY en 1887. En el s. XX, la biblioteconomía pasó a formar parte gradualmente del campo más amplio de la INFORMÁTICA. En EE.UU., los programas de posgrado en biblioteconomía y ciencias de la información están acreditados por la Asociación Norteamericana de Bibliotecas ("American Library Association"), fundada en 1876, y también preparan a los estudiantes para ocupar puestos profesionales en otras áreas de la industria de la información.

Biblos *actualmente* **Yabayl** Antigua ciudad costera del Mediterráneo oriental. Ubicada al norte de BEIRUT, Líbano, fue habitada desde el NEOLÍTICO (edad de piedra pulimentada); se desarrolló extensamente como asentamiento humano durante el 4° milenio AC. Fue un gran centro de actividad comercial por ser el principal puerto para la exportación de cedro a Egipto. El papiro, antiguo material laminar de escritura elaborado en Egipto, recibió su nombre original en griego, *byblos*, de su exportación realizada a través de esta ciudad al Egeo; la palabra Biblia significa en rigor "libro" (de papiro). Casi todas las antiguas inscripciones fenicias conocidas, en su mayoría del s. X AC provienen de Biblos. En esa época, TIRO ya se había transformado en la ciudad fenicia más importante y, aunque Biblos siguió creciendo en el tiempo de los romanos, nunca llegó a recuperar su antigua supremacía.

Templo del Obelisco en Biblos, hoy Yabayl, Líbano.
RONALD SHERIDAN

bicameral, sistema Sistema de gobierno en el cual el poder LEGISLATIVO se compone de dos cámaras. Tiene su origen en Gran Bretaña (ver PARLAMENTO BRITÁNICO), donde con el tiempo sirvió para representar los intereses tanto de la gente corriente como los de la elite y para asegurar la deliberación en el trabajo legislativo. En EE.UU., el sistema bicameral es una transacción entre las pretensiones de igual representación entre los estados (cada estado está representado por dos miembros en el Senado) y de igual representación entre los ciudadanos (cada miembro de la Cámara de Representantes representa aproximadamente al mismo número de personas). Cada cámara tiene poderes que no posee la otra y los proyectos de ley requieren de la aprobación de ambas cámaras para convertirse en ley. Muchos sistemas federales de gobiernos contemporáneos tienen poderes legislativos bicamerales. Todos los estados de la Unión, excepto Nebraska, tienen poderes legislativos bicamerales. Ver también DIETA; Congreso de los ESTADOS UNIDOS DE AMÉRICA; PARLAMENTO CANADIENSE.

bicarbonato de sodio o **soda para hornear** Compuesto inorgánico, blanco, SAL de sodio cristalina, fórmula química NaHCO₃. Es una BASE débil, a medida que se disuelve en presencia de iones hidrógeno, se disocia en agua y DIÓXIDO DE CARBONO gaseoso. Además de los usos domésticos como antiácido, agente de limpieza y desodorante, se utiliza en la fabricación de sales y bebidas efervescentes y en polvos de hornear. Los usos industriales comprenden la producción de otras sales de sodio, el tratamiento de lana y seda; el uso en productos farmacéuticos, caucho esponjoso, extintores de fuego, agentes de limpieza, reactivos de laboratorio, enjuague bucal y enchapado de oro y de platino.

BICE ver Banco Internacional de Cooperación Económica

Bichat, (Marie-François-) Xavier (11/14 nov. 1771, Thoirette, Francia–22 jul. 1802, Lyon). Anatomista y fisiólogo francés. Además de sus observaciones como médico de cabecera, realizó autopsias para estudiar los cambios que causan las enfermedades en diversos órganos. Sin saber que la célula es la unidad funcional de los seres vivos, Bichat fue de los primeros en considerar que los órganos corporales se formaban por la especialización de unidades funcionales simples (tejidos). Sin emplear el microscopio, distinguió 21 clases de tejidos que, en diferentes combinaciones, forman los órganos del cuerpo. Su estudio sistemático de los tejidos humanos ayudó a desarrollar la ciencia de la histología.

bicho del cesto Cualquier insecto de la familia Psychidae (ver POLILLA), presente en todo el mundo, llamados así por el capullo en forma de cesta que envuelve las LARVAS. La cesta mide 6–150 mm (0,25–6 pulg.) y está construida con seda, pedacitos de hojas, ramitas y otros desechos. El robusto macho tiene alas amplias hilachudas con una envergadura de 25 mm (1 pulg.) aprox. La hembra vermiforme no posee alas. Las larvas del bicho del cesto a menudo dañan los árboles, especialmente los siempreverdes.

Bicho del cesto macho alado (*Thyridopteryx meadi*).
WILLIAM E. FERGUSON

bichón frisé Raza canina pequeña conocida por su pelaje esponjoso y carácter alegre. Descendiente del SPANIEL de agua, tiene una alzada de 23–30,5 cm (9–12 pulg.) y de morro corto y romo; orejas caídas y sedosas; pelaje sedoso, esponjoso y rizado. Es generalmente blanco, pero puede tener visos de color crema, gris o damasco en la cabeza. Es oriundo de la región mediterránea.

bicicleta Máquina liviana, de dos ruedas, maniobrable, propulsada por el conductor. Las ruedas están montadas en un marco de metal, y la rueda delantera está sujeta por una horquilla movible. El conductor se sienta en el sillín y conduce mediante un manubrio fijo a la horquilla; impulsa la bicicleta mediante dos pedales que están unidos a palancas que hacen girar un engranaje (rueda dentada) propulsor. Una cadena sin fin transmite la potencia del engranaje impulsor al piñón de la rueda trasera. Un modelo pesado, sin pedales, construido en 1818, era simplemente propulsado por el conductor con los pies. En 1839, el herrero escocés Kirkpatrick Macmillan (n. 1813–m. 1878) fabricó una bicicleta impulsada por pedales, con palancas y barras propulsoras; se le atribuye en gran medida la invención de la bicicleta. Importantes innovaciones

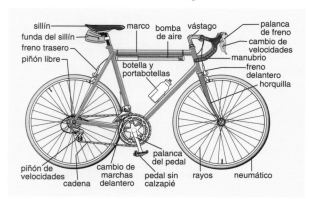
Partes de una bicicleta de paseo moderna.
© 2006 MERRIAM-WEBSTER INC.

fueron introducidas por Pierre y Ernest Michaux en 1861, en Francia. Hacia 1865, su empresa fabricaba 400 *vélocipèdes* al año. Una versión, más liviana, fabricada en 1870 en Inglaterra (motejada la "penny-farthing": una moneda grande y una pequeña), se caracterizaba por una enorme rueda delantera y una pequeña rueda trasera. Hacia la década de 1890, el diseño estándar de la bicicleta quedó establecido y, gracias al rodar suave que permitían las nuevas llantas neumáticas, su popularidad creció de manera explosiva. Las llamadas "mountain bikes" se convirtieron en el diseño estándar a comienzos de la década de 1990. La bicicleta se usa en todo el mundo como un medio básico de transporte.

Bicol, península de Península en el sudeste de LUZÓN, Filipinas. Tiene un largo borde costero con subpenínsulas extensas. Su superficie cubre cerca de 12.070 km² (4.660 mi²). Comprende la llanura de Bicol, una extensa zona de tierras bajas importante para la producción de arroz. Está densamente poblada, aunque mantiene un carácter rural. Es la tierra natal de los bicol, el quinto grupo etnolingüístico más grande del país, y ha sido un importante reducto de los comunistas filipinos.

BID *sigla de* **Banco Interamericano de Desarrollo** Organización internacional fundada en 1959 por 20 gobiernos de América del Norte y del Sur para financiar el desarrollo económico y social en el continente. Los países más grandes que suscribieron su convenio constitutivo fueron la Argentina, Brasil, México, Venezuela y EE.UU. Actualmente son cerca de 30 los países suscriptores en América del Norte y del Sur y más de 15 en Europa, así como Japón e Israel. El grupo BID comprende también la Corporación Interamericana de Inversiones y el Fondo Multilateral de Inversiones. Su sede se encuentra en Washington, D.C.

Bidault, Georges (-Augustin) (5 oct. 1899, Moulins, Francia–27 ene. 1983, Cambo-les-Bains, cerca de Bayona). Estadista francés y líder de la resistencia en la segunda guerra mundial. Después de estar encarcelado en Alemania (1940), regresó a Francia (1941) y trabajó en el Consejo nacional de resistencia, el cual llegó a presidir en 1943. Ayudó a formar el MOVIMIENTO REPUBLICANO POPULAR (MRP) (1944) y apoyó el gobierno provisional de CHARLES DE GAULLE. Después de la guerra, en poco años asumió dos veces como primer ministro y tres veces como ministro de asuntos exteriores. En 1958 rompió con De Gaulle y se opuso a la independencia de Argelia. Defendió el terrorismo como método para impedir la independencia, entró a la clandestinidad y se vio forzado a marchar al exilio (1962–68).

Biddle, James (18 feb. 1783, Filadelfia, Pa., EE.UU.– 1 oct. 1848, Filadelfia). Oficial naval estadounidense. Ingresó a la marina en 1800. Durante la guerra ANGLO-ESTADOUNIDENSE estuvo a bordo del *USS Wasp* cuando capturó el buque inglés *Frolic*, y estuvo al mando del *USS Hornet* en su victoria contra el *Penguin*. En 1817 fue enviado al río Columbia a reclamar el territorio de Oregón para EE.UU. En calidad de comodoro de los buques estadounidenses en Asia oriental, negoció el primer tratado entre EE.UU. y China, que fue de carácter comercial.

Biddle, John (1615, Wotton-under-Edge, Gloucestershire, Inglaterra–22 sep. 1662, Londres). Padre del UNITARISMO inglés. Estudió en la Universidad de Oxford y ejerció como maestro en una escuela gratuita en Gloucester. En 1644 escribió *Doce argumentos*, en que negaba la divinidad del ESPÍRITU SANTO. Cuando las autoridades eclesiásticas conocieron el manuscrito, fue arrestado y encarcelado por dos años. Después de su publicación en 1647, fue nuevamente detenido y se quemaron ejemplares del libro. Sus escritos posteriores atacaron la doctrina de la Santísima TRINIDAD. En 1652, liberado de un tercer encarcelamiento, comenzó a reunirse con sus seguidores para practicar su culto, los que llegaron a ser llamados los unitarios. Después de que Biddle publicó su *Two-Fold Catechism* (1654), OLIVER CROMWELL evitó su ejecución desterrándolo a las islas Scilly. Volvió a Inglaterra en 1658 y en 1662 fue enviado nuevamente a prisión, donde murió.

Biddle, Nicholas (8 ene. 1786, Filadelfia, Pa., EE.UU.–27 feb. 1844, Filadelfia). Autor, financista y abogado estadounidense. Fue secretario del pdte. James Monroe (1806–07) y ministro para asuntos con Inglaterra. Más adelante, mientras ejercía la abogacía en EE.UU., escribió el libro *History of the Expedition of Captains Lewis and Clark* [Historia de la expedición de los capitanes Lewis y Clark] (1814) sobre la base de los apuntes de dichos exploradores. En 1823, Monroe lo nombró presidente del segundo Banco de los ESTADOS UNIDOS DE AMÉRICA. Biddle convirtió al banco en el primer auténtico BANCO CENTRAL de EE.UU. al lograr que este auspiciara políticas para frenar el crédito, regular la oferta monetaria y resguardar los depósitos del gobierno. En 1832, el banco fue duramente atacado por el pdte. ANDREW JACKSON, quien logró revocar su escritura de constitución en 1836. Biddle fue posteriormente presidente del banco en virtud de una escritura de constitución del estado de Pensilvania. Con posterioridad se creó el Sistema de la RESERVA FEDERAL como banco central de EE.UU.

Nicholas Biddle.
GENTILEZA DE LA BIBLIOTECA DEL CONGRESO, WASHINGTON, D.C.

Bidwell, John (5 ago. 1819, cond. de Chautauqua, N.Y., EE.UU.–4 abr. 1900, cerca de Sacramento, Cal.). Dirigente político estadounidense. Integró el primer grupo que viajó en carretas tiradas por caballos a California desde Independence, Mo. Reacio a participar en la rebelión de Bear Flag, que iniciaron contra México los estadounidenses de California, ayudó, no obstante, en julio de 1846, a redactar el acuerdo de independencia de la República de Bear Flag. Combatió en la guerra mexicano-estadounidense, a las órdenes de JOHN C. FRÉMONT, y participó en la captura de Los Ángeles en 1847. Al término del conflicto bélico regresó al fuerte Sutter, donde fue el primero en encontrar oro en el río Feather. Posteriormente llegó a ser un destacado técnico agrícola y cumplió un papel importante en la política del estado. En 1864 salió elegido miembro de la Cámara de Representantes y más tarde fue tres veces candidato a gobernador, aunque nunca ganó. En 1892 fue el candidato presidencial del PARTIDO POR LA PROHIBICIÓN.

Biedermeier, estilo Estilo de arte, mobiliario y decoración alemán y austríaco desarrollado c. 1815–48. Gottlieb ("Papa") Biedermeier era un personaje ficticio de caricatura, el símbolo cómico del confort de la clase media, con un énfasis en la vida familiar y en la búsqueda de pasatiempos. El tema de las pinturas Biedermeier, que era tanto genérico como histórico, fue tratado sentimentalmente. Carl Spitzweg (n.1808–m. 85) es el pintor Biedermeier más conocido. La simplicidad y funcionalidad del mobiliario Biedermeier derivó de los estilos IMPERIO y DIRECTORIO, pero el mobiliario se caracterizó por formas geométricas más sobrias. El estilo resurgió durante la década de 1960.

Biel, Gabriel (c. 1420, Spira [Alemania]–7 dic. 1495, Tubinga, Württemberg). Filósofo, economista y teólogo escolástico alemán. Fue profesor en la Universidad de Tubinga (1484). Su *Collectorium circa IV libros sententiarum* dio a conocer las enseñanzas de GUILLERMO DE OCKHAM. La obra influyó en sus seguidores conocidos como gabrielistas. Sus teorías económicas abogaban por impuestos justos y el control de los precios. Ver también ESCOLÁSTICA.

Bielefeld Ciudad (pob., est. 2002: ciudad, 323.400 hab.; área metrop., 579.000 hab.) del noroeste de Alemania. Fue fundada en 1214 y se originó a partir de un asentamiento religioso en torno a la iglesia de Santa María a fines del s. XIII. Se unió a la Liga HANSEÁTICA en el s. XIV y pasó a BRANDEBURGO en 1647. La primera fábrica textil mecanizada de Alemania se estableció allí en 1851. La ciudad se reconstruyó después de haber sido dañada seriamente durante la segunda guerra mundial. Es centro de la industria de lino; también posee fábricas de tejido en seda y felpa.

Bielorrusia ver BELARÚS

bienal Cualquier planta que completa su ciclo vital en dos TEMPORADAS DE CRECIMIENTO. Durante la primera temporada vegetativa, las plantas bienales dan raíces, tallos y hojas; durante la segunda, producen flores, frutos y semillas y luego mueren. La REMOLACHA y la ZANAHORIA son ejemplos de plantas bienales. Ver también ANUAL, PERENNE.

bienes En derecho, cosas que se poseen o sobre las cuales se ejerce el derecho de propiedad. El concepto de bienes varía mucho entre las distintas culturas. En Occidente, los bienes generalmente se clasifican en tangibles (p. ej., tierra o mercancías) o intangibles (p. ej., ACCIONES y BONOS o PATENTES). En las sociedades occidentales se hace hincapié en los bienes de propiedad individual, mientras que en muchas sociedades no occidentales se les resta importancia o se considera que los bienes son de dominio común. En todo Occidente, el uso de los bienes está ampliamente reglamentado. En los países angloamericanos, el dueño de tierras perjudicado por el uso inadecuado de los predios colindantes puede ejercer la acción de perturbación del uso y goce del bien de su dominio; los países que se rigen por el DERECHO CIVIL cuentan con acciones similares. En Occidente, los dueños de terrenos pueden permitir que terceros den a sus predios usos que ordinariamente darían lugar a una acción judicial, entre otros fines para obligar a aquellos a quienes se ha transferido el uso de la tierra. En general, el derecho angloamericano divide la concesión del derecho de uso en categorías que indican su origen de *common law*, esto es, en servidumbres prediales (p. ej., derecho de paso), derecho a los frutos (ver UTILIDAD) (p. ej., el derecho a extraer o explotar minerales o madera), obligaciones *propter rem* (como la promesa de pagar las cuotas de la asociación del propietario de una vivienda) y LIMITACIONES DEL DOMINIO propias del sistema de *equity* (como la promesa de usar la propiedad exclusivamente para fines residenciales). El sistema de derecho civil contempla menos categorías, ya que en general el término "servidumbre" las abarca a todas y es algo más restrictivo. El modo más común de adquirir el dominio es mediante la transferencia por el propietario o propietarios anteriores que puede tener lugar mediante compraventa, donación y SUCESIONES. Ver también POSESIÓN DE COSA AJENA; PRESCRIPCIÓN ADQUISITIVA; PROPIEDAD INTELECTUAL; derechos REALES Y PERSONALES; régimen de SOCIEDAD CONYUGAL.

bienes de capital ver BIENES DE PRODUCCIÓN

bienes de consumo Cualquier bien tangible comprado por las personas para satisfacer sus deseos y necesidades. Los bienes de consumo pueden ser duraderos o no duraderos. Los bienes duraderos (p. ej., automóviles, muebles y electrodomésticos) tienen una vida útil prolongada, a menudo calculada en tres años o más, período durante el cual el CONSUMO se lleva a cabo. Los bienes no duraderos (p. ej., alimentos, ropa, y gasolina) se adquieren para consumo inmediato o casi inmediato y su vida útil varía desde unos pocos minutos hasta tres años. Ver también BIENES DE PRODUCCIÓN.

bienes de producción *o* **bienes de capital** *o* **bienes intermedios** Bienes manufacturados que se usan en la fabricación, procesamiento o reventa de otros bienes. Los bienes intermedios pueden convertirse en parte del producto final o perder su identidad característica durante el proceso de fabricación, en tanto que los bienes de capital son la planta, el equipo e inventarios utilizados para elaborar los productos finales. El aporte de los bienes intermedios al PRODUCTO INTERNO BRUTO (PIB) de un país puede determinarse mediante el método del valor agregado, que permite calcular el monto del valor agregado al BIEN DE CONSUMO final en cada una de las etapas de producción. Esta serie de valores se suma para calcular el valor total del producto final.

bienestar social Denominación dada a los diversos programas gubernamentales que proporcionan ayuda a los necesitados. Estos programas comprenden PENSIONES, seguro de DESEMPLEO y discapacidad, subsidios familiares, montepíos y seguro nacional de salud. Las primeras leyes de bienestar social modernas fueron promulgadas en Alemania en la década de 1880 (ver SEGURO SOCIAL), y ya en 1920 y 1930 la mayoría de los países occidentales había adoptado programas similares. La mayoría de los países industrializados exigen a las empresas que aseguren a sus trabajadores contra la discapacidad (ver SEGURO DE ACCIDENTES DEL TRABAJO), de modo que estos puedan disponer de algún ingreso si sufren alguna lesión o daño, ya sea temporal o permanente. En caso de lesión que no tenga su origen en un accidente del trabajo o enfermedad profesional, la mayoría de los estados industriales pagan un subsidio de corto plazo seguido de una pensión de largo plazo. Muchos países pagan un subsidio familiar para reducir la pobreza de familias numerosas o para aumentar la tasa de nacimientos. Los montepíos, que se otorgan a las viudas que no están en edad de pensionarse y que quedan con niños bajo su dependencia, varían considerablemente en los distintos países y, por lo general, terminan si la mujer vuelve a contraer matrimonio. Entre los países ricos del mundo, sólo EE.UU. no proporciona un seguro nacional de salud, salvo el que otorga beneficios a los ancianos y a los pobres (ver MEDICARE Y MEDICAID).

Bienville, Jean-Baptiste Le Moyne de (bautizado 23 feb. 1680, Montreal, Nueva Francia–7 mar. 1767, París, Francia). Explorador francés, gobernador colonial de Luisiana, fundador de Nueva Orleans. Se integró a la marina francesa durante la guerra del rey Guillermo. Acompañó a su hermano Pierre Iberville en sus expediciones a la desembocadura del río Mississippi. Juntos fundaron un asentamiento en 1699 y luego asumió el mando de la colonia de Luisiana (1701–12, 1717–23). En 1718 fundó Nueva Orleans y en 1722 la nombró capital de la colonia. Llamado a Francia en 1723, regresó para desempeñarse como gobernador de Luisiana (1733–43).

Bierce, Ambrose (Gwinnett) (24 jun. 1842, cond. de Meigs, Ohio, EE.UU.–1914, ¿México?). Periodista, escritor de sátiras y cuentista estadounidense. Poco después de participar en la guerra de Secesión, se convirtió en columnista periodístico y editor en San Francisco, y se especializó en denunciar todo tipo de fraudes. Entre sus libros figuran *Cuentos de soldados y civiles* (1891, revisado con el título de *En mitad de la vida*), que comprende "Un incidente en el puente de Owl Creek"; *Can Such Things Be?* [¿Es posible?] (1893) y *El diccionario del diablo* (1906),

libro de definiciones irónicas. Cansado de la vida estadounidense, se trasladó a México en 1913, mientras este país se hallaba en plena revolución. Desapareció de modo misterioso y se piensa que murió durante el sitio de Ojinaga en 1914.

Bierstadt, Albert (7 ene. 1830, cerca de Düsseldorf, Westfalia–19 feb. 1902, Nueva York, N.Y., EE.UU.). Pintor estadounidense de origen alemán, perteneciente a la escuela del RÍO HUDSON. Sus padres emigraron a EE.UU. cuando era niño. De joven viajó por toda Europa realizando bosquejos antes de regresar a EE.UU. para unirse a una expedición rumbo al Oeste en 1859. Se especializó en grandiosas pinturas de vastos paisajes montañosos y alcanzó gran popularidad durante su vida con escenas panorámicas y frecuentemente extravagantes del Oeste norteamericano, como *Las montañas Rocosas* (1863) y *El monte Corcoran* (c. 1875–77). Sus enormes pinturas fueron en realidad ejecutadas en su taller de la ciudad de Nueva York.

bifenilos policlorados ver PCB

big bang Modelo sobre el origen del UNIVERSO, que sostiene que este se originó a partir de un estado de temperatura y densidad altísimas en una expansión explosiva hace diez mil a 15 mil millones de años. Sus dos hipótesis fundamentales (descritas correctamente por la teoría general de la RELATIVIDAD de ALBERT EINSTEIN, que enuncia que la interacción gravitacional afecta a toda la materia y que la imagen del universo no depende ni de la dirección ni de la ubicación del observador), permiten calcular las condiciones físicas del universo cuando este era aún muy joven, llamado tiempo de Planck (en honor a MAX PLANCK). De acuerdo con el modelo propuesto por GEORGE GAMOW en la década de 1940, el universo se expandió con rapidez desde un estado temprano de alta compresión, con una disminución sostenida de temperatura y densidad. En cuestión de segundos, la MATERIA predominó sobre la ANTIMATERIA y se formaron ciertos núcleos. Transcurrió otro millón de años antes que pudiesen formarse los ÁTOMOS y la RADIACIÓN ELECTROMAGNÉTICA pudiese viajar libremente por el espacio. La abundancia de hidrógeno, helio y litio y el descubrimiento de la RADIACIÓN CÓSMICA DE FONDO apoyaron el modelo, que también explica el DESPLAZAMIENTO AL ROJO de la luz proveniente de las galaxias distantes como resultado de la expansión del espacio.

El Big Ben, reloj de la torre oriente del Parlamento británico.
ARCHIVO EDIT. SANTIAGO

Big Ben Reloj diseñado por Edmund Beckett (n. 1816–m. 1905), alojado en la torre en el extremo oriente de los edificios del Parlamento británico. El Big Ben es famoso por su precisión y su campana de 13 t. Al comienzo, el nombre (por Benjamin Hall, encargado de la obra en la época de su instalación en 1859) se aplicaba sólo a la campana, pero después pasó a incluir al reloj propiamente tal.

Big Bend, parque nacional Reserva del sudoeste de Texas, EE.UU. Está a 400 km (250 mi) al sudeste de EL PASO y ocupa 3.243 km² (1.252 mi²). Establecido en 1944, debe su nombre al ancho codo del río Grande del Norte (ver río BRAVO) que bordea su extremo sur. El parque tiene un paisaje desértico y montañoso espléndido; alberga a más de 1.000 especies de plantas, y en su fauna existen coyotes, pumas y correcaminos.

bígaro En zoología, cualquiera de unas 80 especies (familia Littorinidae), de CARACOLES litorales herbívoros de amplia distribución. Los bígaros se encuentran habitualmente en rocas, piedras o apilados en la zona intermareal. El bígaro común (*Littorina littorea*), la mayor especie del norte, puede crecer hasta 4 cm (1,5 pulg.) de largo. Habitualmente es de color gris oscuro y tiene una concha sólida en espiral. Introducido en Norteamérica c. 1857, hoy es común en el litoral atlántico. Todas las especies de bígaro son el alimento preferido de la mayoría de las aves costeras.

Bighorn, cordillera Sistema montañoso en el sur de Montana y norte de Wyoming, EE.UU. Es una cadena septentrional de las montañas ROCOSAS que se extiende por 193 km

(120 mi) y que se eleva abruptamente a 1.200–1.500 m (4.000–5.000 pies) sobre las GRANDES LLANURAS y la cuenca del Bighorn. La cumbre más alta es el pico Cloud en Wyoming, a 4.013 m (13.165 pies). El bosque nacional Bighorn cubre parte de esta cordillera. En los montes Medicine se encuentra la Medicine Wheel, círculo con rayos en piedra de la época prehistórica de 20 m (70 pies) de diámetro.

Área del embalse de Yellowtail en la cordillera Bighorn, Montana del sur, EE.UU.
ROGER Y JOY SPURR–BRUCE COLEMAN INC.

Bighorn, río Río en Wyoming y Montana, EE.UU. Formado por la confluencia de los ríos Popo Agie y Wind en la zona centro-oeste de Wyoming, fluye 541 km hacia el norte (336 mi) y desemboca en el río YELLOWSTONE en el sudeste de Montana. El Little Bighorn se une al caudal principal en Hardin, Montana. A lo largo del límite Montana-Wyoming se extiende el Bighorn Canyon National Recreation Area (Área nacional de esparcimiento del cañón del Bighorn). Ver también batalla de LITTLE BIGHORN.

Bihar Estado (pob., est. 2001: 82.878.796 hab.) del nordeste de India. Limita con NEPAL y los estados de BENGALA OCCIDENTAL, JHARKHAND y UTTAR PRADESH, y ocupa 99.200 km² (38.301 mi²) de territorio; su capital es PATNA. Sus fronteras son prácticamente las mismas que tenían los antiguos reinos de Videha y Magadha, de los cuales hay registros que datan de c. 600 AC. En 320 DC la región perteneció al Imperio GUPTA, cuya capital estaba en Pataliputra (Patna). Cayó ante los musulmanes c. 1200 y fue anexado a DELHI c. 1497. Capturado por los británicos en 1765, pasó a ser parte de BENGALA. A mediados del s. XIX, la región fue testigo de revueltas en contra de los británicos, así como del movimiento pacifista de MOHANDAS GANDHI en 1917. En 1936, Bihar pasó a conformar la provincia de la India británica; se convirtió en estado después de la independencia de India en 1947. Es uno de los estados menos urbanizados de India y la mayor parte de su población trabaja en la agricultura. En 2000 se creó el nuevo estado de Jharkhand, que ocupa el antiguo territorio de las provincias del sur de Bihar.

Bikini, atolón Atolón con alrededor de 20 islotes (pob., 1999: 13 hab.), del grupo de las islas MARSHALL, MICRONESIA. Formó parte del Territorio Fiduciario de las Islas del Pacífico que fue entregado en fideicomiso a EE.UU. por la ONU en 1947. Los estadounidenses utilizaron el atolón para pruebas atómicas en el período 1946–58. Los 167 habitantes fueron trasladados antes del inicio de las pruebas y regresaron en 1969, pero fueron evacuados otra vez en 1978 debido a los altos niveles de radiación. La limpieza continuó y en 1997 se declaró que Bikini era habitable nuevamente. El atolón pasó a formar parte de la República de las Islas Marshall en 1979.

Biko, Stephen (18 dic. 1946, King William's Town, Sudáfrica–12 sep. 1977, Pretoria). Activista político sudafricano. Ex estudiante de medicina, en 1968 fundó el movimiento Conciencia Negra, creado para concienciar a los negros acerca de la opresión del APARTHEID. Fue oficialmente "proscrito" por el gobierno sudafricano en 1973 y arrestado varias veces en 1976–77. Su muerte, provocada por lesiones en la cabeza sufridas estando bajo custodia policial, lo convirtió en un mártir de carácter internacional para el nacionalismo negro sudafricano. La investigación inicial absolvió de toda culpa a la policía, pero en 1997 cinco agentes policiales retirados confesaron haberlo asesinado.

Bilbao Ciudad portuaria (pob., 2001: ciudad, 349.972 hab.; área metrop., 947.334 hab.) del norte de España. Está ubicada a 11 km (7 mi) tierra adentro del golfo de VIZCAYA. Es la ciudad más grande del País VASCO. Se originó a partir de un asentamiento de marineros y herreros, y fue reconocida como ciudad en 1300. En el s. XVIII prosperó gracias al comercio con las colonias españolas del Nuevo Mundo. La ciudad fue saqueada por las tropas francesas en la guerra PENINSULAR (1808) y sitiada durante las guerras carlistas (ver CARLISMO). Es uno de los principales puertos de España y centro de la industria metalúrgica, de los astilleros y de la banca. Entre sus hitos destacan la catedral de Santiago del s. XIV y el Museo Guggenheim de Bilbao del s. XX.

Bild Zeitung Periódico alemán editado en Berlín. Fundado en 1952 por Axel Springer, rápidamente se transformó en el de mayor circulación del país y uno de los más vendidos en la Unión Europea. De línea sensacionalista en su cobertura periodística, tiene un carácter popular; utiliza grandes titulares y escribe artículos en un lenguaje claro y sencillo. En sus páginas se combinan la crónica policial con los comentarios de política y farándula. Pertenece a la compañía creada por su fundador, Axel Springer AG, editora además de diarios regionales y revistas alemanas.

bilharziasis ver ESQUISTOSOMIASIS

bilingüismo Aptitud de hablar dos lenguas. Puede ser adquirida tempranamente por los niños en regiones donde la mayoría de los adultos habla dos lenguas (p. ej., francés y alemán dialectal en Alsacia). Los niños también pueden transformarse en bilingües al aprender lenguas en dos entornos sociales diferentes. Por ejemplo, los niños británicos aprendieron una lengua india de sus institutrices y del personal doméstico en la India imperial. También puede adquirirse una segunda lengua en la escuela. El bilingüismo también puede referirse al uso de dos lenguas en la enseñanza, especialmente para estimular el aprendizaje en estudiantes que tratan de adquirir una nueva lengua. Los partidarios de la educación bilingüe en EE.UU. sostienen que acelera el aprendizaje de todas las asignaturas en niños que hablan una lengua extranjera en casa e impide su marginación en escuelas que enseñan en inglés. Sus detractores rebaten que los niños tienen más dificultades para alcanzar un dominio de la lengua de la sociedad predominante y que limita sus oportunidades laborales y de acceso a la educación superior.

bilini Forma tradicional de poesía rusa antigua, de tema heroico y transmitida oralmente. Si bien las *bilini* tienen su origen alrededor del s. X, o posiblemente antes, fueron puestas por escrito recién hacia el s. XVII. Han sido clasificadas en varios grupos, el más grande de los cuales está relacionado con la edad dorada de Kíev en los s. X–XII. En su conjunto, constituyen una historia popular que a menudo difiere de la historia oficial.

bilis Secreción amarillo verdosa del hígado que fluye a la VESÍCULA BILIAR donde es concentrada, almacenada o enviada al duodeno para la digestión de las grasas. La bilis contiene ácidos y sales biliares, colesterol y electrolitos que la mantienen ligeramente ácida. En el intestino, los productos de las sales y los ácidos emulsionan las grasas y reducen su tensión superficial, preparándolas para la acción de las enzimas pancreáticas e intestinales que las fraccionan.

Bill of Rights (Declaración de derechos) Primeras diez enmiendas de la Constitución de los ESTADOS UNIDOS DE AMÉRICA, aprobadas conjuntamente en 1791. Son una serie de garantías de los derechos individuales y de limitaciones impuestas al gobierno federal y a los gobiernos de los estados como consecuencia del descontento popular por las escasas garantías contempladas en la constitución. El primer congreso presentó 12 enmiendas (redactadas por JAMES MADISON) a la consideración de los estados, diez de las cuales fueron aprobadas. La I enmienda garantiza la libertad de culto, de expresión y de prensa, y establece la acción de indemnización y el derecho a reunirse pacíficamente. La II enmienda garantiza el derecho de las personas a poseer y portar armas. La III prohíbe el acuartelamiento de soldados en residencias particulares en tiempos de paz. La IV protege contra el ALLANAMIENTO E INCAUTACIÓN injustificados. La V establece la acusación por un *grand jury* en caso de delitos graves, confirma el principio de COSA JUZGADA en las causas criminales, y prohíbe obligar a una persona a testificar contra sí misma. La VI establece el derecho del INCULPADO a un juicio expedito y a un jurado imparcial, y garantiza el derecho a asesoramiento letrado y a buscar testigos en su favor. La VII mantiene el derecho a juicio mediante jurado en las causas civiles importantes y establece el principio de cosa juzgada en las causas civiles. La VIII prohíbe establecer fianzas de monto excesivo y aplicar penas crueles e inusuales. La IX establece que la enumeración de los derechos que figura en la constitución no significa derogación de aquellos que no menciona. La X reserva a los estados y al pueblo los poderes no delegados en el gobierno federal.

Bill, Max (22 dic. 1908, Winterthur, Suiza–9 dic. 1994, Berlín, Alemania). Pintor, escultor, artista gráfico y diseñador industrial suizo. Estudió arquitectura, metalistería, escenografía y pintura en la Bauhaus. En 1930 abrió su propio taller en Zurich, donde pasó la mayor parte de su vida dedicado al diseño publicitario. En la década de 1940 diseñó sillas de formas geométricas. Fue cofundador y director de la Escuela de diseño en Ulm, Alemania (1951–55), de la que también diseñó los edificios. Es sobre todo conocido por sus diseños publicitarios.

billar Cualquiera de varios juegos que se practican sobre una mesa rectangular formada de un paño verde y rodeada de barandas elásticas. Consiste en impulsar bolas sólidas

Sala de billar del castillo de Groussay, en las cercanías de París, Francia.
FOTOBANCO

y pequeñas unas contra otras o hacia pequeños hoyos, llamados troneras o buchacas, con una vara llamada taco. El *carom*, carambola o billar francés, se juega con tres bolas, dos blancas y una roja, en una mesa sin troneras. El objetivo es pegarle con el taco a la bola blanca y que esta, a su vez, golpee las otras dos sucesivamente, anotando una carambola. El billar inglés también se juega con tres bolas, pero en una mesa con troneras; en él, se anota de varios modos. El SNOOKER es otro juego de billar británico popular. En América del Norte, la modalidad más conocida de este juego es el POOL o billar con troneras. El congreso de billar de América controla los torneos de este deporte en EE.UU., incluido el Abierto de billar con troneras de EE.UU., considerado como el campeonato mundial.

billar con troneras ver POOL

billar inglés ver SNOOKER

Billings, John Shaw (12 abr. 1838, Switzerland county, Ind., EE.UU.–11 mar. 1913, Nueva York, N.Y.). Cirujano y bibliotecólogo estadounidense. Sirvió en el Ejército de EE.UU. en 1861–95. Promovió el crecimiento de la biblioteca del director de servicios de salud en Washington, D.C., desarrollando lo que llegaría a ser la Biblioteca nacional de medicina, el centro de consultas médicas más grande del mundo. Fundó el *Index Medicus* (1879), publicación mensual, que aún es una de las fuentes primordiales de la bibliografía médica de EE.UU., y publicó el primer *Index Catalogue* (1880–95). También diseñó el Hospital Johns Hopkins y fue su asesor médico, condujo programas nacionales de estadísticas vitales, lideró los esfuerzos de EE.UU. para terminar con la fiebre amarilla y fue el primer director de la Biblioteca pública de Nueva York. Su organización de las instituciones médicas estadounidenses fue fundamental para modernizar la atención en los hospitales y la mantención de la salud pública.

Billings, William (7 oct. 1746, Boston, Mass., EE.UU.–26 sep. 1800, Boston, Mass.). Compositor de himnos estadounidense considerado, en ocasiones, el primer compositor estadounidense. Curtidor de profesión, fue en gran medida un músico autodidacta. Su estilo vigoroso y primitivo, sin música instrumental, al parecer encarnó las virtudes características de la Norteamérica primitiva. Su *New England Psalm-Singer* (1770) fue la primera publicación de música en Norteamérica; otras obras de su autoría son *The Singing Master's Assistant* (1778) y *The Continental Harmony* (1794).

Billiton ver BELITUNG

Billroth, (Christian Albert) Theodor (26 abr. 1829, Bergen auf Rügen, Prusia–6 feb. 1894, Abbazia, Austria–Hungría). Cirujano austríaco. Fue pionero del estudio de las causas bacterianas de fiebre en las heridas y adoptó precozmente las técnicas antisépticas que erradicaron la amenaza de las infecciones quirúrgicas fatales. Fundador de la cirugía moderna de la cavidad abdominal, operó y extirpó órganos antes considerados inaccesibles. En 1872 fue el primero en extirpar una parte del esófago, uniendo los cabos seccionados; más tarde hizo la primera extirpación completa de la laringe. En 1881, cuando había hecho de la cirugía intestinal algo casi rutinario, extirpó con éxito un cáncer del píloro (extremo inferior del estómago).

Billy the Kid *orig* **William H. Bonney, Jr.** *o* **Henry McCarty** (23 nov. 1859/60, Nueva York, N.Y., EE.UU.–14 jul. 1881, Fort Sumner, N.M.). Delincuente estadounidense. De niño migró con su familia a Kansas, luego vivió en Nuevo México c. 1868. Comenzó desde muy joven su carrera delictual, la que se desarrollaría por todo el sudoeste. En 1880, cuando el *sheriff* Pat Garrett lo apresó, ya se le atribuía la muerte de 27 hombres. Condenado en Nuevo México en 1881 y sentenciado a morir en la horca, huyó de la cárcel, asesinando a dos guardias, y permaneció libre hasta que Garrett lo encontró y lo mató.

Bilqīs ver reina de SABA

bimetalismo Patrón o sistema monetario que se basa en el uso de dos metales, tradicionalmente ORO Y PLATA, a diferencia del sistema basado en uno solo (monometalismo). En el s. XIX, un sistema bimetálico definía por ley la unidad monetaria de una nación en términos de cantidades fijas de oro y plata (estableciendo así automáticamente un tipo de cambio entre ambos metales). Este sistema brindó un mercado libre e ilimitado para los dos metales, no impuso restricciones al uso y al acuñamiento de monedas en cualquiera de estos metales e hizo que todos los demás DINEROS en circulación fueran rescatables y convertibles en oro o en plata. Debido a que cada país definía en forma independiente su propio tipo de cambio entre ambos metales, el tipo de cambio resultante difería a menudo ampliamente de un país a otro. Cuando la razón de los precios oficiales difería de la razón de los precios en el mercado abierto, la ley de GRESHAM operaba de tal manera que sólo las monedas de un solo metal se mantenían en circulación. Un sistema monometálico, que usaba el PATRÓN ORO, demostró responder con más agilidad a los cambios de la oferta y demanda, por lo que fue ampliamente adoptado después de 1867. Ver también PATRÓN PLATA; TIPO DE CAMBIO.

bin Laden, Osama (n. 1957, Riyad, Arabia Saudita). Líder de un movimiento extremista islámico ampliamente extendido, implicado en numerosos actos de TERRORISMO contra EE.UU. y otros países occidentales. Hijo de una acaudalada familia saudita, se unió a la resistencia musulmana en Afganistán tras la invasión soviética de ese país en 1979. De regreso en su patria, se enfureció ante la presencia de tropas estadounidenses en Arabia Saudita durante la primera guerra del GOLFO PÉRSICO (1990–91) y, a través de una red de militantes islámicos animados por el mismo sentimiento, conocida como al-QAEDA, lanzó una serie de ataques terroristas. Entre estos se

Osama bin Laden, líder de la organización terrorista al-Qaeda.
FOTOBANCO

cuentan los atentados explosivos contra el WORLD TRADE CENTER de Nueva York en 1993, las embajadas de EE.UU. en Kenia y Tanzania en 1998 y el destructor *Cole* de la Armada estadounidense en Adén, Yemen, en 2000. Presunto erudito islámico, Osama bin Laden expresó varios dictámenes jurídicos en que instaba a los musulmanes a emprender una YIHAD (guerra santa) contra EE.UU. Bajo su dirección, en 2001 un grupo de militantes perpetró los ATENTADOS DEL 11 DE SEPTIEMBRE, que provocaron la muerte de unas 3.000 personas. Subsecuentemente, EE.UU. exigió su extradición a Afganistán, cuya milicia TALIBÁN le habría brindado protección. Sin embargo, como los afganos no acataron el ultimátum, EE.UU. atacó a las fuerzas talibanes y de al-Qaeda. Bin Laden y sus colaboradores se ocultaron después de la caída de los talibanes.

binaria eclipsante ver ESTRELLA VARIABLE ECLIPSANTE

Binet, Alfred (8 jul. 1857, Niza, Francia–18 oct. 1911, París). Psicólogo francés. Su interés por el trabajo de JEAN-MARTIN CHARCOT sobre la hipnosis lo indujo a abandonar la carrera de derecho y a estudiar medicina en el Hospital de la Salpêtrière

en París (1878–91). Se desempeñó como director de un laboratorio de investigación en la Sorbona (1895–1911). Considerado una de las figuras más importantes en el desarrollo de la psicología experimental en Francia, fundó en 1895 la primera revista francesa de psicología, *L'Année Psychologique*. Desarrolló técnicas experimentales para medir la habilidad de razonamiento; entre 1905 y 1911, junto con Theodore Simon, desarrollaron escalas influyentes para la medición de la inteligencia en niños. Entre sus obras se cuentan *L'Étude expérimentale de l'intelligence* [El estudio experimental de la inteligencia] (1903) y *La mesure du développement de l'intelligence chez les enfants* [Medición del desarrollo de la inteligencia en niños] (1911) escrita con Théodore Simon.

Binford, Lewis R(oberts) (n. 21 nov. 1930, Norfolk, Va., EE.UU.). Arqueólogo estadounidense. Binford desarrolló su labor docente principalmente en la Universidad de Nuevo México. A mediados de la década de 1960 inició lo que llegaría a ser conocido como la "nueva arqueología", propiciando el uso de métodos cuantitativos y la práctica de la arqueología como una ciencia rigurosa. Aplicó la nueva metodología en un influyente estudio sobre los artefactos de la INDUSTRIA MUSTERIENSE y posteriormente la extendió a un estudio sobre las actividades de caza de un pueblo viviente en la actualidad, los nunamiut, en un intento por establecer analogías con los contextos prehistóricos.

Bing, Sir Rudolf (9 ene. 1902, Viena, Austria-Hungría– 2 sep. 1997, Nueva York, N.Y., EE.UU.). Empresario de ópera británico de origen austríaco. Después de ocupar cargos en óperas alemanas, asumió el puesto de gerente general de la Glyndebourne Opera en Inglaterra (1935–49). En 1946 contribuyó a fundar el festival de EDIMBURGO. En 1950–72 fue gerente general del METROPOLITAN OPERA de Nueva York donde, con un poder autocrático, elevó los niveles de interpretación de la institución, extendió sus temporadas, fomentó innovaciones en el diseño y la producción, terminó con la exclusión de cantantes afroamericanos y supervisó el traslado de la compañía al Lincoln Center en 1966.

Bingham, George Caleb (20 mar. 1811, cond. de Augusta, Va., EE.UU.–7 jul. 1879, Kansas City, Mo.). Pintor y político fronterizo estadounidense. Estudió breve tiempo en la Academia de Bellas Artes de Pensilvania, pero fue fundamentalmente un autodidacta. Entró a la política en Missouri y trabajó como retratista itinerante antes de abocarse a las rutinas de la vida fronteriza como tema de inspiración. Bingham es conocido por sus agudas caracterizaciones claras y de luces doradas, y por su talento para organizar magnas composiciones. Sus obras más conocidas son *Traficantes de pieles descendiendo el Missouri* (1845) y *Balseros jugando a las cartas* (1846).

bingo Juego de azar en el que se emplean cartones con una grilla de casillas numeradas correspondientes a bolitas también numeradas, que se sortean al azar. Cuando sale un número correspondiente al del cartón, los jugadores lo marcan. El juego se gana cuando se completan las casillas de una fila (vertical, horizontal o diagonal). Los cartones se compran y esas ganancias forman un pozo común; los ganadores se llevan una parte de ese pozo. Extraordinariamente popular a mediados del s. XX, el bingo ha sufrido un declive en las últimas décadas en EE.UU., pero su popularidad ha aumentado en otras partes del mundo. El primer nombre del bingo (lotto) fue registrado en 1776 en Gran Bretaña. En EE.UU., algunas veces se le llama keno.

Binh Dinh Vuong ver LE LOI

binoculares Instrumento óptico que proporciona una vista aumentada de los objetos distantes y que se compone de dos TELESCOPIOS similares, uno para cada ojo, montados en un solo marco. En la mayoría de los binoculares, cada telescopio tiene dos PRISMAS que reinvierten la imagen invertida que proporciona el objetivo de cada telescopio. Los rayos de luz recorren una trayectoria quebrada dentro de cada telescopio, de modo que el instrumento tiene una longitud total menor. Los prismas proporcionan también una mejor percepción de la profundidad a mayores distancias, al permitir que los dos objetivos (ver LENTES) estén más separados que los oculares. A menudo, los objetivos de los binoculares se acoplan a los microscopios y otros instrumentos ópticos.

binominal, nomenclatura ver NOMENCLATURA BINOMINAL

binomio, teorema del En álgebra, fórmula para el desarrollo del binomio $(x + y)$ elevado a una potencia entera y positiva. Un caso simple es el desarrollo de $(x + y)^2$, la cual es $x^2 + 2xy + y^2$. En general, la expresión $(x + y)n$ se desarrolla en la suma de $(n + 1)$, términos en los cuales la potencia de x decrece de n a 0 mientras que la de y crece de 0 a n en términos sucesivos. Los términos pueden representarse en notación factorial mediante la expresión $[n!/((n - r)!r!)]x^{n-r}y^r$, en la que r toma valores enteros de 0 a n.

Biobío, río Río del centro-sur de Chile. Nace en la cordillera de los ANDES y discurre 380 km (240 mi) hacia el noroeste hasta desembocar en el océano Pacífico cerca de CONCEPCIÓN. A pesar de que es uno de los ríos más largos de Chile, es poco profundo y navegable solamente por embarcaciones de fondo plano.

biochip Dispositivo de tamaño pequeño, análogo a un CIRCUITO INTEGRADO, construido con moléculas orgánicas asociadas a organismos vivientes, o usado para analizar esas moléculas. Un tipo de biochip teórico es un pequeño dispositivo fabricado

Vista aérea del río Biobío, en su curso inicial, centro-sur de Chile.
FOTOBANCO

con moléculas orgánicas de gran tamaño, como las proteínas, y capaz de ejecutar las funciones de una computadora electrónica (almacenamiento de datos, procesamiento). El otro tipo de biochip es un pequeño dispositivo capaz de ejecutar con rapidez reacciones bioquímicas a escala reducida, con el propósito de identificar secuencias de genes, contaminantes ambientales, toxinas aerotransportadas u otros componentes bioquímicos.

biodegradabilidad Capacidad de un material para descomponerse por acción biológica. Comúnmente el término se refiere a la descomposición de desechos por microorganismos. Por lo general, los productos vegetales y animales son biodegradables, mientras que las sustancias minerales (p. ej., metales, vidrio, plásticos) no lo son. Las condiciones locales, especialmente la presencia o ausencia de oxígeno, afectan la biodegradabilidad. La eliminación de desechos no biodegradables es una fuente primaria de contaminación del medio ambiente. Los materiales quirúrgicos hechos para ser absorbidos por el cuerpo son también llamados biodegradables.

biodiversidad Cantidad de especies de plantas y animales presentes en un ambiente determinado. Algunas veces el término se hace extensivo a la diversidad de hábitats (variedad de lugares donde los organismos viven) y a la diversidad genética (variedad de caracteres que se expresan dentro de una especie). Las 3–30 millones de especies que se estima habitan la Tierra no se distribuyen equitativamente en los hábitats del mundo, así 50–90% de todas las especies habitan

las regiones tropicales. Mientras más diverso sea un hábitat, mayor será la probabilidad de que sobreviva a un cambio o amenaza, dado que es más probable que sea capaz de lograr un ajuste equilibrado. Los hábitats con poca biodiversidad (p. ej., la tundra ártica) son más vulnerables a los cambios. La CUMBRE DE LA TIERRA de 1992 culminó en un tratado para la preservación de la biodiversidad.

biofísica Disciplina que se ocupa de las aplicaciones de los principios y métodos de las ciencias físicas a los problemas biológicos. La biofísica trata sobre las funciones biológicas que dependen de agentes físicos, como la electricidad o las fuerzas mecánicas; de la interacción de los organismos vivos con agentes físicos, como la luz, el sonido o la radiación ionizante; y de las interacciones entre los seres vivos y su medio ambiente, como en la locomoción, la navegación y la comunicación. Sus temas comprenden los huesos, los impulsos nerviosos, los músculos y la vista, así como las moléculas orgánicas, utilizando herramientas como la CROMATOGRAFÍA EN PAPEL y la CRISTALOGRAFÍA de rayos X.

biografía Género literario cuyo tema es la vida de un individuo. Se piensa que los primeros textos biográficos formaban parte de los discursos e inscripciones fúnebres. Los orígenes de la biografía moderna se remontan a los textos de PLUTARCO, relatos moralizantes sobre la vida de figuras prominentes de la Grecia y Roma antiguas, y los de SUETONIO, relatos centrados en los aspectos más populares de la vida de los césares. Antes del s. XVI, casi no se escribieron vidas de individuos comunes y corrientes. El mayor desarrollo de la biografía en inglés tuvo lugar en el s. XVIII con obras como *Vida de Samuel Johnson*, de JAMES BOSWELL. En la época moderna, la superación de la reticencia victoriana y el desarrollo del psicoanálisis han llevado a una comprensión más amplia y penetrante de la tarea biográfica. Ver también AUTOBIOGRAFÍA.

bioingeniería Aplicación de los principios y equipos de la INGENIERÍA a la BIOLOGÍA y a la MEDICINA. Comprende el desarrollo y fabricación de sistemas de supervivencia para la EXPLORACIÓN ESPACIAL y subacuática, dispositivos para tratamientos médicos (ver DIÁLISIS, PRÓTESIS) e instrumentos para monitorizar procesos biológicos. Su evolución ha sido particularmente rápida en el campo de los órganos artificiales, la cual culminó con la implantación de un CORAZÓN ARTIFICIAL en un ser humano en 1982. Los bioingenieros también desarrollan equipos que permiten a los humanos mantener las funciones corporales en condiciones ambientales adversas, como los trajes espaciales que usan los astronautas durante las maniobras extravehiculares en las misiones espaciales.

Bioko, isla de *ant.* **Fernando Poo** Isla (pob., est. 1987: 67.920 hab.) de la bahía de BIAFRA, África occidental. Está situada a 160 km (100 mi) al noroeste de GUINEA ECUATORIAL continental, de la cual forma parte. Bioko es el nombre oficial desde 1979. De origen volcánico, tiene una superficie de 2.018 km² (779 mi²), se eleva abruptamente desde el mar; su cumbre más alta es el pico de Santa Isabel, con 3.008 m (9.869 pies). MALABO, la capital del país, se sitúa en Bioko. La isla fue visitada por el explorador portugués Fernando Poo, probablemente en 1472. Aunque la isla fue reclamada por España después de 1778, el primer intento de un firme dominio español se hizo sólo en 1858. Los habitantes autóctonos, los bubis, son descendientes de emigrantes de habla bantú del continente. Muchos FANG han llegado a la isla desde el continente.

biología Estudio de los seres vivos y sus procesos vitales. La biología es una materia vastísima, por lo que se ha dividido en distintas ramas. El enfoque actual se basa en los niveles de organización biológica implicados (p. ej., moléculas, células, individuos, poblaciones) y en el tema específico que se investiga (p. ej., estructura y función, crecimiento y desarrollo). De acuerdo a este esquema, las principales subdivisiones de la biología son MORFOLOGÍA, FISIOLOGÍA, TAXONOMÍA, EMBRIOLOGÍA, GENÉTICA y ECOLOGÍA, las que pueden dividirse a su vez. La biología también puede dividirse en campos que se especializan en un tipo de ser vivo, por ejemplo, BOTÁNICA (plantas), ZOOLOGÍA (animales), ORNITOLOGÍA (aves), ENTOMOLOGÍA (insectos), MICOLOGÍA (hongos), MICROBIOLOGÍA (microorganismos) y BACTERIOLOGÍA (bacterias). Ver también BIOQUÍMICA; BIOLOGÍA MOLECULAR.

biología marina Ciencia que se ocupa de los animales y plantas de los mares y estuarios y de los organismos aéreos y terrestres que dependen directamente de cuerpos de agua salada para su alimentación y otras necesidades. Los biólogos marinos estudian las relaciones entre los fenómenos oceánicos y la distribución y adaptación de los organismos. De particular interés son las adaptaciones a las propiedades físicas y químicas del agua de mar, los movimientos y corrientes oceánicas, la disponibilidad de luz a diferentes profundidades y la composición del fondo marino. Otras áreas importantes de estudio son las cadenas tróficas marinas, la distribución de peces y crustáceos de importancia económica y los efectos de la contaminación. En las postrimerías del s. XIX, el énfasis se centraba en la recolección y clasificación de organismos marinos, para lo cual se desarrollaron redes, dragas y redes barrederas especiales. En el s. XX, el mejoramiento de los equipos de buceo, de los vehículos sumergibles y de las cámaras fotográficas y de televisión submarinas han hecho posible la observación directa.

biología molecular Campo de la ciencia que se ocupa de las estructuras y procesos de los fenómenos biológicos a nivel molecular. Surgió de los campos afines de la BIOQUÍMICA, GENÉTICA y BIOFÍSICA, esta disciplina se dedica especialmente a estudiar las PROTEÍNAS, ácidos NUCLEICOS y ENZIMAS. El creciente conocimiento sobre la estructura de las proteínas a principios de la década de 1950 permitió describir la estructura del ADN. En la década de 1970, el descubrimiento de algunos tipos de enzimas capaces de cortar y recombinar segmentos de ADN (ver RECOMBINACIÓN) en los CROMOSOMAS de algunas bacterias hizo posible la tecnología del ADN recombinante, que los biólogos moleculares emplean para aislar y modificar GENES específicos (ver INGENIERÍA GENÉTICA).

bioluminiscencia Emisión de luz por un organismo o sistema bioquímico (p. ej., el brillo de las BACTERIAS en carnes o pescados en descomposición, la fosforescencia de PROTOZOOS en los mares tropicales, los destellos de las luciérnagas). Ocurre en una amplia variedad de protistas y animales, incluidos bacterias y hongos, insectos, invertebrados marinos y peces. No se sabe de su existencia natural en plantas verdaderas o en anfibios, reptiles, aves o mamíferos. Se debe a una reacción química que produce energía radiante con gran eficiencia, que genera muy poco calor. Los componentes esenciales para la emisión de luz son, por lo general, la molécula orgánica luciferina y la ENZIMA luciferasa, específicas para diferentes organismos. En los organismos superiores, la producción de luz se

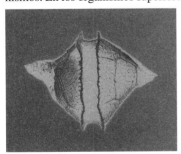

Bioluminiscencia en un dinoflagelado *Pyrodinium bahamense*.
DR. TERRY C. HAZEN/VISUALS UNLIMITED/GETTY IMAGES

emplea para atemorizar a los depredadores y para ayudar a los miembros de una especie a reconocerse entre sí. Su papel funcional en los organismos inferiores como bacterias, dinoflagelados y hongos es incierto. Las especies luminosas están taxonómicamente muy dispersas y carecen de un patrón preciso, aunque en su mayoría son marinas.

bioma La mayor unidad geográfica biótica, una gran comunidad de plantas y animales con requerimientos similares de condiciones ambientales. Abarca varias comunidades y diferentes estados de desarrollo de estas y se denomina por el tipo dominante de vegetación, como pradera o bosque de coníferas. Varios biomas similares constituyen un bioma tipo; por ejemplo, el bioma tipo conocido como bosque caduco templado comprende biomas de bosques deciduos de Asia, Europa y Norteamérica. En Europa el término estándar para bioma es "extensa zona de vida".

biomasa Peso o cantidad total de organismos vivientes de una especie animal o vegetal (biomasa de la especie) o de todas las especies en la comunidad (biomasa de la comunidad), comúnmente referida a una unidad de superficie o volumen del hábitat. La biomasa de un área en un momento dado es la cosecha en pie.

Biondi, Matt (n. 15 oct. 1965, Palo Alto, Cal., EE.UU.). Nadador estadounidense. De 2 m (6 pies 7 pulg.) de estatura, ganó 11 medallas, ocho de ellas de oro, en tres JUEGOS OLÍMPICOS consecutivos (1984, 1988 y 1992). Junto a MARK SPITZ, es el nadador estadounidense con mayor éxito a nivel olímpico.

Tecnólogos médicos operando equipos de análisis de biopsia.
FOTOBANCO

biopsia Procedimiento por el cual se extraen y examinan células o tejidos de un paciente. Se pueden obtener muestras de cualquier órgano con distintos métodos, como succión con agujas, frotes, raspado, ENDOSCOPIA o extirpando parcial o íntegramente la estructura que va a estudiarse. Es el paso estándar para distinguir los tumores malignos de los benignos y puede dar información complementaria útil para el diagnóstico, especialmente con respecto a órganos como el hígado y el páncreas. Se separan láminas del tejido y se examinan al microscopio.

bioquímica Campo de la ciencia relacionado con las sustancias químicas y los procesos que ocurren en las plantas, animales y microorganismos. Implica la determinación cuantitativa y el ANÁLISIS estructural de los compuestos orgánicos que elaboran las CÉLULAS (PROTEÍNAS, CARBOHIDRATOS y LÍPIDOS) y de aquellos que juegan roles importantes en las REACCIONES QUÍMICAS necesarias para la vida (p. ej., ácidos NUCLEICOS, VITAMINAS y HORMONAS). Los bioquímicos estudian los muchos cambios químicos complejos e interrelacionados de las células. Los ejemplos comprenden las reacciones químicas por las cuales las proteínas y todos sus precursores son sintetizados, el alimento es convertido en ENERGÍA (ver METABOLISMO), las características hereditarias son transmitidas (ver HERENCIA), la energía es almacenada y liberada, y todas las reacciones químicas biológicas son catalizadas (ver CATÁLISIS, ENZIMA). La bioquímica llega más allá de las ciencias biológicas y físicas y utiliza muchas técnicas comunes en medicina y fisiología, así como aquellas de química orgánica, analítica y FISICOQUÍMICA.

biorretroalimentación Información entregada instantáneamente acerca de los procesos fisiológicos propios de un individuo. Los datos relacionados con la actividad cardiovascular (PRESIÓN SANGUÍNEA y ritmo cardíaco), temperatura, ondas cerebrales o tensión muscular, son monitorizados electrónicamente y devueltos o "retroalimentados" al individuo por medio de una marca en un medidor, una luz o un sonido. El objetivo es que el paciente utilice esa información biológica para aprender a controlar voluntariamente sus reacciones corporales frente a situaciones externas estresantes. Un tipo de terapia del COMPORTAMIENTO, el entrenamiento de biorretroalimentación, se usa a veces en combinación con la PSICOTERAPIA para ayudar a los pacientes a comprender y a modificar sus reacciones habituales al estrés. Los males tratados mediante biorretroalimentación son la MIGRAÑA, los problemas gastrointestinales, la presión arterial alta y las crisis de epilepsia.

BIOS *sigla de* **Basic Input/Output System** (Sistema básico de entrada y salida). PROGRAMA COMPUTACIONAL que se almacena generalmente en una EPROM y que es utilizado por la CPU para ejecutar los procedimientos de arranque cuando se enciende la computadora. Sus dos procesos más importantes son determinar qué dispositivos periféricos (teclado, ratón, disqueteras, impresoras, tarjetas de vídeo, etc.) se encuentran disponibles y cargar el sistema operativo (SO) en la memoria principal. Después del arranque, el programa BIOS administra el flujo de datos entre el SO y los periféricos, de modo que ni el SO ni los programas de aplicación necesitan conocer los detalles de los periféricos (como las direcciones de *hardware*).

biosfera Estrato relativamente tenue de la superficie terrestre sustentador de vida, que abarca desde algunos kilómetros en la atmósfera hasta las profundidades de los océanos. La biosfera es un ECOSISTEMA global que puede ser fraccionado en ecosistemas regionales o locales, o BIOMAS. Los organismos de la biosfera se clasifican en niveles tróficos (Ver CADENA ALIMENTARIA) y comunidades.

biosólidos Lodos residuales remanentes del tratamiento de las aguas servidas. Se usan como FERTILIZANTES en la agricultura, para lo cual deben estabilizarse primero mediante un procesamiento, como la digestión o la adición de cal, para reducir la concentración de metales pesados y organismos patógenos (como BACTERIAS, VIRUS y otros). Este procesamiento también disminuye su volumen y estabiliza la materia orgánica que contienen, reduciendo así los posibles malos olores. El uso de biosólidos en la agricultura se ha tornado controversial, las críticas sostienen que incluso las aguas servidas tratadas podrían contener bacterias y virus dañinos así como metales pesados.

biotecnología Aplicación a la industria de los adelantos alcanzados en las ciencias biológicas. El crecimiento de este campo se asocia al desarrollo de la INGENIERÍA GENÉTICA en la década de 1970 y a la decisión de 1980 del Tribunal Supremo de EE.UU. de que "un microorganismo vivo hecho por el hombre es materia patentable", lo que provocó el establecimiento de numerosas firmas comerciales de biotecnología que elaboran sustancias mediante ingeniería genética para diversos usos, principalmente con fines médicos, agrícolas y ecológicos.

biotina Compuesto orgánico, parte del complejo de VITAMINA B esencial para el crecimiento y la salud de los animales y de algunos microorganismos. Es un ácido CARBOXÍLICO con dos anillos en su estructura, que contiene átomos de nitrógeno y azufre así como carbono, hidrógeno y oxígeno. Interviene en la formación y el metabolismo de las grasas y carbohidratos. Está ampliamente distribuido en la naturaleza y es muy abundante en la yema de huevo, el hígado de vacuno y la levadura. Una deficiencia de biotina puede ser inducida por el consumo de grandes cantidades de clara de huevo cruda, la cual contiene una proteína (avidina) que se combina con la biotina e impide su absorción. La biotina es necesaria para sintetizar en el cuerpo los ácidos GRASOS y para convertir los AMINOÁCIDOS en GLUCOSA.

biotita *o* **mica negra**
SILICATO del grupo común de la MICA. Abunda en rocas metamórficas, pegmatitas, granitos y otras rocas ígneas. La biotita es un silicato de estructura estratificada en el cual el aluminio y el silicio aparecen en extensas láminas de Si-Al-O alternadas con láminas ricas en potasio y magnesio (y hierro).

Biotita del distrito de Juchitán, Oaxaca, México.
GENTILEZA DEL FIELD MUSEUM OF NATURAL HISTORY, CHICAGO; FOTOGRAFÍA, JOHN H. GERARD—EB INC.

Bioy Casares, Adolfo (15 sep. 1914, Buenos Aires, Argentina–8 mar. 1999, Buenos Aires). Escritor y editor argentino. Es conocido por su predilección por la literatura fantástica, género que cultivó en la creación de sus propias obras como en sus colaboraciones con JORGE LUIS BORGES. Entre sus novelas se cuentan *La invención de Morel* (1940), *El sueño de los héroes* (1954) y *Diario de la guerra del cerdo* (1969). En 1990 obtuvo el Premio Cervantes, la más alta distinción en las letras hispánicas.

Biqā' valle de Al- ver valle de la BEKAA

Bird, Larry (Joe) (n. 7 dic. 1956, West Baden, Ind., EE.UU.). Basquetbolista estadounidense. Pasó la mayor parte de su carrera deportiva universitaria en la Universidad del estado de Indiana, antes de ser contratado por los Boston Celtics de la NBA. Como alero y con 2,06 m de estatura (6 pies 9 pulg.), fue un excelente lanzador, gran manejador del balón y uno de los más formidables creadores de jugadas. Obtuvo con los Boston títulos de la NBA en 1981, 1984 y 1986, y fue designado Jugador Más Valioso de la liga en tres años consecutivos (1984–86). Se retiró en 1992 y fue el jefe técnico de los Indiana Pacers en la temporada 1997–98.

Birdseye, Clarence (9 dic. 1886, Nueva York, N.Y., EE.UU.–7 oct. 1956, Nueva York). Hombre de negocios e inventor estadounidense. Desarrolló un proceso altamente eficiente para la CONGELACIÓN de alimentos en envases pequeños, apropiados para la venta al por menor. Logró un congelado rápido al colocar los alimentos envasados, como pescados, frutas y verduras, entre dos placas de metal refrigeradas. A pesar de que los suyos no fueron los primeros alimentos congelados, su proceso preservaba en gran parte el sabor original de los alimentos. En 1929, su compañía fue adquirida por Postum, Inc., la que más tarde se transformó en la General Foods Corp. Birdseye se desempeñó como ejecutivo de la corporación hasta 1938.

BIRF ver BANCO MUNDIAL

Biringuccio, Vannoccio (20 oct. 1480, Siena–ago. 1537, Roma). Metalurgista y fabricante de armas italiano. Se lo conoce principalmente por la primera obra clara y de vasto alcance sobre METALURGIA, *Pirotecnia* (publicada póstumamente en 1540). Su libro, que contrasta en forma impresionante con los oscuros escritos alquimistas de la época, está lleno de espléndidos grabados en madera que ilustran los equipos y procesos e incluye instrucciones claras y prácticas para la MINERÍA, la FUNDICIÓN DE MINERALES y el labrado de metales. Llegó a ser una referencia obligada y sigue siendo hoy un texto de consulta valioso sobre la tecnología de los s. XV y XVI.

Birkenau ver AUSCHWITZ

Birkenhead, Frederick Edwin Smith, 1er conde de
(12 jul. 1872, Birkenhead, Cheshire, Inglaterra–30 sep. 1930,
Londres). Político bri-
tánico. Elegido a la Cá-
mara de los Comunes en
1906, se hizo conocido
como orador y pronto se
convirtió en líder del Partido Conservador. Como
fiscal general (1915–18),
procesó a ROGER CASEMENT.
Como lord canciller
(1919–22), consiguió la
aprobación de la ley de
propiedad (1922) y luego
de los estatutos de bienes
inmobiliarios (1925) que
reemplazaron un con-
fuso sistema de le y de
tierras. También ayudó a
negociar el tratado anglo-
irlandés de 1921.

Frederick Edwin Smith, 1er conde de
Birkenhead.
BASSANO & VANDYK

Birmania ver MYANMAR

Birmania, carretera de Antigua carretera de Asia meridional. Recorría 1.096 km (681 mi) desde Lashio (en el
este de Birmania, la actual Myanmar), con una ruta hacia
el nordeste, hasta Kunming (en YUNNAN, China). Una extensión se prolongaba hacia el este desde Kunming y luego hacia
el norte hasta CHONGQING. Terminada en 1939, funcionaba
como ruta de abastecimiento al interior de China, transpor-
tando material de guerra. En 1942 fue capturada por los japoneses. Fue reabierta en 1945, cuando se conectó con la ruta
STILWELL desde India. Después de la segunda guerra mundial
decreció en importancia, pero continúa siendo un elemento
de enlace en un sistema de caminos de 3.400 km (2.100 mi),
que va desde YANGON, Myanmar, hasta Chongqing, China.

birmano, gato Raza de GATO DOMÉSTICO, presumiblemente
de origen asiático. De estructura compacta, tiene una cabeza

pequeña y redonda y ojos amarillos,
redondos y separados. Su pelaje corto,
liso y brillante se va oscureciendo a
medida que el animal madura, pasando de un color achocolatado claro a un
pardo oscuro, siendo más claro en el
vientre. Las orejas, cara, patas y cola
pueden ser más oscuras. Su cola ahusada puede enroscarse hacia la punta.

Gato birmano.
© PADDY CUTTS/ANIMALS UNLIMITED

Birmingham Ciudad y municipio
metropolitano (pob., 2001: 977.091 hab.)
del centro de Inglaterra. Se ubica a
160 km (100 mi) al noroeste de Londres.
Su primer documento de constitución
lo obtuvo en 1166. Fue un pequeño
pueblo manufacturero hasta el s. XVIII, cuando se convirtió
en centro de la REVOLUCIÓN INDUSTRIAL; entre sus ciudadanos
destacan JAMES WATT, JOSEPH PRIESTLEY y JOHN BASKERVILLE. Fue
restaurada luego del daño que le causó el intenso bombardeo
durante la segunda guerra mundial. Sigue siendo el principal
centro de la industria ligera y mediana de Gran Bretaña, como
también un centro cultural de una amplia zona. Birmingham
es sede de dos universidades y de un instituto de enseñanza
secundaria fundado por el rey Eduardo VI en 1552.

Birmingham Ciudad (pob., 2000: 249.459 hab.) del centro-
norte del estado de Alabama, EE.UU. Es la ciudad más grande
de Alabama. Fundada en 1871 por una compañía de bienes
raíces con el respaldo de funcionarios de ferrocarriles, debe su
nombre a la ciudad hermana de Inglaterra. Creció como centro

de las industrias de hierro y de acero del sur. Desde la cercana
Port Birmingham, un canal navegable para barcazas conduce al
sur hacia MOBILE. Birmingham fue escenario de las campañas de
los derechos civiles organizadas por MARTIN LUTHER KING, JR.
a principios de la década de 1960, y en 1963 cuatro niñas
afroamericanas fueron asesinadas allí por una bomba que se
hizo explotar en una iglesia, incidente que dio mayor impulso
al movimiento por los DERECHOS CIVILES.

Birmingham, Universidad de Universidad pública de
Inglaterra, fundada en 1900 por la ciudadanía de Birmingham,
que anhelaba tener su propio centro de estudios para formar
y educar a quienes se encargarían de los negocios e industrias
de la burguesía de la época. En consecuencia, las primeras
disciplinas que se impartieron fueron ciencias e ingenierías.
También fue la primera universidad del Reino Unido en establecer una facultad de comercio e incorporar una escuela
para la enseñanza de la medicina. En la actualidad es reconocida tanto por su excelencia en humanidades, educación,
ciencias sociales y derecho, como por ser una de las instituciones renombradas en materia de investigación en diversas
disciplinas. Es miembro fundador de Universitas 21, grupo
de elite de las principales universidades del mundo dedicadas
a la investigación. Posee dos sedes: Selly Oak y Edgbaston,
siendo esta última la principal. Ofrece cursos de pregrado y
posgrado, además de cursos de formación continua.

Birney, (Alfred) Earle (13 may. 1904, Calgary, Alberta,
Territorios Noroccidentales, Canadá–3 sep. 1995, Toronto,
Ontario). Poeta y educador canadiense. Birney obtuvo un
Ph.D. en la Universidad de Toronto y publicó su primer libro
de poesía, *David* (1942, Premio del Gobernador General),
durante sus años de estudio en esa institución. Tras participar
en la segunda guerra mundial, publicó *Now Is Time* [Este es
el momento] (1946, Premio del Gobernador General) y otras
obras, además de desempeñarse en diversos puestos como
profesor y editor. Su amor por el lenguaje lo llevó a experimentar con poemas sonoros y a explorar la poesía concreta.
También escribió dos novelas, una obra dramática en verso y
varias obras de radioteatro.

Birney, James G(illespie) (4 feb. 1792, Danville, Ky.,
EE.UU.–25 nov. 1857, Eagleswood, N.J.). Político estadounidense y dirigente antiesclavista. Ejerció como abogado en
Danville, Ky., antes de trasladarse a Alabama, donde fue elegido
miembro del poder legislativo del estado en 1819. Participó activamente en el movimiento abolicionista y, en 1837, fue elegido
secretario de la SOCIEDAD CONTRA LA ESCLAVITUD. Cuando este
grupo se dividió, ayudó a dirigir la facción que se convirtió en
el PARTIDO DE LA LIBERTAD. Fue candidato presidencial de su partido
en 1840 y nuevamente en 1844.

birrefringencia *o* **doble refracción** Propiedad óptica
de un medio, en que un único rayo de luz no polarizada
(ver POLARIZACIÓN) que penetra en él, se separa en dos componentes que viajan a velocidades diferentes y en direcciones
distintas. Si penetra perpendicular a la superficie, uno de los
rayos prosigue rectilíneo sin desviarse, mientras que el otro
experimenta REFRACCIÓN en cierto ángulo. La separación se
produce debido a que la velocidad de propagación del rayo
de luz en el medio está determinada por la orientación que
tiene con respecto a los planos de la RED CRISTALINA del medio.
Dado que la luz no polarizada consiste en ondas que vibran
en todas las direcciones, algunas atravesarán la red cristalina sin ser afectadas, mientras que otras serán refractadas y
cambiarán de dirección. El HIELO, el CUARZO y el AZÚCAR son
materiales birrefringentes.

Birtwistle, Sir Harrison (Paul) (n. 15 jul. 1934, Accrington,
Lancashire, Inglaterra). Compositor británico. Comenzó
como clarinetista y, pasado los 20 años de edad, se dedicó
a la composición. Fue cofundador del conjunto de cámara

"Pierrot Players" con Sir Peter Maxwell DAVIES (1967), pero se sintió limitado por el tamaño del grupo. Entonces se concentró en la exploración de las estructuras de tiempo a gran escala; la forma de su música es controlada por complejos principios cíclicos que él ha rehusado discutir. Entre sus trabajos figuran las piezas teatrales *Punch and Judy* (1966–67), *The Mask of Orpheus* (1973–86) y *Gawain* (1991), y las piezas orquestales *The Triumph of Time* (1972), *Silbury Air* (1977) y *Secret Theatre* (1984).

Bīrūnī, al- (sep. 973, Khwārezm, actual Uzbekistán–13 dic. 1048, Gazna, actual Afganistán). Erudito y científico persa. Con posterioridad a 1017 viajó a India, de la que escribió un relato enciclopédico. Más tarde se estableció en Gazna, Afganistán, donde disfrutó del apoyo del renombrado MAḤMŪD DE GAZNA y otros gobernantes de la dinastía GAZNAWĪ. Versado en muchas lenguas, escribió en árabe, produciendo obras sobre matemática, astronomía, astrología, geografía, física, medicina, historia y cronología. Sus logros científicos incluyeron cálculos precisos de latitud y longitud, y la explicación de los manantiales naturales por las leyes de la hidrostática. Sus obras más conocidas son *Historia de India* y *Cronología de antiguas naciones*.

bisbita *o* **cachila** Cualquiera de unas 50 especies (especialmente del género *Anthus*) de aves canoras pequeñas, enjutas y de hábitos terrestres, pertenecientes a la familia Motacillidae. Se encuentran en todo el mundo, a excepción de las regiones polares y de algunas islas. Presentan vetas de color pardusco y miden 12–23 cm (5–9 pulg.) de largo. Tienen el pico delgado y

Bisbita o cachila (*Anthus spinoletta*).
© ENCYCLOPÆDIA BRITANNICA, INC.

puntiagudo, alas puntiagudas y las garras y dedos traseros del pie alargados. Son conocidas por su gorjeo característico, caminan y corren rápido (pero nunca saltan), buscando insectos en la tierra. Su vuelo es notoriamente ondulante. Las plumas blancas exteriores de la cola se ven mejor durante el vuelo. Ver también LAVANDERA.

Biscayne, bahía de Ensenada del océano Atlántico, en el sudeste de EE.UU. Ubicada a lo largo del sudeste de Florida, tiene una longitud aprox. de 64 km (40 mi) de largo y 3–16 km (2–10 mi) de ancho; forma parte del CANAL INTRACOSTAL DEL ATLÁNTICO. Limita con MIAMI por el noroeste y los cayos de Florida por el este. La bahía debe su nombre al antiguo explorador El Biscaíno, de la provincia de Vizcaya (Biscaya), España. Ver también parque nacional de BISCAYNE.

Biscayne, parque nacional de Reserva en el sudeste del estado de Florida, EE.UU. Ubicado a 32 km (20 mi) al sur de MIAMI, ocupa una superficie de 70.035 ha (172.925 acres) y está conformado principalmente por arrecifes

Embarcadero típico de la bahía de Biscayne, Florida, EE.UU.
FOTOBANCO

de coral y agua; unos 33 cayos dan forma a una cadena de dirección norte-sur que separa la bahía de BISCAYNE del océano Atlántico. Se distingue por una amplia variedad de vida marina. Autorizado como Biscayne National Monument en 1968, se convirtió en parque nacional en 1980.

Bischof, Werner (26 abr. 1916, Zürich, Suiza–16 may. 1954, Andes peruanos). Reportero gráfico suizo. Estudió en la Escuela de artes y oficios de Zürich (1932–36). En 1942

comenzó a trabajar en la revista de fotografía *Du*, para la cual fotografió Francia, Alemania y los Países Bajos destruidos por la guerra. En 1949 se unió a la agencia cooperativa de fotógrafos, Magnum Photos. Falleció en un accidente automovilístico mientras trabajaba en Perú. Se publicaron colecciones de sus fotografías en los libros *Japan* (1954), *Incas to Indians* (1956) y *The World of Werner Bischof* (1959).

Bishkek *o* **Pishpek** *ant. (1926–91)* **Frunze** Ciudad (pob., est. 1999: 619.000 hab.), capital de Kirguizistán. Se ubica en las riberas del río Chu, cerca de los montes Kirguiz, en la frontera con Kazajstán. En 1825, el kanato uzbeko de Kokand (ver QO'QON) estableció una fortaleza en ese lugar, que en 1862 fue capturada por los rusos. Los rusos la llamaron erróneamente Pishpek. Cuando se instauró la República Socialista Soviética Autónoma de Kirguizia en 1926, la ciudad pasó a ser su capital y se le dio el nombre de Frunze en honor a un líder del Ejército Rojo que nació allí. Se desarrolló como ciudad industrial, en especial durante la segunda guerra mundial (1939–45), debido al traslado de las industrias pesadas de Rusia occidental a ese lugar.

Bishop, Elizabeth (8 feb. 1911, Worcester, Mass., EE.UU.–6 oct. 1979, Boston, Mass.). Poeta estadounidense. Se crió con sus familiares de Nueva Escocia, Canadá, luego de la muerte de su padre y de que su madre fuera internada. En las décadas de 1950–60, vivió principalmente en Brasil, con la mujer brasileña que amaba. Su primer libro de poemas, *North & South* [Norte y sur] (1946), contrapone sus orígenes en Nueva Inglaterra y su gusto por los climas cálidos; lo reimprimió con algunos poemas nuevos con el título *North & South: A Cold Spring* [Norte y sur: una primavera fría] (1955), y recibió por él el Premio Pulitzer. Sus obras son elogiadas por su brillo formal y por sus ajustadas observaciones de la realidad cotidiana, y han concitado la admiración de otros poetas. Entre sus publicaciones póstumas se cuentan *The Collected Prose* [Prosa completa] (1984) y *One Art* [Un arte] (1994), que reúne sus cartas.

Bishop, J(ohn) Michael (n. 22 feb. 1936, York, Pa., EE.UU.). Virólogo estadounidense. Se graduó de la escuela de medicina de Harvard. En 1970, con HAROLD VARMUS, probó la teoría de que las células corporales normales contienen ONCOGENES (genes causantes del cáncer). Las investigaciones ulteriores demostraron que estos genes pueden causar cáncer aun sin intervención viral. En 1989, año en que Bishop y Varmus obtuvieron el Premio Nobel por sus investigaciones, los científicos habían identificado más de 40 oncogenes en animales.

Bishop, William Avery *llamado* **Billy Bishop** (8 feb. 1894, Owen Sound, Ontario, Canadá–11 sep. 1956, West Palm Beach, Fla., EE.UU.). As de la aviación canadiense en la primera guerra mundial. Educado en el Royal Military College, en 1915 se cambió de la caballería al Royal Flying Corps (Cuerpo real de aviación). Mientras prestó servicios en Francia, en 1917, destruyó 72 aviones enemigos, 25 de ellos en sólo diez días. Se le nombró funcionario del ministerio de aviación de Gran Bretaña, y colaboró en la formación de la Real Fuerza Aérea Canadiense como brigada aparte. Terminada la guerra, se convirtió en hombre de negocios y escritor.

bisinosis Trastorno respiratorio causado por el polvo de algodón y de otras fibras, común entre los trabajadores textiles. Además, el polvo estimula la liberación de HISTAMINA; las vías respiratorias se contraen y dificultan la respiración. Con el paso del tiempo, el polvo se acumula en el pulmón, produciendo un típico cambio de color pardo. Reconocida por primera vez en el s. XVII, la bisinosis se observa hoy en la mayoría de las regiones productoras de algodón del mundo. Se necesitan varios años de exposición al polvo de algodón para que se desarrolle bisinosis. En etapas avanzadas causa una enfermedad pulmonar obstructiva crónica irreversible. Aun cuando el algodón sea con creces la causa más común, el lino, el cáñamo y otras fibras orgánicas también pueden producir bisinosis. Existen pruebas de que un producto bacteriano presente en las fibras es la causa de la enfermedad.

bisj, poste Poste de madera tallada usado en ritos religiosos de las islas del Pacífico sur. Los postes, de 4–8 m (12–26 pies) de alto, asemejan una canoa de proa exagerada colocada verticalmente. Consisten en figuras talladas situadas una sobre la otra (se cree que representan ancestros) y terminan en una proyección plana de ornamentos calados. Su fin es albergar las almas de los muertos, manteniéndolas alejadas de la aldea y se utilizan también para transmitir poderes mágicos. Ver también TÓTEM.

Poste bisj de los ancestros del pueblo asmat; museo de Irian Jaya, Indonesia.
FOTOBANCO

Bismarck Ciudad (pob., 2000: 55.532 hab.), capital del estado de Dakota del Norte, EE.UU. Fue fundada como puerto del río MISSOURI en la década de 1830. En 1872 se estableció un puesto militar para proteger a los trabajadores ferroviarios y en 1873 recibió su nombre actual en honor a OTTO VON BISMARCK con la esperanza de atraer inversiones alemanas. Con el descubrimiento de oro en el cercano grupo de montañas Black Hills, se convirtió en un centro de prospección. En 1883 pasó a ser la capital del Territorio de Dakota. Cuando en 1889 este territorio se dividió en dos estados, Bismarck se convirtió en la capital del estado del norte. Actualmente es el centro comercial, cultural y financiero de la región.

Bismarck ACORAZADO alemán de la segunda guerra mundial. La formidable nave de 47.700 Tm (52.600 t) fue botada en 1939. Aviones de reconocimiento británicos lo avistaron frente a Bergen, Noruega, en mayo de 1941, y casi la totalidad de la escuadra británica fue enviada para interceptarlo. Dos cruceros entablaron combate con él cerca de Islandia, y el *Bismarck* destruyó al *Hood* antes de escapar a mar abierto. Ubicado 30 horas más tarde, fue torpedeado y bombardeado por acorazados durante toda la noche. El *King George V* y el *Rodney*, en un ataque de una hora de duración, lo dejaron inmaniobrable y finalmente fue hundido por torpedos lanzados por el crucero *Dorsetshire*.

Bismarck, archipiélago Grupo de islas en el oeste del océano Pacífico. Se ubican al noroeste de la isla de NUEVA GUINEA y forman parte de PAPÚA Y NUEVA GUINEA. Cubre una superficie total de 49.658 km² (19.173 mi²); entre sus islas mayores están NUEVA BRETAÑA, NUEVA IRLANDA, las islas del ALMIRANTAZGO y Nueva Hanover (Lavongai). En 1884 el archipiélago fue anexado por Alemania y bautizado en honor a OTTO VON BISMARCK. Durante 1914 fue ocupado por Australia y en 1920 pasó a ser territorio del mandato australiano. Después de la segunda guerra mundial, el grupo conformó el territorio fideicomisado por las Naciones Unidas y pasó a ser parte de Papúa y Nueva Guinea desde que esta obtuvo su independencia en 1975.

Bismarck, Otto (Eduard Leopold), príncipe von (1 abr. 1815, Schönhausen, Altmark, Prusia–30 jul. 1898, Friedrichsruh, cerca de Hamburgo). Estadista prusiano que fundó el Imperio alemán en 1871 y del que fue canciller por 19 años. Nacido en el seno de la elite terrateniente de Prusia, estudió derecho y fue elegido a la Dieta prusiana en 1849. En 1851 fue nombrado representante ante la Dieta federal en Francfort. Después de ser embajador en Rusia (1859–62) y Francia (1862), se convirtió en primer ministro y ministro de asuntos exteriores (1862–71). Cuando asumió el cargo, se consideraba a Prusia la más débil de las cinco potencias europeas, pero bajo su liderazgo ganó una guerra contra Dinamarca en 1864 (ver cuestión de SCHLESWIG-HOLSTEIN), la guerra de las SIETE SEMANAS (1866) y la guerra FRANCO-PRUSIANA (1870–71). A través de estas victorias consiguió su meta de unificar políticamente a los diversos estados alemanes en un imperio dominado por Prusia. Una vez que se estableció el Imperio, se convirtió en su canciller. Conocido como el "canciller de hierro", preservó hábilmente la paz en Europa mediante alianzas contra Francia (ver Liga de los TRES EMPERADORES; tratado de REASEGURO; TRIPLE ALIANZA). Internamente, introdujo reformas administrativas y económicas, pero siempre buscando preservar el statu quo, oponiéndose al PARTIDO SOCIALDEMÓCRATA y a la Iglesia católica (ver KULTURKAMPF). Cuando dejó el cargo en 1890, el mapa de Europa había sufrido enormes cambios. Sin embargo, el Imperio alemán, su logro más importante, le sobrevivió sólo 20 años, porque no logró unificar internamente a su pueblo.

bismuto ELEMENTO QUÍMICO semimetálico a metálico, símbolo químico Bi, número atómico 83. Duro, quebradizo y lustroso, tiene un color gris blanquecino característico con un tinte rojizo. A menudo se encuentra libre en la naturaleza, así como en compuestos y en mezclas de MENAS. Las ALEACIONES de bismuto son utilizadas (por su bajo punto de fusión) para fundir metales, en soldaduras especiales, cabezas de rociadores automáticos, fusibles y muchos dispositivos para la detección de fuego. El fosfomolibdato de bismuto es un catalizador en la producción de acrilonitrilo, una materia prima importante para fibras y plásticos. Las sales de bismuto son utilizadas para fabricar agentes tranquilizantes para los desórdenes digestivos (especialmente el subsalicilato de bismuto), para tratar infecciones de la piel y lesiones; en lápices labiales, esmalte de uñas y sombra para los ojos, a los cuales otorga un brillo perlado.

bisonte Cualquiera de dos especies (género *Bison*) de BÓVIDOS parecidos a un buey, con la frente convexa y una pronunciada joroba en la cruz. Mantienen la cabeza gacha, son de color pardo oscuro y su pelaje grueso es especialmente largo en la cabeza, cuello y hombros. Ambos sexos tienen cuernos gruesos y curvos. Un macho adulto tiene una alzada de 2 m (6,5 pies) aprox. y pesa más de 900 kg (1.980 lb). El bisonte vive en rebaños. El bisonte americano (*B. bison*), conocido comúnmente como

Bisonte americano (*Bison bison*).
FOTOBANCO

BÚFALO, era muy abundante en casi toda Norteamérica a la llegada de los europeos. Su caza indiscriminada lo llevó casi a su extinción hacia 1900; desde entonces se ha ido recuperando. El bisonte europeo (*B. bonasus*) es similar y sólo sobrevive en algunos rebaños domados.

Bisotun ver BEHISTÚN

Bissau Puerto marítimo (pob., est. 1999: 274.000 hab.), capital de Guinea-Bissau. Situado a orillas del estuario del río Geba, que desemboca en el océano Atlántico, el puerto se originó en 1687 como un fuerte militar portugués. En 1941 reemplazó a Bolama como capital del país y se ha transformado desde entonces en un excelente fondeadero para naves de gran calado.

bit *acrón. del inglés* **binary digit** (dígito binario). En la teoría de la comunicación y la información, la unidad de información equivalente al resultado de una elección entre dos opciones posibles, como 1 y 0, en el CÓDIGO BINARIO usado generalmente en las COMPUTADORAS DIGITALES. La denominación también se aplica a una unidad de MEMORIA correspondiente a la capacidad para almacenar el resultado de una elección entre dos opciones. Un byte consiste en una secuencia de 8 bits consecutivos y constituye la unidad básica de procesamiento de información de una computadora. Debido a que un byte comprende sólo una cantidad de información equivalente a una letra o símbolo (p. ej., una coma), las capacidades de procesamiento y almacenamiento del *hardware* de la computadora se expresan generalmente en kilobytes (1.024 bytes), megabytes (1.048.576 bytes), e incluso en gigabytes (alrededor de mil millones de bytes) o terabytes (1 billón de bytes).

Bitinia Antiguo país del noroeste de Anatolia. Cercado por el mar de MÁRMARA, el BÓSFORO y el mar NEGRO, fue poblado por los tracios hacia el final del II milenio AC. Ellos nunca se sometieron a ALEJANDRO MAGNO y para el s. III AC se había establecido allí un poderoso reino helénico; luego vino un siglo de liderazgo inepto y de rápida decadencia. Nicomedes IV, último rey de Bitinia, legó su reino a los romanos en 74 AC.

bits, mapa de Método mediante el cual se define el espacio de pantalla (como, por ejemplo, un archivo de imagen gráfica), incluido el color de cada uno de sus PÍXELES (o bits). En realidad, un mapa de bits es un arreglo de datos binarios que representan los valores de los píxeles en una imagen o pantalla. Un GIF es un ejemplo de un archivo de imagen gráfica que contiene un mapa de bits. Cuando el GIF es desplegado en el monitor de una computadora, esta lee el mapa de bits para determinar qué colores usar para "pintar" la pantalla. En las fuentes tipográficas basadas en un mapa de bits, cada símbolo queda definido como un patrón de puntos en un mapa de bits.

Bitterroot, cordillera Segmento de las montañas ROCOSAS en EE.UU. Se extiende por 480 km (300 mi) de norte a sur a lo largo del límite de los estados de Idaho y Montana. El promedio de sus cumbres es de aprox. 2.700 m (9.000 pies), y la más alta es Scott de Idaho, a 3.473 m (11.393 pies). Debido al difícil acceso desde el este, la expedición de LEWIS Y CLARK (1805) tuvo que desplazarse más de 160 km (100 mi) al norte para encontrar una ruta que atravesara la cordillera. El bosque nacional de Bitterroot se extiende por el centro de la cordillera.

bitumen Mezcla de hidrocarburos, similares al alquitrán, derivados del PETRÓLEO. Es negro o marrón y varía de viscoso a sólido. La forma sólida por lo general se denomina ASFALTO. El bitumen se encuentra en casi todo el mundo y en casi toda la gama de estratos geológicos. El término también se refiere a compuestos de hidrocarburos sintéticos.

bivalvo Cualquier miembro de los MOLUSCOS de la clase Bivalvia o Pelecypoda, caracterizados por tener una concha demediada en dos valvas. Las ALMEJAS, BERBERECHOS, MEJILLONES, OSTRAS, VIEIRAS Y TEREDOS son bivalvos. La mayoría están encerrados completamente en la concha, cuyas dos valvas se encuentran unidas por un ligamento elástico y por dos láminas de tejido llamado manto. Los bivalvos son acéfalos. Se alimentan de FITOPLANCTON bombeando agua a través de las branquias y atrapando las partículas de alimento, las que son llevadas a la boca. Los bivalvos se encuentran en la mayoría de los océanos desde las zonas intermareales hasta las profundidades abisales.

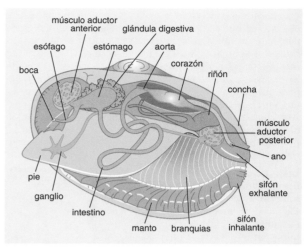

Estructura interna de una almeja. Un ligamento que actúa como charnela abre las dos valvas, y el batido de los cilios de las branquias hace que ingrese agua por el sifón inhalante. Cuando el agua pasa por las branquias, el oxígeno se difunde a la sangre y las partículas de alimento quedan atrapadas en el mucus y son llevadas a la boca. Un par de músculos aductores mantiene la concha bien cerrada. Un pliegue de tejido (manto) envuelve los órganos corporales y secreta el material que forma la concha. Un gran pie muscular permite a la almeja arrastrarse y enterrarse. El aparato circulatorio está compuesto de un corazón y vasos sanguíneos, y los riñones filtran los desechos de la sangre. La sangre desoxigenada y los desechos son eliminados en el agua que sale por el sifón exhalante.

© 2006 MERRIAM-WEBSTER INC.

Biwa, lago Lago en el sector central de la isla de HONSHU, Japón. Es el lago más grande del país, con una longitud de 64 km (40 mi) y 19 km (12 mi) de ancho, con una superficie de 673 km² (260 mi²). Su nombre hace referencia al instrumento musical a que se asemeja su forma (ver PIPA). El único río que lo desagua es el Yodo, que fluye desde su extremo sur hasta la bahía de Osaka. El lago Biwa es famoso por su industria de cultivo de perlas. De gran belleza, por mucho tiempo ha inspirado la poesía japonesa y es una de las principales atracciones turísticas del país.

Bizancio ver ESTAMBUL

bizantina, arquitectura Estilo de construcción de Constantinopla (antigua Bizancio, actual Estambul) después de 330 DC. Los arquitectos bizantinos eran eclécticos y en un principio utilizaron con gran profusión elementos tomados de los templos romanos. Combinaron la BASÍLICA con las estructuras religiosas de planta simétrica central (circular o poligonal), dando como resultado la típica iglesia bizantina griega de planta cruciforme, con un cuerpo central cuadrado y cuatro brazos de igual largo. El elemento más característico fue el techo abovedado. Para conseguir que el domo descansara sobre una base cuadrada se usaron dos mecanismos: un arco en cada una de las esquinas de dicha base para transformarla en un octágono, o bien, la PECHINA. Las estructuras bizantinas presentaban espacios encumbrados y decoración suntuosa: columnas de mármol y taracea, mosaicos en las bóvedas, pavimentos de piedra incrustada, y a veces cielos con artesonado en oro. La arquitectura de Constantinopla se extendió por todo el Oriente cristiano y en algunos lugares, particularmente en Rusia, su uso perduró incluso después de la caída de Constantinopla (1453). Ver también SANTA SOFÍA.

bizantino, arte Arte propio del Imperio BIZANTINO. Sus estilos característicos fueron codificados por primera vez en el s. VI y se mantuvieron con notable homogeneidad hasta la toma de Constantinopla por los turcos en 1453. La expresión religiosa fue su principal temática, por lo que tiende a reflejar una visión intensamente jerárquica del universo. Enfatiza la vitalidad de la línea y el brillo del color; presenta una ausencia de características individuales, las formas tienden a la bidimensionalidad y no hay perspectiva. Paredes, bóvedas y cúpulas se cubren con mosaicos y decoración de frescos, en una fusión total entre arquitectura y expresión pictórica. La escultura bizantina estuvo prácticamente limitada a pequeños relieves de marfil. La importancia del arte bizantino para el arte religioso europeo fue inmensa; el estilo se difundió por medio del comercio y de la expansión a la cuenca mediterránea, los centros europeos orientales y, especialmente, a Rusia. Ver también arquitectura BIZANTINA.

bizantino, Imperio Imperio de Europa sudoriental y meridional y Asia occidental. Inicialmente se constituyó en torno a la ciudad de Bizancio, que se había desarrollado a partir de una antigua colonia griega fundada en la ribera europea del BÓSFORO. La ciudad fue conquistada en 330 DC por CONSTANTINO I, quien la volvió a fundar con el nombre de Constantinopla (ver ESTAMBUL). Ya en esa época la región se denominaba Imperio romano de Oriente. A la muerte de Constantino en 395, TEODOSIO I dividió el imperio entre sus dos hijos. La caída de Roma en 476 puso fin a la parte occidental del Imperio romano; la mitad oriental continuó

existiendo y fue denominado Imperio bizantino, con Constantinopla como su capital. El reino oriental se diferenciaba del occidental en muchos aspectos: heredero de la civilización surgida de la época HELENÍSTICA, tuvo mayor desarrollo urbano y mercantil. Su más grande emperador, JUSTINIANO (r. 527–565), reconquistó parte de Europa occidental, construyó la basílica de SANTA SOFÍA y publicó la codificación básica de la legislación romana. Después de su muerte, el imperio se debilitó. Aunque mucho después de la muerte de Justiniano sus gobernantes continuaron tratándose a sí mismos como "romanos", el término "bizantino" describe con mayor exactitud el imperio en la etapa medieval. La larga controversia sobre los iconoclastas (ver ICONOCLASIA) dentro de la Iglesia oriental preparó a esta última para su quiebre con la Iglesia romana (ver CISMA DE 1054). Durante la controversia, los árabes y turcos selyúcidas incrementaron su poder en la región. A fines del s. XI, ALEJO I COMNENO solicitó la ayuda de Venecia y el papa; estos aliados convirtieron las CRUZADAS siguientes en expediciones de pillaje. En la cuarta cruzada, los venecianos se apoderaron de Constantinopla y establecieron una generación de emperadores latinos. En 1261 fue recapturada por los bizantinos exiliados y el imperio quedó reducido a poco más que una ciudad-estado. En el s. XIV, comenzó la invasión de los turcos otomanos; su largo sitio de Constantinopla terminó en 1453, cuando el último emperador murió combatiendo en los muros de la ciudad y la región cayó bajo control otomano.

Emperadores bizantinos

Zenón	474-491	Teodora (emperatriz)	1055-56
Anastasio I	491-518	Miguel VI Estratiótico	1056-57
Justino I	518-527	Isaac I Comneno	1057-59
Justiniano I	527-565	Constantino X Ducas	1059-67
Justino II	565-578	Romano IV Diógenes	1067-71
Tiberio II Constantino	578-582	Miguel VII Ducas	1071-78
Mauricio Tiberio	582-602	Nicéforo III Botaniates	1078-81
Focas	602-610	Alejo I Comneno	1081-1118
Heraclio	610-641	Juan II Comneno	1118-43
Heraclio Constantino	641	Manuel I Comneno	1143-80
Heraclonas (o Heraclio)	641	Alejo II Comneno	1180-83
Constante I (Constantino Pogonato)	641-668	Andrónico I Comneno	1183-85
		Isaac II Ángelo	1185-95
Constantino IV	668-685	Alejo III Ángelo	1195-1203
Justiniano II Rinotmeto	685-695	Isaac II Ángelo (segunda vez) y Alejo IV Angelo	1203-4
Leoncio	695-698		
Tiberio III	698-705	Alejo V Ducas Murzuflo	1204
Justiniano II Rinotmeto (segunda vez)	705-711	**Emperadores latinos**	
Filípicos	711-713	Balduino I	1204-5
Anastasio II	713-715	Enrique	1206-16
Teodosio III	715-717	Pedro	1217
León III	717-741	Yolanda (emperatriz)	1217-19
Constantino V Coprónimo	741-775	Roberto	1221-28
		Balduino II	1228-61
León IV	775-780	Juan	1231-37
Constantino VI	780-797	**Emperadores de Nicea**	
Irene (emperatriz)	797-802	Constantino (XI)	1204-5?
Nicéforo I	802-811	Teodoro I Láscaris	1205?-22
Estauracios	811	Juan III Ducas Vatatzés	1222-54
Miguel I Rangabe	811-813	Teodoro II Láscaris	1254-58
León V	813-820	Juan IV Láscaris	1258-61
Miguel II el Tartamudo	820-829	**Emperadores griegos restituidos**	
Teófilo	829-842	Miguel VIII Paleólogo	1261-82
Miguel III	842-867		
Basilio I	867-886	Andrónico II Paleólogo	1282-1328
León VI	886-912		
Alejandro	912-913	Andrónico III Paleólogo	1328-41
Constantino VII Porfirogéneta	913-959		
		Juan V Paleólogo	1341-76
Romano I Lecapeno	920-944	Juan VI Cantacuceno	1347-54
Romano II	959-963	Andrónico IV Paleólogo	1376-79
Nicéforo II Focas	963-969		
Juan I Tzimiscés	969-976	Juan V Paleólogo (segunda vez)	1379-90
Basilio II Bulgaróctonos	976-1025		
Constantino VIII	1025-28	Juan VII Paleólogo	1390
Romano III Argiro	1028-34	Juan V Paleólogo (tercera vez)	1390-91
Miguel IV	1034-41		
Miguel V Calafates	1041-42	Manuel II Paleólogo	1391-1425
Zoé (emperatriz)	1042-50	Juan VIII Paleólogo	1421-48
Constantino IX Monómaco	1042-55	Constantino XI Paleólogo	1449-53

* Para conocer los emperadores del Imperio romano de Oriente (en Constantinopla) antes de la caída de Roma, ver República e Imperio de ROMA.

Bizet, Georges *orig.* **Alexandre-César-Léopold Bizet** (25 oct. 1838, París, Francia–3 jun. 1875, Bougival). Compositor francés. Hijo de un profesor de música, fue admitido en el conservatorio de París a la edad de nueve años, y a los 17 escribió la precoz *Sinfonía en do mayor* (1855). Empeñado en tener éxito en el teatro lírico, produjo *Los pescadores de perlas* (1863), *La Jolie Fille de Perth* (1866) y *Djamileh* (1871). Hastiado con la frivolidad de la ópera ligera francesa, determinó reformar el género de la *opéra comique* y en 1875 se estrenó su obra maestra, *Carmen*. Aunque su duro realismo repelió a muchos, *Carmen* concitó rápidamente el entusiasmo internacional y fue reconocida como el ejemplo supremo de *opéra comique*. La prematura muerte de Bizet tronchó una carrera notable.

Björling, Jussi *orig.* **Johan Jonaton Björling** (2 feb. 1911, Stora Tuna, Suecia–9 sep. 1960, Siarö). Tenor sueco. Comenzó a cantar en público en su infancia y realizó giras por Europa y EE.UU. con su familia. Contratado por la Ópera Real Sueca en 1928, muy pronto se convirtió en un intérprete estelar. Debutó en el Metropolitan Opera en 1938 como Rodolfo en *La Bohème*. Permaneció en Suecia durante la segunda guerra mundial, pero regresó luego al Metropolitan por varias temporadas. Concitó las preferencias en el escenario y en sus grabaciones debido a la absoluta musicalidad y belleza de su voz.

Bjørnson, Bjørnstjerne (Martinius) (8 dic. 1832, Kvikne, Noruega–26 abr. 1910, París, Francia). Escritor, editor y director de teatro noruego. Se dedicó a fomentar el orgullo nacional vinculando la historia y las leyendas noruegas con los ideales modernos. Junto a HENRIK IBSEN, Alexander Kielland y JONAS LIE, se lo conoce como uno de los "cuatro grandes" de la literatura noruega del s. XIX. Obtuvo el Premio Nobel de Literatura en 1903. Su poema "Ja, vi elsker dette landet" [Sí, amamos esta tierra por siempre] es el himno nacional noruego.

Black and Tan Miembro de una fuerza auxiliar británica empleada en Irlanda contra los republicanos (1920–21). Cuando la agitación nacionalista irlandesa se intensificó después de la primera guerra mundial, muchos policías irlandeses renunciaron y fueron reemplazados transitoriamente por reclutas ingleses, quienes vestían un traje negro y marrón ("black and tan") debido a la escasez de uniformes. En sus esfuerzos para neutralizar el terrorismo del Ejército Republicano Irlandés (IRA), los propios miembros de esta fuerza auxiliar practicaron brutales represalias.

black bass ver Perca Negra

Black, Hugo (La Fayette) (27 feb. 1886, cond. de Clay, Ala., EE.UU.–25 sep. 1971, Bethesda, Md.). Juez de la Corte Suprema (1937–71). Luego de ejercer como abogado en Alabama, a partir de 1906 se desempeñó en el Senado de EE.UU. (1927–37), donde fue firme partidario del New Deal. El pdte. Franklin D. Roosevelt lo nombró juez de la Corte Suprema de los Estados Unidos de América, donde ayudó a anular decisiones anteriores de la corte contra las leyes del New Deal. En la década de 1960 se destacó dentro de la mayoría liberal, que eliminó la obligatoriedad de la oración escolar y garantizó asesoría jurídica para los sospechosos de delincuencia. Se hizo célebre por su fe absoluta en el Bill of Rights como garantía de las libertades civiles. Su última opinión importante fue en apoyo del derecho del *New York Times* de publicar los papeles del Pentágono (1971).

Black, Sir James (Whyte) (n. 14 jun. 1924, Uddingston, Escocia). Farmacólogo escocés. Al estudiar las interacciones entre los receptores celulares y las sustancias químicas de la sangre que se fijan a ellos, desarrolló las primeras drogas betabloqueadoras para el alivio de la angina pectoris. Usó una estrategia parecida para desarrollar medicamentos para las úlceras estomacales y duodenales. Compartió el Premio Nobel de Fisiología y Medicina con George H. Hitchings y Gertrude Elion.

Black Sox, escándalo de los Escándalo del béisbol estadounidense, con motivo del cargo de soborno a ocho jugadores de los Chicago White Sox, quienes se habrían dejado ganar ante los Cincinnati Reds en la Serie Mundial de 1919. Cinco de los acusados admitieron ante un gran jurado que habían perdido intencionalmente las series, pero sus confesiones firmadas desaparecieron. Aunque los ocho beisbolistas fueron absueltos en 1921, el comisionado Kenesaw Mountain Landis los suspendió de por vida como jugadores de béisbol.

Blackett (de Chelsea), Patrick M(aynard) S(tuart), barón (18 nov. 1897, Londres, Inglaterra–13 jul. 1974, Londres). Físico británico. En 1921 se graduó de la Universidad de Cambridge y trabajó diez años en el Laboratorio Cavendish, donde transformó la cámara de niebla de Wilson en un instrumento para el estudio de los rayos cósmicos. En 1948 obtuvo el Premio Nobel por sus descubrimientos y en 1969, el título de par vitalicio.

blackfoot ver Pies Negros

blackjack *o* **veintiuno** *o* **veintiuna real** Juego de naipes cuyo objetivo es recibir cartas que sumen más que las que tiene quien reparte, pero sin sobrepasar los 21 puntos. Quien reparte puede usar una o más barajas de 52 naipes, dispuestas sobre una pieza de madera llamada zapato. Los ases valen 1 u 11, mientras que las cartas con figuras, diez. Según las reglas utilizadas, las apuestas deben jugarse antes de que se reparta una mano, después de que cada jugador haya recibido una carta boca abajo o después de que cada jugador haya recibido dos cartas boca abajo y quien reparte haya mostrado una de sus cartas.

Blackmun, Harry (12 nov. 1908, Nashville, Ill., (EE.UU.–4 mar. 1999, Arlington, Va.). Jurista estadounidense. Se graduó en Harvard (1932) y enseñó derecho en el St. Paul College of Law (1935–41) mientras hacía carrera en un estudio jurídico de Minnesota hasta convertirse en socio del mismo. Luego de servir como asesor legal residente en la Clínica Mayo (1950–59), fue designado para integrar la Corte de Apelaciones de EE.UU. del 8º Territorio Jurisdiccional. En 1970, el pdte. Richard Nixon lo nombró para la Corte Suprema de los Estados Unidos de América, donde sirvió hasta 1994. Considerado como conservador cuando se incorporó a la Corte Suprema de EE.UU., Blackmun se volvió cada vez más liberal con el correr de los años. Redactó el voto de mayoría en el fallo Roe v. Wade (1973).

Blackstone, Sir William (10 jul. 1723, Londres, Inglaterra–14 feb. 1780, Wallingford, Oxfordshire). Jurista británico. Huérfano a la edad de 12 años, se educó en un colegio público y más tarde en el Pembroke College, en Oxford, a expensas de su tío, un cirujano londinense. Fue elegido miembro del All Souls College, en 1744, y en 1746 se convirtió en abogado litigante. Habiendo obtenido un doctorado en derecho civil en 1750, abandonó el ejercicio de la profesión en 1753 para concentrarse en la enseñanza del derecho y la investigación jurídica en Oxford. Impartió sus primeras clases sobre el common law inglés, y publicó un resumen para los estudiantes en 1756. Fue elegido para la primera cátedra de derecho común, la cátedra vineriana en Oxford, en 1758. Su clásico *Comentarios acerca de las leyes de Inglaterra* (1765–69) es la descripción más conocida de las doctrinas del derecho inglés, la que se convirtió en la base para la enseñanza universitaria del derecho en Inglaterra y América del Norte. También sirvió como miembro del parlamento (1761–70), como procurador de la corona (desde 1763) y como juez del Tribunal de Acciones Civiles (1770–80).

Blackwell, Elizabeth (3 feb. 1821, Counterslip, Bristol, Gloucestershire, Inglaterra–31 may. 1910, Hastings, Sussex). Médico estadounidense de origen británico. En 1832 emigró con su familia a EE.UU. Comenzó su educación médica leyendo libros sobre el tema y contratando instructores privados. Las escuelas de medicina rechazaron sus postulaciones hasta que fue aceptada en 1847 por el Colegio médico de Ginebra (más tarde, Hobart). Aunque excluida de sus compañeros, se graduó a la cabeza de su clase en 1849. Fue la primera mujer médico de la época contemporánea y la primera en obtener este título en una escuela de medicina estadounidense. En 1857, a pesar de una fuerte oposición, estableció la New York Infirmary (Enfermería de Nueva York) con personal exclusivamente femenino y, más tarde, incorporó un curso completo de educación médica para mujeres. Fundó también la London School of Medicine for Women (Escuela de medicina de Londres para mujeres). Su hermana Emily (n. 1826–m. 1910) administró la enfermería durante muchos años y fue decana y profesora del colegio médico asociado a ella.

Elizabeth Blackwell, primera mujer que se recibió de médico en EE.UU.
FOTOBANCO

Blackwell's Island ver isla Roosevelt

Blaine, James (Gillespie) (31 ene. 1830, West Brownsville, Pa, EE.UU.–27 ene. 1893, Washington, D.C.). Político y diplomático estadounidense. En 1854 se trasladó a Maine para dirigir el *Kennebec Journal*, periódico paladín de la causa republicana. Fue miembro de la Cámara de Representantes (1862–76) y llegó a ser su presidente en 1868. Partidario de la moderación dentro del Partido Republicano, se opuso a los republicanos radicales que eran encabezados por Roscoe Conkling. Elegido senador en 1876, renunció en 1881 para ocupar el cargo de secretario de Estado. Desde este cargo inició las primeras gestiones dirigidas a asegurar para EE.UU. el control de la futura ruta del canal de Panamá. En 1884, en su calidad de candidato presidencial republicano, perdió por escaso margen ante GROVER CLEVELAND. En su calidad de secretario de Estado, por segunda vez, en 1889–92, presidió la primera Conferencia Panamericana.

Blair, Henry William (6 dic. 1834, Campton, N.H., EE.UU.–14 mar. 1920, Washington, D.C.). Político estadounidense. Ejerció como abogado a partir de 1859 y se desempeñó en el poder legislativo del estado de New Hampshire antes de ser elegido miembro de la Cámara de Representantes (1875–79) y luego del Senado (1879–91). En 1876 procuró entregar a las escuelas del país recursos provenientes de la venta de terrenos públicos y, en 1881, propuso "revitalizar" las escuelas con una subvención de US$ 120 millones a los estados; ninguna de estas iniciativas tuvo éxito. También defendió los derechos de la mujer y la justicia racial.

Blair, Tony *orig.* **Anthony Charles Lynton** (n. 6 may. 1953, Edimburgo, Escocia). Político británico que en 1997 se convirtió en el primer ministro más joven del país desde 1812. De profesión abogado, fue elegido a la CÁMARA DE LOS COMUNES en 1983. Al ingresar al consejo de ministros de la

oposición del PARTIDO LABORISTA en 1988 a la edad de 35 años, instó al partido a desplazarse hacia el centro político y a morigerar su tradicional defensa del control estatal y la propiedad pública de ciertos sectores de la economía. Asumió el liderazgo del laborismo en 1994 y renovó su plataforma política. Condujo al partido a las arrolladoras victorias electorales de 1997, 2001 y 2005. Su gobierno negoció un acuerdo de paz entre unionistas y republicanos en Irlanda del Norte, introdujo asambleas en Gales y Escocia y llevó a cabo reformas en el parlamento. Después de los ATENTADOS DEL 11 DE SEPTIEMBRE de 2001 en EE.UU., estableció la alianza del Reino Unido con EE.UU. y su presidente, GEORGE W. BUSH, en una guerra mundial contra el terrorismo. A fines de 2002, ambos gobernantes acusaron al gobierno iraquí de ṢADDĀM ḤUSSEIN de posesión y elaboración de armas biológicas, químicas y nucleares en violación de los mandatos de la ONU. Luego intentaron sin éxito convencer a Francia, Rusia y otros miembros del Consejo de Seguridad de la ONU de que tales armas no serían descubiertas por las inspecciones de armas de la ONU que se realizaban por entonces. A pesar de las profundas divisiones dentro de su propio partido y de la fuerte oposición de la opinión pública a la guerra contra Irak, junto a Bush condujo un ataque sobre Irak que derribó el régimen de Ḥussein en marzo-abril de 2003.

Tony Blair, político británico.
FOTOBANCO

Blais, Marie-Claire (n. 5 oct. 1939, Quebec, Canadá). Novelista y poeta francocanadiense. En dos novelas tempranas de atmósfera onírica, *La hermosa bestia* (1959) y *Tête blanche* [Cabeza blanca] (1960), delimitó su temática: gente de las clases trabajadoras condenada a una monótona tristeza y a la más oprimente pobreza. *Une saison dans la vie de Emmanuel* [Una temporada en la vida de Emmanuel] (1965) recibió el Premio Médicis, fue traducida a varios idiomas y comentada en múltiples foros. Entre sus obras posteriores, se cuentan *The Manuscripts of Pauline Archange* [Los manuscritos de Pauline Archange] (1968, Premio del Gobernador General) y *Le sourd dans la ville* [Sordo a la ciudad] (1979, Premio del

Gobernador General). Volvió a recibir el Premio del Gobernador General en 1996 por *Soifs* [Anhelos] (1995). También ha publicado libros de poesía y varias obras dramáticas.

Blake, Edward (13 oct. 1833, Adelaida, Alto Canadá–1 mar. 1912, Toronto, Ontario, Canadá). Político canadiense. Ejerció como abogado desde 1856 y se lo nombró asesor jurídico de la corona en 1864. En 1867 fue elegido miembro de la Cámara de los Comunes de Canadá y se desempeñó como primer ministro de Ontario (1871–72) y ministro de justicia (1875–77) en el gabinete de ALEXANDER MACKENZIE, en el cual colaboró en la redacción de la constitución. Fue dirigente del Partido Liberal (1880–87) y, en 1890, se retiró de la política canadiense y se trasladó a Irlanda, donde fue miembro de la Cámara de los Comunes de Gran Bretaña (1892–1907).

Blake, Eubie *orig.* **James Hubert Blake** (7 feb. 1883, Baltimore, Md., EE.UU.–12 feb. 1983, Brooklyn, N.Y.). Pianista y escritor de canciones estadounidense. Durante su adolescencia tocó piano en cafés y burdeles y en 1899 compuso su primera canción de RAGTIME, "Sounds of Africa". Él y su socio, el letrista y vocalista Noble Sissle (n. 1889–m. 1975), estuvieron entre los primeros artistas afroamericanos en aparecer en el escenario sin el típico maquillaje del *minstrel*. Su espectáculo *Shuffle Along* (1921), donde debutaron PAUL ROBESON y JOSEPHINE BAKER, fue uno de los primeros musicales escritos, producidos y dirigidos por afroamericanos. En 1925, Blake coescribió la partitura de *Blackbirds of 1930*, y alcanzó el cenit de la fama cuando el musical *Eubie* se estrenó en Broadway (1978). Dio su último concierto en 1982.

Blake, William (28 nov. 1757, Londres, Inglaterra–12 ago. 1827, Londres). Poeta, pintor, grabador y visionario inglés. Pese a que no asistió a la escuela, se formó como grabador en la Royal Academy y abrió un taller de grabados en Londres en 1784. Desarrolló una innovadora técnica para producir grabados en color, y comenzó a producir sus propios libros ilustrados de poesía con su "impresión iluminada", entre ellos *Cantos de inocencia* (1789), *Matrimonio del cielo y el infierno* (1793) y *Cantos de experiencia* (1794). *Jerusalén* (1804–20), su tercer poema épico extenso, trata sobre la caída y la redención de la humanidad, y es su libro más profusamente decorado. Entre sus otras obras importantes se destacan *The Four Zoas* [Los cuatro Zoas] (1795–1804) y *Milton* (1804–08). Una serie tardía de 22 acuarelas inspiradas por el Libro de Job comprende algunas de sus pinturas más famosas. Se lo consideraba loco por su carácter obsesivo y por su alejamiento del mundo; vivía al borde de la pobreza y murió abandonado. Sus libros constituyen una de las obras más notablemente originales e independientes de la tradición cultural de Occidente. Ignorado por el público de su época, hoy se lo considera una de las primeras y más importantes figuras del ROMANTICISMO.

William Blake, retrato en acuarela de John Linnell; National Portrait Gallery, Londres.
GENTILEZA DE LA NATIONAL PORTRAIT GALLERY, LONDRES

Blakelock, Ralph (15 oct. 1847, Nueva York, N.Y., EE.UU.–9 ago. 1919, cerca de Elizabethtown, N.Y.). Pintor estadounidense. Artista autodidacta, desarrolló un estilo muy original y subjetivo en la pintura paisajista, caracterizada por luminosas imágenes de empaste con escenas de luz de luna e iluminación nocturna, con árboles y follaje extrañamente moteados. Fue rechazado por el público y vivió apremiado por la pobreza. Sufrió un colapso en 1899, dejó de pintar y pasó el resto de su vida en un asilo. Durante su confinamiento adquirió algo de fama, y a medida que aumentaba su popularidad, se hicieron comunes las falsificaciones de sus obras.

Blakeslee, Albert Francis (9 nov. 1874, Geneseo, N.Y., EE.UU.–16 nov. 1954, Northampton, Mass.). Botánico y genetista estadounidense. Obtuvo su Ph.D. en la Universidad de Harvard. En su disertación, fue el primero en describir la sexualidad en los hongos inferiores. Sus trabajos experimentales posteriores se centraron en las plantas superiores. Después de una prolongada vinculación con el Laboratorio de Cold Spring Harbor de la Carnegie Institution (1915–41), se incorporó a la facultad del Smith College, donde publicó una serie de escritos sobre la genética y la biología celular del chamico (o estramonio). Empleó la colchicina, un alcaloide, para aumentar el número de cromosomas y de esta manera abrió un nuevo campo de poliploides producidos artificialmente.

Blakey, Art *post.* **Abdullah Ibn Buhaina** (11 oct. 1919, Pittsburgh, Pa., EE.UU.–16 oct. 1990, Nueva York, N.Y.). Baterista y director de banda de jazz estadounidense. Tocó en la gran orquesta de FLETCHER HENDERSON antes de unirse al conjunto visionario de BILLY ECKSTINE (1944–47). La prodigiosa técnica y el atronador ataque de Blakey le aseguraron el papel como uno de los principales bateristas del jazz moderno. En 1954, Blakey formó los "Jazz Messengers" con HORACE SILVER; el grupo, con su estilo agresivo modulado por el blues, se convirtió en el grupo arquetípico del *hard-bop* (ver BEBOP).

Blalock, Alfred (5 abr. 1899, Culloden, Ga., EE.UU.–15 sep. 1964, Baltimore, Md.). Cirujano estadounidense. Obtuvo su M.D. en la Universidad de Johns Hopkins. Sus investigaciones, que mostraron que el choque traumático y hemorrágico era consecuencia de la pérdida del volumen de sangre, condujeron al tratamiento de reemplazo de dicho volumen, lo que salvó innumerables vidas en la segunda guerra mundial. Es recordado por haber desarrollado con HELLEN BROOKE TAUSSIG, un tratamiento quirúrgico para ciertas malformaciones cardíacas del recién nacido. En 1944 realizó la primera operación de anastomosis de la arteria subclavia a la pulmonar, para paliar los defectos de nacimiento aludidos.

Blanc, (Jean-Joseph-Charles-) Louis (29 oct. 1811, Madrid, España–6 dic. 1882, Cannes, Francia). Socialista utópico y periodista francés. En 1839 fundó el periódico so-

cialista *Revue du Progrès* y publicó por entregas su obra *La organización del trabajo*, en que describió su teoría de los "talleres sociales" controlados por los trabajadores, que gradualmente se harían cargo de la producción hasta llegar a la sociedad socialista. Fue miembro del gobierno provisional de la SEGUNDA REPÚBLICA (1848), pero se vio obligado a huir a Inglaterra después de que los trabajadores se rebelaron sin éxito. En el exilio (1848–70) escribió una historia de la Revolución francesa y otras obras políticas.

Louis Blanc.
H. ROGER-VIOLLET

Blanc, Mel(vin Jerome) (30 may. 1908, San Francisco, Cal., EE.UU.–10 jul. 1989, Los Ángeles, Cal.). Artista estadounidense. Comenzó su carrera como músico en la radio NBC, y en 1933 se incorporó a un programa radial para el cual creó un repertorio de diversas voces con el fin de incrementar el reparto. En 1937 comenzó a trabajar en el departamento de animación de la WARNER BROS. INC., y participó en la elaboración de *Looney Tunes* y *Merrie Melodies*, al vocalizar a Porky, el Pato Lucas, el Pájaro Loco y el Conejo de la Suerte. En sus 50 años de carrera interpretó las voces para aproximadamente 3.000 cortos animados, entre los que se cuenta el 90% de las caricaturas animadas de la Warner Brothers.

Blanc, Mont ver MONT BLANC

Blanchard, Jean-Pierre-François (4 jul. 1753, Les Andelys, Francia–7 mar. 1809, París). Aeronauta francés. En 1785 hizo el primer cruce por aire del canal de la Mancha, acompañado por John Jeffries, un médico estadounidense. En

1785 inventó un paracaídas. Sus vuelos en globo en otros países europeos, y en EE.UU. en 1793, despertaron interés. Junto con su esposa realizó numerosas exhibiciones en Europa; ambos murieron en distintos accidentes de globo.

Blanchard, Thomas (24 jun. 1788, Sutton, Mass., EE.UU.–16 abr. 1864, Boston, Mass.). Inventor estadounidense. En 1818 ideó un TORNO capaz de moldear formas irregulares, como la culata de un arma de fuego. El torno reproducía la forma de un modelo al transmitirle a la herramienta de corte el movimiento de una rueda de fricción que se des-

Jean-Pierre-François Blanchard, grabado de James Newton, 1785, basado en una pintura al óleo de Richard Livesay.
GENTILEZA DE LA BIBLIOTECA DEL CONGRESO, WASHINGTON, D.C.

lizaba sobre el modelo. Su invento fue un paso esencial en el desarrollo de las técnicas de PRODUCCIÓN EN SERIE. Produjo varios diseños exitosos de vapores de poco calado; en 1849 inventó una maquinaria para curvar madera de maneras complejas, como estevas de arado y cuadernas de barcos.

Blanco, mar Extensión del océano Ártico en el noroeste de Rusia. Casi rodeado de tierra, se comunica con el mar de BARENTS, ubicado más al norte, por un largo y angosto estrecho llamado Gorlo. Cubre una superficie aproximada de 90.000 km² (35.000 mi²) y tiene una profundidad máxima de 340 m (1.115 pies). Varios ríos desembocan en él, entre ellos el DVINA SEPTENTRIONAL y el Onega. Es una importante ruta de transporte marítimo que se mantiene navegable todo el año con la ayuda de rompehielos en invierno. ARJÁNGUELSK es uno de sus principales puertos.

Blanda, George (Frederick) (n. 17 sep. 1927, Youngwood, Pa., EE.UU.). Jugador estadounidense de fútbol americano. Jugó para la Universidad de Kentucky. Como mariscal de campo y pateador profesional, vistió los colores de Chicago Bears (1949–58), Houston Oilers (1960–66) y Oakland Raiders (1967–76), consiguiendo los récords, aún vigentes, de más temporadas jugadas (26), más partidos jugados (340) y más puntos extras (943). Su registro de más goles de campo convertidos (335) fue batido en 1983.

blanqueador Compuesto químico, sólido o líquido que se usa para blanquear o quitar el color natural de fibras, hilos, papel y telas. La luz solar fue el principal agente blanqueador hasta el descubrimiento del cloro, en 1774, por Karl Wilhelm Scheele (n. 1742–m. 1786) y la demostración de sus propiedades blanqueadoras, en 1785, por Claude-Louis Berthollet (n. 1748–m. 1822). En el acabado textil, el proceso de blanqueo se usa para producir géneros blancos, para preparar las telas para otros acabados o como quitamanchas. Comúnmente se usan como blanqueadores el CLORO, el hipoclorito de sodio, el hipoclorito de calcio y el PERÓXIDO de hidrógeno.

Blanqui, (Louis-) Auguste (1 feb. 1805, Puget-Théniers, Francia–1 ene. 1881, París). Socialista y revolucionario francés. Figura legendaria y mártir del radicalismo francés, creía que no podría existir una transformación socialista de la sociedad sin una dictadura provisional que erradicara el antiguo régimen. Sus actividades, como la formación de varias sociedades secretas, le significaron ser encarcelado varias veces por un total de más de 33 años. Sus discípulos, los blanquistas, cumplieron un importante papel en la historia del movimiento de los trabajadores incluso después de su muerte.

blanquillo Cualquiera de las 24 especies (familia Branchiostegidae o Malacanthidae) de peces marinos delgados que se encuentran en mares tropicales y cálidos poco profundos. Los blanquillos sirven de alimento, especialmente el gran *Lopholatilus chamaeleonticeps*, un pez de aguas profundas del Atlántico y del golfo de México que posee un apéndice carnoso en la cabeza y manchas amarillas en el dorso y en algunas de sus aletas. El blanquillo tiene una gran boca oblicua, con caninos poderosos y una aleta dorsal relativamente larga con espinas débiles.

blanquita de la col o **mariposa de la col** MARIPOSA europea de la col (*Pieris rapae*). Su LARVA es una plaga que produce grandes pérdidas económicas, atacando los cultivos de col y especies similares. Introducida en Norteamérica c. 1860, la blanquita de la col es actualmente una de las especies de MARIPOSITA BLANCA más comunes de Norteamérica.

Blanton, Jimmy *orig.* **James Blanton** (oct. 1918, Chattanooga, Tenn., EE.UU.–30 jul. 1942, Monrovia, Cal.). Músico de jazz estadounidense. En 1939 se incorporó a la orquesta de DUKE ELLINGTON como contrabajista. El estilo rítmico animado de Blanton y su sutileza armónica aportaron una sensación de *swing* flexible y sosegado a la banda. Su destreza, su sonido y su entonación sin precedentes le permitieron concebir un papel melódico para el contrabajo en el jazz y hacerlo realidad, como lo demuestran las grabaciones hechas con Ellington, como "Jack the Bear" y "Pitter Panther Patter". Su técnica revolucionaria cambió la manera de tocar el contrabajo de jazz y se convirtió en la principal influencia sobre los contrabajistas posteriores. Murió de tuberculosis.

Blantyre Ciudad (pob., 1998: 502.053 hab.) del sur de Malawi. Es la ciudad más grande del país; fue fundada en 1876 como una estación misionera de la Iglesia de Escocia, y tiene el mismo nombre que el lugar de nacimiento del escocés DAVID LIVINGSTONE. Se convirtió en un puesto consular inglés en 1883 y alcanzó rango de municipio en 1895, siendo el más antiguo de Malawi. Su comercio colonial fue la base de su actual importancia como principal centro comercial de Malawi. En 1956, Blantyre fue anexado al vecino Limbe.

Blarney Localidad (pob., est. 1995: 3.000 hab.) del cond. de Cork en Irlanda. Situado al noroeste de la ciudad de CORK, es famoso por el castillo de Blarney (c. 1446). Bajo el almenaje de la muralla sur del castillo se encuentra la piedra de Blarney, que según dice la leyenda del lugar, concede a quien la besa ser experto en "blarney", es decir, en verbosidad persuasiva y zalamería.

Blasco Ibáñez, Vicente (29 ene. 1867, Valencia, España–28 ene. 1928, Menton, Francia). Escritor y político español. Apasionado partidario de la causa republicana, fue elegido para las Cortes (el parlamento), pero más tarde se radicó en la Riviera francesa debido a su oposición a la dictadura militar de MIGUEL PRIMO DE RIVERA. Sus novelas tempranas son en su mayoría intensas descripciones de la vida en Valencia. Cobró renombre mundial por sus novelas sobre la primera guerra mundial, en particular *Los cuatro jinetes del Apocalipsis* (1916).

Blasis, Carlo (4 nov. 1803, Nápoles, Reino de Nápoles–15 ene. 1878, Cernobbio, Italia). Profesor de ballet italiano y escritor sobre técnica, historia y teoría de la danza. Bailó un breve tiempo en la Ópera de París antes de ser nombrado director de la escuela de ballet de la Scala de Milán en 1837, donde enseñó a muchos de los bailarines más talentosos del s. XIX. Una de las numerosas innovaciones de Blasis fue descubrir la técnica de marcación (fijar un punto y girar rápidamente la cabeza antes que el cuerpo), para evitar marearse al girar. Muchas de sus enseñanzas todavía constituyen la base del ballet clásico.

Blass, Bill (22 jun. 1922, Fort. Wayne, Ind., EE.UU.–12 jun. 2002, New Preston, Conn.). Diseñador de modas estadounidense. Abandonó su hogar a los 17 años de edad para asistir al Parsons School of Design en la ciudad de Nueva York. Después de prestar servicio en el ejército estadounidense durante la segunda guerra mundial, regresó a Nueva York, donde se convirtió en el diseñador jefe de Maurice Rentner, Ltd. en 1959. Basándose en las innovaciones de los diseñadores europeos como Coco CHANEL, confeccionó un vestuario que permitía a las mujeres un sentido de la comodidad y del confort elegante y moderno. Sus realizaciones se hicieron populares entre las mujeres de la alta sociedad de Nueva York. En 1970 llegó a ser dueño de Rentner, y le dio su nombre. Fue un pionero en la utilización de la estrategia comercial de otorgar licencias para producir y comercializar una extensa gama de accesorios de moda con sus diseños y su nombre. En 1999 vendió su compañía, que continuó como Bill Blass Ltd., y se retiró al año siguiente.

Blaue Reiter, Der (alemán: "El jinete azul"). Organización de artistas expresionistas (ver EXPRESIONISMO) formada en Munich en 1911 por VASILI KANDINSKY y FRANZ MARC. El nombre derivó de un volumen de ensayos e ilustraciones que publicaron. Otros miembros fueron PAUL KLEE y August Macke (n. 1887–m. 1914). Influenciados por el JUGENDSTIL, el CUBISMO y el FUTURISMO, pero sin poseer un programa o filosofía específica, expusieron su obra con un grupo internacional que incluía a GEORGES BRAQUE, ANDRÉ DERAIN y PABLO PICASSO. El grupo se disolvió al estallar la primera guerra mundial.

"Animales en su paisaje", de Franz Marc, uno de los fundadores del grupo *Der Blaue Reiter* (El jinete azul).
FOTOBANCO

Blavatsky, Helena (Petrovna) *orig.* **Helena Petrovna Hahn** *llamada* **Madame Blavatsky** (12 ago. 1831, Yekaterinoslav, Ucrania, Imperio ruso–8 may. 1891, Londres, Inglaterra). Espiritista y escritora rusa. Después de un breve matrimonio, estudió ocultismo y espiritismo y viajó por Europa, Asia y EE.UU. En 1873, estando en Nueva York, colaboró estrechamente con Henry Olcott (n. 1832–m. 1907); ambos, junto con otras personas, fundaron la Sociedad Teosófica (1875; ver TEOSOFÍA). En 1879, Blavatsky y Olcott fueron a India y establecieron su sede en Adyar. La Sociedad Teosófica prosperó y la señora Blavatsky editó un periódico, *The Theosophist*. Sostenía poseer poderes psíquicos, pero en 1885 la Sociedad londinense de investigación psíquica la declaró un fraude. Con su salud deteriorada regresó a vivir a Europa. Su obra más importante, *La doctrina secreta* (1888), es una síntesis de las enseñanzas teosóficas.

Bleeding Kansas Término que se aplica a un período de disturbios civiles (1854–59), entre partidarios y opositores de la esclavitud, por el control del nuevo territorio de Kansas.

Enarbolando la doctrina de la soberanía popular, emigrantes antiesclavistas del Norte chocaron con grupos pro esclavistas armados, de Missouri. En 1856, a un ataque de los partidarios de la esclavitud y el incendio de un hotel y de un diario, en Lawrence, le siguieron varios asesinatos instigados por radicales abolicionistas encabezados por JOHN BROWN. Los enfrentamientos continuaron esporádicamente hasta 1861, cuando Kansas se integró a la Unión como estado libre.

blenda ver ESFALERITA

Blenheim, batalla de (13 ago. 1704). Célebre victoria del duque de MARLBOROUGH y EUGENIO DE SABOYA contra los franceses en la guerra de sucesión ESPAÑOLA, librada en Blenheim (actual Blindheim) en el río Danubio, en Baviera. Las tropas inglesas y austríacas dirigidas por Marlborough y Eugenio sorprendieron a las desprevenidas fuerzas francesas y bávaras, irrumpieron a través de su centro y capturaron a 13.000 efectivos; otros 18.000 fueron muertos, heridos o perecieron ahogados. El ejército francés sufrió su primera derrota importante en más de 50 años y Baviera se retiró de la guerra.

Blenheim, palacio de Residencia inglesa cerca de Woodstock, Oxfordshire, diseñada por JOHN VANBRUGH y construida (1705–24) por el Parlamento británico como obsequio para John Churchill, duque de Marlborough. Es considerado el ejemplo más fino de la arquitectura BARROCA en Gran Bretaña. A comienzos del s. XVIII, el jardinero de la reina Ana, Henry Wise, diseñó sus jardines en el estilo formal del palacio de VERSALLES; posteriormente, CAPABILITY BROWN los rediseñó en su estilo campestre, usando bosques de aspecto natural, césped y cursos de agua.

blenio Cualquiera de los numerosos y diferentes peces (suborden Blenniodei, orden Perciformes), en su mayoría especies marinas pequeñas que se encuentran desde las aguas tropicales hasta los mares fríos. Los blenios son delgados y varían en tamaño desde moderadamente elongados hasta muy largos y anguiliformes. Sus hábitats varían desde pozos rocosos hasta

El blindado francés *Gloire*, grabado de Smythe basado en una pintura de A.W. Weedon.
GENTILEZA DEL DIRECTORIO DEL MUSEO BRITÁNICO; FOTOGRAFÍA, J.R. FREEMAN & CO. LTD.

playas arenosas, arrecifes y lechos de algas marinas. Muchos viven en aguas someras, pero algunos lo hacen a profundidades de aprox. 450 m (1.500 pies). Algunos son principalmente herbívoros y otros son parcial o totalmente carnívoros. Por lo general tienen poca importancia económica.

Blest Gana, Alberto (4 may. 1830, Santiago, Chile–9 nov. 1920, París, Francia). Escritor, político y diplomático chileno. Fue intendente de Colchagua (1864–66) y ministro de su país en Francia (1868–87). Fundó la novela chilena, con obras que revelan personajes y costumbres de diversos ambientes. En sus narraciones reunió elementos de los dos movimientos literarios que le tocó vivir: el ROMANTICISMO y el REALISMO. En conjunto, sus novelas reflejan el acontecer chileno del s. XIX. Las más conocidas son *Martín Rivas* (1862), centrada en el ascenso social de un joven de clase media; *Durante la Reconquista* (1896), que cubre un período de la independencia nacional; *Los trasplantados* (1904), sobre la fastuosa vida parisiense de sus compatriotas enriquecidos por el auge del salitre, y *El loco Estero* (1909), en que combina hechos históricos y evocaciones de su niñez. En sus inicios escribió versos, artículos de costumbres y la comedia *El jefe de familia* (1858).

Bleuler, Eugen (30 abr. 1857, Zollikon, Suiza–15 jul. 1939, Zollikon). Psiquiatra suizo. Muy conocido por sus estudios sobre esquizofrenia y por haber introducido (1908) el término para este trastorno, denominado previamente demencia precoz. Argumentó (contra la idea imperante) que la esquizofrenia era más que una enfermedad, que no siempre era incurable y que no siempre evolucionaba a la demencia total. Describió los síntomas básicos –asociaciones mentales desordenadas, división o fragmentación de la personalidad–, pero pensaba que muchos casos eran latentes. Insistió en que la psicosis no resultaba necesariamente de un daño cerebral orgánico y que podía tener en cambio causas psicológicas. Su *Manual de psiquiatría* (1916) llegó a ser un texto estándar.

Bligh, William (9 sep. 1754, cond. de Cornualles, Inglaterra–7 dic. 1817, Londres). Almirante inglés. Comenzó a navegar a la edad de siete años y se unió a la Marina Real en 1770. Después de ocupar el cargo de capitán en el último viaje de JAMES COOK (1776–80), fue designado para comandar el HMS *BOUNTY* en 1787. Cuando se encontraba en viaje de Tahití a Jamaica, el buque fue capturado por el primer oficial Fletcher Christian, y Bligh y los miembros leales de la tripulación fueron abandonados a la deriva; unos dos meses más tarde llegaron a Timor. El motín afectó poco su carrera, aunque tuvo que enfrentar otros dos motines, uno de ellos mientras era gobernador de Nueva Gales del Sur, Australia (1805–08). Descrito como déspota, fue impopular como comandante, pero también fue valiente y un muy diestro navegante.

blindado Tipo de buque de guerra desarrollado en Europa y en EE.UU. hacia mediados del s. XIX, caracterizado por la coraza de hierro que protegía su casco. En la guerra de Crimea (1853–56), los franceses y británicos atacaron con éxito fortificaciones rusas, utilizando "baterías flotantes" que eran barcazas blindadas provistas de cañones pesados. En 1859, los franceses completaron la construcción de su primer buque de hierro, el *Gloire*; sus placas de hierro, de 11 cm (4,5 pulg.) de espesor, estaban montadas sobre un grueso maderamen. Pronto, Gran Bretaña y EE.UU. siguieron los pasos de Francia. Las fuerzas de la Unión lanzaron cañoneras blindadas por el Mississippi al comienzo de la guerra de Secesión, y una flotilla capturó el fuerte Henry (1862). El primer combate entre blindados fue la batalla de HAMPTON ROADS (1862). Refinamientos posteriores condujeron al desarrollo del ACORAZADO. Ver también MONITOR.

blindado, vehículo Carro motorizado con placas de acero contra balas, granadas y otros proyectiles, que se desplaza sobre ruedas u orugas. El TANQUE es el principal vehículo blindado en fuerzas militares de importancia. Otros vehículos militares son los carros de combate de infantería, los vehículos anfibios de desembarco y las plataformas móviles de armas pesadas, como artillería autopropulsada y CAÑONES ANTIAÉREOS. Los vehículos de combate de infantería derivan de los transportes de personal acorazados de la segunda guerra mundial y de la guerra de Vietnam, y son vehículos blindados, con orugas que transportan soldados de infantería a la batalla, pero también sirven de plataformas desde las que los soldados pueden combatir sin desmontar. Los automóviles y camiones blindados son vehículos civiles con ruedas, que varían desde camiones comerciales hasta sedanes y limosinas de lujo, y que están generalmente equipados con un blindaje y otras instalaciones para transportar en forma segura valores e individuos por caminos pavimentados.

Bliss, Sir Arthur (Edward Drummond) (2 ago. 1891, Londres, Inglaterra–27 mar. 1975, Londres). Compositor británico. Discípulo de RALPH VAUGHAN WILLIAMS y GUSTAV HOLST.

Aunque al principio fue un compositor audaz, adoptó posteriormente un estilo conservador y romántico. Sus obras comprenden *A Colour Symphony* (1922), *Pastoral* (1928), la sinfonía coral *Morning Heroes* (1930), *Music for Strings* (1936), y los ballets *Checkmate* (1937) y *Miracle in the Gorbals* (1944).

Bliss, Tasker (Howard) (31 dic. 1853, Lewisburg, Pa., EE.UU.–9 nov. 1930, Washington, D.C.). General estadounidense. Luego de egresar de West Point (1875), ocupó varios cargos militares, entre ellos el de instructor en la misma academia y el de agregado militar en la legación de EE.UU. en Madrid. Durante la guerra hispano-estadounidense fue jefe de estado mayor a las órdenes del gral. James H. Wilson, en Puerto Rico, y más tarde prestó servicios en Filipinas (1905–09). Como jefe del estado mayor del ejército, en 1917 puso al ejército estadounidense en pie de guerra para la primera guerra mundial y se opuso a las tentativas de dividir las fuerzas entre los diversos comandos aliados. Fue delegado a la conferencia de paz de París y ardiente partidario de la participación estadounidense en la SOCIEDAD DE NACIONES.

Bliss, William D(wight) P(orter) (20 ago. 1856, Constantinopla, Turquía–8 oct. 1926, Nueva York, N.Y., EE.UU.). Reformador social estadounidense. Hijo de misioneros estadounidenses, egresó del Seminario teológico de Hartford y ocupó cargos de pastor congregacionalista y episcopal. Partidario del SOCIALISMO CRISTIANO, en 1889 organizó el primer grupo de esta naturaleza en EE.UU. Dio numerosas conferencias sobre trabajo y reforma social, y compiló varias obras, entre ellas la *Encyclopedia of Social Reform* [Enciclopedia de reforma social] (1897).

blitzkrieg (alemán: "guerra relámpago"). Táctica militar usada por Alemania en la segunda GUERRA MUNDIAL, destinada a crear un impacto psicológico y la consiguiente desorganización de las fuerzas enemigas mediante el uso de la sorpresa, la velocidad y la superioridad material o de poder de fuego. Los alemanes pusieron a prueba esta táctica durante la guerra civil ESPAÑOLA en 1938 y contra Polonia en 1939, y la usaron en las exitosas invasiones de Bélgica, los Países Bajos y Francia en 1940. La *blitzkrieg* alemana coordinaba los ataques de tierra y aire –usando tanques, bombarderos en picada y artillería motorizada– para paralizar al enemigo, principalmente impidiendo sus comunicaciones y capacidad de coordinación.

Blitzstein, Marc (2 mar. 1905, Filadelfia, Pa., EE.UU.–22 ene. 1964, Fort-de-France, Martinica). Compositor estadounidense. Estudió en el Curtis Institute, después en París con la directora de orquesta NADIA BOULANGER y en Berlín con el compositor ARNOLD SCHÖNBERG. Sus obras más conocidas las realizó para obras de teatro: *The Cradle Will Rock* (1937), producida por ORSON WELLES y JOHN HOUSEMAN, en circunstancias que llegaron a ser legendarias; la ópera *Regina* (1949); y su adaptación al inglés de *La ópera de tres centavos* (1952), de BERTOLT BRECHT y KURT WEILL, que triunfó en Broadway. Murió asesinado mientras trabajaba en una ópera encargada por el Metropolitan Opera sobre el caso SACCO Y VANZETTI.

Blobel, Günter (n. 21 may. 1936, Waltersdorf, Silesia, Alemania). Biólogo celular y molecular estadounidense de origen alemán. Obtuvo su M.D. en la Eberhard-Karl University y su Ph.D. en la Universidad de Wisconsin. Blobel, trabajando en colaboración con otros grupos de investigación, mostró que cada proteína cuenta con una secuencia de señales que la dirige al lugar adecuado dentro de la célula. Concluyó que las proteínas entran en los organelos a través de canales semejantes a

Günter Blobel.
FOTOBANCO

poros, los que se abren en la membrana externa del organelo cuando llega a él la proteína justa. Obtuvo el Premio Nobel en 1999 por su trabajo. Sus investigaciones arrojaron luces sobre enfermedades hereditarias, como la FIBROSIS QUÍSTICA, y aportaron las bases para la producción de medicamentos por bioingeniería, como la INSULINA.

Bloch, Ernest (24 jul. 1880, Ginebra, Suiza–15 jul. 1959, Portland, Ore., EE.UU.). Compositor estadounidense de origen suizo. Dirigió y enseñó en el conservatorio de Ginebra antes de trasladarse a EE.UU. en 1916; allí se desempeñó como director del conservatorio de San Francisco (1925–30) y enseñó en la Universidad de California, Berkeley (1942–52). Trabajó en los lenguajes tonal, atonal y serial (ver también sistema TONAL; ATONALIDAD; SERIALISMO). Sus obras, muchas de

Ernest Bloch.
FOTOBANCO

ellas inspiradas en temas judíos, comprenden la ópera *Macbeth* (1910), *Schelomo* para violonchelo y orquesta (1916), los grandes trabajos corales *America* (1926) y *Avodath hakodesh* (1933), y un concierto para violín (1938).

Bloch, Felix (23 oct. 1905, Zurich, Suiza–10 sep. 1983, Zurich). Físico estadounidense de origen suizo. En 1933 emigró a EE.UU. y enseñó en la Universidad de Stanford (1934–71). Trabajó en energía atómica en Los Álamos y en contramedidas de radar en la Universidad de Harvard durante la segunda guerra mundial. En 1954 se convirtió en el primer director general del CERN. En 1952 compartió el Premio Nobel de Física con Edward Purcell (n. 1912–m. 1997) por la creación del método de RESONANCIA MAGNÉTICA NUCLEAR para medir los campos magnéticos de los núcleos atómicos.

Bloch, Marc (Léopold Benjamin) (6 jul. 1886, Lyon, Francia–16 jun. 1944, cerca de Lyon). Historiador francés. Formó parte de la infantería francesa en la primera guerra mundial. A partir de 1919 enseñó historia medieval en la Universidad de Estrasburgo, donde fue uno de los fundadores de la importante revista *Annales d'histoire économique et sociale* [Anales de historia económica y social]. Enseñó historia de la economía en la Sorbona a partir de 1936. Durante la segunda guerra mundial se unió a la resistencia francesa y fue capturado y ejecutado por los alemanes. Entre sus obras más importantes se cuentan *Rois thaumaturges* [Reyes taumaturgos] (1924), *La tierra y el campesino* (1931) y *La sociedad feudal* (1939). Como fundador de la Escuela de historiografía de los anales y en virtud de su método interdisciplinario y de amplio alcance, Bloch ejerció una enorme influencia en los estudios históricos.

Block Island Isla del estado de Rhode Island, EE.UU. Se encuentra en la entrada oriental del estrecho de LONG ISLAND, 15 km (9 mi) al sudoeste de Point Judith, R.I. Tiene una superficie de aprox. 29 km^2 (11 mi^2), y el poblado de New Shoreham (pob., 2000: 1.010 hab.) ocupa toda la extensión de la isla. Bajo el nombre de Manisses dado por sus habitantes indígenas originales, Block Island (llamada así en honor del explorador holandés Adriaen Block) recibió a sus primeros colonizadores europeos en 1661 y fue incorporada a la colonia de Rhode Island en 1664. En el pasado dependía de la pesca y la agricultura, pero ahora es principalmente un centro turístico.

block mill, sistema La primera fábrica mecanizada de producción en masa. Fue concebida por SAMUEL BENTHAM, con maquinaria diseñada por MARC BRUNEL, y construida por HENRY MAUDSLAY, en el astillero de Portsmouth, Inglaterra. En 1805 ya producía 130.000 cuadernales al año. Permaneció en actividad por más de 100 años. Ver también AMERICAN SYSTEM OF MANUFACTURE.

Bloemfontein Ciudad (pob., 1996: 333.769 hab.) de la República de Sudáfrica. Situada a orillas del río Modder en la provincia del Estado Libre. Fundada como un fuerte en 1846, se convirtió en la sede de la Colonia del río Orange, administrada por los británicos (1848–54), y posteriormente en el Estado Libre de Orange, una república bóer independiente formada en 1854. El fracaso de la conferencia de Bloemfontein (1899) tuvo como resultado el estallido de la guerra de los BÓERS. En el s. XX, la ciudad pasó a ser un importante eje geográfico de transporte. Es la capital judicial del país. Ver también Ciudad de El CABO; PRETORIA.

Blok, Alexandr (Alexándrovich) (28 nov. 1880, San Petersburgo, Rusia–7 ago. 1921, Petrogrado [San Petersburgo]). Poeta y dramaturgo ruso. Fue el principal representante del MOVIMIENTO SIMBOLISTA ruso. Más tarde rechazó lo que calificó como el estéril intelectualismo burgués de los simbolistas y se incorporó al movimiento bolchevique, que consideraba esencial para la redención del pueblo ruso. Influenciado por la poesía romántica de principios del s. XIX, escribió versos musicales en los que el sonido era primordial. Su obra más importante de poesía impresionista es la enigmática balada *Los doce* (1918), que hacía converger la revolución rusa y el cristianismo en una visión apocalíptica. En la era de las penurias posrevolucionarias cayó física y mentalmente enfermo, al parecer a causa de una enfermedad venérea, y murió a los 40 años.

Blondin orig. **Jean-François Gravelet** (28 feb. 1824, Hesdin, Francia–22 feb. 1897, Little Ealing, cerca de Londres, Inglaterra). Equilibrista de cuerda floja francés. Después de recibir entrenamiento acrobático, consiguió la fama en 1859 gracias a varios cruces sobre las cataratas del Niágara, en una cuerda floja de 335 m de largo (1.100 pies) ubicada a 48 m (160 pies) sobre el agua. En cada oportunidad usaba una puesta en escena teatral diferente: con los ojos vendados, ensacado, en zancos, empujando una carretilla, con un hombre sobre su espalda o sentándose a mitad de camino para cocinar un omelette. Realizó su última actuación en 1896.

Bloom, Harold (n. 11 jul. 1930, Nueva York, N.Y., EE.UU.). Crítico literario estadounidense. Bloom estudió en las universidades de Cornell y Yale, y enseñó en esta última a partir de 1955. En sus obras *La angustia de las influencias* (1973) y *A Map of Misreading* [Un mapa de las lecturas erróneas] (1975), planteó que la poesía es el resultado de las lecturas deliberadamente erróneas que los poetas hacen de las obras que los influyen y limitan a la vez. En *El libro de J.* (1990) especuló que los textos bíblicos más tempranos que conocemos fueron escritos por una mujer cuyos intereses eran primordialmente literarios. Su celebre libro *El canon occidental* (1994) presenta 26 escritores canónicos de Occidente y critica la politización de los estudios literarios.

Bloomer, Amelia orig. **Amelia Jenks** (27 may. 1818, Homer, N.Y., EE.UU.– 30 dic. 1894, Council Bluffs, Iowa). Reformadora estadounidense. En 1840 contrajo matrimonio con un cuáquero, Dexter Bloomer, que era director de un diario. Escribió artículos sobre educación, las leyes de matrimonio injustas y el voto femenino, y publicó la revista quincenal *Lily*

Mujer vistiendo "bloomers", prenda atribuida a Amelia Bloomer.
FOTOBANCO

(1849–54). Uno de sus intereses era reformar el vestuario, y los amplios pantalones que solía llevar llegaron a denominarse "bloomers". La enorme publicidad que generó su atuendo contribuyó a atraer numeroso público a sus conferencias en la ciudad de Nueva York, donde en varias ocasiones compartió el escenario con SUSAN B. ANTHONY y la reverenda Antoinette L. Brown.

Bloomfield, Leonard (1 abr. 1887, Chicago, Ill., EE.UU.– 18 abr. 1949, New Haven, Conn.). Lingüista estadounidense. Comenzó su carrera como filólogo formado en lenguas INDOEUROPEAS, especialmente en lenguas GERMÁNICAS. Enseñó filología germánica en la Universidad de Chicago (1927–40) y lingüística en la Universidad de Yale (1940–49). En *Lenguaje* (1933), uno de los trabajos más esclarecedores del s. XX sobre lingüística, propició el estudio de los fenómenos lingüísticos aislados de su entorno no lingüístico y destacó la importancia de las descripciones empíricas. Su pensamiento recibió la influencia de su trabajo sobre lenguas no indoeuropeas, en particular de la familia de las lenguas ALGONQUINAS. *The Menomini Language* [La lengua menomini] (1962) es un modelo de descripción lingüística y erudición en lingüística amerindia.

Bloomsbury, grupo de Círculo de escritores, filósofos y artistas ingleses. El nombre proviene del distrito de Bloomsbury, en Londres, donde entre 1907 y 1930 el grupo solía reunirse para discutir cuestiones artísticas y filosóficas. Entre los integrantes del grupo se encontraban E.M. FORSTER, LYTTON STRACHEY, CLIVE BELL, los pintores Vanessa Bell (n. 1879–m. 1961) y Duncan Grant (n. 1885–m. 1978), JOHN MAYNARD KEYNES, el escritor Leonard Woolf (n. 1880– m. 1969), miembro de la Sociedad fabiana de socialistas británicos, y VIRGINIA WOOLF.

Bloque Nacional Coalición de derecha que dirigió el gobierno francés desde 1919 hasta 1924. En una oleada de sentimiento nacionalista al final de la primera guerra mundial, el Bloque ganó cerca del 75% de los escaños de la Cámara de Diputados en las elecciones de 1919. Como coalición gobernante trató de afianzar la seguridad de Francia ante Alemania mediante el estricto cumplimiento del tratado de VERSALLES. Sus líderes, entre ellos RAYMOND POINCARÉ, apoyaron la ocupación del RUHR (1923) para obligar a Alemania a pagar reparaciones. El Bloque perdió gradualmente el apoyo popular y fue derrotado en las elecciones de 1924.

bloqueador beta Cualquiera de una clase de drogas sintéticas para tratar una gran variedad de enfermedades y problemas del sistema NERVIOSO simpático (ver sistema NERVIOSO AUTÓNOMO). La estimulación por EPINEFRINA de receptores beta-adrenérgicos, los cuales se encuentran predominantemente en el CORAZÓN, pero también están presentes en los MÚSCULOS lisos y vasculares, da como resultado la excitación del sistema nervioso simpático. Al prevenir esa excitación, los bloqueadores beta son útiles en el control de la ANSIEDAD, la HIPERTENSIÓN y una variedad de problemas cardíacos (ver CARDIOPATÍA). Los bloqueadores beta reducen el riesgo de un segundo ATAQUE CARDÍACO.

bloqueo Acto de guerra por el cual una de las partes beligerantes bloquea la entrada o la salida de una zona enemiga, a menudo la costa. Los bloqueos están regulados por el derecho internacional y la costumbre, los que exigen que se advierta previamente a los países neutrales y que se aplique el bloqueo en forma imparcial. La sanción por violar el bloqueo es la captura del buque infractor y de su carga y su posible confiscación como presas legítimas. Los barcos neutrales no pueden ser destruidos por burlar un bloqueo.

Blount, William (26 mar. 1749, cond. de Bertie, N.C., EE.UU.–21 mar. 1800, Knoxville, Tenn.). Político estadounidense. Prestó servicios en la guerra de independencia de

EE.UU. antes de ser elegido seis veces miembro del poder legislativo de Carolina del Norte. Fue delegado a la CONVENCIÓN CONSTITUCIONAL y, en calidad de primer gobernador de tierras que Carolina del Norte cedió a EE.UU., procuró obtener la categoría de estado para la que habría de ser Tennessee. En 1796 asumió como uno de los dos primeros senadores de Tennessee, pero fue expulsado del Senado en 1797, bajo la acusación de conspirar para ayudar a los ingleses a obtener el control de Florida y de Luisiana, en poder de España.

Blow, John (bautizado 23 feb. 1649, Newark-on-Trent, Nottinghamshire, Inglaterra–1 oct. 1708, Westminster, Londres). Compositor, organista y profesor británico. En 1668 fue nombrado organista de la abadía de Westminster. En 1774 se convirtió en director de la escolanía de la capilla real; más tarde asumió distintos puestos igualmente importantes, desde los cuales influyó sobre muchos estudiantes, entre ellos, el compositor HENRY PURCELL. De la gran cantidad de obras ceremoniales profanas y religiosas que escribió en el ejercicio de sus cargos oficiales, se conservan alrededor de 12 servicios y más de 100 cánticos (*anthems*). Su mascarada cortesana *Venus y Adonis* (1685) representa un hito en el desarrollo de la ópera inglesa.

Plantación bananera y cafetales en las Blue Mountains, Jamaica.
FOTOBANCO

Blücher, Gebhard Leberecht von, príncipe von Wahlstatt (16 dic. 1742, Rostock, Mecklemburgo–12 sep. 1819, Krieblowitz, cerca de Kanth, Silesia, Prusia). Militar prusiano. Se unió al ejército en 1760 y comandó tropas contra los franceses en 1793–94 y en las guerras NAPOLEÓNICAS. En 1813 regresó de su retiro para comandar las tropas prusianas contra los franceses, derrotándolos en Wahlstatt y contribuyendo a la victoria aliada en la batalla de LEIPZIG. En 1815, nuevamente dirigió las fuerzas prusianas en la batalla de WATERLOO, coordinando su ejército con las fuerzas aliadas dirigidas por el duque de WELLINGTON para así derrotar a Napoleón.

blue law Ley estadounidense que reglamenta el trabajo, el comercio y las actividades de esparcimiento los domingos. Se dice que el término deriva de una lista de normas para el sabbat, publicadas en papel azul o con una sobrecubierta azul, en New Haven, Conn., en 1781. Durante la época colonial, este tipo de leyes regulaba en Nueva Inglaterra la conducta y la moral. La mayoría de ellas cayó en desuso después de la guerra de independencia de EE.UU., pero algunas, como la prohibición de vender bebidas alcohólicas los domingos, siguen aplicándose en algunos lugares.

Blue Mountains Cadena montañosa del oriente de Jamaica. Se extiende desde el norte de KINGSTON hacia el este por 50 km (30 mi) hasta el mar Caribe. Su punto más alto es la cima de Blue Mountain, a 2.252 m (7.388 pies). Está sometida a fuertes precipitaciones y temperaturas muy dispares. El café de Blue Mountain es famoso por su excelente calidad.

Blue Ridge Sección de los APALACHES, en el este de EE.UU. Esta cadena se extiende desde las cercanías de HARPERS FERRY, W.V., hacia el sudoeste a través de los estados de Virginia y Carolina del Norte, hasta internarse en el estado de Georgia. A veces se considera que incluye una extensión hacia el norte que se interna en los estados de Maryland, Pensilvania y Nueva York. Las cumbres más altas se encuentran en las Black Mountains del estado de Carolina del Norte; la altitud media es de 600–1.200 m (2.000–4.000 pies). A lo largo de su cima corre la pintoresca carretera de 756 km (470 mi) de extensión llamada Blue Ridge Parkway, establecida en 1936 y administrada por el Servicio de parques nacionales.

bluegrass En música, estilo de música COUNTRY que surgió después de la segunda guerra mundial. Descendiente directo de la música de bandas de cuerdas que era tocada por grupos como la familia CARTER. El *bluegrass* se distingue de sus predecesores por su ritmo más sincopado, sus tenores agudos (que llevan la melodía), sus armonías cerradas, el impulso de sus ritmos y su fuerte influencia del JAZZ y el BLUES. El banjo ocupa un lugar muy prominente y siempre se toca en un peculiar estilo de tres dedos, desarrollado por Earl Scruggs (ver LESTER FLATT). Generalmente aparecen la mandolina y el violín, en tanto el repertorio se conforma en gran medida de melodías de contradanzas tradicionales, canciones religiosas y baladas. El origen y el nombre del *bluegrass* proceden de BILL MONROE y sus Blue Grass Boys. Su popularidad comenzó a crecer en los últimos años de la década de 1940; a partir de la década de 1970 recibió algunas influencias de la música rock con la entrada de músicos más jóvenes.

Bluegrass, región de Zona de la parte central del estado de Kentucky, EE.UU. La región incluye la mejor tierra agrícola de Kentucky, por lo que fue la primera zona en ser colonizada. Se hizo conocida por la abundancia de POA (tipo de hierba sedosa y azulada) y famosa por la crianza de caballos de fina raza. El suelo rico en calcio entrega sus minerales a la hierba y, en consecuencia, a los huesos de los caballos.

blues Forma musical profana que incorpora una estructura armónica repetida, con énfasis melódico sobre la tercera y séptima notas bemolizadas o notas "blue" de la escala. No se conocen los orígenes específicos del blues, pero los elementos de la música de los antiguos esclavos incluyen el modelo de llamada-y-respuesta y los ritmos sincopados de los SPIRITUALS y canciones laborales. La codificación de la estructura del *blues* ocurrió a principios del s. XX, más comúnmente como una frase de 12 compases, usando los acordes de primero, cuarto y quinto grados de la escala mayor. Sus orígenes, como una forma principalmente vocal, indujeron a los instrumentistas a imitar la voz humana con notas "torcidas". La letra de las estrofas se encuentra normalmente en tres líneas; los textos de la segunda generalmente repiten los de la primera. La elaboración del blues rural, de Texas y del delta del Mississippi, estableció las tradiciones tanto líricas como instrumentales, a menudo con inflexiones semejantes al habla y con acompañamiento de guitarra. Las composiciones del director de banda W.C. HANDY aportaron elementos del blues a la música popular de principios del s. XX. En las primeras grabaciones de este género musical, a comienzos de la década de 1920, destacaron cantantes como MA RAINEY y BESSIE SMITH que usaban acompañantes de jazz; más tarde su estilo se conocería como blues clásico. Las interpretaciones muy personales y la improvisación del blues, combinadas con elementos de su estructura e inflexión, sirvieron como fundamento del JAZZ, el RHYTHM AND BLUES y el ROCK.

Bluestocking En la Inglaterra de mediados del s. XVIII, nombre que se les daba a las integrantes de un grupo de mujeres que se reunían para discutir literatura. Con el fin de reemplazar el juego de cartas y otras actividades sociales de ese tipo por intereses más intelectuales, celebraban "conversaciones" a las que invitaban a literatos y miembros de la aristocracia con intereses literarios. El término se originó probablemente cuando la señora Elizabeth Vesey invitó al docto Benjamin Stillingfleet a una de sus fiestas; él rechazó la invitación con la excusa que no disponía del atuendo apropiado, a lo que ella respondió que podía venir "con sus calcetas azules" [blue stockings] –las calcetas ordinarias y maltrechas que solía llevar entonces–. La palabra *bluestocking* se acuñó más tarde con una connotación despectiva para describir a una mujer afectadamente docta o literaria.

Bluford, Guion S(tewart), Jr. (n. 22 nov. 1942, Filadelfia, Pa., EE.UU.). Astronauta estadounidense. Participó en 144 misiones de combate en la guerra de Vietnam; después del conflicto obtuvo un doctorado en ingeniería aeroespacial del Instituto de tecnología de la fuerza aérea. En 1978 se incorporó al programa de astronautas de la NASA y voló en numerosas misiones del TRANSBORDADOR ESPACIAL; la primera correspondió al tercer vuelo del Challenger (1983), que por primera vez despegó y aterrizó durante la noche. Fue el primer afroamericano en ir al espacio.

Guion S. Bluford, Jr., astronauta estadounidense.
FOTOBANCO

Blum, Léon (9 abr. 1872, París, Francia–30 mar. 1950, Jouy-en-Josas). Político y escritor francés. Ganó reputación como un brillante crítico literario y teatral, e ingresó luego a la política en el PARTIDO SOCIALISTA FRANCÉS. Como miembro de la Cámara de Diputados (1919–28, 1929–40), se convirtió en líder de los socialistas a partir de 1921. Principal arquitecto de una alianza electoral de izquierda, fue el primer socialista (y primer judío) en ocupar el cargo de primer ministro de Francia, encabezando el gobierno del FRENTE POPULAR (1936–37). Introdujo reformas como la semana laboral de 40 horas y el convenio colectivo, y nacionalizó las principales industrias de guerra y el Banco de Francia. Detenido por el gobierno de Vichy en 1940, permaneció encarcelado hasta 1945. En los años de posguerra fue uno de los principales estadistas veteranos de Francia.

Blumberg, Baruch S(amuel) (n. 28 jul. 1925, Nueva York, N.Y., EE.UU.). Médico investigador estadounidense. Obtuvo su M.D. en la Universidad de Columbia. Su descubrimiento de un ANTÍGENO que resultó ser parte del virus de la hepatitis B, que induce al cuerpo a producir anticuerpos contra el virus, condujo a pesquisar el virus en la sangre de dadores y a la confección de una vacuna. En 1976 compartió el Premio Nobel de Medicina y Fisiología con D. CARLETON GAJDUSEK.

Blunt, Anthony (Frederick) (26 sep. 1907, Bournemouth, Hampshire, Inglaterra–26 mar. 1983, Londres). Historiador del arte y espía británico. Comenzó su espionaje para la Unión Soviética después de conocer a GUY BURGESS en la Universidad de Cambridge en la década de 1930. A partir de 1937 tuvo una brillante carrera como historiador del arte, publicando una gran cantidad de obras eruditas que cimentaron en gran parte la historia del arte en Gran Bretaña. En la segunda guerra mundial sirvió en la inteligencia militar británica y también entregó información secreta a los soviéticos. En 1945 se lo nombró perito a cargo de examinar las pinturas del rey (luego de la reina) y en 1947 se convirtió en director del prestigioso Courtauld Institute. Aunque dejó de

trabajar activamente en labores de inteligencia, en 1951 ayudó a escapar de Gran Bretaña a Burgess y a Donald Maclean (n. 1913–m. 1983). En 1964, después de la defección de KIM PHILBY, fue encarado por las autoridades británicas y confesó en secreto sus conexiones soviéticas. Cuando se hizo público en 1979 su pasado como el "cuarto hombre" del grupo de espías, fue despojado del título de caballero que se le había concedido en 1956.

Bly, Nellie *orig.* **Elizabeth Cochrane** (5 may. ¿1867?, Cochran's Mills, Pa., EE.UU.–27 ene. 1922, Nueva York, N.Y.). Periodista estadounidense. Bly comenzó su carrera en *The Pittsburgh Dispatch* a los 18 años, escribiendo artículos sobre temas como el divorcio y la vida en los barrios pobres. Después de incorporarse al *New York World*, fingió estar loca con el fin de ser internada en un asilo, experiencia sobre la que escribió un reportaje, gracias al cual se produjeron varias reformas necesarias. En 1889, en un intento por superar el récord ficticio presentado en *La vuelta al mundo en 80 días*, de JULIO VERNE, dio la vuelta al mundo en 72 días y 6 horas. El viaje, muy publicitado, convirtió su seudónimo en un celebrado sinónimo de "reportera estrella".

Bly, Robert (Elwood) (n. 23 dic. 1926, Madison, Minn., EE.UU.). Poeta y traductor estadounidense. Bly se formó en las universidades de Harvard y Iowa. En 1958 fundó la revista *The Fifties* [Los cincuenta] (más adelante *The Sixties* [Los sesenta]), en la que se publicaban obras de poetas jóvenes. Contribuyó a la fundación de American Writers Against the Vietnam War [Escritores norteamericanos contra la guerra de Vietnam], y donó el dinero del National Book Award que recibió en 1968 por *The Light Around the Body* [La luz alrededor del cuerpo] a una organización de oposición al reclutamiento. La publicación de *Iron John* (1990), una anatomía de la psique masculina, lo convirtió en el líder más conocido del "movimiento masculino". El 2001 publicó *The Night Abraham Called to the Stars* [La noche en que Abraham clamó a las estrellas], poemas que asimilan la forma del ghazal árabe. También se lo conoce por sus traducciones de diversos poetas.

Blyton, Enid (Mary) (11 ago. 1897, Londres, Inglaterra–28 nov. 1968, Londres). Escritora inglesa de literatura infantil. Formada como maestra de escuela, publicó su primer libro, *Child Whispers* [Susurros infantiles] en 1922. A lo largo de su vida escribió más de 600 libros para niños y numerosos artículos de revistas. Lo más conocido de su obra son probablemente las series de libros en que figuran personajes como Noddy, los Famosos Cinco y los Siete Secretos. Aunque se los suele criticar por lo estereotipado de sus personajes, su estilo ingenuo y su moralismo didáctico, los libros de Blyton fueron traducidos a numerosos idiomas y mantuvieron su popularidad a nivel internacional largo tiempo después de su muerte.

BMW *sigla de* **Bayerische Motoren Werke AG** Compañía automovilística alemana. Fundada en 1929, llegó a ser conocida por sus motocicletas de alta velocidad. Durante la segunda guerra mundial, BMW construyó los primeros motores en el mundo para los aviones jet de la Luftwaffe. Durante el período de la posguerra, la compañía sufrió dificultades financieras, logrando, sin embargo, recuperarse después de 1969 con la creación de una línea de automóviles de alto precio, de diseño convencional, pero equipados como autos de carrera. La empresa entra al s. XXI con automóviles y motocicletas BMW y con automóviles MINI.

B'nai B'rith (hebreo: "miembros de la Alianza"). La más grande y antigua organización judía de servicio. Fundada en Nueva York en 1843, mantiene actualmente logias masculinas, organizaciones femeninas y juveniles alrededor del mundo. Sus objetivos son defender los derechos humanos, ayudar a estudiantes judíos que cursan estudios superiores (principalmente a través de la Fundación Hillel), patrocinar programas educativos para adultos y para grupos juveniles, socorrer a víctimas de desastres naturales, financiar hospitales e instituciones filantrópicas y promover el bienestar de Israel. En 1913, la organización estableció la Liga contra la difamación para combatir el ANTISEMITISMO.

BNP Paribas Principal grupo financiero de Francia y una de las mayores instituciones financieras del mundo. La empresa es el resultado de la fusión de BNP con Paribas en 2000. Los orígenes de BNP se remontan a 1948, con la creación del Comptoir National d'Escompte de París y el Comptoir National d'Escompte de Mulhouse. En tanto, los orígenes de Paribas datan de 1872, cuando el Banque de Paris et des Pays-Bas fue creado tras la fusión del Banque de Paris, establecido en 1869, con el Banque de Crédit et de Dépot de Pays-Bas, creado en 1863 en Amsterdam. La empresa ofrece servicios en las áreas de banca comercial tradicional, actividades de asesoría y banca de inversiones (lo que incluye financiamientos especializados), administración de activos y actividades de capital de riesgo. Sus oficinas centrales se encuentran en París.

bo, árbol ver árbol BODHI

Bo Juyi *o* **Po Chü-i** (772, Xinzheng, China–846, Luoyang). Poeta chino de la dinastía TANG. Comenzó a escribir poesía a los cinco años y a los 28 años pasó los exámenes para ingresar a la administración pública china. Su carrera administrativa tuvo un desarrollo ascendente y se convirtió en el líder informal de un grupo de poetas que rechazaban el estilo cortesano de su época y sostenían que la poesía debía tener un propósito moral y social. Sus baladas satíricas y poemas de protesta social adoptaron el verso libre propio de las antiguas baladas populares. Era muy admirado en China y Japón, donde sus poemas, especialmente "Canción de la eterna tristeza", sirvieron de inspiración para muchos otros escritos.

boa Cualquiera de unas 60 especies de serpientes robustas (subfamilia Boinae, familia Boidae) que se encuentran en el Viejo y Nuevo Mundo, principalmente en regiones cálidas.

Boa constrictor (*Constrictor constrictor*).
© ENCYCLOPÆDIA BRITANNICA, INC.

Varían en longitud desde alrededor de 20 cm (8 pulg.) hasta más de 7,5 m (25 pies). La mayoría son terrestres o semiacuáticas y algunas viven en los árboles. La mayoría de las especies presentan manchas y diamantes en su cuerpo de color pardo, verde o amarillento. Las boas muerden su presa y la matan enrollando su cuerpo alrededor de ella y comprimiéndola. Muchas especies tienen sensores térmicos en sus labios para detectar las presas de sangre caliente, y la mayoría paren crías vivas. Contrariamente a lo que dice la tradición, las boas no son peligrosas para el hombre.

Boadicea *o* **Budicca** (m. 60 DC). Reina de un antiguo pueblo británico. Cuando murió en 60 DC su esposo, rey de los icenios y protegido (cliente) de Roma, legó sus bienes a sus hijas y al emperador NERÓN con la esperanza de que este las protegiera. Sin embargo, los romanos anexaron su reino y maltrataron a su familia y a su tribu. Boadicea encabezó una rebelión en Anglia Oriental, incendiando Camulodunum (Colchester), Verulamium (St. Albans) y parte de Londinium (Londres) y varios puestos militares. Según TÁCITO, sus fuerzas masacraron a 70.000 romanos y britanos pro romanos y

destruyeron la novena legión. Se cree que tomó veneno o que murió de impresión cuando el gobernador romano logró rehacer sus tropas y destruir su enorme ejército.

Boas, Franz (9 jul. 1858, Minden, Westfalia [Alemania]– 22 dic. 1942, Nueva York, N.Y., EE.UU.). Antropólogo estadounidense de origen alemán. Con una formación académica en física y geografía (Ph.D., 1881), Boas integró una de las primeras expediciones científicas a la isla de Baffin (1883–84), donde se volcó al estudio de la cultura ESQUIMAL. Poste-

Franz Boas, 1941.
AP/WIDE WORLD PHOTOS

riormente estudió a los pueblos nativos de la Columbia Británica, como los KWAKIUTL. De 1896 a 1905 dirigió la expedición Jesup en el Pacífico norte, que investigó las relaciones entre los pueblos aborígenes de Siberia y América del Norte. En su calidad de catedrático de la Universidad de Columbia desde 1896 hasta su muerte, lideró la organización de la carrera de antropología y es reconocido por haberla establecido como una disciplina académica en EE.UU. Fue mentor de Ruth Benedict, Alfred L. Kroeber, Margaret Mead y Edward Sapir. Sus aportes en antropología son innegables. Antes de Boas, la mayoría de los antropólogos adherían a una teoría relativamente poco elaborada de la EVOLUCIÓN SOCIOCULTURAL, postulando que algunos pueblos eran de por sí más civilizados o desarrollados que otros. Boas argumentó que tales puntos de vista eran etnocéntricos y que todos los grupos humanos, en realidad, han evolucionado igualmente, pero en formas diferentes. Gracias a Boas, en la actualidad los antropólogos atribuyen en gran medida las diferencias humanas a factores históricos y "culturales" más que a factores genéticos. Entre sus libros destacan *La mentalidad primitiva* (1911), *El arte primitivo* (1927) y *Raza, lengua y cultura* (1940).

bobina Carrete alargado de hilo usado en la industria TEXTIL. En los procesos modernos, las fibras hiladas se enrollan en bobinas; en la TEJEDURA, el hilo de trama sale de las bobinas. Las bobinas son esenciales para la fabricación del ENCAJE (ver producción de ENCAJES). El primer encaje de bolillo se originó probablemente en Flandes a comienzos del s. XVI. El encaje de bolillo consistía, en sus comienzos, en hileras de puntos que formaban ángulos muy agudos y que se trabajaban sobre una cinta angosta; los motivos solían ser similares a aquellos de los encajes de punto. Se usó mucho para gorgueras y cuellos en los s. XVI–XVII. Ver también TAPIZ.

bobsleigh Deporte que consiste en deslizarse en una sinuosa pista de hielo en un gran trineo metálico (*bobsled*). El trineo está equipado con dos pares de patines de cuchilla, un asiento largo para dos o más (generalmente cuatro) personas, un volante o cuerdas que sirven para maniobrarlo, y un freno de mano. El bobsleigh se originó en Suiza en la década de 1890 y fue incluido

Bobsleigh a dos: representantes suecas en un torneo internacional.
FOTOBANCO

en los primeros Juegos Olímpicos de Invierno de 1924. Se realizan campeonatos internacionales todos los años. Las carreras son generalmente de 1.500 m (4.920 pies) de extensión, con 15 a 20 curvas peraltadas. Los trineos de cuatro personas llegan a alcanzar velocidades cercanas a los 160 km/h (100 mi/h).

bobtail ver antiguo PASTOR INGLÉS

boca o **cavidad oral** o **cavidad bucal** Orificio por el cual entran al cuerpo los alimentos y el aire. Se abre en los labios al exterior y se vacía a la garganta por detrás. Está delimitada por los labios, las mejillas, los PALADARES blando y duro, y la glotis. Sus principales estructuras son los DIENTES, la LENGUA y el paladar. Es el lugar de la MASTICACIÓN y de la articulación del HABLA. La boca está revestida de membranas mucosas que contienen pequeñas GLÁNDULAS que, con las GLÁNDULAS SALIVALES, la humedecen y despejan de ella los alimentos y otros residuos.

Boccaccio, detalle de un fresco de Andrea del Castagno; Cenacolo di Sant'Apollonia, Florencia.
ALINARI—ART RESOURCE

Boccaccio, Giovanni (1313, París, Francia–21 dic. 1375, Certaldo, Toscana). Poeta y erudito italiano. Su vida estuvo llena de dificultades y ocasionales problemas económicos. Entre sus obras tempranas se cuentan el *Filocolo* (c. 1336), obra en prosa dividida en cinco libros, y *La Teseida* (c. 1340), ambicioso poema épico en 12 cantos. Su obra más conocida es el *Decamerón*, clásico de la prosa italiana y de gran influencia en la literatura europea posterior. Está compuesto de 100 atrevidos relatos enmarcados en una narración principal. Fue escrito con toda probabilidad entre 1348–53. Tras este período, se dedicó al estudio filológico de la literatura en latín. Junto a PETRARCA, sentó las bases del humanismo renacentista, y con sus escritos en italiano contribuyó a elevar la literatura vernácula al nivel de los clásicos de la antigüedad grecolatina.

Boccherini, Luigi (Rodolfo) (19 feb. 1743, Lucca–28 may. 1805, Madrid, España). Compositor italiano. Como hijo de músico recibió una formación excelente y precoz y viajó por toda Europa como violonchelista. Obtuvo puestos en las cortes de Madrid y Prusia. Su prolífica producción de MÚSICA DE CÁMARA comprende cerca de 125 quintetos de cuerda (más que cualquier otro compositor), unos 90 cuartetos de cuerdas y varios tríos de cuerdas. También escribió sinfonías y conciertos para violonchelo. La elegancia y el encanto de su música le han asegurado una continua popularidad.

Luigi Boccherini, 1790.
GENTILEZA DEL ISTITUTO MUSICALE BOCCHERINI, LUCCA

Boccioni, Umberto (19 oct. 1882, Reggio di Calabria, Italia–16 ago. 1916, Verona). Pintor, escultor y teórico italiano. Se formó en el taller de Giacomo Balla (n. 1871–m. 1958) en Roma. Fue el miembro más enérgico del grupo futurista (ver FUTURISMO). Boccioni ayudó a publicar el *Manifiesto técnico de los pintores futuristas* (1910), que promovía la representación de la tecnología moderna, el poder, el tiempo, el movimiento y la velocidad. Su obra maestra de los inicios de la escultura moderna, *Formas únicas de la continuidad en el espacio* (1913), es el mejor reflejo de estas ideas. Su pintura *La ciudad que sube* (1910) es una composición dinámica que muestra un torbellino de figuras humanas en una escena de multitud fragmentada.

boceto ver CARICATURA

bochas (del italiano *bocce*, "balón"). Juego de origen italiano, similar a las BOCHAS DE CÉSPED. Se practica en una cancha de arcilla compactada, larga y angosta, entablada en los lados y extremos. Cada jugador o equipo se alterna para hacer rodar cuatro bochas (hechas de madera, metal o material compuesto) hacia una bola más pequeña que es el blanco (boliche). El objetivo es dejar la bocha lo más cerca posible del blanco (otorgándose puntos al final de cada ronda), proteger una bocha propia bien posicionada, o golpear una bocha del oponente para alejarla. El juego termina, generalmente, cuando uno de los competidores completa 12 puntos.

bochas de césped o **bowling en césped** Juego similar a las BOCHAS italianas y a las BOCHAS FRANCESAS, que se practica en césped con bolos de madera que se hacen rodar hacia una bola objetivo (denominada boliche). Consiste en hacer llegar el bolo lo más cerca del bochín que las bochas del oponente, cuyo objetivo también se puede conseguir golpeando y desplazando a la bocha rival. Se asigna un punto a la bola ganadora. Según el juego, los participantes usan cuatro, tres o dos bochas, y los juegos concluyen cuando se acumulan 18 ó 21 puntos.

bochas francesas Juego francés similar a las BOCHAS DE CÉSPED y a las BOCHAS. Los jugadores se alternan para lanzar o hacer rodar un bolo de acero a fin de que quede lo más cerca posible de una pequeña bola objetivo (boliche). Las bochas del rival pueden ser golpeadas para sacarlas del sitio donde están, si es necesario.

Jugadores de bochas francesas (petanca), en una plaza de Nyons, Francia.
ARCHIVO EDIT. SANTIAGO

Bochco, Steven (Ronald) (n. 16 dic. 1943, Nueva York, N.Y., EE.UU.). Libretista, director y productor de televisión estadounidense. Trabajó como libretista y productor en los estudios Universal (1966–78) y en MTM Enterprises (1978–85) antes de formar su propia compañía productora en 1987. Fue productor y coautor de diversas exitosas series dramáticas de televisión como *Hill Street Blues* (1981–86), *Se hará justicia* (1986–94) y desde 1993 *Policía de Nueva York*, por cuyo trabajo obtuvo numerosos premios Emmy.

bocio Aumento de volumen de la glándula TIROIDES con hinchazón prominente de la garganta. La tiroides puede aumentar hasta 50 veces su peso normal, interferir para respirar y tragar, y causar sensación de ahogo. El bocio simple (endémico), el más común, se debe a baja ingestión de YODO. Como consecuencia de esto y de otras situaciones afines, falla la síntesis de hormona tiroidea (hipotiroidismo). Los casos avanzados se tratan con hormona tiroidea o con extirpación de la tiroides, cuando esta obstruye la respiración. La causa del bocio esporádico, que ocurre en lugares donde la ingestión de yodo es más que la adecuada, sigue siendo un misterio. La tiroides hipertrófica puede tener una función normal o producir hormona en exceso (hipertiroidismo). Ver también enfermedad de GRAVES.

Böcklin, Arnold (16 oct. 1827, Basilea, Suiza–16 ene. 1901, Fiesole, Italia). Pintor italiano de origen suizo. Después de haber estudiado y trabajado en el norte de Europa y París obtuvo el patrocinio del rey de Baviera con su mural *El dios Pan en los juncos* (1857).

Entre 1858 y 1861 enseñó en la Academia de Bellas Artes de Weimar, y realizó frescos mitológicos para la Colección de Arte Pública en su Basilea natal. Se estableció en Italia, pintó ninfas, sátiros, tritones, paisajes tristes y alegorías siniestras que presagiaban el SIMBOLISMO y el SURREALISMO. Su estilo posterior fue sombrío, místico y mórbido, como en sus cinco versiones de *La isla de los muertos* (1880–86). Aunque pasó la mayor parte de su tiempo en Italia, fue el artista más influyente en el mundo germanohablante de fines del s. XIX.

"Autorretrato con la muerte como violinista", óleo sobre tela de Arnold Böcklin, 1872; Nationalgalerie, Berlín, Alemania.
GENTILEZA DEL STAATLICHE MUSEEN PREUSSISCHER KULTURBESITZ, NATIONALGALERIE, BERLÍN; FOTOGRAFÍA, WALTER STEINKOPF

Bodawpaya (1740/41–1819, Amarapura, Myanmar). Rey de Myanmar (Birmania) (r. 1782–1819). Era hijo de Alaungpaya y fue el sexto monarca de la dinastía ALAUNGPAYA. Depuso a su sobrino nieto para convertirse en rey. En 1784 invadió el reino de Arakan, deportando a más de 20.000 personas como esclavos. En 1785 intentó conquistar Siam. Su opresivo régimen en Arakan provocó una rebelión; su persecución de los jefes rebeldes lo llevó a cruzar la frontera con Bengala, bajo control británico, lo que casi provocó un conflicto abierto con estos últimos. Sus campañas en Assam intensificaron las tensiones. Ferviente budista, se autoproclamó como el Buda mesiánico destinado a conquistar el mundo.

Bode, ley de Regla que entrega las distancias aproximadas del SOL a los PLANETAS. Enunciada en 1766 por el alemán Johann Daniel Titius (n. 1729–m. 1796), fue popularizada a partir de 1772 por su compatriota Johann Elert Bode (n. 1747–m. 1826). Puede enunciarse como sigue: a cada número de la secuencia 0, 3, 6, 12, 24, y así sucesivamente, sumarle 4 y dividir el resultado por 10. El resultado final para cada número de la secuencia corresponde aproximadamente a la distancia del Sol, en unidades ASTRONÓMICAS (UA), a cada uno de los primeros siete planetas. La ley de Bode también sugería que debería existir un planeta entre la órbita de Marte y Júpiter, donde más tarde fue encontrado el cinturón de ASTEROIDES. Aunque durante un tiempo se pensó que la ley de Bode tenía alguna significación para entender la formación del sistema solar, ahora es vista sólo como una curiosidad numérica.

bodegón ver NATURALEZA MUERTA

bodhi (sánscrito y pali: "despertar" o "iluminación"). En el BUDISMO, la iluminación final que acaba con el ciclo de muerte y renacimiento y conduce al NIRVANA. Este despertar transformó a Siddhartha Gautama en el BUDA histórico. El bodhi se alcanza a través de la liberación personal de las creencias falsas y del estorbo de las pasiones, a través de la disciplina del ÓCTUPLE SENDERO. Aunque no se apoyan en textos canónicos, hay comentarios que ofrecen una triple clasificación de bodhi: la de un perfecto iluminado o Buda, la de un iluminado en forma independiente y la de un ARHAT.

bodhi, árbol *o* **árbol bo** En el BUDISMO, la higuera bajo la cual BUDA estaba sentado cuando logró la iluminación (ver BODHI) en Bodh Gaya (cerca de Gaya, India). Se cree que el árbol que crece ahora en el lugar es un vástago del original, plantado de un mugrón extraído de un árbol en Sri Lanka, que a su vez descendía del original. Ambos árboles son lugares de peregrinación para los budistas. Los árboles bodhi o una representación de sus hojas se han usado como símbolo de Buda.

Bodhidharma *chino* **Damo** *japonés* **Daruma** (c. siglo VI DC). Legendario monje indio a quien se atribuye la fundación de la escuela de BUDISMO chan (sŏn, o ZEN). Considerado el 28° sucesor indio en línea directa de Gautama BUDA, es reconocido por la escuela chan como su primer patriarca. La leyenda relata que viajó de India a Guang (ahora Guangzhou), China, donde se le concedió una entrevista con el emperador Wudi, famoso por sus buenas obras. Le dijo al emperador que era la meditación, no las buenas acciones lo que llevaba a la iluminación. Se decía que Bodhidharma meditó sentado inmóvil durante nueve años.

bodhisattva Término empleado para designar tanto al Gautama BUDA histórico antes de su iluminación, así como para nombrar a otros individuos destinados a convertirse en budas. En el budismo MAHAYANA, el bodhisattva pospone el logro del NIRVANA para aliviar el sufrimiento de otros. Este ideal reemplazó los ideales del budismo THERAVADA del ARHAT y del buda que logra su propia iluminación, que la escuela mahayana calificó de egoísta. El número de bodhisattvas es teóricamente ilimitado y el título ha sido dado a grandes eruditos, maestros y a reyes budistas. Los bodhisattvas celestiales (p. ej., AVALOKITESVARA) son considerados manifestaciones del Buda eterno, y sirven como figuras salvadoras y objetos de devoción personal, sobre todo en Asia oriental.

Bodin, Jean (1530, Angers, Francia–jun. 1596, Laon). Filósofo político francés. Estudió en la Universidad de Toulouse y con posterioridad enseñó allí derecho (1551–61). En 1571 ingresó a la corte del hermano del rey, Francisco, duque de Alençon. Favoreció la negociación con los hugonotes, contra los cuales el gobierno libraba una guerra civil, y se opuso a la venta de dominios reales. Su obra *Los seis libros de la República* (1576) le granjeó inmediata fama. En ella sugirió que la clave para asegurar el orden y la autoridad se encontraba en el reconocimiento de la SOBERANÍA del Estado, la que, según creía, tenía un origen divino y no derivaba del consentimiento de los súbditos. Distinguió tres tipos de gobierno: la MONARQUÍA (que prefería), la ARISTOCRACIA y la DEMOCRACIA.

Antiguas reliquias budistas bajo un árbol bodhi.
FOTOBANCO

Bodmer, Johann Georg (6 dic. 1786, Zurich, Suiza–30 may. 1864, Zurich). Inventor suizo de MÁQUINAS HERRAMIENTA y de maquinaria textil. En 1824 estableció una pequeña fábrica en Inglaterra para producir maquinaria textil, y en 1833 ya tenía un taller equipado con sus propias máquinas herramienta. Entre 1839 y 1841 patentó más de 40 máquinas herramienta especializadas, que luego instaló en una ingeniosa disposición de tipo fabril. Especialmente notable fue una máquina para fabricar engranajes que cortaba dientes de paso, forma y profundidad predeterminados en una sola pieza de metal lisa. Bodmer también patentó dispositivos para máquinas de VAPOR y se le reconoce el haber inventado el cilindro con pistones opuestos.

Bodoni, Giambattista (16 feb. 1740, Saluzzo, Piamonte–29 nov. 1813, Parma, Imperio francés). Tipógrafo italiano. Hijo de un impresor, se formó en la imprenta de la Iglesia católica de Roma. En 1768 asumió la administración de la imprenta real del duque de Parma. En la década de 1780 diseñaba ya sus propias tipografías; la tipografía Bodoni apareció en 1790 y aún se utiliza en la actualidad. Se hizo conocido en todo el mundo y los coleccionistas buscaban sus libros. Entre sus muchas obras importantes se incluyen excelentes ediciones de HORACIO (1791), VIRGILIO (1793) y la *Ilíada* de HOMERO (1808).

Bodrum ver HALICARNASO

Boecio *p. ext.* **Anicius Manlius Severinus Boethius** (¿470–475? DC, Roma–524 ¿Pavia?). Estudioso, filósofo cristiano y estadista romano. Nacido en el seno de una familia patricia, fue cónsul en 510 y después primer ministro del rey ostrogodo TEODORICO. Acusado de traición y condenado a muerte, escribió su obra neoplatónica *Consolación de la filosofía* mientras aguardaba en la cárcel su ejecución. La obra fue ampliamente conocida e influyente, durante y después de la Edad Media. También se lo conoce por sus traducciones de obras griegas de lógica y matemática como las de Porfirio y ARISTÓTELES. Sus traducciones y comentarios figuraban entre los textos básicos de la ESCOLÁSTICA medieval.

Boehm, Theobald (9 abr. 1794, Munich, Baviera–25 nov. 1881, Munich, Imperio alemán). Flautista y diseñador de FLAUTAS alemán. Hijo de un orfebre, fue un virtuoso flautista autodidacta. Al percatarse de que el oficio que había aprendido de su padre se podía utilizar para mejorar el instrumento, creó un nuevo tipo de mecanismo de llaves en 1832. Posteriormente estudió acústica, y en 1847 había rediseñado por completo la flauta, dándole una forma interna diferente, mediante el traslado de orificios y la extensión del uso de las llaves. Su trabajo logró un sonido más fuerte y uniforme que el de los instrumentos precedentes y formó la base de la flauta moderna.

Boeing Co. Gran empresa estadounidense, la mayor empresa aeroespacial del mundo y el mayor fabricante de jets de transporte comercial. Fue fundada en 1916 por William E. Boeing (n. 1881–m. 1956) con el nombre de Aero Products Company. A fines de la década de 1920 formó parte de United Aircraft and Transport Corp., pero posteriormente, en 1934, resurgió como una entidad independiente, cuando la compañía fue parcelada para cumplir con la legislación antimonopolio. Durante la década de 1930, Boeing fue pionero en el desarrollo de monoplanos; el B-17 Fortaleza Volante (cuyo primer vuelo fue en 1935) y el B-29 Superfortaleza (1942) jugaron

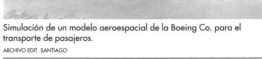
Simulación de un modelo aeroespacial de la Boeing Co. para el transporte de pasajeros.
ARCHIVO EDIT. SANTIAGO

un rol sobresaliente en la segunda guerra mundial. Después del conflicto bélico, la compañía desarrolló el bombardero B-52, viejo pilar de las fuerzas estratégicas de EE.UU. La empresa produjo el primer jet comercial estadounidense, el Boeing 707 (en servicio a contar de 1958), y continuó desarrollando una serie de exitosos jets de transporte comercial. A principios del s. XXI, estos formaban siete familias: los de fuselaje angosto como el 737 y el 757; los de fuselaje ancho que comprenden los 747, 767 y los 777; los 717 (anteriormente bajo la marca McDonnell Douglas MD-95) y los MD-11. En la década de 1960, Boeing construyó los orbitadores lunares, los vehículos lunares todo terreno y la primera etapa de los cohetes Saturno V (ver SATURNO) para el programa APOLLO de EE.UU. En 1993, la compañía fue el contratista principal de la NASA en la construcción de la ESTACIÓN ESPACIAL INTERNACIONAL (EEI). En 1996 compró las unidades aeroespaciales y de defensa de Rockwell International Corp., y un año después, la empresa MCDONNELL DOUGLAS CORP. Finalmente en 2000 adquirió el negocio satelital de Hughes Electronics. Ver también LOCKHEED MARTIN CORP.

bóer ver AFRIKÁNER

Boerhaave, Hermann (31 dic. 1668, Voorhout, Países Bajos–23 sep. 1738, Leiden). Médico holandés. Como profesor de la Universidad de Leiden, fue un renombrado docente, a menudo se le atribuye la creación del sistema moderno de enseñanza médica, a la cabecera del paciente. Su reputación como uno de los médicos más destacados del s. XVIII reside en parte en sus intentos de organizar el conjunto de los conocimientos médicos conocidos en su época en una serie de textos importantes y trabajos enciclopédicos.

Hermann Boerhaave, detalle de un retrato de Cornelis Troost; Rijksmuseum, Amsterdam.
GENTILEZA DEL RIJKSMUSEUM, AMSTERDAM

bóers, guerra de los *o* **guerra sudafricana** Guerra librada entre Gran Bretaña y las dos repúblicas bóers (ver AFRIKÁNER) –la República Sudafricana (TRANSVAAL) y el Estado Libre de ORANGE– desde 1899 hasta 1902. Se originó por la negativa del líder bóer PAULUS KRUGER a conceder derechos políticos a los *uitlanders* ("extranjeros", en su mayoría ingleses) en los distritos mineros del interior y por la agresividad del alto comisionado británico, ALFRED MILNER. Al principio, los bóers derrotaron a los británicos en importantes combates y sitiaron las estratégicas ciudades de Ladysmith, Mafeking (actual MAFIKENG) y Kimberley; pero los refuerzos británicos al mando del comandante en jefe H.H. KITCHENER y de F.S. Roberts lograron liberarlas, dispersaron a los ejércitos bóers y ocuparon Bloemfontein, Johannesburgo y Pretoria (1900). Cuando los ataques guerrilleros bóers continuaron, Kitchener implementó una política de tierra quemada: las granjas fueron destruidas y los civiles bóers internados en campos de concentración. Como resultado, murieron más de 20.000 hombres, mujeres y niños (entre ellos africanos de raza negra), lo que causó la indignación internacional. Los bóers finalmente aceptaron la derrota y firmaron la paz de Vereeniging.

Bogarde, Sir Dirk *orig.* **Derek Niven van den Bogaerde** (28 mar. 1921, Londres, Inglaterra–8 may. 1999, Londres). Actor británico. Hijo de un crítico de arte de origen holandés, debutó en el teatro en 1939 y obtuvo un contrato con los estudios cinematográficos Rank al finalizar la segunda guerra mundial. Después de actuar principalmente en comedias ligeras como *Un médico en la familia* (1953), comenzó a demostrar su gama actoral en películas más profundas como *The Doctor's Dilemma* (1958), *El sirviente* (1963), *Darling* (1965) y *Providence* (1977). También actuó en *Muerte en Venecia* (1971), *La caída de los dioses* (1969) y *Un puente lejano* (1977).

Bogart, Humphrey (DeForest) (25 dic. 1899, Nueva York, N.Y., EE.UU.–14 ene. 1957, Hollywood, Cal.). Actor estadounidense. Interpretó papeles secundarios en el teatro y en Hollywood antes de lograr el éxito en Broadway como el asesino Duke Mantee en *El bosque petrificado* (1935), papel que revivió en la versión cinematográfica (1936). Actuó en numerosas películas de bajo presupuesto, generalmente como mafioso, antes de consagrarse en *El último refugio* (1941) y *El halcón maltés* (1941). A menudo interpretó personajes sarcásticos y solitarios, que sin embargo son capaces de amar, en filmes como *Casablanca* (1942), *El tesoro de la Sierra Madre* (1948) y *La reina de África*

Humphrey Bogart en la película *Sahara* (1943).
THE BETTMANN ARCHIVE

(1951, premio de la Academia). Además actuó en cuatro películas con su cuarta esposa, LAUREN BACALL.

Boğazköy Poblado del centro-norte de Turquía. Ubicado aprox. 145 km (90 mi) al este de ANKARA, se erigió sobre las ruinas de la antigua capital hitita de Hattusa. El lugar contiene restos arqueológicos, como templos, puertas de ciudad y murallas, asociados con la poderosa dinastía hatti (c. siglo XVI–XII AC); posteriormente HERÓDOTO describió el lugar. En excavaciones realizadas en el s. XX se descubrieron cientos de tablillas CUNEIFORMES que dan testimonio de la importancia de esta antigua ciudad.

Bogd Gegeen Kan (floreció 1911–24, Urga [Ulan Bator]). "Buda viviente" de la secta de los bonetes amarillos (DGE-LUGS-PA). En 1911 proclamó a Mongolia independiente de China, aunque la verdadera independencia no fue conseguida sino hasta 1921. Permaneció como jefe de Estado hasta 1924.

bogomil Miembro de una secta religiosa que floreció en los Balcanes durante los s. X–XV. Fundada en el s. X por un sacerdote búlgaro llamado, según la tradición, Bogomil, las creencias de la secta surgieron de la posible fusión de las doctrinas dualistas provenientes principalmente de los paulicianos (secta de Armenia y Asia Menor) y un movimiento eslavo local que aspiraba a reformar la nueva Iglesia búlgara ortodoxa. Su principal enseñanza era que el mundo material visible había sido creado por el diablo. Los bogomiles enseñaban una cristología doceta, en vez de la tradicional doctrina de la Encarnación; rechazaban la concepción cristiana de la materia como vehículo de la gracia, y repudiaban por completo la organización de la Iglesia ortodoxa. Eran activos misioneros que vivían en riguroso ascetismo. Durante los s. XI–XII se extendieron por muchas provincias europeas y asiáticas del Imperio bizantino; también lo hicieron a Europa occidental, donde contribuyeron a la formación de la herejía de los CÁTAROS. En Bulgaria, permanecieron como una fuerza poderosa hasta fines del s. XIV. Su influencia decayó con la conquista otomana del sudeste de Europa en el s. XV. Ver también DUALISMO.

Bogotá, D.C. *p. ext.* **Capital del Distrito de Santafé de Bogotá** Ciudad (pob., 1999: 6.276.428 hab.), capital de Colombia. Está situada en la meseta oriental de la cordillera de los ANDES. La colonización europea comenzó en 1538, cuando los conquistadores españoles invadieron Bacatá, la principal localidad de los indios CHIBCHA. El nombre fue pronto cambiado por Bogotá. Se transformó en la capital del virreinato de NUEVA GRANADA y en el centro del poder colonial de los españoles de América del Sur. Fue el escenario de la sublevación contra el dominio español (1810–11). El líder revolucionario SIMÓN BOLÍVAR tomó la ciudad en 1819. Se transformó en la capital de la confederación de GRAN COLOMBIA; cuando dicha entidad fue disuelta en 1830, permaneció como capital, pero de Nueva Granada, y luego de la República de Colombia. Actualmente, Bogotá es un centro industrial, comercial, educacional y cultural.

Bogusławski, Wojciech (9 abr. 1757, Glinna, Polonia– 23 jul. 1829, Varsovia). Actor, director y dramaturgo polaco. En 1778 se hizo miembro del Teatro Nacional de Polonia en Varsovia como actor y, posteriormente, llegó a ser su director (1783–1814). Es reconocido como el padre del teatro polaco y escribió más de 80 obras, incluidas numerosas comedias adaptadas de obras de autores de Europa occidental, así como su popular obra *Cracovianos y montenegrinos* (1794). Apoyó la formación de compañías de teatro en Vilna (1785) y Lwów (1794) y realizó giras con esta compañía, representando piezas polacas y extranjeras. En 1787 protagonizó Hamlet, en una versión que él mismo tradujo al polaco.

Bohai, golfo del *convencional* **golfo de Pechili** Brazo del mar AMARILLO en la costa norte de China. Junto a la península de Liaodong (que generalmente se considera parte del golfo del Bohai), sus dimensiones máximas son de 480 km (300 mi) en dirección nordeste-sudoeste y 306 km (190 mi) este-oeste. El HUANG HE (río Amarillo) desemboca en él.

Bohemia Antiguo reino situado en el centro de Europa. Poblado en el s. V DC por los checos, se transformó en tributario del Imperio de CARLOMAGNO. Fue parte del reino de MORAVIA en 870; al disolverse este, pasó a ser un ducado con un importante centro en PRAGA. En el s. X se expandió e incluyó partes de SILESIA, Eslovaquia y CRACOVIA. Desde la elección de FERNANDO I como rey en 1526, permaneció bajo el control de la dinastía HABSBURGO hasta 1918. Después de la primera guerra mundial, Bohemia declaró su independencia junto con Moravia y Eslovaquia. Fue invadida por Alemania en 1939 bajo el pretexto de que gran parte de su población era alemana. Después de la segunda guerra mundial, pasó a ser una provincia de Checoslovaquia (posteriormente, República Socialista Checa). Tras el colapso de Europa oriental, en 1993 pasó a formar parte de la independiente República Checa.

Bohemia, cristal de Vidrio decorativo hecho en Bohemia a partir del s. XIII. A principios del s. XVII, Caspar Lehmann, quien fuera cortador de gemas de Rodolfo II en Praga, perfeccionó la técnica del grabado con gemas sobre cristal. En 1700 se había hecho popular un cristal a la cal y potasa cáustica, ricamente ornamentado y de gran brillo, el cristal de Bohemia. A fines del s. XVIII se introdujo un cristal negro con diseños chinescos. En el s. XIX se introdujeron el cristal de color rubí y un cristal opaco con baño blanco, ambos tallados y esmaltados.

Copa de cristal de Bohemia, tallada en relieve y decorada con flores barrocas en huecorrelieve, del taller de Friedrich Winter en Silesia, c. 1710–20.
MUSEO DE ARTES DECORATIVAS, PRAGA

Bohemia, escuela de Escuela de artes visuales que floreció en Praga y sus alrededores a fines del s. XIV. CARLOS IV atrajo artistas y eruditos hacia Praga desde toda Europa. Manuscritos franceses e italianos inspiraron una escuela local de

"Resurrección", del Maestro de Wittingau, escuela de Bohemia, c. 1380–90; Galería Národní, Praga.
GIRAUDON – ART RESOURCE

iluminación de libros. Aunque la mayoría de los pintores fueron anónimos, sus logros en pintura de retablos y frescos tuvieron una importante influencia sobre el arte GÓTICO alemán. Una tradición bohemia vital en arquitectura otorgó el impulso a la gran arquitectura GÓTICA alemana del s. XV.

Bohemia, selva de *alemán* **Böhmer Wald** Cadena montañosa de Europa central. Está ubicada a lo largo de la frontera entre BAVIERA (Alemania) y BOHEMIA (República Checa), y se extiende hacia el noroeste y sudeste, desde el río Ohre hasta el valle del DANUBIO, en Austria. Su cumbre más alta, el Arber, alcanza los 1.457 m (4.780 pies). El río MOLDAVA nace en esta cadena montañosa.

bohemio ver CHECO

Bohemundo I *orig.* **Marc** (c. 1050/58–5 ó 7 mar. 1109, probablemente en Bari). Príncipe de Otranto (1089–1109) y de Antioquía (1098–1101, 1103–4). Hijo de un duque que ejercía dominio en el sudeste de Italia, fue apodado según un gigante legendario. Se unió al ejército de su padre, y disputó territorios a ALEJO I COMNENO en el Imperio bizantino. En 1095 se unió a la primera CRUZADA, reconquistando tierras bizantinas de manos de los turcos y capturando Antioquía (1098). En vez de tomar parte en la batalla para conquistar Jerusalén, permaneció en Antioquía, la que gobernó como un principado. Sus intentos para lograr apoyo francés e italiano contra Alejo y el Imperio bizantino fueron finalmente infructuosos.

Böhm, Karl (28 ago. 1894, Graz, Austria–14 ago. 1981, Salzburgo). Director de orquesta austríaco. Habiendo ascendido de pianista de ensayo a director principal en la Ópera de Graz, fue invitado a dirigir la Ópera de Munich en 1921. Como director de la Ópera estatal de Dresde (1934–42), dirigió numerosos estrenos. Estuvo asociado por largo tiempo con el festival de Salzburgo (desde 1938) y fue especialmente admirado por sus interpretaciones de las obras de WOLFGANG AMADEUS MOZART. Sus grabaciones y presentaciones se recuerdan por su admirable calidad en cuanto a calidez, sutileza y lirismo.

Böhme, Jakob (1575, Altseidenberg, Sajonia–21 nov. 1624, Görlitz). Filósofo místico alemán. Originalmente zapatero, en 1600 tuvo una experiencia religiosa que, a su juicio, le mostraba cómo podían resolverse las tensiones de su época. Expuso su visión en *Aurora* (1612). Los escritos de PARACELSO estimularon su interés en el misticismo de la naturaleza. En *Mysterium magnun* [El gran misterio] (1623) explicó la creación expuesta en el Génesis según principios paracelsianos. En *On the Election of Grace* [Sobre la elección de la gracia] desarrolló el problema del LIBRE ALBEDRÍO, cuestión crítica en su época a causa de la expansión del CALVINISMO y su doctrina de la PREDESTINACIÓN. Influyó profundamente en movimientos intelectuales posteriores como el IDEALISMO y el ROMANTICISMO, y es considerado padre de la TEOSOFÍA.

Bohol, isla Isla (pob., 2000: 1.137.268 hab.) de Filipinas. Forma parte del grupo de las Visayas al norte de MINDANAO y cubre una superficie de 3.864 km² (1.492 mi²). En 1565 llegaron los españoles, bajo cuyo dominio permaneció hasta fines del s. XIX. Tiene un carácter esencialmente rural y vive de una economía agrícola. Los principales poblados, entre ellos Loon y Talibon, se encuentran en la costa.

Bohr, Niels (Henrik David) (7 oct. 1885, Copenhague, Dinamarca–18 nov. 1962, Copenhague). Físico danés. Estudió la estructura del átomo con J.J. THOMSON y ERNEST RUTHERFORD en las universidades de Cambridge y Manchester. Fue uno de los primeros en ver la importancia del NÚMERO ATÓMICO de un elemento, y postuló que cualquier átomo puede existir sólo en un conjunto discreto de estados caracterizados por valores determinados de energía. Fue el primero en aplicar la teoría cuántica a la estructura atómica y molecular, y su concepto del núcleo atómico fue un paso clave para entender procesos como la FISIÓN NUCLEAR. Desde 1920 a 1962 dirigió el recientemente creado Instituto de física teórica en Copenhague. En 1922 obtuvo el Premio Nobel de Física por su trabajo sobre la teoría atómica. Fue presidente de la Royal Danish Academy desde 1939 hasta su muerte. Aunque contribuyó a la investigación de la bomba atómica en EE.UU. durante la segunda guerra mundial, se dedicó más tarde a la causa del control de armas. En 1957 recibió el primer Premio Átomos para la Paz de EE.UU. El elemento 107, borio, fue nombrado en su honor. Su hijo Aage Niels Bohr (n. 1922) compartió el Premio Nobel de Física de 1975 con Ben Mottelson (n. 1926) y James Rainwater (n. 1917–m. 1986) por su trabajo sobre núcleos atómicos.

boicot Ostracismo organizado y colectivo aplicado a las relaciones laborales, económicas, políticas o sociales para protestar contra prácticas consideradas injustas y castigarlas. La táctica fue popularizada por CHARLES STEWART PARNELL para protestar por los altos alquileres y los desalojos de tierras llevados a cabo en Irlanda en 1880 por el administrador de propiedades Charles C. Boycott (n. 1832–m. 1897). Los boicots son utilizados principalmente por organizaciones laborales para obtener un mejoramiento de sus condiciones salariales y de trabajo o por los consumidores con el fin de presionar a las empresas para que cambien sus prácticas en materia de contratación de personal, condiciones laborales, protección del medio ambiente o inversiones. La ley estadounidense distingue entre boicots primarios, que consisten en la negativa de los empleados a comprar bienes o servicios de sus empleadores, y boicots secundarios, que implican el intento de inducir a terceros a negarse a ser clientes del empleador. Este último tipo de boicot es ilegal en la mayor parte de los estados del país. Los boicots se utilizaron como táctica por el movimiento por los derechos civiles de las décadas de 1950–60 y también se han usado para influir en la conducta de las empresas MULTINACIONALES.

Boieldieu, (François-) Adrien (16 dic. 1775, Ruán, Francia–8 oct. 1834, Jarsy). Compositor francés. Bien conocido como concertista en piano, enseñó piano en el conservatorio de París desde 1798. Sus primeras *óperas comiques* ganaron popularidad en París, y escribió varias óperas más como director de la Ópera Francesa en San Petersburgo (1804–10). De sus aproximadamente 40 óperas (incluidas varias obras de un solo acto), las más populares fueron *Le calife de Bagdad* (1800), *Le petit chaperon rouge* (1818) y *La dame blanche* (1825). Fue el principal compositor de ópera en Francia a comienzos del s. XIX, pero sus logros fueron opacados paulatinamente por los de GIOACCHINO ROSSINI.

Boileau (-Despréaux), Nicolas (1 nov. 1636, París, Francia–13 mar. 1711, París). Poeta y crítico literario francés. Su obra *El arte poética* (1674), tratado didáctico en verso que establece las reglas de la composición poética en la tradición clásica, aporta una valiosa mirada a las controversias literarias de la época. También tradujo el tratado clásico *Sobre lo sublime*, atribuido a Longino, el cual irónicamente se transformó en una fuente clave de la estética del romanticismo.

Su obra promulgó las normas clásicas tanto en la literatura francesa como en la inglesa.

Bois, W.E.B. Du ver W.E.B. DU BOIS

Boise Ciudad (pob., 2000: 185.787 hab.), capital de Idaho, EE.UU. Es la ciudad más grande del estado y se ubica sobre el río Boise. A causa de la fiebre del oro de 1862 que llegó a la cuenca del río, en 1863 se estableció el fuerte Boise, con lo cual surgió una comunidad que prestaba servicios a la minería. En 1864 se convirtió en la capital del Territorio de Idaho y posteriormente en capital del estado, en 1890. La expansión agrícola y el crecimiento de la industria maderera contribuyeron a su rápido crecimiento. Boise es la oficina central del bosque nacional Boise.

Boito, Arrigo *orig.* **Enrico Giuseppe Giovanni Boito** (24 feb. 1842, Padua, Lombardía-Venecia–10 jun. 1918, Milán, Italia). Compositor y libretista italiano. Como compositor se lo recuerda por su ópera *Mefistófeles* (1868). Escribió el texto del *Inno delle nazioni* (1862) de GIUSEPPE VERDI y revisó el libreto de su *Simon Boccanegra* (1881), tareas que lo llevaron a escribir los célebres textos de las obras maestras de Verdi *Otello* (1887) y *Falstaff* (1893). Escribió también el libreto de *La Gioconda* (1876) de Amilcare Ponchielli. Su propia ópera *Nerón* quedó inconclusa a su muerte.

boj Arbusto o arbolillo SIEMPREVERDE (género *Buxus*) de la familia Buxaceae, muy apreciado como especie ornamental y por su madera. La familia comprende siete géneros de árboles, arbustos y plantas herbáceas, nativas de Norteamérica, Europa, África del norte y Asia. Tiene flores masculinas y femeninas sin pétalos, en plantas separadas. El follaje es siempreverde, con hojas coriáceas, simples y alternas. Los frutos son CÁPSULAS o drupas con una o dos semillas. El boj ornamental, ampliamente cultivado, puede corresponder a cualquiera de las siguientes tres especies del género *Buxus*: el boj común o inglés (*B. sempervirens*), usado para setos, borduras y en TOPIARIA; el boj japonés (*B. microphylla*) y el boj arbóreo alto (*B. balearica*).

Bojador, cabo Cabo de África occidental. Se proyecta en el océano Atlántico desde el SAHARA OCCIDENTAL, al sur de las islas CANARIAS. Después de 1434, los portugueses comenzaron a explotar la región, en especial para la obtención de esclavos. Con posterioridad, la zona fue disputada por España y Portugal; España finalmente ganó el control en 1860 y lo anexó en 1884. Después del retiro de España de Sahara Occidental en 1976, Marruecos reclamó el cabo, estableció guarniciones militares e hizo de él una provincia.

Bojangles ver Bill ROBINSON

Bok, Edward (William) (9 oct. 1863, Den Helder, Países Bajos–9 ene. 1930, Lake Wales, Fla., EE.UU.). Editor estadounidense de origen holandés. Criado en una familia de emigrantes pobres establecida en Brooklyn, N.Y., hizo carrera en el campo de la publicación de libros y revistas. Como editor del *Ladies' Home Journal* (1889–1919), creó secciones para informar a las lectoras sobre diversos temas y organizó campañas sobre salud pública y estética personal. Su decisión de dejar de publicar propaganda de medicamentos, ayudó a gestionar la aprobación de la ley de alimentos y fármacos de 1906. También puso fin a la práctica de no mencionar las enfermedades ve-

Edward Bok, fotografía de Pirie MacDonald, 1909.
GENTILEZA DE LA BIBLIOTECA DEL CONGRESO, WASHINGTON, D.C.

néreas en materiales impresos. Dedicó los últimos años de su vida a trabajar en causas cívicas y por el mantenimiento de la paz mundial. Escribió una notable autobiografía: *Americanization of Edward Bok* [La americanización de Edward Bok] (1920, Premio Pulitzer).

Bokassa, Jean-Bédel *o* **Bokassa I** (22 feb. 1921, Bobangui [República Centroafricana]–3 nov. 1996, Bangui, República Centroafricana). Presidente de la República Centroafricana (1966–77) y autoproclamado emperador del Imperio centroafricano (1977–79). Hijo de un jefe de aldea, se unió al ejército francés en 1939 y recibió la Cruz de Guerra por sus servicios en Indochina. En 1961 regresó para encabezar el ejército de la recién independizada República Centroafricana; cinco años más tarde derrocó al presidente, su primo David Dacko. En 1977 se coronó a sí mismo emperador. Cuando se descubrió que había participado en la masacre de cien escolares y se le acusó de canibalismo, paracaidistas franceses lo derrocaron y restablecieron la república. Se radicó en Costa de Marfil. En 1980 fue sentenciado a muerte en ausencia, pero posteriormente la pena le fue conmutada.

Boknafjord Ensenada del mar del NORTE en Noruega. Está ubicada al norte de Stavanger, centro de comercio para la explotación petrolera mar adentro; tiene aprox. 56 km (35 mi) de longitud y 16–24 km (10–15 mi) de ancho. Sus brazos incluyen otros fiordos y está salpicado de numerosas islas e islotes.

bolchevique (ruso: "miembro de la mayoría"). Miembro del ala del PARTIDO OBRERO SOCIALDEMÓCRATA RUSO dirigida por VLADÍMIR LENIN que tomó el control en la REVOLUCIÓN RUSA DE 1917. El grupo surgió en 1903 cuando los seguidores de Lenin insistieron en que el ingreso al partido debía estar restringido sólo a revolucionarios profesionales o de tiempo completo. Aun cuando se unieron a sus rivales, los MENCHEVIQUES ("miembros de la minoría"), en la REVOLUCIÓN RUSA DE 1905, los dos grupos se dividieron posteriormente y en 1912 Lenin formó su propio partido, el que concitó la creciente adhesión de los trabajadores urbanos y los soldados durante la primera guerra mundial. La consolidación del poder de los bolcheviques con posterioridad a 1917 se convirtió en uno de los prototipos de TOTALITARISMO; el otro fue el FASCISMO de BENITO MUSSOLINI y ADOLF HITLER. Ver también LENINISMO, PARTIDO COMUNISTA.

Bolena, Ana ver ANA BOLENA

boliche ver BOLOS

Bolingbroke, Henry Saint John, 1er vizconde (16 sep. 1678, probablemente en Wiltshire, Inglaterra–12 dic. 1751, Battersea, cerca de Londres). Político británico. Después de ingresar al parlamento en 1701, se convirtió en un importante tory en el reinado de la reina ANA ESTUARDO, como secretario de guerra (1704–08) y de Estado (1710–15). Fue depuesto del cargo por JORGE I y, temiendo ser acusado de alta traición por sus intrigas con los JACOBITAS, huyó a Francia en 1715. Regresó a Inglaterra en 1725 y se convirtió en el centro de un círculo literario que incluía a JONATHAN SWIFT, ALEXANDER POPE y JOHN GAY. Emprendió una influyente campaña de propaganda contra los whigs y su líder, ROBERT WALPOLE, y también escribió varias obras históricas y filosóficas, entre ellas *The Idea of a Patriot King* [La idea de un rey patriota] (publicada secretamente por Pope en 1744 y como versión corregida en 1749).

Bolívar, pico *o* **La Columna** Montaña de Venezuela. Está ubicada en el parque nacional Sierra Nevada. Tiene 5.007 m (16.427 pies) de altitud. Es la cumbre más alta en la cordillera de Mérida (espolón nororiental de la cordillera de los ANDES) y en Venezuela.

Bolívar, Simón *llamado* **El Libertador** (24 jul. 1783, Caracas, Nueva Granada–17 dic. 1830, cerca de Santa María, Colombia). Militar y estadista sudamericano que condujo las

Retrato de Simón Bolívar, llamado El Libertador de Hispanoamérica.
FOTOBANCO

revoluciones contra el dominio español en NUEVA GRANADA (ahora Colombia, Venezuela y Ecuador), Perú y el Alto Perú (ahora Bolivia). Hijo de un aristócrata venezolano, recibió una educación europea. Influenciado por el racionalismo europeo, se sumó al movimiento independentista de Venezuela, convirtiéndose en un prominente líder político y militar. Los revolucionarios expulsaron al gobernador español de Venezuela (1810) y declararon la independencia de la nación en 1811. La joven república fue derrotada por los españoles en 1814, y Bolívar partió al exilio. En 1819 emprendió un temerario ataque a Nueva Granada, conduciendo a unos 2.500 hombres por rutas consideradas intransitables y, sorprendiendo a los españoles, los venció rápidamente. Con la ayuda de ANTONIO JOSÉ DE SUCRE aseguró la independencia de Quito en 1822. Completó el trabajo revolucionario de JOSÉ DE SAN MARTÍN en el Perú, liberando a este país en 1824. Siguiendo las órdenes de El Libertador, Sucre emancipó el Alto Perú (1825). Como presidente de Colombia (1821–30) y del Perú (1823–26), supervisó la creación en 1826 de una liga de estados hispanoamericanos, pero las nacientes repúblicas pronto comenzaron a combatir entre ellas. Menos exitoso al gobernar países que al emanciparlos, optó por el exilio y murió cuando se disponía a emprender un viaje a Europa.

BOLIVIA

▸ **Superficie:** 1.098.581 km²
  (424.164 mi²)

▸ **Población:** 8.858.000 hab.
  (est. 2005)

▸ **Capitales:** LA PAZ (administrativa)
  SUCRE (judicial)

▸ **Moneda:** boliviano

Bolivia *ofic.* **República de Bolivia** País del oeste de América del Sur. La población está integrada por tres grupos étnicos principales: indígenas, principalmente AYMARAS y QUECHUAS; mestizos, como resultado de la mezcla de indígenas y españoles, y descendientes de españoles. Idiomas: español, aymara y quechua (todos oficiales). Religiones: católica (oficial) y vestigios de creencias precolombinas. En el país cabe distinguir tres grandes regiones. Las tierras altas del sudoeste, o ALTIPLANO ANDINO, donde está ubicado el lago TITICACA, se extienden hacia el sudoeste del país. La segunda región, que rodea a la anterior, está compuesta por las ramas occidental y oriental de la cordillera de los ANDES. La mayor parte de la rama oriental está densamente poblada de bosques, con varios valles fluviales profundos; la sección occidental de la cordillera es una altiplanicie bordeada de volcanes, como el pico más alto del país, el monte Sajama, con una altitud de 6.542 m (21.463 pies). La tercera región es una zona de tierras bajas que comprende dos tercios del país, al norte y al este; incluye los ríos GUAPORÉ, MAMORÉ,

BENI y el alto PILCOMAYO. Bolivia tiene una economía mixta en vías de desarrollo, basada en la producción de gas natural y productos agroalimentarios. Es una república bicameral; el jefe de Estado y de Gobierno es el presidente. En el Altiplano boliviano se desarrolló la avanzada cultura TIAHUANACO en los s. VII–XI, y tras su desaparición, devino el país de los aymara, grupo indígena que fue conquistado por los INCAS en el s. XV. Los incas fueron conquistados (ver CONQUISTADORES) en la década de 1530 por los españoles liderados por FRANCISCO PIZARRO. En 1600, España había fundado las ciu-

Plaza San Francisco en La Paz, capital administrativa de Bolivia.
FOTOBANCO

dades de Charcas (actual Sucre), La Paz, Santa Cruz y lo que sería COCHABAMBA, a la vez que había comenzado a explotar el rico yacimiento de plata de Potosí. La nación tuvo su esplendor en el s. XVII, y por un tiempo Potosí fue la ciudad más grande de América. Al finalizar ese siglo, la riqueza del mineral se había agotado. En 1809 surgieron las primeras corrientes independentistas, pero recién en 1825 las fuerzas españolas fueron finalmente derrotadas. Como resultado de la guerra del PACÍFICO contra Chile, por el Tratado de 1904 Bolivia cedió a perpetuidad a Chile los territorios ubicados entre el río Loa y el paralelo 23° sur, quedando sin acceso al mar. Además, en 1939, perdió la mayor parte del GRAN CHACO ante Paraguay. Siendo uno de los países más pobres de América del Sur, sufrió la plaga de gobiernos inestables durante casi todo el s. XX. En la década de 1990, durante los gobiernos de Jaime Paz Zamora (1989–93) y Gonzalo Sánchez de Lozada (1993–97), el país se transformó en uno de los más grandes productores mundiales de coca, de la cual deriva el narcótico cocaína. Con posterioridad, los gobiernos de Hugo Bánzer (1997–2001), Jorge Quiroga (2001–2003) y Carlos Mesa (2003–2005) han establecido un programa en gran medida exitoso de erradicación del cultivo, aunque dichos esfuerzos han sido resistidos por muchos campesinos pobres que dependen de los ingresos derivados de la producción de coca. En 2005 fue elegido presidente del país el líder indígena Evo Morales.

Böll, Heinrich (Theodor) (21 dic. 1917, Colonia, Alemania–16 jul. 1985, cerca de Bonn, Alemania Occidental). Escritor alemán. Durante la segunda guerra mundial estuvo como soldado en varios frentes, experiencia que sería el detonante de su pensamiento antibélico e inconformista. Böll llegó a ser una de las voces más respetadas de la izquierda de su país. Sus irónicas novelas acerca de los afanes de sus compatriotas durante y después de la guerra captan muy bien la cambiante psicología de la nación germana. Algunos de sus títulos son *Y no dijo una sola palabra* (1953), *Billar a las nueve y media* (1959), *Opiniones de un payaso* (1963), *Retrato de grupo con señora* (1971) y *El honor perdido de Katharina Blum* (1974). Obtuvo el Premio Nobel de Literatura en 1972.

Bollywood Industria cinematográfica india que se inició en Bombay (actual Mumbai) en la década de 1930, y se convirtió en un enorme imperio del cine. El estudio Bombay Talkies, fundado en 1934 por Himansu Rai, encabezó el desarrollo del cine indio. A lo largo de los años, varios géneros clásicos han surgido de Bollywood: el relato épico histórico, en el cual se destaca *Mughal-e-azam* [El gran mogol] (1960); el curry western, como *Sholay* [Las brasas] (1975); la película cortesana, como *Pakeezah* [Corazón puro] (1972), que resalta una soberbia dirección de fotografía y sensuales coreografías; la película mitológica, representada en *Jai Santoshi Maa* [Viva Santoshi Maa] (1975). Los actores estrellas, más que las películas mismas, son los que, en general, han ocasionado el éxito de taquilla. Las producciones de Bollywood suelen incluir tramas con un patrón establecido, escenas de acción de factura impecable, espectaculares números de danza y baile, un melodrama sobrecogedor y héroes casi míticos. A comienzos del s. XXI, Bollywood producía aproximadamente 1.000 películas por año, y se comenzó a formar un público internacional de asiáticos residentes en Inglaterra y EE.UU.

Bologna, Giovanni da ver GIAMBOLOGNA

Bolonia Capital (pob., est. 2001: 369.955 hab.) de la región de EMILIA-ROMAÑA, en el norte de Italia. Ubicada al norte de FLORENCIA, se encuentra a los pies de los APENINOS. En sus orígenes fue la ciudad etrusca de Felsina; luego, c. 190 AC, se convirtió en una colonia militar romana. Desde el s. VI DC estuvo bajo el dominio del exarcado bizantino de RAVENA. En el s. XII pasó a ser una comuna libre. Se unió a los ESTADOS PONTIFICIOS en 1506, y fue escenario de la coronación de CARLOS V en 1530. Después de un breve período de ocupación francesa, fue incorporada nuevamente a los Estados Pontificios en 1815, y en 1861 se unió al reino de Italia. La Universidad de BOLONIA es la más antigua de Europa. La ciudad es el centro de la red ferroviaria y vial que permite el tráfico entre el norte y el sur de Italia. Además de su notable arquitectura medieval y renacentista, es famosa por su tradición culinaria. Durante la segunda mitad del s. XX fue gobernada por los comunistas.

"Comiendo habas" de Annibale Carracci, uno de los fundadores de la escuela boloñesa.
FOTOBANCO

Bolonia, Juan de ver GIAMBOLOGNA

Bolonia, Universidad de La universidad más antigua de Europa, fundada en Bolonia, Italia, en 1088. Durante los s. XII–XIII llegó a ser el principal centro de estudios de derecho civil y canónico; además, sirvió de modelo para la organización de numerosas universidades europeas. Las facultades de medicina y de filosofía fueron creadas c. 1200. La facultad de ciencias fue instaurada en el s. XVII. En el s. XVIII, las mujeres fueron admitidas por primera vez como estudiantes y docentes. En la actualidad, la universidad tiene facultades de derecho, ciencias políticas, economía, letras y filosofía, ciencias naturales, agricultura, medicina e ingeniería.

boloñesa, escuela Obras producidas y teorías enunciadas por la Academia de los progresivos, fundada en Bolonia c. 1582 por Ludovico, Agostino y Annibale CARRACCI. Al reaccionar en contra del MANIERISMO, abogaron por dibujar frente al modelo natural. Entre sus mejores alumnos se encontraban DOMENICHINO y GUIDO RENI. Sus pinturas claras y simples estaban de acuerdo con las demandas artísticas de la CONTRARREFORMA, que exigía que las obras de arte pudieran ser comprendidas a primera vista. Lo que comenzó como un movimiento regional, se convirtió en una de las fuerzas más influyentes del arte del s. XVII.

bolos *o* **boliche** *inglés* **bowling** Juego en el que una bola pesada se hace rodar por una pista larga y estrecha, para botar un grupo de diez objetos de madera, llamados bolos o palitroques. Han existido versiones de este juego desde épocas antiquísimas. El boliche de nueve bolos fue llevado a EE.UU. en el s. XVII por los emigrantes holandeses, y se hizo tan popular y asociado a las apuestas que fue prohibido en varios estados. El juego creció hasta alcanzar una enorme popularidad en el s. XX como actividad recreacional y deporte profesional (desde 1958). Si todos los bolos son derribados al primer intento, se registra una chuza (*strike*) que vale diez puntos. Si quedan algunos bolos en pie, se lanza otra bola. Si con ella se logra botar el resto de los bolos, se otorga un sobrante ("spare"), que también entrega diez puntos. Si se logra una chuza en un turno, el número de bolos derribados con los dos siguientes lanzamientos se contabiliza en ese turno. Después del sobrante, en cambio, sólo se anota el puntaje de la bola siguiente. Así, el puntaje máximo que se puede anotar en un turno es de 30 puntos. Cada juego está dividido en diez turnos, y cada jugador puede lanzar dos bolas en cada uno, excepto en el último, en el que se pueden lanzar dos si se produjo una chuza en el tiro anterior, y uno más si hubo sobrante. El puntaje perfecto es de 300, que corresponde a 12 chuzas consecutivas de un jugador. Existen distintas variantes, entre ellas, los BOLOS INGLESES.

bolos ingleses *inglés* **skittles** Juego de bolos inglés que consiste en derribar nueve pinos con un disco o bolo de madera. Los palitroques se disponen en forma de diamante y gana el jugador que bota todos los pinos en la menor cantidad de lanzamientos. Los bolos ingleses han sido jugados por siglos en clubes y centros sociales.

bolsa de comercio *o* **bolsa de valores** *o* **mercado de valores** Mercado organizado para la compraventa de valores como ACCIONES y BONOS. Las transacciones se realizan en diversas formas: sobre la base de subastas continuas mediante corredores de valores que compran y venden a intermediarios de cierto tipo de acciones, o a través de especialistas en determinadas acciones. Algunas bolsas de valores, como la Bolsa de Valores de NUEVA YORK (NYSE), venden el derecho a efectuar transacciones a un número limitado de miembros que deben cumplir ciertos requisitos. Asimismo, las acciones deben cumplir y mantener algunos requisitos, de lo contrario corren el riesgo de ser eliminadas del registro. Las bolsas de valores difieren de un país a otro en cuanto a los requisitos exigidos y al grado de participación del gobierno en su administración. Por ejemplo, la Bolsa de Valores de LONDRES es una institución independiente no regulada por el gobierno, en tanto que en el resto de Europa los miembros de las bolsas de valores son a menudo designados por funcionarios de gobierno y constituyen entidades semifiscales. En EE.UU., las bolsas de valores no son administradas directamente por el gobierno, pero son reguladas por ley. Los avances tecnológi-

Fachada de la bolsa de comercio de Nueva York (New York Stock Exchange), importante centro de transacciones bursátiles del mundo, EE.UU.
ARCHIVO EDIT. SANTIAGO

cos han influido en gran medida en la naturaleza de las transacciones. En un servicio de corretaje tradicional integral, el cliente colocaba un pedido con un corredor o miembro de una bolsa de comercio, el que a su vez lo entregaba al especialista de la sala de transacciones, quien cerraba la operación. El mayor acceso a internet y la proliferación de las redes de comunicación electrónica (RCE) del s. XXI han modificado el mundo de las inversiones. A través de las transacciones electrónicas, el cliente ingresa un pedido directamente en línea y el *software* en forma automática compara los pedidos de manera de obtener el mejor precio disponible sin la intervención de agentes o especialistas. En efecto, una RCE es una bolsa de comercio para operaciones fuera de la rueda.

bolsa de pastor Maleza de prados y de bordes de carretera, de amplia distribución (*Capsella bursa-pastoris*) de la familia de las CRUCÍFERAS, originaria del Mediterráneo y actualmente extendida por todo el mundo. Crece hasta 45 cm (18 pulg.), se reconoce fácilmente por sus frutos planos, verdes, acorazonados, dispuestos a lo largo de los tallos florales ramificados, los cuales emergen de una roseta, parecida a la del diente de león, con hojas

Bolsa de pastor (*Capsella bursa-pastoris*).
© ENCYCLOPÆDIA BRITANNICA, INC.

profundamente partidas o casi enteras en la base y que sostienen los racimos de flores blancas minúsculas. Esta especie se ha estudiado mucho para entender la embriogénesis (desarrollo de cigoto a plántula) en las angiospermas.

bolsa de productos *inglés* **commodity exchange** Mercado organizado para la compraventa de contratos ejecutorios a fin de entregar un producto básico (como trigo, oro o algodón) o algún instrumento financiero (como LETRAS DEL TESORO A CORTO PLAZO de EE.UU.) en una fecha futura. Estos contratos se conocen como FUTUROS y su compraventa se realiza en un proceso competitivo de subasta en las bolsas de productos (también se denominan mercados de futuros). La junta de comercio de Chicago es la bolsa de futuros y opciones de futuros más grande del mundo.

bolsa de valores ver BOLSA DE COMERCIO

Bolshói Complejo teatral de Moscú donde se presentan conciertos, óperas, ballets y obras teatrales. La institución (cuyo nombre significa "grande") data de 1776, cuando CATALINA II concedió la licencia a una compañía para que diera todos los espectáculos teatrales en Moscú. Su campo pronto se expandió a la ópera, la danza y el teatro. El complejo original fue construido en 1825 y reedificado después de un incendio en 1853. Las compañías artísticas han cambiado con el tiempo, pero la institución y el edificio reconstruido se han conservado.

Bolshói, Ballet Principal compañía de ballet de Rusia, destacada por sus producciones impecables de ballets clásicos decimonónicos. Esta compañía se formó en 1776 y en 1825 tomó el nombre de su sede, el Teatro BOLSHÓI de Moscú. Sus coreógrafos de mayor influencia fueron, entre otros, MARIUS PETIPA, CARLO BLASIS y ALEXANDR GORSKI. Yuri Grigórovich fue su director artístico de 1964 a 1995. En sus numerosas giras se han dado a conocer al mundo famosos bailarines como EKATERINA GELTSER, VASILI TIJÓMIROV, GALINA ULÁNOVA y MAIA PLISIÉTSKAIA.

Bolton, Guy (Reginald) (23 nov. 1884, Broxbourne, Hertfordshire, Inglaterra–5 sep. 1979, Londres). Comediógrafo y libretista estadounidense de origen inglés. Hijo de padres estadounidenses, estudió arquitectura antes de empezar a escribir comedias. Su primera obra se estrenó en Broadway en 1911, pero su fama se extendió cuando comenzó su contribución a los musicales de Broadway. En colaboración con P.G. WODEHOUSE y otros escribió decenas de guiones que fueron musicalizados por compositores como JEROME KERN (*Oh, Boy!*, 1917), GEORGE GERSHWIN (*Lady, Be Good!*, 1924; *Girl Crazy*, 1930) y COLE PORTER (*Anything Goes*, 1934).

Boltzmann, constante de Cuociente entre la constante universal de los gases (ver leyes de los GASES) y el número de AVOGADRO. Tiene un valor igual a $1,380662 \times 10^{-23}$ joules por kelvin. Denominada así por LUDWIG BOLTZMANN, es una constante fundamental de la física que aparece en casi todas las formulaciones estadísticas tanto de la física clásica como cuántica.

Boltzmann, Ludwig (Eduard) (20 feb. 1844, Viena, Austria–5 sep. 1906, Duino, Italia). Físico austríaco. Obtuvo su doctorado en la Universidad de Viena y de ahí en adelante enseñó en varias universidades alemanas y austríacas. Fue uno de los primeros científicos europeos en reconocer la importancia de la teoría electromagnética de JAMES MAXWELL. Explicó la segunda ley de la TERMODINÁMICA aplicando las leyes de la mecánica y de la teoría de probabilidades a los movimientos de los átomos, y es recordado por ser quien desarrolló la MECÁNICA ESTADÍSTICA. Su trabajo fue mal entendido y atacado por muchos; afectado de depresión a partir de 1900, terminó suicidándose. Poco tiempo después de su muerte, sus conclusiones fueron finalmente confirmadas por descubrimientos en física atómica y por el reconocimiento de que fenómenos como el movimiento BROWNIANO sólo podían ser explicados por la mecánica estadística.

bomba En vulcanología, cualquier material volcánico no consolidado, de diámetro mayor que 32 mm (1,25 pulg.). Las bombas se forman a partir de coágulos de lava completa o parcialmente líquida expulsada durante una erupción volcánica. Se solidifican y redondean durante el vuelo. La forma final queda determinada por el tamaño inicial, su viscosidad y por la velocidad de vuelo del MAGMA.

bomba Máquina que usa ENERGÍA para elevar, transportar o comprimir fluidos. Las bombas se clasifican según cómo transfieren energía al fluido. Los métodos básicos son el desplazamiento volumétrico, la adición de ENERGÍA CINÉTICA y el uso de la FUERZA ELECTROMAGNÉTICA. Las bombas en las que el desplazamiento se efectúa en forma mecánica se llaman bombas de desplazamiento positivo. Las bombas cinéticas traspasan la energía cinética al fluido mediante un rodete impulsor (una rueda con álabes) que gira rápidamente. Para usar la fuerza electromagnética, el fluido que se bombea debe ser un buen conductor eléctrico. Las bombas que se usan para transportar o presurizar gases se llaman COMPRESORES o ventiladores.

bomba atómica Arma cuyo gran poder explosivo proviene de la repentina liberación de energía al disociarse, en la fisión, el núcleo de elementos pesados como el plutonio o el uranio (ver FISIÓN NUCLEAR). Con sólo 5–15 kg (11–33 lb) de uranio altamente enriquecido, una bomba atómica moderna podría generar una explosión de 15 kilotones, creando una inmensa bola de fuego, una enorme onda expansiva y una mortífera PRECIPITACIÓN RADIACTIVA. La primera bomba atómica, desarrollada durante la segunda guerra mundial por el proyecto MANHATTAN, fue detonada el 16 de julio de 1945, en el desierto de Nuevo México. Las únicas bombas atómicas usadas en guerra fueron lanzadas por EE.UU., el 6 de agosto de 1945, en HIROSHIMA, y tres días más tarde, en NAGASAKI. En 1949, la Unión Soviética probó su primera bomba atómica, siendo seguida por Gran Bretaña (1952), Francia (1960), China (1964), India (1974) y Pakistán (1998). Se sospecha que Israel y Sudáfrica hicieron pruebas de armas atómicas en 1979. Ver también ARMA NUCLEAR; BOMBA DE HIDRÓGENO; TRATADO DE NO PROLIFERACIÓN NUCLEAR.

Hongo atómico durante una de las pruebas de la bomba de hidrógeno en el Pacífico sur.
FOTOBANCO

bomba centrífuga Máquina para mover líquidos y gases. Sus dos piezas principales son el rodete impulsor (una RUEDA con álabes) y la caja circular de la bomba que lo envuelve. En el tipo más común, llamado la bomba centrífuga de caracol, el fluido ingresa a la BOMBA a alta velocidad cerca del centro del rodete que rota de manera que sus álabes lo proyectan contra la caja. La presión centrífuga hace pasar el fluido a través de una abertura en la caja; esta salida se ensancha progresivamente a modo de una espiral, lo cual reduce la velocidad del fluido y con ello aumenta la presión. Las bombas centrífugas se usan para muchos propósitos, como bombear líquidos para sistemas de abastecimiento de agua, riego y evacuación de aguas servidas. También se emplean como COMPRESORES de gases.

bomba de calor Dispositivo para transferir calor desde una sustancia o espacio que está a cierta temperatura hacia otra a una temperatura mayor. Consiste en un compresor, un condensador, una válvula de expansión, un evaporador y un fluido de trabajo (refrigerante). El compresor entrega refrigerante en estado de vapor al condensador, ubicado en el espacio a ser calentado. Allí, el aire más frío condensa el refrigerante extrayéndole calor en el proceso. El refrigerante líquido entra entonces en la válvula de expansión donde aumenta de volumen, saliendo como una mezcla de líquido y vapor a temperatura y presión menores. De ahí pasa al evaporador, donde el líquido es evaporado por contacto con la región de la que se extrae así calor, por estar a menor temperatura que ella. El vapor pasa entonces al compresor y el ciclo se repite. Una bomba de calor es un sistema cuyo proceso es reversible, por lo cual se usa comúnmente tanto para calentar como para enfriar edificios. Opera bajo los mismos principios termodinámicos que la REFRIGERACIÓN.

bomba de hidrógeno *o* **bomba-H** *o* **bomba termonuclear** Arma cuyo enorme poder explosivo es generado por la FUSIÓN NUCLEAR de ISÓTOPOS de hidrógeno. Las altas temperaturas requeridas para la reacción de fusión se producen detonando una BOMBA ATÓMICA (que obtiene su energía de la FISIÓN NUCLEAR). La explosión de la bomba produce una onda expansiva que puede destruir estructuras dentro de un radio de varios kilómetros, una luz blanca intensa que puede causar ceguera y un calor tan violento como para desatar tormentas de fuego. También crea precipitación RADIACTIVA que puede envenenar a las criaturas vivientes y contaminar el aire, el agua y la tierra. Las bombas de hidrógeno, que pueden ser miles de veces más potentes que las atómicas, pueden ser de un tamaño lo suficientemente pequeño para caber en las ojivas de misiles balísticos (ver MISIL BALÍSTICO INTERCONTINENTAL) o incluso en munición de artillería (ver BOMBA DE NEUTRONES). EDWARD TELLER y otros científicos estadounidenses desarrollaron la primera bomba-H y la probaron en el atolón de Enewetak (1 nov. 1952). La Unión Soviética probó su primera bomba-H en 1953, seguida de Gran Bretaña (1957), China (1967) y Francia (1968). La mayor parte de las ARMAS NUCLEARES modernas usan tanto fusión como fisión.

bomba de neutrones Pequeña arma termonuclear que mantiene a nivel mínimo las ondas expansiva y de calor que produce, pero que libera gran cantidad de RADIACIÓN mortífera. Las ondas expansiva y de calor son confinadas a unos pocos cientos de metros; dentro de un área algo más grande, la bomba lanza una potente onda de radiación de neutrones y de rayos gamma, que es extremadamente destructiva para los tejidos vivos. Una bomba de este tipo podría ser usada en el campo de batalla con mortal eficacia contra formaciones de tanques e infantería, sin poner en peligro pueblos o ciudades ubicados a pocos kilómetros de distancia. Puede ser llevada por un misil o lanzada con un *howitzer*, o incluso en ataques aéreos.

bomba inteligente Bomba con un sistema de dirección que la guía en su trayectoria hacia el blanco. Es gobernada por aletas o alas en la bomba que se mueven en respuesta a las instrucciones de guía. Los sistemas direccionales pueden ser electro-ópticos, láser, infrarrojo o inercial. Los sistemas electro-ópticos envían fotografías del área de modo que la bomba puede ser dirigida hacia el blanco. Las bombas guiadas por láser siguen los reflejos de un rayo láser enfocado hacia el blanco por un avión o por acción de un observador en tierra. La direccionalidad infrarroja responde a la radiación generada por las áreas del blanco que están calientes. La navegación inercial se basa en ingresar como dato a los giroscopos de la bomba, las coordenadas obtenidas de sistemas de radar o de los satélites del Sistema de posicionamiento global. Las bombas inteligentes, inicialmente usadas en la guerra de Vietnam, ofrecen una precisión muchísimo mayor que las bombas de gravedad, o "tontas" tradicionales.

bomba termonuclear ver BOMBA DE HIDRÓGENO

bomba V-1 ver misil V-1

bombardero Aeronave militar diseñada para lanzar bombas sobre blancos superficiales. El bombardeo aéreo se remonta a la guerra ítalo-turca (1911), en la cual un piloto italiano dejó caer granadas sobre dos blancos turcos. En la primera guerra mundial, ZEPELINES y grandes biplanos de dos o cuatro motores se usaron como bombarderos estratégicos. En la década de 1930 se desarrollaron los pequeños bombarderos en picada; ellos causaron gran destrucción y pánico en la guerra civil española y al comienzo de la segunda guerra mundial. El segundo de estos conflictos presenció el desarrollo continuado de bombarderos estratégicos pesados, que se usaron para destruir blancos en territorio enemigo mientras pequeños cazabombarderos apoyaban a las tropas de tierra en el campo de batalla. Después de la guerra, los bombarderos de propulsión a chorro de largo alcance que transportaban

El bombardero Panavia Tornado GR1 de la Royal Air Force.
FOTOBANCO

bombas nucleares, se hicieron importantes para la estrategia de la guerra fría, y también se usaron para lanzar bombas convencionales durante las guerras de Vietnam y del Golfo Pérsico, y en el conflicto afgano. Esfuerzos para evadir los cada vez más sofisticados sistemas de alerta temprana han culminado en el desarrollo de los bombarderos estadounidenses de tecnología STEALTH (sigilosa), pero cazabombarderos jet más pequeños y más baratos, equipados con sensores electrónicos y bombas guiadas "inteligentes", han probado ser efectivos en una gama de conflictos que abarca desde los Balcanes hasta el Medio Oriente.

Bombay ver MUMBAI

bombón ver CARAMELOS Y BOMBONES

Bombón, lago ver lago TAAL

Bon Fiesta popular anual en Japón, que se celebra normalmente del 13 al 15 de julio, en honor de los espíritus de los antepasados y en general de todos los difuntos. Tal como sucede en la fiesta de Año Nuevo, se cree que los muertos vuelven a sus lugares de nacimiento. Se limpian las lápidas conmemorativas, se ejecutan danzas y se encienden faroles de papel y fogatas para dar la bienvenida a los espíritus y ofrecerles el adiós cuando su visita termina.

Bon Religión autóctona del Tíbet. En sus orígenes, se centraba en la propiciación mágica de fuerzas demoníacas y su práctica incluía sacrificios cruentos. Posteriormente, desarrolló un culto a la monarquía divina (con reyes considerados como manifestaciones de la divinidad celestial), reformulado en el BUDISMO TIBETANO como la reencarnación de los LAMAS. La orden de sacerdotes oráculos de Bon tenía su equivalente en los adivinos budistas, y sus dioses del aire, de la tierra y del infierno en las deidades budistas tibetanas menores. Aunque su supremacía religiosa terminó en el s. VIII, el Bon subsiste en muchos aspectos del budismo tibetano y como una religión que se practica en las fronteras septentrional y oriental del Tíbet.

Bon, cabo Prominencia del nordeste de Túnez. Se adentra unos 80 km (50 mi) en el Mediterráneo en dirección nordeste. Durante la segunda guerra mundial (1939–45) fue ocupado por tropas alemanas que se retiraban de Egipto y Libia (1943) y que poco después se rindieron en el mismo sitio ante los aliados.

Bon Marché (francés: "barato"). TIENDA POR DEPARTAMENTOS de París. Fue fundada como una tienda pequeña a principios del s. XIX y ya c. 1865 se había transformado en la primera verdadera tienda por departamentos a nivel mundial. Su edificio, construido en 1876, fue diseñado por Alexandre-Gustave Eiffel (n. 1832–m. 1923). No está relacionada con la cadena de tiendas por departamentos homónima ubicada en el noroeste de EE.UU.

Bona ver ANNABA

Bona Dea En la religión ROMANA, la deidad de la fecundidad, tanto de la tierra como de las mujeres. El día de la consagración de su templo en el Aventino era el 1 de mayo. Su santuario era atendido y frecuentado sólo por mujeres, aunque las inscripciones muestran que su culto tenía una parte pública en el que podían participar los varones.

Bonaparte, Jerónimo (15 nov. 1784, Ajaccio, Córcega–24 jun. 1860, Villegenis, Francia). Noble francés. Fue el hermano más joven de NAPOLEÓN I, con quien se enemistó después de casarse con una residente de EE.UU. (1803) sin su consentimiento; luego permitió que su matrimonio se anulara. Napoleón entonces lo casó con la princesa Catherine de Württemberg y lo nombró rey de Westfalia (1807–13). Participó en la campaña rusa de 1812 y en la batalla de WATERLOO. Vivió en Florencia tras la caída del emperador. Después del ascenso al poder de su sobrino NAPOLEÓN III, regresó a Francia, convirtiéndose en mariscal de Francia y presidente del Senado.

Retrato de José Bonaparte por Jean Baptiste Joseph Wicar.
FOTOBANCO

Bonaparte, José (7 ene. 1768, Corte, Córcega–28 jul. 1844, Florencia, Toscana, Italia). Abogado, diplomático y militar francés. Durante el reinado de NAPOLEÓN I, de quien era hermano mayor, fue rey de Nápoles (1806–08), en donde abolió el feudalismo, reformó las órdenes monásticas y reorganizó los sistemas judicial, financiero y educacional. Fue nombrado rey de España en 1808, pero sus intentos de reforma tuvieron ahí menos éxito. En 1813 abdicó y regresó a Francia. Después de la derrota de Napoleón en Waterloo, vivió en EE.UU. (1815–32) y luego se estableció en Italia.

Bonaparte, Luciano (21 may. 1775, Ajaccio, Córcega–29 jun. 1840, Viterbo, Italia). Noble y político francés. Hermano de NAPOLEÓN I, se convirtió en presidente del Consejo de los Quinientos y ayudó a aquel a tomar el poder en el golpe de Estado del 18–19 de BRUMARIO. Opinaba que la ambición de Napoleón ponía en riesgo la causa de la democracia, lo que tensionó las relaciones entre ambos. Sin embargo, le ofreció su ayuda durante los CIEN DÍAS y fue el último en defender sus prerrogativas en la época de su segunda abdicación, tras lo cual vivió en Italia.

Bonaparte, Luis (2 sep. 1778, Ajaccio, Córcega–25 jul. 1846, Livorno, Italia). Noble y militar francés. Hermano de NAPOLEÓN I, lo acompañó en la campaña italiana de 1796–97 y fue su edecán en Egipto (1798–99). Por insistencia de su hermano, se casó con HORTENSE DE BEAUHARNAIS en 1802, pero el matrimonio fue infeliz y no duró. Proclamado rey de Holanda en 1806, fue criticado por Napoleón por ser demasiado indulgente con sus súbditos. Su poca disposición a unirse al sistema CONTINENTAL lo puso en conflicto con Napoleón y en 1810 huyó de su reino, estableciéndose finalmente en Italia. Fue padre de NAPOLEÓN III.

Bonaparte, (María Anunciata) Carolina (25 mar. 1782, Ajaccio, Córcega–18 may. 1839, Florencia). Reina de Nápoles (1808–15). La más joven de las hermanas de NAPOLEÓN I, se casó con JOACHIM MURAT en 1800. Su naturaleza ambiciosa fue en parte responsable de que su esposo se convirtiera en rey de Nápoles, entre otros de sus logros. Sus relaciones con Napoleón se hicieron tensas cuando ella se vinculó con las cambiantes lealtades de Murat en 1814–15, por las cuales fue ejecutado. Buscó refugio en Trieste y se convirtió en condesa de Lipona.

Bonaparte, (María) Paulina (20 oct. 1780, Ajaccio, Córcega–9 jun. 1825, Florencia). Noble francesa. Hermana de NAPOLEÓN I, en 1797 contrajo matrimonio con uno de los oficiales de su estado mayor, el gral. C.V.E. Leclerc (n. 1772–m. 1802). Después de la muerte de Leclerc, se casó con el príncipe Camillo F.L. Borghese (1803) con quien se mudó a Roma. Pronto se cansó de él y regresó a París, donde su comportamiento causó escándalo. En 1806 recibió el título de duquesa de Guastalla. Murió de cáncer en Florencia.

Bonaparte, Napoleón ver NAPOLEÓN I

Bond, (Horace) Julian (n. 14 ene. 1940, Nashville, Tenn., EE.UU.). Político estadounidense y dirigente de derechos civiles. Hijo de educadores prominentes, egresó del Morehouse College y, en 1960, ayudó a formar el Student Nonviolent Coordinating Committee (SNCC) (Comité coordinador no violento de estudiantes). En 1965 fue elegido miembro del poder legislativo de Georgia, pero el apoyo que dio a una declaración del SNCC, en la que se acusaba a EE.UU. de violar el derecho internacional en la guerra de Vietnam, determinó que el poder legislativo le denegara su asiento. Fue reelegido dos veces y otras tantas se le negó el acceso. En diciembre de 1966, la Corte Suprema de los EE.UU. declaró que su exclusión era inconstitucional y asumió su escaño en enero de 1967. Más adelante se desempeñó en el Senado del estado (1975–87) y, en 1998, pasó a ser presidente de la NAACP (Asociación nacional para el progreso de la gente de color).

Bonds, Barry *p. ext.* **Barry Lamar Bonds** (n. 24 jul. 1964, Riverside, Cal., EE.UU.). Beisbolista estadounidense. Mientras estudiaba en la Universidad del estado de Arizona, fue designado entre los mejores jugadores universitarios de EE.UU. Bateador zurdo de gran potencia y notable habilidad para robar bases, jugó de jardinero en los Pittsburgh Pirates (1985–92) y los San Francisco Giants (desde 1993). A comienzos del s. XXI había obtenido ocho Guantes de Oro por su capacidad defensiva y había sido nombrado seis veces Jugador Más Valioso. En 2001 bateó 73 *home runs*, rompiendo así el récord de MARK MCGWIRE de 70 en una sola temporada. Ese año, además, le concedieron 177 bases por bola, con lo que superó el registro de BABE RUTH de 170 en una temporada. Su padre, Barry Bonds (n. 1946–m. 2003), fue también un beisbolista profesional sobresaliente.

bone china ver PORCELANA TRANSLÚCIDA

bongo Gran ANTÍLOPE de color vivo (*Boocercus* o *Taurotragus eurycerus*) que se encuentra en las selvas densas de África central. Asustadizo, rápido y esquivo, el bongo vive en pequeños grupos o en parejas. Tiene una alzada de aprox. 1,3 m (51 pulg.) y presenta crines erectos a lo largo del lomo. Ambos sexos tienen cuernos gruesos y enroscados en espiral. El macho es de color rojizo pardo a caoba oscuro con el vientre negro, patas blanquinegras, marcas blancas en la cabeza y franjas blancas, verticales y angostas en el cuerpo. La hembra tiene marcas similares, pero comúnmente de color rojizo pardo más vivo.

Bongo (*Boocercus eurycerus*).
TOM MCHUGH—PHOTO RESEARCHERS

Bonheur, Rosa (16 mar. 1822, Burdeos, Francia–25 may. 1899, Melun). Pintora de animales francesa. Se formó con su padre, un profesor de arte, y comenzó a exhibir regularmente en el Salón de París en 1841. Sus pinturas sin sentimentalismos, de leones, tigres, caballos y otros animales, se hicieron muy populares. *La feria de caballos* (1853) le dio reputación internacional. De personalidad brillante, se vistió de hombre para estudiar a los caballos en la misma Feria de caballos de

París, y consiguió permiso formal de la policía para hacerlo. En 1865 se convirtió en la primera mujer en recibir la Gran Cruz de la Legión de Honor.

Bonhoeffer, Dietrich (4 feb. 1906, Breslau, Alemania–9 abr. 1945, Flossenbürg). Pastor y teólogo luterano alemán. Estudió en las Universidades de Berlín y Tubinga, y desde 1931 enseñó teología en la Universidad de Berlín. Se transformó en el portavoz principal de la Iglesia CONFESANTE y participó activamente en la resistencia, protegido por su empleo en la inteligencia militar. Fue arrestado y encarcelado en 1943. El descubrimiento de documentos que lo implicaban en el atentado de 1944 contra la vida de ADOLF HITLER llevó a su ejecución un mes antes del fin de la segunda guerra mundial. Se lo considera uno de los teólogos más perspicaces del s. XX que defendió una nueva visión del cristianismo, la que suprimiría la división entre lo sagrado y lo profano y abandonaría los privilegios tradicionales de la Iglesia en favor de una participación activa en los problemas del mundo. Sus obras más conocidas son *El precio de la gracia* (1937), *Ética* (1949) y *Resistencia y sumisión* (1951).

boniato ver BATATA

Bonifacio de Querfurt, san ver san BRUNO de Querfurt

Bonifacio VIII *orig.* **Benedict Caetani** (1235, Anagni, Estados Pontificios–11 oct. 1303, Roma). Papa (1294–1303). Nacido en el seno de una familia romana influyente, estudió derecho en Bolonia y ascendió en el gobierno pontificio hasta ser designado cardenal-diácono (1281) y luego papa. En 1296, su esfuerzo por acabar las hostilidades entre EDUARDO I de Inglaterra y FELIPE IV de Francia se confundió con el problema de la tributación del clero sin el consentimiento papal. Cuando Bonifacio emitió una bula que prohibía tal imposición de contribuciones, Felipe contraatacó con medidas económicas. Se enfrentaron de nuevo en 1301 por el control del clero cuando Felipe juzgó y encarceló a un obispo francés. Informados de que Bonifacio planeaba excomulgar a Felipe, los partidarios del rey capturaron al papa y, aunque fue rescatado dos días más tarde, murió poco después de su liberación.

Bonifacio, san (675, Wessex, Inglaterra–5 jun. 754, Dokkum, Frisia; festividad: 5 de junio). Misionero y reformador inglés. Originalmente llamado Wynfrith, se hizo monje benedictino y luego sacerdote. Realizó dos intentos por convertir a los sajones frisios. En 718 viajó a Roma, donde el papa Gregorio II le confió una misión entre los paganos al este del Rin, y le dio el nombre de Bonifacio. En 722, en Hesse, fundó el primero de muchos monasterios benedictinos. Bonifacio trabajó activamente en Turingia durante diez años (725–735). Estableció cuatro obispados en Baviera, lo que allanó el camino para su incorporación al Imperio carolingio. Convocó cinco sínodos (740–745) para reformar el clero franco y a los misioneros irlandeses, y un concilio (747) para reformar todo el reino franco. Fue asesinado por una banda de frisios mientras leía la Biblia a un grupo de recientes conversos.

bonificación Reintegro retroactivo de fondos o crédito otorgado a un comprador que ha adquirido un producto o servicio. Las bonificaciones justas y equitativas se utilizan simplemente como incentivo a disposición de todos los clientes. Las llamadas bonificaciones por pagos escalonados (o por exclusividad) son empleadas por los grandes vendedores de productos perecederos y bienes de consumo durable. Para recibir esta bonificación, el comprador debe convenir en adquirir determinados bienes o servicios exclusivamente a un vendedor en particular durante un período fijo. En el s. XIX, el otorgamiento de bonificaciones era una táctica común de fijación precios que utilizaban a menudo las grandes empresas para socavar la competencia de las empresas más pequeñas. La industria ferroviaria estadounidense practicaba la discriminación de PRECIOS y otorgaba bonificaciones secre-

tas a sus clientes importantes; las bonificaciones otorgadas a STANDARD OIL COMPANY AND TRUST le permitieron lograr el monopolio de la industria del petróleo. En forma ocasional, los
gobiernos otorgan bonificaciones sobre impuestos ya pagados, como los impuestos sobre las ventas, la renta o la propiedad. Las bonificaciones tributarias se pueden utilizar para estimular la economía, devolver a los contribuyentes los impuestos pagados en exceso, o fomentar acciones concretas, como la conservación de la energía.

Bonin, islas *japonés* **Oga-sawara-gunto** Grupo de islas en el océano Pacífico occidental. Ubicadas aprox. 950 km (600 mi) al sur de Tokio, consisten en 27 islas volcánicas que cubren una superficie total cercana a los 104 km² (40 mi²). El grupo lo conforman, entre otras, las islas Chichi (la más grande), Haha, Muko y Yome. Fueron colonizadas en 1830 por un grupo de europeos y hawaianos. Japón las anexó oficialmente en 1876; estuvieron bajo administración de EE.UU. entre 1945 y 1968.

Bonington, Richard Parkes (25 oct. 1801, Arnold, Inglaterra–23 sep. 1828, Londres). Pintor británico activo en Francia. En 1818 se trasladó a París para estudiar con ANTOINE-JEAN GROS. Su talento como acuarelista, una novedad en París, atrajo a muchos imitadores. Exhibió sus obras en el famoso Salón "Inglés" de 1824 y obtuvo una medalla de oro. Junto con JOHN CONSTABLE y J.M.W. TURNER popularizó el bosquejo al óleo, un registro rápido de los efectos transitorios de la naturaleza. Ejerció su influencia en Inglaterra y Francia, como maestro del movimiento romántico (ver ROMANTICISMO) y como innovador técnico. Su muerte a los 26 años truncó una brillante carrera.

bonito Pez de cardumen, voraz y rápido (género *Sarda*) de la familia Scombridae (ver CABALLA). Los bonitos, distribuidos en todo el mundo, tienen el dorso rayado y el vientre plateado, y miden hasta 75 cm (30 pulg.) aprox. de largo. Al igual que los ATUNES, son fusiformes, con una base caudal angosta, una cola ahorquillada y una hilera de pequeñas aletillas detrás de las aletas dorsal y anal. Los bonitos tienen valor comercial y deportivo. Las tres especies más conocidas se encuentran en el Atlántico, el Mediterráneo, el Pacífico y la zona del Indo-Pacífico.

Pez bonito (*Sarda sarda*).
© ENCYCLOPÆDIA BRITANNICA, INC.

Bonn Ciudad (pob., est. 2002: ciudad, 306.000 hab.; área metrop., 878.700 hab.) de Alemania. Está ubicada a orillas del río RIN, al sur de COLONIA, y fue la capital de Alemania Occidental hasta 1990. Antiguo asentamiento que data de antes de la llegada de los romanos, su nombre se conservó en Castra Bonnensia, fortaleza romana del s. I. Ya en el s. IX se había convertido en el poblado franco de Bonnburg. Se desarrolló en el s. XIII y pasó a ser la capital del electorado de Colonia. En 1815, Bonn fue adjudicada a PRUSIA por el

El castillo Poppelsdorf en Bonn, Alemania, cuyo parque es el jardín botánico de la ciudad.
FOTOBANCO

Congreso de VIENA, y a fines del s. XIX era una elegante ciudad residencial. Fue intensamente bombardeada en la segunda guerra mundial; su remodelación urbanística de posguerra se aceleró cuando en 1949 fue elegida capital de Alemania Occidental. Con la reunificación de Alemania en 1990, la capital nacional se trasladó a BERLÍN. Bonn fue el lugar de nacimiento de LUDWIG VAN BEETHOVEN.

Bonnard, Pierre (3 oct. 1867, Fontenay-aux-Roses, Francia–23 ene. 1947, Le Cannet). Pintor y grabador francés. Estudió en la Académie Julian y en la ÉCOLE DES BEAUX-ARTS (1888–89). En la década de 1890 fue un miembro prominente del grupo de los NABIS y estuvo influenciado por el *art nouveau* y el grabado japonés. Con su amigo ÉDOUARD VUILLARD elaboró escenas de intimidad doméstica, un género conocido como intimismo, que representaba la vida parisiense de moda en los años previos a la primera guerra mundial. También realizó naturalezas muertas, autorretratos, marinas y pinturas decorativas de gran formato. En 1910 descubrió el sur de Francia, y comenzó una serie de luminosos paisajes de la región del Mediterráneo. Se fascinó con la perspectiva, la que empleó en pinturas como *Comedor* (1913). A partir de la década de 1920 se especializó en paisajes, interiores, vistas de jardines y desnudos de bañistas. Produjo ilustraciones para la celebrada revista *Revue blanche* y páginas decorativas para el libro de poesía *Paralelamente* (1900) de PAUL VERLAINE. Bonnard fue uno de los coloristas más importantes del arte moderno.

Bonnefoy, Yves (n. 24 jun. 1923, Tours, Francia). Poeta francés. Siguió estudios de matemática y se trasladó a París, donde recibió la influencia de los surrealistas (ver SURREALISMO). Su poesía describe un universo de pensamientos unificados por una intuición del "mundo real". Entre sus poemarios se destacan *In the Shadow's Light* [En la luz de la sombra] (1987), *The Beginning and End of Snow* [Comienzo y fin de la nieve] (1991) y *New and Selected Poems* [Nuevos poemas selectos] (1995). Bonnefoy, quien además era académico, compiló *Mythologies* [Mitologías] (1981), un diccionario de mitologías y religiones. Ejerció la cátedra de poética comparada en el Collège de Francia desde 1981 hasta 1994.

Bonnet, Georges-Étienne (23 jul. 1889, Bassillac, Francia–18 jun. 1973, París). Político francés. Elegido a la Cámara de Diputados (1924–40), se convirtió en líder del PARTIDO RADICAL-SOCIALISTA. Fue ministro de hacienda (1937–38) y de asuntos exteriores (1938–39) y fue un importante partidario de la política de apaciguamiento de la Alemania nazi. También apoyó al régimen de Vichy. Después de la liberación se iniciaron procesos en su contra, pero fueron desestimados. Fue expulsado del Partido Radical en 1944, readmitido en 1952 y nuevamente expulsado en 1955. Fue luego miembro de la Cámara de Diputados (1956–68).

Bonnie y Clyde *p. ext.* **Bonnie Parker y Clyde Barrow** (24 mar. 1909, Telico, Texas, EE.UU.–23 may. 1934, cerca de Gibsland, La.) (1 oct. 1910, Rowena, Texas, EE.UU.–23 may. 1934, cerca de Gibsland, La.). Delincuentes estadounidenses. Barrow cumplió una condena de cárcel (1930–32) y a su término inició, junto con Parker, una seguidilla de delitos que duró 21 meses y durante la cual robaron en gasolineras, restoranes y bancos pequeños en Texas, Oklahoma, Nuevo México y Missouri, y cometieron varios asesinatos. Sus aventuras recibieron amplia cobertura de prensa. Un amigo los delató y la policía les tendió una emboscada en una carretera de Gibsland, La. Cuando intentaron huir, los agentes les dispararon y ambos murieron en el enfrentamiento. Sus andanzas inspiraron numerosos libros y películas.

Bonny, bahía de ver bahía de BIAFRA

bono En finanzas, el contrato de préstamo emitido tanto por los gobiernos locales, estaduales y nacionales así como por las corporaciones privadas, en el que se especifica la obligación de devolver los fondos tomados en préstamo. El emisor promete pagar intereses sobre la deuda, cuando esta venza, (por lo general en forma semestral) en un porcentaje especificado del valor nominal del bono, y de rescatar el valor nominal del bono a su vencimiento en moneda legal. Los bonos implican habitualmente una deuda considerable y son emitidos de manera más formal que los PAGARÉS, llevando a menudo un sello distintivo. Los bonos gubernamentales pueden estar respaldados por impuestos o pueden ser BONOS DE RESPONSABILIDAD LIMITADA, que son aquellos que están respaldados por los ingresos provenientes de un proyecto específico (carreteras de peajes, aeropuertos, etc.) a los cuales estos bonos fueron comprometidos. Los bonos se clasifican de acuerdo con la capacidad crediticia del emisor. Las clasificaciones, que son asignadas por agencias clasificadoras independientes, generalmente van de AAA a D; bonos con clasificación de AAA a BBB se consideran adecuados para inversiones. Ver también BONO BASURA.

bono basura BONO de alta rentabilidad, que asimismo presenta un riesgo mayor que otros valores comparables. Es posible identificar los bonos basura por las bajas calificaciones que les asignan las entidades calificadoras de riesgo (p. ej., BBB en lugar de la calificación AAA que se asigna a los bonos de primera calidad). Dada la alta probabilidad de incumplimiento asociada a estos bonos, son considerados una inversión muy riesgosa por los grandes inversionistas institucionales (asociaciones de AHORRO Y PRÉSTAMO, fondos de PENSIONES, compañías de SEGUROS y FONDOS MUTUOS) que proporcionan a las empresas estadounidenses la mayor parte de su capital de inversión. A menudo, los bonos basura son emitidos por empresas nuevas o pequeñas.

bono de responsabilidad limitada BONO emitido por una municipalidad, gobierno regional o entidad pública autorizada, con el fin de construir, adquirir o mejorar un bien que genera ingresos, como una planta de tratamiento de aguas, una planta generadora de electricidad o un ferrocarril. A diferencia de los bonos de responsabilidad general, que se reembolsan mediante diversas fuentes de impuestos, los bonos de responsabilidad limitada se pagan únicamente con ingresos específicos, en general, los ingresos de la instalación para la cual se emitió originalmente el bono. A menudo, estos bonos pagan tasas de interés más altas que los bonos de responsabilidad general. La separación de las obligaciones derivadas de los bonos de responsabilidad limitada, de aquellas derivadas de los bonos de responsabilidad general, permite al organismo fiscal sortear los límites de deuda estipulados por ley.

bonobo *o* **chimpancé enano** Especie (*Pan paniscus*) de los grandes SIMIOS. Fue considerado una subespecie del CHIMPANCÉ, al que se parece mucho en tamaño, aspecto y estilo de vida. Su hábitat, las selvas húmedas de las tierras bajas de la República Democrática del Congo (Kinshasa), es más circunscrito que el del chimpancé. El bonobo tiene brazos más largos y delgados, un cuerpo más esbelto y una cara menos protuberante. Se alimentan principalmente de frutos y también hojas, semillas, pastos y animales menores. Forman comunidades de 50–120 individuos. Una característica notable de su vida social es que tienen una actividad sexual muy frecuente, a menudo como una forma de resolver las dispu-

tas, y sin consideración de género o edad. Las poblaciones están mermando debido, sobre todo a la caza y la destrucción de sus hábitats, siendo considerada actualmente una especie en peligro de extinción.

Bononcini, Giovanni (18 jul. 1670, Módena, ducado de Módena–9 jul. 1747, Viena). Compositor italiano. Su padre fue Giovanni Maria Bononcini (n. 1642–m. 1678), maestro de capilla de la catedral de Módena y compositor de varias sonatas sacras y de cámara. El mismo Giovanni trabajó como *maestro de capilla* en San Giovanni in Monte y más tarde ocupó codiciados puestos en varias capitales europeas. En la década de 1720 mantuvo una célebre rivalidad operística con GEORG FRIEDRICH HÄNDEL en Londres. Escribió más de 30 óperas, unos 20 oratorios y cerca de 300 cantatas (la mayoría para solista y bajo continuo), aunque actualmente se escuchan rara vez. Su hermano Antonio Maria Bononcini (n. 1677–m. 1726) también fue compositor.

bonsái (japonés: "árbol en maceta"). Árbol o árboles enanos vivientes; también, el arte de guiarlos y cultivarlos en macetas. Los bonsái son árboles y arbustos ordinarios, no enanos hereditarios, que no crecen debido a un sistema de guía y contención de las ramas con alambres y poda de raíces y ramas. Si bien este arte se originó en China los han desarrollado, sobre todo, los japoneses. Los bonsái tienen su inspiración directa en la naturaleza, en los árboles que crecen en lugares rocosos o escabrosos, lo que los vuelve enanos y retorcidos durante toda su existencia. Sus características más apreciadas son que las ramas y troncos parezcan añosos y las raíces superiores se vean curtidas y expuestas. Un bonsái puede vivir un siglo o más siendo traspasado de generación en generación como una valiosa posesión familiar. Las macetas para bonsái, que suelen ser de barro cocido y de forma variada, deben ser elegidas cuidadosamente para que su color y proporciones armonicen con el árbol. En Japón, la elaboración de bonsái ocupa un lugar destacado en la industria de viveros; en EE.UU., California es sede de una industria de bonsái en pequeña escala.

Pino bonsái.
JUDITH GROFFMAN

Bontemps, Arna(ud) (Wendell) (13 oct. 1902, Alexandria, La., EE.UU.–4 jun. 1973, Nashville, Tenn.). Escritor estadounidense del renacimiento de HARLEM. A la edad de tres años, Bontemps se trasladó con su familia a California. En la década de 1920, su poesía empezó a publicarse en las revistas afroamericanas *Crisis* y *Opportunity*. Con COUNTEE CULLEN adaptó para el teatro su primera novela, *God Sends Sundays* (1931), con el título *St. Louis Woman*. Dos novelas posteriores trataban el tema de las rebeliones de esclavos. Editó varias antologías con LANGSTON HUGHES y desarrolló una gran producción literaria dedicada a los niños, en su mayoría, reseñas biográficas de grandes figuras afroamericanas y ensayos de historia afroamericana. Durante prácticamente toda su madurez trabajó en la Universidad de Fisk.

Booker, Premio *p. ext.* **(2002–) Man Booker Prize** Prestigioso premio británico otorgado anualmente a la mejor novela. Fue creado en 1968 por la empresa multinacional Booker McConnell como contrapartida inglesa del Premio Goncourt francés. La Fundación Booker Prize está encargada de otorgar el premio, con la asesoría de un comité de expertos. Las novelas deben ser nominadas por las editoriales y deben corresponder a obras escritas por un autor de lengua inglesa, del Reino Unido, de los países de la Commonwealth, Irlanda o Sudáfrica. Entre los que se han hecho acreedores de este premio se cuentan KINGSLEY AMIS, A.S. BYATT, RUTH PRAWER JHABVALA y SALMAN RUSHDIE. En 1992 se creó un Booker Prize de Novela Rusa.

Boole, George (2 nov. 1815, Lincoln, Inglaterra–8 dic. 1864, Ballintemple, Irlanda). Matemático británico. A pesar de que fue básicamente autodidacta y de no tener un grado académico, en 1849 fue nombrado profesor de matemática en

el Queen's College, en Irlanda. Su original y notable método simbólico general de inferencia lógica, es presentado en su totalidad en su *Investigación sobre las leyes del pensamiento* (1854). Boole argumentaba de manera persuasiva que la lógica debería estar relacionada con la matemática más que con la filosofía, y su álgebra de la lógica basada en dos valores, ahora llamada álgebra BOOLEANA, es utilizada en la conmutación telefónica y por las computadoras electrónicas digitales.

George Boole, grabado.
GENTILEZA DEL DIRECTORIO DEL MUSEO BRITÁNICO; FOTOGRAFÍA, J.R. FREEMAN & CO. LTD.

booleana, álgebra Sistema simbólico usado para diseñar circuitos lógicos y redes para COMPUTADORAS DIGITALES. Su principal utilidad está en servir para representar los valores verdadero o falso del resultado de una operación lógica, en lugar de tener que usar cantidades numéricas manejadas por el álgebra ordinaria. Esto se presta por sí mismo para ser usado en el sistema binario empleado en las computadoras digitales, ya que los únicos valores reales posibles, verdadero y falso, pueden representarse por los dígitos binarios 1 y 0. Un circuito en la memoria de una computadora puede estar abierto o cerrado, dependiendo del valor que tiene asignado, y es el trabajo integrado de tales circuitos el que les da a las computadoras su habilidad de calcular. Las operaciones fundamentales de la lógica booleana, a menudo llamadas operadores booleanos, son "y", "o" y "no" ("*and*", "*or*" y "*not*"); la combinación de ellos da como resultado otros 13 operadores booleanos.

boomslang ver SERPIENTE ARBORÍCOLA DEL CABO

Boone, Daniel (c. 2 nov. 1734, cond. de Berks, Pa., EE.UU.–c. 26 sep. 1820, St. Charles, Mo.). Explorador y colonizador estadounidense de la frontera y héroe legendario. Vivió en el confín de Carolina del Norte como cazador y trampero. Viajó varias veces (1767, 1769–71) a Kentucky oriental a través del parque histórico nacional Cumberland Gap, y en 1775 se le contrató para que abriera una senda permanente, que se llamó Wilderness Road. Estableció los asentamientos de Boonesboro y Harrodsburg. En calidad de capitán de milicia, defendió Boonesboro contra los indígenas; los indios shawnee lo capturaron en 1778, pero a los cinco meses de cautiverio huyó y avisó a Boonesboro de un ataque inminente. A fines de la década de 1780, perdidos sus terrenos en Kentucky, se trasladó al territorio de Missouri. Sus hazañas figuran en una historia de Kentucky, de amplia difusión, y en el poema épico *Don Juan*, de Lord BYRON.

Boorman, John (n. 18 ene. 1933, Shepperton, Middlesex, Inglaterra). Director de cine británico. Fue jefe de la división de documentales de la BBC en Bristol (1962–64) y produjo la aclamada serie *Citizen 63*. Después de dirigir su primera película en 1965, Boorman realizó *A quemarropa* (1967) e *Infierno en el Pacífico* (1968) en EE.UU. Su exitosa *Defensa* (1972) es una desgarradora historia de fortaleza y sobrevivencia. Entre sus filmes posteriores se cuentan *Excalibur* (1981) y *Esperanza y gloria* (1987).

Booth, Edwin (Thomas) (13 nov. 1833, cerca de Belair, Md., EE.UU.–7 jun. 1893, Nueva York, N.Y.). Actor estadounidense. Nacido en el seno de una destacada familia del

teatro, en 1857 interpretó sus primeros roles estelares en Boston y Nueva York. Logró la fama como Hamlet, y realizó 100 funciones consecutivas durante la temporada 1864–65. Cuando su hermano JOHN WILKES BOOTH asesinó al pdte. ABRAHAM LINCOLN, Edwin abandonó los escenarios hasta 1866. En 1869 inauguró su propio teatro, pero debió cerrarlo en 1873 por problemas administrativos. Sus interpretaciones de Hamlet, Yago y el rey Lear fueron muy aclamadas en Inglaterra y Alemania. En 1888 fundó el Players' Club en Nueva York.

Edwin Booth, fotografía de Bradley y Rulofson.
GENTILEZA DE LA THEATRE COLLECTION, NEW YORK PUBLIC LIBRARY EN LINCOLN CENTER, FUNDACIONES ASTOR, LENOX Y TILDEN

Booth, John Wilkes (10 may. 1838, cerca de Bel Air, Md., EE.UU.–26 abr. 1865, cerca de Port Royal, Va.). Actor estadounidense que asesinó al pdte. ABRAHAM LINCOLN. Nacido en una familia de actores famosos, tuvo éxito en papeles shakesperianos, pero se sintió contrariado por la mayor fama alcanzada por su hermano, EDWIN BOOTH. Fanático partidario de la esclavitud y la causa sureña, participó en una conspiración para secuestrar al mandatario. Luego de varias tentativas fallidas, juró destruir a Lincoln y a su gabinete. El 14 de abril de 1865 lo asesinó en el Ford's Theater, durante una función. Aunque se quebró una pierna por saltar al suelo desde el palco presidencial, pudo huir a caballo hasta una granja de Virginia. Cuando lo alcanzaron, se negó a rendirse y murió de un disparo, propio o de un soldado.

Booth, William (10 abr. 1829, Nottingham, Nottinghamshire, Inglaterra–20 ago. 1912, Londres). Líder religioso británico, fundador y general (1878–1912) del EJÉRCITO DE SALVACIÓN. A la edad de 15 años se convirtió y se hizo predicador protestante. En 1849 se mudó a Londres, donde fue predicador de la rama metodista New Connection (1852–61) hasta que se independizó. Con la ayuda de su esposa, Catherine Mumford Booth (n. 1829–m. 1890), también predicadora y trabajadora social, fundó la Misión Cristiana en 1865, la que en 1878 se transformó en el Ejército de Salvación. Viajó a través del mundo dando conferencias y organizando ramas del Ejército. Sus propuestas para remediar los males sociales recibieron una amplia aceptación y el apoyo de EDUARDO VII.

Boothia, península de Península en Nunavut, Canadá. Casi una isla, es el punto continental más septentrional de América del Norte y alcanza los 71°58' N. Anteriormente fue el lugar donde se ubicaba el polo norte magnético. Con una superficie de 32.330 km² (12.483 mi²), se adentra en el océano ÁRTICO y se encuentra separada de la isla de BAFFIN por el golfo de Boothia y de la isla Prince of Wales por el estrecho de Franklin. Fue descubierta en 1829 por James Clark Ross, quien le dio el nombre de Boothia Felix por Sir Felix Booth, el financista de la expedición. Se encuentra escasamente poblada.

bop ver BEBOP

Bophuthatswana Antigua entidad política de Sudáfrica. Consistía en un grupo de enclaves aislados para personas de raza negra y fue establecida por las autoridades sudafricanas como "batustanes" de los TSWANA. En 1977 se les concedió la independencia, con su capital en Mmabatho, independencia que jamás reconoció la comunidad internacional. Conforme a la constitución sudafricana de 1993, Bophuthatswana fue disuelto y el área fue reincorporada a Sudáfrica. Sus diversos enclaves, con una población de más de 2.500.000 hab., se convirtieron en partes del Estado Libre de Orange (ahora Estado Libre) y de las provincias del Transvaal noroccidental y oriental (ahora Mpumalanga), de reciente creación.

Bopp, Franz (14 sep. 1791, Maguncia, arzobispado de Maguncia–23 oct. 1867, Berlín, Prusia). Lingüista alemán. Publicó el primer análisis comparado extenso de las lenguas INDOEUROPEAS, su voluminosa *Vergleichende Grammatik des Sanskrit, Zend, Griechischen, Lateinschen, Litquischen, Altslavischen, Gotischen und Deutschen* [Gramática comparativa del sánscrito, zend, griego, latín, lituano, eslavo antiguo, gótico y alemán] (1833–52). Aunque en esa época ya se conocía la relación existente entre el sánscrito y las lenguas europeas, Bopp fue un pionero al aislar elementos comunes en la MORFOLOGÍA verbal y nominal del sánscrito y otras lenguas indoeuropeas más antiguas. Desarrolló la mayor parte de su carrera en la Universidad de Berlín.

Borah, William E(dgar) (29 jun. 1865, Fairfield, Ill., EE.UU.–19 ene. 1940, Washington, D.C.). Senador estadounidense (1907–40). Ejerció como abogado en Boise, Idaho, y, en 1892, fue presidente del Partido Republicano del estado. En el Senado tuvo mucho poder en calidad de presidente del comité de relaciones exteriores, cargo que ocupó a partir de 1924. Campeón del AISLACIONISMO en política exterior, fue célebre por su papel en impedir que EE.UU. ingresara a la SOCIEDAD DE NACIONES; se opuso también a las iniciativas de prestar ayuda a los aliados antes de que EE.UU. entrara en la segunda guerra mundial. Republicano disidente, apoyó muchos de los programas del NEW DEAL dirigidos a aliviar la estrechez económica y patrocinó proyectos de ley que establecieron el Departamento del Trabajo y la Oficina Federal de la Infancia.

bórax *o* **tincal** Tetraborato de sodio decahidratado ($Na_2B_4O_7 \cdot 10H_2O$), mineral cristalino suave, liviano e incoloro usado como componente de vidrios y esmaltes en la industria de la cerámica, como solvente de escoria de óxido metálico en metalurgia, como fundente en soldaduras y como aditivo para fertilizantes, suplemento de jabón, desinfectante, enjuague bucal y ablandador de agua. Cerca del 50% del abastecimiento mundial proviene de los desiertos del sur de California, incluido el VALLE DE LA MUERTE, en EE.UU.

Borbón, casa de Una de las más importantes casas gobernantes de Europa. Sus miembros son descendientes de Luis I, duque de Borbón de 1327 a 1342, y nieto del rey francés LUIS IX. Los Borbones gobernaron posteriormente en Francia (1589–1792, 1814–48), en España (1700–1868, 1870–73, 1874–1931 y desde 1975), y en Nápoles y Sicilia (1735–1861). Entre sus miembros más importantes se encuentran ENRIQUE IV, LUIS XIII, LUIS XIV, LUIS XV, LUIS XVI y FELIPE V.

Borbones, restauración de los (1814–30). Período de la historia de Francia que comenzó cuando NAPOLEÓN I abdicó y los monarcas de la dinastía BORBÓN fueron restaurados en el trono. La Primera Restauración ocurrió cuando Napoleón cayó del poder y LUIS XVIII se convirtió en rey. El reinado de Luis fue interrumpido por el regreso de Napoleón a Francia (ver CIEN DÍAS), pero este fue obligado a abdicar de nuevo, lo que llevó a la Segunda Restauración. El período estuvo marcado por una monarquía constitucional de tendencia moderada (1816–20), seguido por el regreso de los ULTRAS durante el reinado del hermano de Luis, CARLOS X (1824–30). Las políticas reaccionarias reavivaron la oposición de liberales y moderados y condujeron a la REVOLUCIÓN DE JULIO, la abdicación de Carlos y el fin de la restauración borbónica.

Borbonesado Región histórica ubicada en el centro de Francia. En la época romana, bajo JULIO CÉSAR, fue parte de la provincia celta de GALIA y más tarde formó parte de Aquitania bajo CÉSAR AUGUSTO. En forma gradual, comenzó a tener existencia propia en el s. X, separada de las restantes regiones, bajo el dominio de un señor de Borbón. Finalmente, pasó a manos de Luis I, nombrado duque de Borbón en 1327 y fundador de la casa de BORBÓN. El Borbonesado quedó bajo el dominio del rey a partir de 1527.

Borch, Gerard ter ver Gerard TERBORCH

bordado Arte de decorar textiles con hilo y aguja. Entre las técnicas básicas se encuentran el punto cruz, el bordado con lana y el acolchado. Los persas y los griegos usaban ropas acolchadas como armaduras. Los ejemplos de bordado más antiguos que se han conservado son escíticos (c. siglos V–III AC). Los ejemplos más notables de China que perduran son las túnicas imperiales de seda de la dinastía Qing (1644–1911/12). Los bordados islámicos (s. XVI–XVII) revelan diseños geométricos estilizados basados en formas de animales y plantas. El bordado del norte de Europa fue principalmente eclesiástico hasta el Renacimiento. En América del Norte prevalecieron las sedas y las convenciones europeas durante los s. XVII y XVIII. Los nativos norteamericanos bordaban pieles y cortezas con púas de puercoespín teñidas; posteriormente, las púas fueron sustituidas por las cuentas que adquirieron con el comercio. Los pueblos indígenas de América Central produjeron un tipo de bordado con plumas. El tapiz de BAYEUX es la tapicería bordada que se conserva más famosa del mundo occidental.

Detalle del bordado de una chaquetilla francesa, 1800–25.
GENTILEZA DEL MUSEO METROPOLITANO DE ARTE DE NUEVA YORK, DONACIÓN DE UNITED PIECE DYE WORKS, 1936

bordado florentino ver BARGELLO

bordado sobre cañamazo *o* **bordado sobre esterilla** Tipo de bordado en el cual se cuentan y trabajan las puntadas con una aguja sobre las hebras o la malla de un soporte de tela. Si la tela tiene 16 o más agujeros por pulgada lineal en la malla, el bordado se llama *petit point*; la mayoría del bordado sobre cañamazo era *petit point* en los s. XVI–XVIII. El bordado sobre cañamazo, como se conoce en la actualidad, se originó en el s. XVII, cuando la moda por tapizar mobiliario con telas bordadas impulsó el desarrollo de un material más durable como soporte para el bordado. Generalmente, se utiliza lana para el bordado sobre cañamazo, y con menos frecuencia hilo de seda. Los sets de bordado sobre cañamazo, que contienen una tela estampada con un diseño y todos los materiales necesarios para el diseño, se vendían ya a mediados del s. XVIII. Ver también BARGELLO.

Borden, Lizzie (Andrew) (19 jul. 1860, Fall River, Mass., EE.UU.–1 jun. 1927, Fall River). Estadounidense, sospechosa de asesinato. Hija de un hombre de negocios, vivió con su padre y su madrastra, acaudalados pero mezquinos. El 4 de agosto de 1892, según su propio testimonio, encontró muertos en su hogar a su padre y a la mujer de este, mutilados brutalmente con un instrumento filudo. Al igual que la mucama, reconoció haber estado en la casa a la hora de los asesinatos. Fue detenida y llevada a juicio por ambos crímenes y la mucama quedó como sospechosa de ser cómplice. Entre las pruebas en su contra se mencionó que había intentado comprar ácido prúsico (veneno) el día anterior a la fecha de los asesinatos. En el subterráneo de la casa se encontró un hacha, que algunos sospecharon sería el arma asesina. Fue absuelta debido a la índole circunstancial de las pruebas y permaneció en Fall River hasta su muerte, en gran parte aislada por la comunidad.

Sir Frederick Borden, 1905.
GENTILEZA DE LOS ARCHIVOS NACIONALES DE CANADÁ

Borden, Sir Frederick (William) (14 may. 1847, Corn-wallis, Nueva Escocia, Canadá–6 ene. 1917, Canning, Nueva Escocia). Político canadiense. Estudió en la Universidad de Harvard y regresó a Nueva Escocia a ejercer la medicina. En 1874 fue elegido miembro de la Cámara de los Comunes, por el Partido Liberal, y allí se desempeñó casi sin interrupción hasta 1911. Como ministro de milicia y defensa (1896–1911), mejoró la capacitación de las fuerzas armadas y ayudó a formar una marina canadiense.

Borden, Sir Robert (Laird) (26 jun. 1854, Grand Pré, Nueva Escocia, Canadá–10 jun. 1937, Ottawa, Ontario). Primer ministro de Canadá (1911–20). Ejerció como abogado en Halifax, Nueva Escocia, a partir de 1874, y más tarde fundó uno de los estudios jurídicos más grandes de las provincias marítimas. En 1896 fue elegido miembro de la Cámara de los Comunes de Canadá y en 1901 llegó a ser dirigente del Partido Conservador. Como primer ministro puso en marcha la conscripción durante la primera guerra mundial y representó a Canadá en el gabinete imperial de guerra de Gran Bretaña. Insistió en que Canadá fuera miembro aparte de la Sociedad de Naciones, lo que ayudó a transformar a su país de colonia en nación independiente.

Bordet, Jules (-Jean-Baptiste-Vincent) (13 jun. 1870, Soignies, Bélgica–6 abr. 1961, Bruselas). Bacteriólogo e inmunólogo belga. En 1895 descubrió que dos componentes del suero provocan bacteriolisis (rotura de la pared bacteriana), uno es un anticuerpo termoestable en animales inmunes a la bacteria y el otro, un complemento termolábil en todos los animales. En 1898 descubrió la hemólisis (ruptura de eritrocitos extraños), un proceso semejante, que también requiere complemento. Sus investigaciones fueron vitales para la fundación de la serología, que estudia las reacciones inmunes en los líquidos corporales. Sus trabajos con Octave Gengoux condujeron a las pruebas serológicas de diagnóstico para muchas enfermedades como la tifoidea, la tuberculosis y la sífilis (prueba de Wassermann). En 1906 identificaron la *Bordetella pertussis*, causante de la tos convulsiva o tos ferina. En 1919, Bordet recibió el Premio Nobel.

Jules Bordet, bacteriólogo e inmunólogo belga.
HARLINGUE–H. ROGER–VIOLLET

Borduas, Paul-Émile (1 nov. 1905, Saint-Hilaire, Quebec, Canadá–22 feb. 1960, París, Francia). Pintor canadiense. Se formó en Montreal como decorador de iglesias y después estudió en París. A principios de la década de 1940 e influenciado por el SURREALISMO, comenzó a producir pinturas "automáticas", y junto con JEAN-PAUL RIOPELLE fundó el grupo abstracto radical llamado *Les Automatistes* (c. 1946–51). Sus trabajos posteriores evocan a los de JACKSON POLLOCK, pero la única influencia estadounidense que reconoció fue la de FRANZ KLINE. Ver también AUTOMATISMO.

Borg, Björn (Rune) (n. 6 jun. 1956, Södertälje, Suecia). Tenista sueco. Se hizo profesional a los 14 años y destacó por su potente saque y golpe de revés a dos manos. Se convirtió en el primer tenista en ganar las competencias de singles de Wimbledon en cinco ocasiones consecutivas (1976–80) desde Laurie Doherty (1902–06), y el primero en ganar el Abierto de Francia (Roland Garros) cuatro veces seguidas y seis en total (1974–75 y 1978–81). Cuando perdió con JOHN MCENROE en Wimbledon, en 1981, ostentaba un récord de 41 partidos de singles consecutivos ganados en ese torneo. Se retiró en 1983 y cerró su registro histórico con un total de 11 campeonatos de Grand Slam.

Borge, Victor *orig.* **Borge Rosenbaum** (3 ene. 1909, Copenhague, Dinamarca–23 dic. 2000, Greenwich, Conn., EE.UU.). Comediante y pianista estadounidense de origen danés. Estudió en el conservatorio de música de Copenhague, y después en Viena y Berlín. Sus primeras presentaciones fueron como músico concertista, pero prontamente desarrolló un estilo que combinaba la comedia y la música clásica con el cual se presentó en toda Europa. En 1940 emigró a EE.UU., donde alcanzó la fama con sus actuaciones en diversos medios y lugares como la radio, películas, salas de concierto, Broadway y la televisión. Pese a que actuó como solista y director invitado con numerosas orquestas importantes del mundo, su gran talento como pianista fue a menudo eclipsado por su muy popular sentido del humor.

Borges, Jorge Luis (24 ago. 1899, Buenos Aires, Argentina–14 jun. 1986, Ginebra, Suiza). Poeta, ensayista y cuentista argentino. Educado en Suiza, Borges supo tempranamente que haría una carrera literaria. A partir de la década de 1920 desarrolló una progresiva ceguera hereditaria. En 1938, una grave herida en la cabeza pareció liberar sus fuerzas creativas más profundas. Su ceguera ya era total a mediados de la década de 1950, lo que lo obligó a abandonar la escritura de textos extensos y a empezar a dictar sus obras. A partir de 1955 ocupó el puesto honorario de director de la Biblioteca Nacional Argentina. Gran parte de su obra es

Jorge Luis Borges.
GENTILEZA DEL WELLESLEY COLLEGE, WELLESLEY, MASS., EE.UU.

rica en fantasía y en alegorías metafóricas, incluida la colección de cuentos *Ficciones* (1944), que le valió el reconocimiento internacional, y *El aleph* (1949). *El hacedor* (1960) y *El libro de los seres imaginarios* (1967) prácticamente borran la distinción entre prosa y poesía. Aunque después lo repudió, se lo reconoce como uno de los fundadores en Argentina del movimiento ultraísta (ver ULTRAÍSMO) de rebelión contra la estética decadente de los escritores pertenecientes al MODERNISMO. Recibió el Premio CERVANTES en 1979.

Borghese, familia Familia italiana noble, originaria de Siena, cuyos miembros obtuvieron renombre en el s. XIII como magistrados, embajadores y otros cargos públicos. Se trasladaron a Roma en el s. XVI, donde la familia incrementó su fama y fortuna después de que Camillo Borghese fue elegido como el papa Paulo V (1605). Entre los miembros importantes de la familia se encuentran el adoptado Scipione Caffarelli (luego Borghese) (n. 1576–m. 1633), cardenal y mecenas de las artes, y Camillo F. L. Borghese (n. 1775–m. 1832), quien se casó con PAULINA BONAPARTE y cumplió un importante papel en las relaciones francoitalianas.

Borgia, César *post.* **duque de Valentinois** (c. 1475/76, probablemente en Roma–1507, cerca de Viana, España). Militar italiano, hijo ilegítimo del papa ALEJANDRO VI y hermano de LUCRECIA BORGIA. Fue nombrado arzobispo de Valencia (1492) y cardenal (1493). Después del asesinato de su hermano (1497), asumió el mando de los ejércitos papales. En 1498 renunció a sus cargos eclesiásticos y se casó con la hermana del rey de Navarra en un matrimonio arreglado para ganar el apoyo francés en una campaña para recobrar el control de los Estados Pontificios. Actuando de acuerdo con su padre, obtuvo una serie de victorias militares en los Estados Pontificios (1499–1503); se ganó la reputación de despiadado y asesino. Su astucia política hizo que NICOLÁS MAQUIAVELO lo citara como ejemplo del nuevo "Príncipe". Sus logros, sin embargo, resultaron infructuosos cuando murió su padre (1503) y el nuevo papa, JULIO II, le exigió que cediera sus tierras. Escapó de la prisión en España y murió combatiendo por Navarra.

Borgia, Lucrecia (18 abr. 1480, Roma–24 jun. 1519, Ferrara, Estados Pontificios). Noble italiana. Hija del futuro papa ALEJANDRO VI y hermana de CÉSAR BORGIA, fue probablemente más un instrumento de los ambiciosos proyectos de ambos que, como ha sido sugerido, una activa participante en sus muchos crímenes. Sus tres matrimonios con miembros de importantes familias contribuyeron a aumentar el poder político y territorial de los Borgia. Su hijo puede haber sido el producto de una posible relación incestuosa con su padre. Tras la muerte de este último (1503), ella dejó de tener un papel político y se volcó en forma creciente hacia la religión. Murió a la edad de 39 años.

Borglum, (John) Gutzon (de la Mothe) (25 mar. 1871, Bear Lake, Idaho, EE.UU.–6 mar. 1941, Chicago, Ill.). Escultor estadounidense. Nacido en el seno de una familia de inmigrantes daneses, estudió en París. En 1901 abrió un taller en la ciudad de Nueva York. Su grupo de bronces titulado *The Mares of Diomedes* fue la primera escultura estadounidense comprada por el Museo Metropolitano de Arte. Talló la cabeza de ABRAHAM LINCOLN en la rotonda del capitolio estadounidense. En 1916 se le encargó esculpir un monumento a la Confederación en Stone Mountain, Ga., pero abandonó el proyecto en 1924 por disputas con sus patrocinadores; fue terminado por otros. Su proyecto más destacado fueron las cabezas talladas en granito en el monte RUSHMORE (Dakota del Sur), que representan a los presidentes Washington, Jefferson, Lincoln y Theodore Roosevelt (terminado en 1941).

Gutzon Borglum.
GENTILEZA DE LA BIBLIOTECA DEL CONGRESO, WASHINGTON, D.C.

Borgoña *francés* **Bourgogne** Región histórica y gubernamental de Francia. Originalmente se llamó así un reino ubicado en el valle del RÓDANO y Suiza occidental, fundado por los burgundios, pueblo germano que huyó de Alemania en el s. V. Fue conquistada por la dinastía MEROVINGIA c. 534, e incorporada al Imperio franco. Por el tratado de VERDÚN de 843, que dividió el Imperio de Carlomagno, fue incluida en el reino medio (Sacro Imperio romano) de LOTARIO I. Más tarde se dividió en Borgoña cisjurana (baja, al sur) o PROVENZA (fundada en 879) y Borgoña transjurana (alta, al norte), fundada en 888. Ambas se unieron en 933 y formaron el reino de Borgoña. Después del s. XIII, la región se conoció como reino de ARLES; el nombre de Borgoña se le dio al ducado de Borgoña, formado en el s. IX con tierras de la parte del noroeste del reino original. A la muerte del duque de Borgoña en 1361, el ducado volvió a la corona francesa. Cedida a FELIPE II, en 1477, sus tierras se extendieron hasta incluir a BENELUX. Fue conquistada por LUIS XI, anexada a la corona francesa, hasta llegar a ser una provincia hasta la REVOLUCIÓN FRANCESA. Coincidiendo aproximadamente en extensión con la provincia prerrevolucionaria, la actual región administrativa de Borgoña (pob., 1999: 1.610.067 hab.) cubre 31.582 km² (12.194 mi²). Su capital es DIJON. La fabricación de vino es una parte importante de la economía.

borgoñona, escuela Grupo de compositores franceses del s. XV, la mayor parte de los cuales estaba asociada a las cortes de distintos duques de BORGOÑA. Son muy conocidos por sus CHANSONS a tres voces en forma de "rondeau" (ver FORMES FIXES), normalmente con el texto escrito sólo en la voz más alta –lo que implica tal vez una voz solista acompañada de instrumentos y escritas en armonía completamente triádica–. Los compositores borgoñones más importantes fueron GUILLAUME DUFAY, Gilles Binchois (n. c. 1400–m. 1460) y Antoine Busnois (n. c. 1430–m. 1492).

Boris I *orig.* **Mijaíl** (m. 2 may. 907, Preslave, Bulgaria). Kan de Bulgaria (852–89). Decidió utilizar el cristianismo para unificar a su país dividido por razones étnicas. Una infructuosa guerra con los bizantinos lo llevó a ser bautizado en la fe ortodoxa (864). Su intento de forzar un bautismo masivo hizo estallar una rebelión pagana que logró reprimir. Más tarde ayudó a establecer la Iglesia búlgara. Patrocinó a misioneros para que fomentaran los estudios eslavos y el uso del ESLAVO ECLESIÁSTICO ANTIGUO. Abdicó en 889 para convertirse en monje, pero regresó para sacar a su reaccionario hijo Vladímir del trono. Después de instalar a su otro hijo, SIMEÓN I, como kan, regresó a su monasterio. Más tarde fue reconocido como santo ortodoxo.

Borlaug, Norman (Ernest) (n. 25 mar. 1914, Cresco, Iowa, EE.UU.). Fitopatólogo y científico agrícola estadounidense. Obtuvo su Ph.D. en la Universidad de Minnesota. Mientras trabajó como investigador en la Fundación Rockefeller en México (1944–60), desarrolló cepas que triplicaron la producción mexicana de TRIGO. Después sus trigos enanos aumentaron las cosechas en un 60% en India y Pakistán, poniendo término a la escasez de alimentos que había asolado al subcontinente en la década de 1960. En 1970 recibió el Premio Nobel de la Paz por haber colaborado en sentar los cimientos de la REVOLUCIÓN VERDE. Con posterioridad trabajó en mejorar los rendimientos de los cultivos en África y enseñó en la Universidad A&M de Texas.

Bormann, Martin (17 jun. 1900, Halberstadt, Imperio alemán–may. 1945, Berlín, Alemania). Dirigente alemán nazi. Se unió al partido nazi en 1925 y fue jefe de personal de RUDOLF HESS (1933–41). Fue designado jefe de la cancillería del partido en 1941 y llegó a ser uno de los más cercanos lugartenientes de ADOLF HITLER. Figura enigmática, pero extremadamente poderosa, controlaba toda la legislación, los ascensos y designaciones al interior del partido, además del acceso personal a Hitler. Desapareció poco después de la muerte de Hitler. Aunque en algunos informes se asegura que escapó a América del Sur, las autoridades alemanas lo declararon oficialmente muerto después de exhumar sus presuntos restos.

Born, Max (11 dic. 1882, Breslau, Alemania–5 ene. 1970, Gotinga). Físico alemán. Enseñó física teórica en la Universidad de Gotinga desde 1921 hasta 1933, cuando huyó a Gran Bretaña. Allí, enseñó principalmente en la Universidad de Edimburgo (1936–53). En 1921 dio una definición muy precisa de cantidad de calor, la formulación matemática más satisfactoria de la primera ley de la termodinámica. En 1926 colaboró con su estudiante WERNER HEISENBERG en el desarrollo de la formulación matemática, que describiría adecuadamente las primeras leyes de Heisenberg de una nueva teoría cuántica. Con posterioridad demostró, en el trabajo por el cual es quizás mejor conocido, que la solución de la ecuación de SCHRÖDINGER tiene una interpretación estadística de importancia física. Su trabajo siguiente trató de la dispersión de un rayo de partículas atómicas incidente en otras, y realizó cálculos

Max Born, físico alemán.
GENTILEZA DE GODFREY ARGENT; FOTOGRAFÍA, WALTER STONEMAN

sobre las estructuras electrónicas de las moléculas. En 1954 compartió el Premio Nobel de Física con Walther Bothe (n. 1891–m. 1957).

Borneo, isla Isla del archipiélago MALAYO. Está rodeada por el mar de CHINA meridional, el mar de Sulú y el mar de CÉLEBES, el estrecho de MAKASAR y el mar de JAVA; es la tercera isla más grande del mundo, con una superficie de 751.929 km² (290.320 mi²). La zona norte incluye los estados malasios de Sabah y Sarawak y el sultanato de Brunei; el sur de la isla pertenece a Indonesia. La isla de Borneo es montañosa y extensamente cubierta por una densa selva húmeda; su cumbre más alta es el monte Kinabalu, con 4.101 m (13.455 pies) de altura. Tiene varios ríos navegables, entre ellos el RAJANG, recursos vitales para el intercambio comercial. Se la menciona en la *Guía de geografía* de TOLOMEO (c. 150 DC); monedas romanas dan prueba de una civilización antigua. La existencia de imágenes brahmánicas y budistas en el estilo gupta indican la influencia de indios que aparentemente arribaron en el s. V. La llegada del Islam en el s. XVI marcó la fundación de varios reinos musulmanes, algunos de los cuales eran leales a JAVA. Alrededor de la misma fecha, primero los portugueses y luego los españoles, instalaron factorías. A inicios del s. XVII, los holandeses rompieron el monopolio portugués-español, pero ellos a su vez tuvieron que hacer frente a intereses británicos recién instalados. Después de la segunda guerra mundial, Sarawak y Borneo septentrional (más tarde Sabah) pasaron a ser colonias de la corona británica. En el Borneo neerlandés surgió un fuerte sentimiento nacionalista, y en 1949 se traspasó la soberanía a Indonesia. Los británicos cedieron Sabah y Sarawak a la Federación de Malasia en 1963, mientras que Brunei obtuvo su independencia en 1984.

Bornholm, isla Isla (pob., 2001: 44.126 hab.) de Dinamarca. Está situada en el mar BÁLTICO, al sur de Suecia. Tiene una superficie de 588 km² (227 mi²). Su población principal está en Rønne. Antiguamente fue una fortaleza vikinga y en 1510 pasó a manos de la Liga HANSEÁTICA. Hasta 1660 fue ocupada en forma alternada por Suecia y Dinamarca, pero desde entonces es danesa. En la actualidad es un popular centro de vacaciones.

bornita Mineral de cobre común, sulfuro de cobre y hierro (Cu_5FeS_4). Hay yacimientos típicos en Mount Lyell, Tasmania, Australia; Chile, Perú y Butte, Mont., EE.UU. La bornita puede formar cristales isométricos, pero se encuentra más comúnmente como una masa irregular. Bajo condiciones geológicas adecuadas, se altera convirtiéndose en calcocita y otros minerales de cobre.

Bornu Vasta planicie del nordeste de Nigeria. Las principales características físicas son la planicie, una meseta volcánica y pantanos situados al sur del lago CHAD. Ahora habitada principalmente por el pueblo Kanuri, constituyó un reino musulmán desde el s. XI. Junto con Kanem formaron un imperio (ver KANEM-BORNU), que alcanzó su máximo poder c. 1570–1600. Visitado por los europeos en el s. XIX, en 1902 se convirtió en parte de Nigeria, que estaba entonces bajo el dominio británico. En 1967 se convirtió en el estado de Borno, el más grande de Nigeria, que abarca 183.555 km² (70.898 mi²).

boro ELEMENTO QUÍMICO semimetálico, símbolo químico B, número atómico 5. El boro puro cristalino es un SEMICONDUCTOR negro, lustroso, muy duro pero quebradizo, que no se encuentra en estado natural. Los compuestos de boro se hallan ampliamente dispersos como varios minerales, entre ellos el BÓRAX y la piedra preciosa TURMALINA. El elemento se utiliza para endurecer ciertos ACEROS, entre otros usos metalúrgicos, y también se emplea en dispositivos semiconductores. Sus compuestos de borato, en los cuales tiene VALENCIA 3, son esenciales para el crecimiento de las plantas y tienen muchos usos en jabones, ANTISÉPTICOS suaves y ungüentos para los ojos. Industrialmente, se utilizan como herbicidas, retarda-

dores del fuego en telas y CATALIZADORES en numerosas reacciones químicas orgánicas. Se usan también en GALVANOPLASTIA y en formulaciones de vidrio y cerámica. La dureza excepcional y el carácter inerte de ciertos compuestos de boro, como carburo de boro, boruro de aluminio y nitruro de boro (el cual tiene una estructura electrónica parecida a la del DIAMANTE), los hace útiles como abrasivos y como agentes de refuerzo, en particular, para aplicaciones a altas temperaturas.

Borobudur Monumento budista en Java central, construido c. 778–850 bajo la dinastía Shailendra. Edificado con cerca de 57.000 m³ (2 millones de pies³) de piedra volcánica gris, se asemeja a una pirámide escalonada. Su base y las

cinco primeras terrazas son cuadradas; las tres terrazas superiores son circulares. Los relieves en los muros de las terrazas representan las fases ascendentes de la civilización. Las simples y espaciosas terrazas circulares superiores tienen 72 STUPAS acampanadas, cada una contiene una estatua de Buda.

Borobudur, monumento budista, isla de Java, Indonesia.
ROBERT HARDING PICTURE LIBRARY/PHOTOBANK BKK

Borodín, Alexandr (Porfirievich) (12 nov. 1833, San Petersburgo, Rusia–27 feb. 1887, San Petersburgo). Compositor ruso. Tomó clases con MILI BALAKIREV desde 1862. Inflamados de sentimiento nacionalista, ambos se convirtieron en el núcleo del grupo de compositores rusos llamado grupo de los CINCO. Fue profesor de química durante gran parte de su vida, dejando un exiguo legado de obras que incluye la pieza orquestal *En las estepas del Asia central* (1880), dos cuartetos de cuerda y tres sinfonías, de las cuales, la segunda ha sido muy popular. Su ópera *El príncipe Igor*, que contiene las frecuentemente escuchadas "Danzas polovtsianas", quedó inconclusa después de 18 años de trabajo intermitente.

Borodín, Mijaíl (Markovich) *orig.* **Mijaíl Gruzenberg** (9 jul. 1884, Yanovichi, Rusia–29 may. 1951, Siberia). Diplomático ruso. Se unió a la facción BOLCHEVIQUE en 1903, fue arrestado (1906) y vivió exiliado en EE.UU. Regresó a Rusia en 1917 y en 1923 fue enviado a China como asesor de SUN YAT-SEN. Ahí convirtió al GUOMINDANG, de estructura poco rígida, en una organización altamente centralizada de estilo leninista y ayudó a los nacionalistas chinos a fortalecer su ejército. Después de abandonar China (1927), fue subdirector de la agencia de noticias Tass y director de *Moscow Daily News* (1932–49). Fue arrestado en una purga estalinista de intelectuales judíos y murió en un campo de trabajo forzado en Siberia.

Borodinó, batalla de (7 sep. 1812). Sangrienta batalla de las guerras NAPOLEÓNICAS, librada durante la invasión de NAPOLEÓN I a Rusia, cerca del pueblo de Borodinó, unos 110 km (70 mi) al oeste de Moscú. Los 130.000 efectivos de Napoleón obtuvieron una estrecha victoria sobre los 120.000 soldados rusos comandados por MIJAÍL KUTÚZOV. Los rusos sufrieron alrededor de 45.000 bajas, entre muertos y heridos, mientras que los franceses perdieron cerca de 30.000 hombres. La victoria permitió a Napoleón ocupar Moscú.

borraja Hierba ANUAL pilosa, de gran tamaño (*Borago officinalis*), usada como planta ornamental por sus hojas oblongas, grandes y ásperas, y por sus flores azules estrelladas, dispuestas en ramilletes sueltos e inclinados. Pertenece a la familia Boraginaceae en la que predominan las especies herbáceas y sólo

Borraja (*Borago officinalis*).
A TO Z BOTANICAL COLLECTION

algunos representantes arbóreos o arbustivos. Se encuentran en las regiones tropicales, subtropicales y templadas; la mayoría se concentra en la región del Mediterráneo. Varias otras especies ornamentales se cultivan en jardines, como la campánula de Virginia (*Mertensia virginica*), la NOMEOLVIDES, el HELIOTROPO y la pulmonaria (*Pulmonaria*). La borraja también se usa como hierba medicinal, como planta melífera o consumida como hortaliza.

borrego cimarrón *u* **oveja montés** Mamífero ungulado, fornido y escalador (*Ovis canadensis*) del oeste de Norteamérica. Ambos sexos tienen cuernos, que en el macho pueden curvarse en una espiral de más de 1 m (39 pulg.) de largo. Su pelaje suele ser pardo con un parche blanquecino en el anca. La especie emparentada de cuernos delgados u oveja Dall (*O. Dalli*) de Alaska y Canadá, es similar a esta. Ambas especies tienen una alzada de aprox. 1 m (39 pulg.), pero el borrego cimarrón es más pesado, alcanzando 136 kg (300 lb). Viven en grupos pequeños en riscos y acantilados alejados de zonas montañosas y se alimentan principalmente de pastos. Los carneros compiten por las hembras embistiéndose desde corta distancia y estrellando sus cuernos.

Borrego cimarrón (*Ovis canadensis*).
HARRY ENGELS—THE NATIONAL AUDUBON SOCIETY COLLECTION/PHOTO RESEARCHERS

Borromini, Francesco *orig.* **Francesco Castelli** (25 sep. 1599, Bissone, Lombardía–2 ago. 1667, Roma). Arquitecto barroco italiano. Aunque trabajó con GIAN LORENZO BERNINI en el diseño del famoso BALDAQUÍN en la basílica de SAN PEDRO, después llegaron a ser enconados rivales. El primer encargo independiente de Borromini fue la iglesia y monasterio romanos de San Carlo alle Quattro Fontane (1638–41), la cúpula de la cual parece flotar debido a que sus impostas (ver ARCO) y fuentes de luz están escondidas debajo. Sus trabajos, compuestos de fluidas formas cóncavas y convexas, contienen espacios que son óvalos y polígonos irregulares, como en Sant'Ivo della Sapienza (1642–60). Su suerte declinó con los años, y en 1667 se suicidó. Su influencia perduró en el norte de Italia y Europa central hasta el siglo siguiente.

Interior de la cúpula de la iglesia de Sant'Ivo della Sapienza, Roma, por Francesco Borromini, 1642–60.
GEKS

Borsippa *o* **Barsippa** Antigua ciudad de la región de BABILONIA. Ubicada al sudoeste de la ciudad de BABILONIA (cerca de la actual Hilla, Irak), su proximidad a esa capital ayudó a que se transformara en un importante centro religioso. El rey HAMMURABI construyó o reconstruyó el templo de Borsippa y lo dedicó al dios MARDUK. Durante el reinado de NABUCODONOSOR II, la ciudad alcanzó su mayor prosperidad. Borsippa fue destruida por JERJES I a inicios del s. V AC y nunca se recobró plenamente.

borzói ver GALGO RUSO

Bosanquet, Bernard (14 jun. 1848, Alnwick, Northumberland, Inglaterra–8 feb. 1923, Londres). Filósofo británico. Contribuyó a la revitalización del IDEALISMO absoluto de G.W.F. HEGEL en Gran Bretaña y trató de aplicar los principios hegelianos a los problemas sociales y políticos. Su deuda con Hegel es especialmente evidente en sus obras sobre ética, estética y metafísica. En *Some Suggestions in Ethics*

[Algunas sugerencias sobre ética] (1918) concibe la realidad como una síntesis en que se concilian las oposiciones tradicionales como placer/deber y egoísmo/altruismo. Entre sus obras restantes se cuentan *Conocimiento y realidad* (1885), *Lógica* (1888) e *Historia de la estética* (1892). G.E. MOORE y BERTRAND RUSSELL atacaron su idealismo.

Bosch (Gaviño), Juan (30 jun. 1909, La Vega, República Dominicana–1 nov. 2001, Santo Domingo). Académico, poeta y presidente de República Dominicana (1963). Fue criado en una familia de clase media baja. Consternado por la brutalidad del dictador RAFAEL TRUJILLO, pasó 24 años en el exilio, retornando luego de la muerte de este para construir un movimiento de izquierda anticomunista. Tras ganar la primera elección presidencial libre en 38 años, instituyó cambios constitucionales liberales, muchos de los cuales beneficiaban a los pobres del país. Sus reformas, sin embargo, le restaron el apoyo de terratenientes e industriales, y a los siete meses en el cargo fue expulsado por un golpe de Estado. Cuando sus partidarios se rebelaron contra la junta de gobierno en 1965, el presidente estadounidense Lyndon B. Johnson, alegando que sus seguidores eran comunistas, envió tropas para reprimir la rebelión. Durante las tres décadas subsiguientes, se postuló repetidamente pero sin éxito para la presidencia.

Bosch, Hiëronymus *o* **El Bosco** *orig.* **Jeroen van Aken** *o* **Jerome van Aken** (c. 1450, Hertogenbosch, Brabante–9 ago. 1516, Hertogenbosch). Pintor flamenco. Fue hijo y nieto de reconocidos pintores; su nombre proviene de su pueblo natal Hertogenbosch. Disfrutó de una exitosa carrera y fue profusamente imitado. De las muchas obras que se le atribuyen, ninguna puede ser fechada en forma precisa. Sus pinturas mezclan fantasía y realidad en escenas apocalípticas de caos, con criaturas mitad humana mitad animal, diablos y demonios que interactúan con figuras humanas en arquitecturas y paisajes imaginarios. Entre sus obras más conocidas se encuentra *El jardín de las delicias*, que representa los sueños que afligen a las personas que viven en un mundo que busca sólo el placer. Fue uno de los artistas de Europa del Norte más originales de fines de la Edad Media. Dibujante sobresaliente, fue uno de los primeros en realizar dibujos como obras autónomas. También realizó obras decorativas, retablos y diseños para vitrales.

Bosco, El ver Hiëronymus BOSCH

Bose, Subhas Chandra (23 ene. 1897, Cuttack, Orissa, India–18 ago. 1945, Taipei, Taiwán). Revolucionario indio. Cuando se encontraba preparándose en Gran Bretaña para una carrera en la administración pública india, renunció al enterarse de los disturbios nacionalistas en su país. Enviado por MOHANDAS K. GANDHI a efectuar tareas de organización en Bengala, fue deportado y encarcelado en varias ocasiones. Favoreció la industrialización, situándose así en una posición contraria al pensamiento económico de Gandhi. Aunque fue elegido presidente del CONGRESO NACIONAL INDIO (o Partido del Congreso) en 1938 y 1939, al verse privado del apoyo de Gandhi se sintió obligado a renunciar. Se marchó de India en 1941 y continuó su lucha contra los británicos desde la Alemania nazi y luego desde Asia sudoriental. En 1944 invadió India desde Birmania (Myanmar) con un pequeño ejército de indios y japoneses, pero pronto su ejército fue obligado a retirarse. Huyó de Asia sudoriental después de la rendición japonesa en 1945 y murió a causa de las quemaduras sufridas en un accidente de aviación.

Bose-Einstein, estadística de Una de las dos maneras posibles (la otra es la estadística de FERMI-DIRAC) en la que una colección de partículas indistinguibles pueden ocupar un conjunto de estados discretos de energía disponibles. La acumulación de partículas en el mismo estado, que es una posibilidad característica de partículas que obedecen la estadística de Bose-Einstein, explica el flujo coherente de la luz LÁSER y el deslizamiento sin fricción del helio superfluido (ver SUPERFLUIDEZ). La teoría sobre este comportamiento fue desarrollada en 1924–25 por Satyendra Nath Bose (n. 1894–m. 1974) y ALBERT EINSTEIN. La estadística Bose-Einstein se aplica sólo a aquellas partículas, llamadas BOSONES, que tienen valores enteros de ESPÍN y que, por lo tanto, no obedecen el principio de exclusión de PAULI.

Bósforo *turco* **Karadeniz Bogazi** Estrecho que separa la Turquía europea de la Turquía asiática. Comunica el mar de MÁRMARA con el mar NEGRO y tiene 31 km (19 mi) de largo y 4,4 km (2,8 mi) en su punto más ancho. Bósforo significa literalmente en griego "vado de bueyes"; tradicionalmente se vincula con la figura legendaria de Io, que transformada en ternera cruzó el Bósforo tracio en su deambular. Debido a su importancia estratégica para la defensa de Constantinopla (actual ESTAMBUL), situada en ambas orillas del estrecho en el extremo sur del Bósforo, los emperadores bizantinos y más tarde los sultanes otomanos construyeron fortificaciones a lo largo de sus costas. Con el aumento de la influencia de las potencias europeas en el s. XIX, se estableció un reglamento que rige el tránsito de embarcaciones a través del estrecho. Después de la primera guerra mundial, una comisión internacional tomó control del estrecho; Turquía retomó el control en 1936. Lo cruzan dos de los puentes más largos del mundo, que fueron terminados en 1973 y 1988.

Bósforo Cimeriano Antiguo reino griego, ubicado en el sur de la Ucrania actual. Los primeros en establecerse fueron los milesios (s. VI AC) en Panticapea, que con posterioridad pasó a ser la capital. El reino fue creciendo en forma gradual hasta abarcar toda CRIMEA. Entre los s. V y III AC mantuvo estrechas relaciones con Atenas y en el s. IV AC alcanzó su máximo poderío. Cayó bajo el dominio de Mitrídates VI de Ponto c. 100 AC. Durante 300 años perteneció al Imperio romano y desde el año 342 DC estuvo alternadamente bajo control bárbaro y bizantino.

Bosna, río Curso fluvial de Bosnia y Herzegovina. Nace al pie del monte Igman y corre hacia el norte aprox. 241 km (150 mi), antes de desembocar en el SAVA. Las principales ciudades ubicadas a lo largo del Bosna son SARAJEVO, Zenica y Doboj.

BOSNIA Y HERZEGOVINA

▸ **Superficie:** 51.209 km² (19.772 mi²)

▸ **Población:** 3.853.000 hab. (est. 2005)

▸ **Capital:** SARAJEVO

▸ **Moneda:** marka

Bosnia y Herzegovina *ofic.* **República de Bosnia y Herzegovina** País ubicado en la península BALCÁNICA, en el sudeste de Europa. Limita con Serbia y Montenegro y Croacia. Los principales grupos étnicos comprenden los bosnios (bosnios musulmanes: cerca del 40% de la población), los serbios (cerca del 33%) y los croatas (cerca del 20%). Idioma: serbocroata (oficial). Religiones: Islam, cristianismo ortodoxo y catolicismo. Moneda: marka. El relieve del país es principalmente montañoso, siendo comunes las elevaciones sobre los 1.800 m (6.000 pies). El terreno cae en forma abrupta hacia el sur del mar ADRIÁTICO. El país es drenado por los ríos SAVA, DRINA y Neretva y sus afluentes. La agricultura es la base de sustentación de la economía; aunque la región posee varios minerales, continúa siendo una de las más pobres de la ex YUGOSLAVIA. Bosnia y Herzegovina es una república bicameral; el jefe de Estado es el presidente de una presidencia tripartita, y la jefatura de Gobierno se concentra en dos copresidentes del Consejo de Ministros. La ocupación del territorio se produjo mucho antes de la dominación romana, durante la cual gran parte del país fue incluido en la provincia de DALMACIA. El asentamiento de los ESLAVOS comenzó en el s. VI DC. En los siglos siguientes, parte de la región cayó bajo el dominio de los serbios, croatas, húngaros, venecianos y bizantinos. Los turcos otomanos invadieron Bosnia en el s. XIV, y después de muchos combates, esta se transformó en provincia turca en 1463. Herzegovina, entonces conocida como Hum, fue ocupada en 1482. En los s. XVI y XVII, la región fue un puesto fronterizo turco, constantemente en guerra con los HABSBURGO y VENECIA. Durante este período, la mayor parte de la población se convirtió al islamismo. En el Congreso de BERLÍN, después de las guerras RUSO-TURCAS de 1877–78, Bosnia y Herzegovina fue asignada a AUSTRIA-HUNGRÍA, siendo anexada en 1908. El desarrollo del nacionalismo serbio condujo en 1914 al asesinato del archiduque austríaco FRANCISCO FERNANDO en Sarajevo, por un serbobosnio, hecho que precipitó la primera guerra mundial. Después de la guerra, la región fue anexada a SERBIA. A continuación de la segunda guerra mundial, ambos territorios se transformaron en una república de la Yugoslavia comunista. Con el colapso de los regímenes comunistas en Europa oriental, Bosnia y Herzegovina declaró su independencia en 1992; su población serbia se opuso, y el conflicto continuó entre serbios, croatas y musulmanes (ver conflicto BOSNIO). La paz acordada en 1995 estableció un débil Estado federal, integrado por una Federación croata musulmana y una República serbobosnia. En 1996, la OTAN instaló una fuerza de paz en la zona.

bosnia, crisis (1908). Crisis internacional causada por la anexión por Austria-Hungría de las provincias balcánicas de Bosnia y Herzegovina. Rusia apoyó a Serbia, que protestó contra la anexión y exigió que Austria cediera parte del territorio a Serbia, pero Austria-Hungría, apoyada por Alemania, amenazó con invadir Serbia si persistía en sus demandas. Debido a que Rusia no podía arriesgar una guerra contra Alemania y Austria-Hungría, se vio forzada a aceptar la anexión. Aunque la crisis fue resuelta sin recurrir a la guerra, contribuyó al estallido de la primera GUERRA MUNDIAL.

bosnio, conflicto (1992–98). Guerra de raíces étnicas en BOSNIA Y HERZEGOVINA, una república de Yugoslavia con una población multiétnica de 44% de bosnios (antiguamente conocidos como musulmanes), 33% de serbios y 17% de croatas. La crisis comenzó con la disolución de Yugoslavia en 1990; después de un referéndum en 1992, la Comunidad Europea (actual Unión Europea) reconoció la independencia de Bosnia. Los serbios de Bosnia reaccionaron violentamente, tomaron el control del 70% del territorio bosnio, sitiaron Sarajevo y aterrorizaron a bosnios y croatas en lo que llegó a ser conocido como "limpieza étnica". Después de un encarnizado enfrentamiento entre los croatas de Bosnia y el gobierno bosnio, la presión internacional obligó a ambas partes a firmar un cese del fuego y un acuerdo para formar una federación. Ambas facciones se concentraron entonces en su enemigo común, los serbios. Después del rechazo de los planes de paz y la continuación de la guerra, los países occidentales, con el respaldo de la OTAN, impusieron un cese del fuego final, negociado en Dayton, Ohio, EE.UU., en 1995. Bosnia y Herzegovina se convirtió en un único Estado integrado por dos entidades diferentes. Actualmente, Bosnia y Herzegovina tiene de hecho tres entidades monoétnicas, tres fuerzas armadas y policiales separadas, y un gobierno nacional muy débil. Ver también RADOVAN KARADZIC; FRANJO TUDJMAN.

bosón PARTÍCULA SUBATÓMICA con ESPÍN entero que obedece la estadística de BOSE-EINSTEIN. Los bosones incluyen a los MESONES, a los núcleos con número de masa par, y a las partículas que se requieren para dar cuerpo a los campos de la teoría CUÁNTICA DE CAMPOS. A diferencia de los FERMIONES, no hay límite para el número de bosones que pueden ocupar un mismo estado cuántico, comportamiento que da origen a la SUPERFLUIDEZ del helio-4.

bosón de Higgs ver HIGGS, partícula de

bosque ECOSISTEMA complejo en el cual los árboles son la forma de vida dominante. Los bosques se pueden encontrar en cualquier lugar donde las temperaturas sobrepasen los 10 ºC (50 ºF) en los meses más calurosos y la precipitación anual supere los 200 mm (8 pulg.). Pueden desarrollarse en diversas condiciones dentro de estos límites, y el tipo de suelo, de plantas y de vida animal que los constituyen variará de acuerdo a las influencias ambientales extremas a las que están sometidos. En las regiones subpolares, frías, de altas latitudes, la TAIGA (bosques boreales) está dominada por CONÍFERAS resistentes. En climas más templados de altas latitudes predominan los bosques mixtos de coníferas y ÁRBOLES DECIDUOS latifoliados. Los bosques deciduos latifoliados se desarrollan en climas de latitudes medias. En climas ecuatoriales húmedos se desarrollan los BOSQUES

Vegetación de bosque lluvioso en la costa septentrional de Ecuador.
© VICTOR ENGLEBERT

LLUVIOSOS tropicales. Allí, las intensas precipitaciones mantienen árboles SIEMPREVERDES latifoliados en vez de aquellos de hojas aciculares pertenecientes a los bosques siempreverdes de regiones más frías. Dada su amplia estratificación vertical, los bosques figuran entre los ecosistemas más complejos. Los bosques de coníferas tienen la estructura más simple: un estrato arbóreo, un estrato arbustivo desigualmente distribuido o ausente y un suelo cubierto con LÍQUENES, MUSGOS y HEPÁTICAS. Los bosques deciduos son más complejos (las copas de los árboles se dividen en un estrato superior y otro inferior) y las copas de los árboles de la selva lluviosa se dividen en por lo menos tres estratos. Los animales del bosque tienen una audición muy desarrollada y muchos de ellos se han adaptado para moverse verticalmente en este ambiente. Como el alimento, salvo las plantas terrestres, es escaso, los animales que viven en tierra sólo usan el bosque como refugio. El bosque es el ecosistema más eficiente de la naturaleza, con una alta tasa fotosintética (ver FOTOSÍNTESIS) que afecta los sistemas de flora y fauna en complejas relaciones orgánicas.

bosque boreal ver TAIGA

bosque lluvioso o **selva lluviosa** BOSQUE exuberante compuesto, generalmente, de árboles altos, latifoliados y ubicado en las regiones tropicales húmedas cercanas al ecuador. A pesar de la creciente concienciación sobre la importancia de los bosques lluviosos en las postrimerías del s. XX, se siguen talando. El bosque lluvioso se da sobre todo en Centro y Sudamérica, África central y occidental, Indonesia, partes del sudeste de Asia y Australia tropical, donde el clima es relativamente húmedo y sin variaciones estacionales muy marcadas. Según el volumen de precipitación anual, los árboles pueden ser SIEMPREVERDES o deciduos. Las temperaturas son elevadas y fluctúan entre 30 ºC (86 ºF) y 20 ºC (68 ºF) durante el día y la noche, respectivamente. Las condiciones

del suelo varían con la ubicación y el clima, aunque la mayoría de los suelos de los bosques lluviosos tienden a estar permanentemente húmedos y no ser muy fértiles, ya que el calor y el clima húmedo provocan una rápida descomposición de la materia orgánica, que es absorbida rápidamente por las raíces de los árboles y los hongos. Los bosques lluviosos tienen diversos estratos, el más alto y continuo, llamado canopia, está constituido por las copas de los árboles situadas a 30–50 m (100–165 pies) de altura. La mayoría de los animales vive entre las hojas y las ramas de este estrato. Bajo la canopia hay un estrato denso llamado sotobosque compuesto por árboles pequeños, LIANAS y EPÍFITAS. El espacio en contacto directo con el suelo puede estar ocupado por ramas, ramitas y hojarasca, pero contrariamente a la creencia popular, el suelo del bosque lluvioso no es impenetrable. Se trata de un suelo desnudo excepto por una delgada capa de HUMUS y de hojarasca. Los animales que lo habitan (p. ej., gorilas, elefantes, jaguares y osos) sólo están adaptados a caminar o trepar distancias cortas. Los animales excavadores, como los armadillos y las CECÍLIDOS, se encuentran en el suelo, así como los microorganismos que ayudan a descomponer y reciclar el desecho orgánico acumulado en el suelo proveniente de otras plantas y animales de todos los estratos. El clima del estrato terrestre es muy estable ya que los estratos superiores filtran la luz solar, retienen el calor y reducen la velocidad del viento, manteniendo una temperatura bastante estable.

Bosques, lago de los ver lago WOODS

bosques orientales, indio de los Miembro de los diversos pueblos indígenas de América del Norte de la región principalmente boscosa que se extiende hacia el este desde el valle del río Mississippi hasta la costa del Atlántico, y que por el norte penetra en Canadá y hacia el sur hasta los actuales estados desde Illinois hasta Carolina del Norte. Los indígenas de esta región hablaban lenguas IROQUESAS, ALGONQUINAS y SIOUX. Las mayores concentraciones de población estaban cerca o a lo largo del litoral, lagos, lagunas, marismas, arroyos y ríos. Ahí podían cazar animales, atrapar peces, apresar aves, recolectar hojas, semillas y raíces de plantas silvestres, mariscar y cultivar la tierra. Ciertas áreas eran favorecidas con recursos inexistentes en el resto de la región. En las partes altas de la región de los Grandes Lagos, el arroz silvestre (*Zizania aquatica*) crecía en abundancia y de él dependían especialmente los MENOMINEES. Además de estos, los grupos de los bosques orientales incluían a los ABENAKIS, CREES de los bosques, DELAWARES, FOX, HURONES, illinois, IROQUESES, MOHICANOS, MIAMIS, MICMACS, MOHAWKS, MOHEGANS, MONTAGNAIS Y NASKAPIS, OJIBWAS, ONEIDAS, ottawas, PEQUOTS, POWHATANS, SAUKS, SENECAS, tuscaroras y WINNEBAGOS.

bosquimano ver SAN

Bossuet, Jacques-Bénigne (25 sep. 1627, Dijon, Francia– 12 abr. 1704, París). Obispo francés. Ordenado sacerdote en 1652, ganó celebridad como gran orador y fue un predicador de gran popularidad. En 1681 se convirtió en obispo de Meaux. Fue el más elocuente e influyente defensor de los derechos de la Iglesia francesa frente a la autoridad papal durante el s. XVII. En la actualidad, se lo recuerda principalmente por sus obras literarias, entre ellas panegíricos fúnebres.

Boston Ciudad portuaria (pob., 2000: 589.141 hab.), capital del estado de Massachusetts, EE.UU. Ubicada en la bahía de Massachusetts en la desembocadura de los ríos CHARLES y Mystic, es la ciudad más grande del estado. Fundada por el gob. JOHN WINTHROP en 1630, se convirtió en la capital de la colonia de la bahía de MASSACHUSETTS en 1632. A la cabeza del movimiento de oposición a las restricciones comerciales británicas sobre sus colonias americanas, Boston fue un lugar donde

Panorámica de la ciudad de Boston, en la bahía de Massachusetts, EE.UU.
ARCHIVO EDIT. SANTIAGO

ocurrieron sucesos que condujeron a la guerra de independencia de los ESTADOS UNIDOS DE AMÉRICA: fue el escenario de la masacre de BOSTON (1770) y del BOSTON TEA PARTY (1773). Fue también el centro del movimiento antiesclavista (1830–65). A medida que se afianzaba la REVOLUCIÓN INDUSTRIAL en EE.UU., Boston se convertía en un centro textil y manufacturero de importancia. En la actualidad, las industrias de las finanzas y la alta tecnología son básicas para su economía. Numerosas instituciones de educación superior tienen su sede aquí, como la Universidad de BOSTON. Ver también CAMBRIDGE.

Boston College Universidad privada jesuita ubicada en Chestnut Hill, Mass., EE.UU. Fundada en 1863, es una de las instituciones más antiguas de educación superior afiliadas a la Iglesia católica. Comprende un *college* (colegio universitario) de artes y ciencias y escuelas de educación, enfermería, administración de negocios y derecho.

Boston, estrangulador de Asesino en serie estadounidense que mató de 11 a 13 mujeres, entre 1962 y 1964, en la zona de Boston. Su primera víctima fue una mujer de 55 años, violada y estrangulada en su departamento, el 14 de junio de 1962. Durante los meses posteriores asesinó a varias otras mujeres mayores, en circunstancias parecidas; entre las víctimas siguientes hubo varias mujeres jóvenes. En 1965, Albert DeSalvo, recluido en un hospital psiquiátrico público, se atribuyó las muertes. Nunca se le acusó de estas, porque no hubo pruebas físicas que lo ligaran a las escenas de los asesinatos, pero se le encontró culpable de varios delitos de violación y se le condenó a prisión de por vida. La culpabilidad de DeSalvo sigue controvertida, en parte porque en sus confesiones demostró desconocimiento de muchos aspectos de los crímenes. En 2001 se confirmó con pruebas de ADN que era virtualmente imposible que DeSalvo hubiera cometido el último de los asesinatos, aunque era uno respecto de los cuales se había confesado culpable.

Boston Globe, The Periódico publicado en Boston y uno de los más influyentes de EE.UU. Fundado en 1872, fue comprado en 1877 por Charles H. Taylor. Bajo su dirección se comenzaron a publicar ediciones matutinas y vespertinas, se amplió la cobertura local y regional, y se introdujeron grandes titulares, especialmente los relacionados con temas sensacionalistas. En el s. XX, con la familia Taylor siempre al mando, el diario empezó a ofrecer un mayor volumen de noticias nacionales e internacionales, al tiempo que mantuvo una postura editorial mayormente liberal. En 1993, The NEW YORK TIMES compró el *Globe*.

Boston, huelga de la policía de Huelga de la mayor parte de los policías de Boston declarada en 1919 en protesta por la decisión del comisario de policía de negarles el derecho a sindicarse. El alcalde convocó a la milicia de la ciudad para restaurar el orden y romper la huelga. Luego, el gob. CALVIN COOLIDGE movilizó a la milicia del estado, medida que le dio fama de fuerte partidario del orden público y condujo a su nombramiento como candidato a vicepresidente en la lista republicana para la elección de 1920.

Boston, masacre de Enfrentamiento entre tropas británicas y una muchedumbre ocurrido en Boston el 5 de marzo de 1770. Provocados por los colonos, los soldados británicos dispararon contra la multitud y mataron a cinco hombres, entre ellos CRISPUS ATTUCKS. El incidente, que SAMUEL ADAMS, PAUL REVERE y otros difundieron ampliamente como batalla por la libertad americana, aumentó la impopularidad de los ingleses durante los años anteriores a la guerra de independencia de los ESTADOS UNIDOS DE AMÉRICA.

Boston Tea Party *español* **motín del té** Incidente ocurrido el 16 de dic. de 1773, durante el cual patriotas estadounidenses, disfrazados de indios, echaron al mar 342 cajones de té que estaban a bordo de tres barcos británicos anclados en la bahía de Boston. Su líder era SAMUEL ADAMS. Se tomó esta medida para evitar el pago de un impuesto sobre el té y protestar por el monopolio de la metrópoli sobre el comercio colonial de este producto, que estaba autorizado por la ley del TÉ. En represalia, el parlamento aprobó las sancionadoras leyes INTOLERABLES, las cuales terminaron por unir aún más a las colonias en su oposición a la corona británica.

boston terrier Raza canina desarrollada a fines del s. XIX en Boston, EE.UU. Cruza entre el BULLDOG inglés y un TERRIER blanco inglés, el boston terrier es una de las pocas razas que se

Boston terrier.
© SALLY ANNE THOMPSON/ANIMAL PHOTOGRAPHY

han originado en EE.UU. Tiene una contextura similar al terrier: ojos oscuros, hocico corto y pelaje corto y fino de color negro o moteado, con cara, pecho, cuello y patas blancas. Tiene una alzada de 36–43 cm (14–17 pulg.) y su peso varía entre 7 y 11 kg (15–25 lb). La raza se caracteriza por ser muy dócil y afectuosa.

Boston, Universidad de Universidad privada situada en Boston, Mass., EE.UU. Fundada en 1839 (y reestructurada en 1867), fue una de las primeras universidades del país en aceptar estudiantes afroamericanos y extranjeros. Actualmente cuenta con 15 escuelas y *colleges* (colegios universitarios). Se otorgan títulos profesionales en sus escuelas de derecho, medicina, odontología y administración de negocios; se confieren títulos de posgrado en educación, ingeniería y en artes y ciencias. Entre sus colecciones de archivo se cuentan los documentos de THEODORE ROOSEVELT, ROBERT FROST y los de su ex alumno de teología MARTIN LUTHER KING, JR. Entre otros ex alumnos de teología cabe mencionar a ANNA HOWARD SHAW y Norman Vincent Peale.

Bostra *actualmente* **Buṣra al-Shām** Ciudad en ruinas en el sudoeste de Siria. Ubicada al sur de DAMASCO, fue primero una ciudad nabatea y más tarde fue conquistada por los romanos (ver República e Imperio de ROMA) bajo el emperador TRAJANO. Fue la capital de la provincia romana de Arabia y sirvió de plaza militar al oriente del río JORDÁN. A inicios del s. IV DC, pasó a ser la sede de un obispado, pero cayó ante los musulmanes en el s. VII. Los cruzados capturaron la ciudad en el s. XII; sin embargo, no consiguieron retenerla y pronto comenzó a decaer. En ella se encuentran restos monumentales de templos, arcos de triunfo, acueductos, iglesias y mezquitas.

James Boswell, detalle de una pintura al óleo del taller de Sir Joshua Reynolds, 1786.
GENTILEZA DE LA NATIONAL PORTRAIT GALLERY, LONDRES

Boswell, James (29 oct. 1740, Edimburgo, Escocia–19 may. 1795, Londres, Inglaterra). Biógrafo y abogado escocés, amigo de SAMUEL JOHNSON. Boswell conoció a Johnson en 1763, lo frecuentó a menudo (1772–84), y llevó en sus diarios un registro excepcionalmente detallado de las conversaciones con su amigo. Los dos volúmenes de *Life of Samuel Johnson* [Vida de Samuel Johnson] (1791) son considerados una de las mejores biografías que se han escrito en lengua inglesa. Su obra *Journal of a Tour to the Hebride with Samuel Johnson* [Diario de un viaje a las Hébridas con Samuel Johnson] (1785), da cuenta más que nada de las impresiones de Johnson durante el viaje que ambos realizaron a Escocia en 1773. La publicación en el s. XX de los diarios de Boswell lo muestra además como uno de los más grandes diaristas que han existido.

Bosworth Field, batalla de (22 ago. 1485). Batalla final de la guerra de las DOS ROSAS en Inglaterra. En ella combatieron las fuerzas del rey RICARDO III de York y las del contendiente a la corona, Enrique Tudor (más tarde ENRIQUE VII) de Lancaster. La batalla tuvo lugar cuando Enrique regresó del exilio, desembarcó con un ejército en Milford Haven y enfrentó a las fuerzas de Ricardo a 19 km (12 mi) al oeste de Leicester. Los hombres del rey fueron derrotados y obligados a escapar, y Ricardo fue bajado violentamente de su caballo y muerto en un pantano (escena descrita en *Ricardo III*, de WILLIAM SHAKESPEARE). La batalla colocó a la dinastía TUDOR en el trono inglés.

Ricardo III de York y su hueste durante la batalla de Bosworth Field, donde fueron derrotados por el ejército de Enrique Tudor.
FOTOBANCO

botánica Rama de la BIOLOGÍA que estudia las plantas, a saber, la estructura, propiedades y procesos bioquímicos de todas las formas de vida vegetal, así como la clasificación, enfermedades e interacciones de las plantas con su ambiente físico. La ciencia de la botánica se remonta al antiguo mundo grecorromano, pero recibió su ímpetu moderno en el s. XVI, principalmente, gracias al trabajo de médicos y herbolarios que comenzaron a observar seriamente las plantas para determinar sus usos medicinales. Hoy, las principales ramas de la botánica son MORFOLOGÍA, FISIOLOGÍA, ECOLOGÍA y sistemática (identificación y *ranking* de las plantas). Las disciplinas secundarias abarcan la briología (estudio de MUSGOS y HEPÁTICAS), la pteridología (estudio de los HELECHOS y sus parientes), la paleobotánica (estudio de las plantas FÓSILES) y la palinología (estudio del POLEN y ESPORAS, tanto actuales como fósiles). Ver también HORTICULTURA, SILVICULTURA.

Botany Bay Ensenada del océano Pacífico sur, en el sudeste de Australia. Se ubica al sur de SYDNEY cerca de Port Jackson y mide alrededor de 10 km (6 mi) en su punto más ancho. Fue el escenario del primer desembarco en tierras australianas del capitán JAMES COOK, en 1770; le dio el nombre a la bahía por su variada flora. En 1787 se escogió como emplazamiento de un penal, pero este fue pronto trasladado al interior. En la actualidad, sus costas están rodeadas por los barrios residenciales de Sydney.

Botero, Fernando (n. 19 abr. 1932, Medellín, Colombia). Pintor y escultor colombiano. Comenzó a pintar siendo adolescente. En 1960, cuando se mudó a la ciudad de Nueva York, ya había desarrollado su estilo característico: la representación de seres humanos y animales redondeados y corpulentos. En estas obras, su uso de colores planos y brillantes, junto a formas muy delineadas, reflejaban la influencia del arte tradicional latinoamericano, mientras que sus fuertes composiciones emulaban frecuentemente a los antiguos maestros. En 1973, Botero se trasladó a París, y comenzó a crear esculturas que nuevamente se centraban en sujetos gordos. A fines del s. XX, se montaron en todo el mundo exitosas exhibiciones al aire libre de sus monumentales figuras de bronce.

Botha, Louis (27 sep. 1862, cerca de Greytown, Natal, [Sudáfrica]–27 ago. 1919, Pretoria, Transvaal). Primer ministro (1910–19) de la Unión Sudafricana. En 1897 fue elegido miembro del parlamento de la República Sudafricana (Transvaal), donde se alineó con los moderados contra la política del pdte. PAULUS KRUGER, hostil a los *uitlanders* (colonos no bóer, en su mayoría ingleses). En la guerra de los BÓERS comandó las fuerzas del sur que sitiaron Ladysmith y luego intentó infructuosamente defender el TRANSVAAL. Como primer ministro buscó con ahínco apaciguar a la población anglohablante por lo que fue duramente atacado por los nacionalistas AFRIKÁNER. En la primera guerra mundial accedió a los requerimientos británicos de conquistar el protectorado alemán de África del Sudoeste (Namibia).

Botha, P(ieter) W(illem) (n. 12 ene. 1916, Paul Roux, Sudáfrica). Primer ministro (1978–84) y primer presidente (1984–89) de Sudáfrica. Elegido al parlamento en 1948 como candidato del PARTIDO NACIONAL, desempeñó varios cargos antes de reemplazar a JOHN VORSTER como primer ministro en 1978. Su gobierno enfrentó serias dificultades, entre ellas la llegada al poder de gobiernos negros en Mozambique, Angola y Zimbabwe, la insurgencia en África del Sudoeste (Namibia) y la agitación interna entre los estudiantes negros y entre los sindicatos. Respondió apoyando a las tropas antigubernamentales en los estados fronterizos y sofocando la rebelión interna. Objeto de críticas dentro y fuera de su partido, cayó enfermo y renunció en 1989.

Botnia, golfo de Brazo norte del mar BÁLTICO. Se extiende entre Suecia y Finlandia, y cubre aprox. 117.000 km² (45.200 mi²). Tiene 725 km (450 mi) de longitud y 80–240 km (50–150 mi) de ancho; su profundidad media es de 295 m (965 pies). Debido a que muchos ríos desaguan en él, su salinidad es muy baja, por lo que la capa de hielo dura hasta cinco meses del año.

botón Pequeño disco o tirador usado como sujetador u ornamento. Generalmente tiene agujeros o una presilla por la cual es cosido a uno de los lados de una prenda de vestir. Se utiliza para sujetar o cerrar la prenda cuando se pasa por una presilla o un ojal. Los antiguos griegos sujetaban sus túnicas con botones y presillas. En la Europa medieval, las prendas de vestir se amarraban o se sujetaban con broches o hebillas hasta que se reinventó el ojal en el s. XIII. A través de la historia se han fabricado botones en una variedad de tamaños y materiales, y algunos han sido elaborados como obras de arte en miniatura.

Botox Marca comercial para la toxina botulina tipo A, una droga producida por la bacteria *Clostridium botulinum*. Contiene la misma toxina que causa la intoxicación alimentaria severa (botulismo). Cuando el Botox es inyectado localmente, bloquea la liberación del neurotransmisor acetilcolina, interfiriendo con la capacidad del músculo para contraerse. Es utilizado para tratar calambres musculares agudos o sudoración incontrolable severa. El Botox también puede emplearse en propósitos cosméticos, para tratar las arrugas faciales.

BOTSWANA

▸ **Superficie:** 582.356 km² (224.848 mi2)

▸ **Población:** 1.765.000 hab. (est. 2005)

▸ **Capital:** GABORONE

▸ **Moneda:** pula

Botswana *ofic.* **República de Botswana** *ant.* **Bechuanalandia** País situado en África meridional, que limita con Namibia, Zimbabwe y República de Sudáfrica. Menos de la mitad de la población pertenece al grupo étnico TSWANA; existen otros pueblos importantes como los khalagari, ngwato, tswapong, birwa y kalanga. Hay pequeños grupos de KHOIKHOI y SAN (bosquimanos) que tienen una vida nómada y cruzan estacionalmente la frontera de Namibia. Idiomas: inglés (oficial) y tswana. Religión: cristianismo, con una mezcla considerable de creencias tradicionales africanas. Botswana es esencialmente una meseta, con una altitud promedio de 1.000 m (3.300 pies). El oeste y sudoeste es ocupado por parte del desierto de KALAHARI, mientras que el pantano de Okavango está en el norte. Las únicas fuentes de agua de superficie permanente son el río Chobe, que marca la frontera con Namibia; el OKAVANGO, en el extremo noroeste, y el LIMPOPO, que sirve de frontera con Sudáfrica en el sudeste. La economía es tradicionalmente dependiente de la crianza de ganado; el desarrollo de la explotación de diamantes en la década de 1980 ha incrementado la riqueza del país. Botswana es una república unicameral; el jefe de Estado y de Gobierno es el presidente. Los primeros habitantes de la región fueron los khoikhoi y los san. Ya en el año 190 DC, durante la migración meridional de los agricultores de habla bantú, hubo localidades ocupadas. Las dinastías tswana, que se desarrollaron en el TRANSVAAL occidental en los s. XIII–XIV, ingresan a Botswana en el s. XVIII, y establecieron varios estados poderosos. Los misioneros europeos llegaron a principios del s. XIX, pero fue el descubrimiento de

Búfalo del Cabo, una de las especies características de la fauna en Botswana, África.
ARCHIVO EDIT. SANTIAGO

oro en 1867 lo que incentivó el interés de Europa. En 1885, la región se transformó en el protectorado británico de Bechuanalandia. Un año después, la zona ubicada al sur del río Molopo pasó a ser una colonia soberana, y diez años más tarde fue anexada por la colonia de El Cabo. La propia Bechuanalandia continuó siendo un protectorado británico hasta la década de 1960. En 1966, la República de Bechuanalandia fue proclamada miembro independiente de la COMMONWEALTH británica y en el mismo año adoptó el nombre de Botswana. Como nación independiente ha procurado mantener un delicado equilibrio entre su dependencia económica de Sudáfrica y sus relaciones con los países de raza negra circundantes; la independencia de Namibia en 1990 y el fin del apartheid en Sudáfrica aliviaron las tensiones.

Botticelli, Sandro *orig.* **Alessandro di Mariano Filipepi** (1445, Florencia–7 may. 1510, Florencia [Italia]). Pintor italiano activo en Florencia. De joven puede haber sido aprendiz de orfebre, y luego tuvo como maestro a FRA FILIPPO LIPPI en Florencia. En 1470 ya había desarrollado un estilo propio y se consagró como maestro. En 1481 participó en un equipo de artistas florentinos y umbrianos llamados a Roma para decorar la capilla SIXTINA, donde se pueden observar tres de sus mejores frescos religiosos (terminados en 1482). Aunque fue prolífico como pintor de imágenes religiosas, sus pinturas de temas mitológicos son las más conocidas. Sus sobresalientes retratos evidencian la influencia del arte flamenco contemporáneo por la ubicación de la figura frente a un paisaje. Entre sus principales obras destacan *La Primavera*, *Palas y el centauro*, *Venus y Marte* y *El nacimiento de Venus*, todas pintadas c. 1477–90. Se han conservado alrededor de 75 pinturas de su autoría, muchas de las cuales se exhiben en la Galería de los Uffizi en Florencia. En el s. XIX resurgió el interés por su obra y en la actualidad es uno de los pintores más apreciados del Renacimiento italiano.

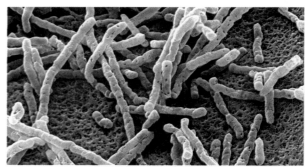

Bacteria *Clostridium botulinum*, causante del botulismo.
DR. DAVID PHILLIPS/VISUALS UNLIMITED/GETTY IMAGES

botulismo Intoxicación por toxina botulina, una de las TOXINAS más potentes que se conocen, producida por la bacteria *Clostridium botulinum*. Habitualmente se encuentra en alimentos enlatados (la mayoría casera) mal esterilizados. Las esporas termorresistentes de estas bacterias anaeróbicas en los alimentos frescos pueden sobrevivir una vez enlatadas. Las bacterias se multiplican y secretan la toxina, que continúa activa si el alimento no se calienta bien antes de consumirlo. El botulismo también puede derivar de la infección de heridas. La toxina botulina bloquea la transmisión de los impulsos nerviosos. Si el botulismo se reconoce a tiempo se puede neutralizar con ANTITOXINAS. Los primeros síntomas de botulismo son náuseas y vómitos, que aparecen habitualmente a las seis horas o menos después de ingerir los alimentos contaminados. Después vienen fatiga, visión borrosa y debilidad general. La mayoría de los afectados se recupera completamente si sobreviven a la parálisis. La gran toxicidad de la bacteria la hace un agente potencialmente letal en la guerra biológica.

Bouaké Ciudad del centro de Costa de Marfil (pob., est. 1995: 330.000 hab.). Fue fundada como un puesto militar francés en 1899 en la carretera y la línea férrea de ABIDJÁN a BURKINA FASO (llamado entonces Alto Volta). Bouaké está entre las ciudades más grandes de la nación y es el eje del comercio y transporte del interior.

Boucher, François (29 sep. 1703, París, Francia–30 may. 1770, París). Pintor, grabador y diseñador francés. Es probable que se haya formado con su padre, un pintor de menor importancia. En 1723 ganó el premio de Roma, pero no pudo viajar a Italia hasta 1728. Para su primer gran encargo realizó 125 grabados de dibujos de ANTOINE WATTEAU. Hizo importantes trabajos decorativos en Versalles por encargo de la marquesa de POMPADOUR. Su estilo lúdico y su temática frívola ejemplifican el estilo ROCOCÓ y encarnan la elegante superficialidad de la vida cortesana francesa de mediados del s. XVIII. Admitido en la Academia Real en 1734, fue el principal diseñador de las fábricas reales de porcelana y director de la fábrica de tapices de los Gobelinos. En 1765 fue nombrado director de la Academia Real y primer pintor de LUIS XV. Fue uno de los grandes pintores y dibujantes del s. XVIII y un experto en cada rama de la pintura decorativa e ilustrativa.

Boucher, Jonathan (12 mar. 1738, Cumberland, Inglaterra–27 abr. 1804, Epsom, Surrey). Clérigo anglonorteamericano. Viajó a Virginia en 1750 como instructor privado. En su calidad de cura párroco de Annapolis, Md., le correspondió instruir al hijastro de GEORGE WASHINGTON y se convirtió en amigo de la familia. Sus puntos de vista realistas le costaron el empleo y en 1775 tuvo que regresar a Inglaterra. En su retiro escribió *A View of the Causes and Consequences of the American Revolution* [Una visión de las causas y consecuencias de la guerra de independencia estadounidense]; su glosario de "palabras arcaicas y provincianas" se usó más adelante en el diccionario de NOAH WEBSTER.

Boucicault, Dion orig. **Dionysius Lardner Boursiquot** (26 dic. 1820/22, Dublín, Irlanda–18 sep. 1890, Nueva York, N.Y., EE.UU.). Dramaturgo estadounidense de origen irlandés. Comenzó a actuar en 1837, y después escribió la exitosa comedia *London Assurance* (1841) y *Los hermanos corsos* (1852). En 1853 se mudó a Nueva York, donde fue una pieza clave para lograr la promulgación de la primera ley de derecho de autor para el teatro en EE.UU. Su aclamada obra *El pobre de Nueva York* (1857) fue presentada en otros escenarios como, por ejemplo, *El pobre de Londres*. Manifestó inquietud por los temas sociales, y entregó una crítica velada a la esclavitud en *El Octoroon* (1859). Además escribió una serie de obras irlandesas populares, entre ellas *The Colleen Bawn* (1860) y *The Shaughraun* (1874).

Boudiaf, Muhammad (23 jun. 1919, M'Sila, Argelia–29 jun. 1992, Annaba). Líder político argelino. Junto con AHMED BEN BELLA, cofundó el FRENTE DE LIBERACIÓN NACIONAL (FLN) argelino, que condujo la lucha contra Francia por la independencia de Argelia (1954–62). Estuvo encarcelado por los franceses desde 1956 hasta la independencia de Argelia en 1962, después se convirtió en viceprimer ministro del presidente Ben Bella en el nuevo gobierno. Su oposición al estilo autocrático de Ben Bella lo llevó a un exilio de 27 años. En 1992, se le pidió regresar para encabezar el gobierno y enfrentar el problema de la creciente influencia religiosa en los asuntos políticos. Fue asesinado por un guardaespaldas poco tiempo después. Ver también FRENTE ISLÁMICO DE SALVACIÓN.

Boudin, Eugène (12 jul. 1824, Honfleur, Francia–ago. 1898, Deauville). Paisajista francés. Estimulado cuando joven por Jean-François MILLET, se transformó en defensor de la pintura realizada directamente del modelo natural. En 1874 exhibió sus obras con los impresionistas, pero no fue innovador como ellos, y entre 1863 y 1897 exhibió regularmente en el Salón Oficial. Sus temas favoritos fueron escenas de playas y marinas, que revelan una notable sensibilidad para capturar efectos atmosféricos. El fondo de sus pinturas registraba el clima, la luz y la hora del día. Sus obras combinan el cuidadoso naturalismo de mediados del s. XIX con los colores brillantes y la pincelada fluida del IMPRESIONISMO.

boudinage Estructuras cilíndricas que conforman una capa de roca deformada. Comúnmente yacen adyacentes entre sí y están unidas por cuellos cortos, dando la apariencia de una tira de salchichas (*boudin* significa "salchicha" en francés). Los cuellos pueden estar llenos de minerales recristalizados como cuarzo, feldespato o calcita. El boudinage se encuentra en muchos tipos de rocas y es una de las estructuras más comunes en rocas plegadas.

Boudinot, Elias (2 may. 1740, Filadelfia, Pa. EE.UU.–24 oct. 1821, Burlington, N.J.). Funcionario público estadounidense. Se tituló de abogado en 1760. Aunque whig moderado, apoyó la guerra de independencia de los ESTADOS UNIDOS DE AMÉRICA. Presidió el Congreso CONTINENTAL en 1782–83 y luego se desempeñó en la Cámara de Representantes (1789–95) y como director de la Casa de Moneda de EE.UU., en Filadelfia (1795–1805).

Bougainville, isla Isla de Papúa y Nueva Guinea (pob., est. 1999: 181.321 hab.). Es la mayor de las islas Salomón y se ubica cerca del extremo norte de esa cadena de islas. Su superficie alcanza los 8.500 km² (3.600 mi²). Los montes del Emperador, cuya cumbre más alta es el Balbi (2.743 m [9.000 pies]), ocupan la mitad norte de la isla, mientras que los montes del Príncipe Heredero ocupan la mitad sur. En 1768 la visitó Louis-Antoine de BOUGAINVILLE. Cayó bajo el dominio alemán a fines del s. XIX, pero después de la primera guerra mundial quedó bajo mandato australiano. Al terminar la segunda guerra mundial formó parte del territorio fideicomisado por las Naciones Unidas y pasó a Papúa y Nueva Guinea cuando esta se independizó en 1975. En un tratado firmado en 2001 se prometió la autonomía de la isla.

Bougainville, Louis Antoine de (11 nov. 1729, París, Francia–3 ago. 1811, París). Militar y navegante francés. En 1764 estableció una colonia francesa en las islas Malvinas (Falkland). Comisionado por el gobierno para circunnavegar la tierra en un viaje de exploración, zarpó en 1766. Después de hacer escala en Samoa y las Nuevas Hébridas, continuó hacia el oeste por aguas nunca antes navegadas por un europeo. Viró hacia el norte en el borde de la Gran Barrera de Coral, sin alcanzar a divisar Australia. Se detuvo en las Molucas y en Java antes de regresar a Bretaña en 1769. Su muy leído *Voyage autour du monde* [Viaje alrededor del mundo] (1771) ayudó a popularizar la creencia en la superioridad moral de las personas en su estado natural. Fue secretario de LUIS XV (1772), dirigió la flota francesa que fue en apoyo en la guerra de independencia de los Estados Unidos y fue condecorado con la Legión de Honor por NAPOLEÓN I. El género de plantas *Bougainvillea* (buganvilla) fue nombrado en su honor.

Louis Antoine de Bougainville, grabado de Émile Lassalle al estilo de Maurin.

Bouguereau, William (-Adolphe) (30 nov. 1825, La Rochelle, Francia–19 ago. 1905, La Rochelle). Pintor francés. Ingresó a la École des Beaux-Arts en 1846. Se adjudicó el premio de Roma en 1850. A su regreso de Italia, en 1854, se convirtió en un exitoso defensor de la pintura académica y participó en la exclusión de los impresionistas (ver IMPRESIONISMO) radicales del Salón Oficial. Trabajando con un estilo tranquilo y de finas terminaciones, pintó obras religiosas sentimentales, desnudos tímidamente eróticos, escenas alegóricas y retratos realistas. En 1876 fue designado miembro de la Academia de Bellas Artes. Su influencia se sintió ampliamente, en especial en EE.UU.

Bouillaud, Jean-Baptiste (16 sep. 1796, Garat, Francia–29 oct. 1881, París). Médico e investigador francés. Localizó el centro del lenguaje en el cerebro y diferenció entre la pérdida del lenguaje por incapacidad para crear y recordar formas verbales y la incapacidad para controlar los movimientos del habla. En cardiología, estableció el vínculo entre la carditis y el reumatismo articular agudo. Contribuyó a explicar los ruidos cardíacos normales y describió muchos de los anormales, siendo el primero en denominar y describir con precisión la membrana endocárdica y la endocarditis. Publicó libros de importancia sobre las enfermedades cardíacas y sobre el reumatismo y el corazón.

Boulanger, Georges (-Ernest-Jean-Marie) (29 abr. 1837, Rennes, Francia–30 sep. 1891, Bruselas, Bélgica). General y político francés. Ingresó al ejército en 1856, ayudó a sofocar la comuna de PARÍS (1871) y ascendió a brigadier general (1880) y a director de infantería (1882). Nombrado ministro de guerra en 1886, introdujo varias reformas militares y fue considerado como el hombre destinado a vengar la derrota francesa en la guerra franco-prusiana. En 1888 fue elegido diputado por su popularidad; ese mismo año dirigió un breve, pero influyente movimiento autoritario que amenazó derribar la TERCERA REPÚBLICA. En 1889, el gobierno decidió someterlo a juicio,

Georges Boulanger.
H. ROGER-VIOLLET

por lo que huyó a Bruselas. Fue condenado en ausencia por traición y en 1891 se suicidó.

Boulanger, Nadia (-Juliette) (16 sep. 1887, París, Francia–22 oct. 1979, París). Profesora de música y directora de orquesta francesa. Aunque estudió composición con Charles-Marie Widor (n. 1844–m. 1937) y GABRIEL FAURÉ, dejó de componer siendo veinteañera (después de la muerte de su hermana Lili que también fue compositora) y dedicó el resto de su vida a la dirección de orquesta, el órgano y la enseñanza en la Escuela Normal (1920–39), en el conservatorio de París (desde 1946) y especialmente en el conservatorio estadounidense de Fontainebleau (desde 1921). Se convirtió en la profesora de composición más célebre del s. XX. Entre sus estudiantes figuran: AARON COPLAND, ROY HARRIS, DARIUS MILHAUD, VIRGIL THOMSON, ELLIOTT CARTER, LEONARD BERNSTEIN y PHILIP GLASS. Su hermana, Lili

Nadia Boulanger, directora de orquesta francesa.

Boulanger (n. 1893–m. 1918), escribió una gran cantidad de piezas vocales y de otros géneros y fue la primera compositora que ganó el premio de Roma (1913).

Boulder Ciudad (pob., 2000: 94.673 hab.) del centro-norte del estado de Colorado, EE.UU. Ubicada en las montañas ROCOSAS al noroeste de DENVER, se establecieron allí mineros en 1858 y luego creció con la llegada de dos ferrocarriles en 1873. En décadas recientes se ha desarrollado un gran complejo gubernamental, industrial y educacional. Es la sede de la Universidad de COLORADO.

Boulez, Pierre (n. 26 mar. 1925, Montbrison, Francia). Compositor y director de orquesta francés. Originalmente fue estudiante de matemáticas y posteriormente fue alumno del compositor y organista OLIVIER MESSIAEN en el conservatorio de París. Inspirado en las obras de ANTON WEBERN, en la década de 1950 comenzó a experimentar con el SERIALISMO integral; su música serial está marcada por una sensibilidad a los matices de las texturas y los colores instrumentales. En 1954 fundó el *Domaine musical*, una serie de conciertos vanguardistas. Sus obras más destacadas son *Le Soleil des eaux* (1948), *Structures I* y *II* (1952, 1961), *Le Marteau sans maître* (1957), *Pli selon pli* (1962) y tres sonatas para piano. En la década de 1960 ganó reputación internacional no sólo como compositor sino también como director de orquesta, especialmente con el repertorio musical del s. XX. Fue director titular de la Orquesta Sinfónica de la BBC (1971–74) y director de la Filarmónica de Nueva York (1971–78). En 1974 fundó el Institut de Recherche et de Coordination Acoustique/ Musique (IRCAM), un centro de investigación musical experimental. Con su gran variedad de actividades, incluidos sus escritos frecuentemente iconoclastas, fue la figura principal de la vanguardia musical internacional de la posguerra.

Boulle, André-Charles o **André-Charles Boule** (11 nov. 1642, París, Francia–29 feb. 1732, París). Ebanista francés. Luego de estudiar dibujo, pintura y escultura, alcanzó fama como el diseñador de mobiliario más talentoso de París. En 1672, LUIS XIV lo nombró ebanista real en Versalles; sus otros mecenas incluían a FELIPE V de España y el duque de Borbón. Boulle llevó la técnica de la marquetería a nuevas alturas. Su estilo, que incorporaba elaborados objetos de cobre e incrustaciones de maderas exóticas, llamado boulle, fue muy imitado en los s. XVIII–XIX.

Boullée, Étienne-Louis (12 feb. 1728, París, Francia–6 feb. 1799, París). Arquitecto, teórico y profesor francés. Estudió arquitectura y abrió su propio estudio a la edad de 19 años. A través de su investigación de las propiedades de las formas geométricas, a las cuales atribuyó cualidades simbólicas innatas, Boullée alcanzó un clasicismo puro, moderno. Su mayor influencia la logró como profesor y teórico. Dio forma imaginaria a sus teorías en una serie de planos teóricos para monumentos públicos, los que culminaron con el diseño de una inmensa esfera (1784) que serviría de CENOTAFIO en honor a Isaac Newton.

Boulogne, bois de Parque situado en la zona oeste de PARÍS, Francia. Ubicado en una curva del río SENA, inicialmente fue un bosque y un coto de caza real. En 1852 fue adquirido por la ciudad de París y transformado en una zona recreativa. Ocupa una superficie de 873 ha (2.155 acres) y en él se encuentran los famosos hipódromos de Longchamp y Auteuil.

Boulogne, Jean ver GIAMBOLOGNA

Boulsover, Thomas (1706, Elkington, Derbyshire, Inglaterra–sep. 1788, Sheffield). Inventor británico del ENCHAPADO fusionado ("antiguo plaqué de SHEFFIELD"). En su calidad de artesano de la cuchillería Cutlers Co. en 1743 descubrió, al estar reparando un mango de cuchillo de cobre y plata, que ambos metales se podían fusionar y que cuando se pasaban por un laminador se comportaban como un solo metal. Su invento abrió el camino a la producción económica de una gran variedad de objetos enchapados, desde botones y cajas de rapé, que él mismo fabricaba, hasta servicios de mesa (p. ej., juegos de té) y utensilios que pronto fabricaron en gran cantidad otros trabajadores de Sheffield.

Boulton, Matthew (3 sep. 1728, Birmingham, Warwickshire, Inglaterra–17 ago. 1809, Birmingham). Fabricante e ingeniero británico. Con JAMES WATT y William Murdock (n. 1754–m. 1839) estableció la industria de la máquina de vapor, al instalar máquinas de bombeo para desaguar las minas de estaño de Cornualles. Previendo una gran demanda industrial de energía de vapor, instó a Watt a efectuar varias mejoras de diseño. Aplicando la energía de vapor a la maquinaria para la acuñación de monedas, fabricó grandes cantidades de monedas para la COMPAÑÍA INGLESA DE LAS INDIAS ORIENTALES y también suministró maquinarias a la Royal Mint (Casa real de moneda). Hacia 1800, casi 500 máquinas de vapor habían sido instaladas en las islas Británicas y en el extranjero.

Bounty, HMS Buque de transporte armado británico recordado por el MOTÍN de su tripulación el 18 de abril de 1789. Al mando del capitán WILLIAM BLIGH, zarpó hacia Tahití; recogió una carga de árboles del pan y navegó de regreso con rumbo a Jamaica hasta las islas Tonga, cuando fue tomado por la fuerza por el primer oficial Fletcher Christian. Las causas han sido muy debatidas; los contrarios a Bligh lo acusaban de tiranía, mientras que Bligh argumentaba que los amotinados se habían encariñado con Tahití y sus mujeres. Bligh y 18 miembros leales de la tripulación fueron dejados a la deriva en una lancha; luego de un viaje de más de dos meses y alrededor de 5.800 km (3.600 mi) llegaron a Timor. Christian y otros ocho llevaron al *Bounty* hasta la isla PITCAIRN, donde la pequeña colonia que fundaron permaneció sin ser descubierta hasta 1808, y donde sus descendientes aún viven. De los amotinados que luego regresaron a Tahití, tres fueron llevados a Gran Bretaña y ahorcados.

bourbon ver WHISKY

Bourbon, Charles-Ferdinand de ver duque de BERRY

Bourdieu, Pierre (1 ago. 1930, Denguin, Francia–23 ene. 2002, París). Sociólogo e intelectual francés. Introdujo el concepto de capital cultural, riqueza basada en el ESTATUS SOCIAL y la educación, y destacó que el éxito escolar y social depende en gran medida de la capacidad del individuo para asimilar el *ethos* cultural, o lo que él denominó *habitus*, de la clase dominante. Influido por el ESTRUCTURALISMO, sugirió que el habitus es incluso más fundamental que una lengua. Entre sus trabajos destacan *Sociologie de l'Algérie* [La sociología de los argelinos] (1962), *Esquisse d'une théorie de la pratique* [Perfil de una teoría de la práctica] (1977) y *La distinción: criterios y bases sociales del gusto* (ed. en español, 1991).

Bourgeois, Léon (-Victor-Auguste) (21 may. 1851, París, Francia–29 sep. 1925, Château d'Oger, cerca de Épernay). Político francés. Se incorporó a la administración pública en 1876 y fue elegido a la Asamblea Nacional en 1888. Ejerció varios cargos ministeriales y se desempeñó por breve tiempo como primer ministro (1895–96). Fue miembro del Senado en 1905–23 y su presidente desde 1920. Defensor de la cooperación internacional, fue designado miembro de la CORTE INTERNACIONAL DE JUSTICIA en 1903. En 1919 actuó como representante de Francia ante la SOCIEDAD DE NACIONES, convirtiéndose en su gran defensor. Por estas razones, en 1920 obtuvo el Premio Nobel de la Paz.

Bourgeois, Louise (n. 25 dic. 1911, París, Francia). Escultora estadounidense de origen francés. Estudió breve tiempo con FERNAND LÉGER y trabajó en sus inicios como pintora y grabadora. A fines de la década de 1940, después de mudarse a la ciudad de Nueva York con su esposo estadounidense, se volcó a la escultura. Logró reconocimiento en la década de 1950 con construcciones de madera pintadas uniformemente de negro o blanco. También trabajó con mármol, yeso, látex y vidrio. Aunque sus obras son abstractas, sugieren la figura humana y expresan temas como la traición, la ansiedad y la soledad.

Bourges, Pragmática sanción de ver PRAGMÁTICA SANCIÓN DE BOURGES

Bourke-White, Margaret (14 jun. 1906, Nueva York, N.Y., EE.UU.–27 ago. 1971, Stamford, Conn.). Fotógrafa estadounidense. Inició su carrera profesional como fotógrafa industrial y de arquitectura en 1927. Adquirió fama por su originalidad, y en 1929 fue contratada por HENRY R. LUCE para su revista *Fortune*. Cubrió la segunda guerra mundial para la revista *Life*, siendo la primera mujer fotógrafa en servir con las fuerzas armadas estadounidenses. Se han publicado varias colecciones de sus fotografías, incluida *You Have Seen Their Faces* (1937), acerca de los aparceros del sur de EE.UU.

Bournemouth Balneario costero (pob., 2001: 163.441 hab.), DORSET, en el sur de Inglaterra, junto al canal de la MANCHA. Fue fundado en 1810, pero sólo comenzó a crecer rápidamente con la llegada del ferrocarril en 1870. Bournemouth es principalmente un balneario y una ciudad residencial, pero también es uno de los centros de convenciones más importantes de Inglaterra y un lugar preferido por los jubilados.

Bournonville, August (21 ago. 1805, Copenhague, Dinamarca–30 nov. 1879, Copenhague). Bailarín y coreógrafo danés, director del Ballet real danés durante casi 50 años. Después de estudiar y realizar presentaciones en París y Copenhague, en 1830 llegó a ser director y coreógrafo del Ballet real danés, donde siguió bailando hasta 1848. Instituyó el estilo danés, caracterizado por el brío de su baile y la mímica expresiva. Muchos de sus ballets estaban basados en observaciones que hacía durante sus giras; *Napoli* (1842), por ejemplo, está inspirado en un viaje a Italia.

Boutros-Ghali, Boutros (n. 14 ago. 1922, El Cairo, Egipto). Sexto secretario general de las NACIONES UNIDAS (1992–96), primer árabe y primer africano en ocupar el cargo. Descendiente de una distinguida familia copta egipcia, se educó en la

Boutros Boutros-Ghali, secretario general de las Naciones Unidas (1992–96).
FOTOBANCO

Universidad de El Cairo y en la Universidad de París. Luego de enseñar en varias universidades alrededor del mundo, ingresó al ministerio de relaciones exteriores de Egipto en 1977. Como ministro, acompañó al presidente ANWAR EL-SADAT a Jerusalén. Se convirtió en viceprimer ministro de Egipto en 1991 y fue designado secretario general de las Naciones Unidas en 1992. Durante su único período supervisó las operaciones de paz en Bosnia, Somalia y Ruanda y estuvo a la cabeza de las Naciones Unidas en la celebración de su 50º aniversario. En 1996, EE.UU. bloqueó su intento de optar a un segundo período.

Bouts, Dirck (c. 1415, Haarlem, Holanda–6 may. 1475, Lovaina, Brabante). Pintor flamenco. Activo en Lovaina, donde recibió influencias de ROGIER VAN DER WEYDEN. Sus obras más conocidas son un tríptico (1464) para la iglesia de San Pedro en Lovaina, cuyos paneles representan La Última Cena, y cuatro escenas del Antiguo Testamento, así como dos grandes retablos que representan una escena de justicia secular (1470–75) para el ayuntamiento, como ejemplos de justicia para el concejo municipal de Lovaina. Su tratamiento de la figura humana varía desde la emoción fuerte, expresada por medio de gestos simbólicos, hasta la severidad y el recogimiento.

Bouvines, batalla de (27 jul. 1214). Victoria decisiva obtenida por el rey francés FELIPE II frente a una coalición internacional que incluía al emperador OTÓN IV, al rey JUAN (sin Tierra)

de Inglaterra y a varios poderosos vasallos franceses. Efectuada en un llano pantanoso entre Bouvines y Tournai, Flandes, la batalla fue encarnizada, pero finalizó con una clara victoria francesa. Confirmó el dominio de Felipe sobre tierras francesas antes controladas por los ingleses y aumentó el poder y el prestigio de la monarquía francesa. La derrota de Juan intensificó la oposición de sus barones.

bouzouki Laúd de cuello largo usado en la música popular griega. Fue desarrollado a principios del s. XX a partir de un instrumento turco. Tiene un cuerpo piriforme y un diapasón trasteado. El instrumento moderno tiene generalmente cuatro órdenes de cuerdas, las cuales se pulsan con un plectro en un estilo ágil y vigoroso.

bóveda En construcción, una estructura arqueada que forma un cielo o techo. La bóveda de albañilería ejerce el mismo tipo de empuje que el ARCO; por lo tanto, debe ser soportada en toda su extensión por pesados muros con pocas aberturas. La bóveda de cañón, equivalente a una serie continua de arcos, apareció por primera vez en el antiguo Egipto y el Medio Oriente. Los arquitectos romanos descubrieron que dos bóvedas de cañón intersectadas en ángulo recto (bóveda de arista) podían salvar, cuando se repetían en serie, superficies rectangulares de longitud ilimitada. Dado que los empujes de la bóveda de arista se concentran en las cuatro esquinas, sus muros soportantes no necesitan ser tan macizos. Los constructores europeos medievales desarrollaron la bóveda de aristas dobles, que es un esqueleto de arcos sobre los que descansa la albañilería. La bóveda en abanico, típica del estilo PERPENDICULAR inglés, usaba grupos de nervaduras que surgían de PINJANTES o columnas, agrupadas como tracerías imitando la forma de un abanico. En el s. XIX se usaron grandes esqueletos de hierro como marcos para sostener bóvedas de materiales livianos (ver Palacio de CRISTAL). Una innovación moderna importante es la bóveda de cascarón de hormigón armado, la cual, si su largo equivale a tres o más veces su sección transversal, se comporta como una viga de gran altura y no ejerce empuje lateral.

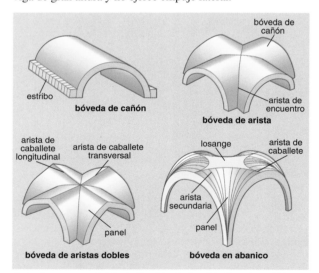

Cuatro tipos comunes de bóveda. Una bóveda de cañón (llamada también bóveda tipo cuna o bóveda en túnel) tiene una sección transversal semicircular. Una bóveda de arista está formada por la intersección perpendicular de dos bóvedas de cañón. Una bóveda de aristas dobles se apoya en una serie de aristas diagonales arqueadas que dividen la superficie de la bóveda en paneles. Una bóveda en abanico está formada por secciones cóncavas con aristas que se disponen en forma de abanico.

© 2006 MERRIAM-WEBSTER INC.

Boveri, Theodor Heinrich (12 oct. 1862, Bamberg, Baviera–15 oct. 1915, Würzburg). Biólogo celular alemán. Trabajando con huevos de lombrices, demostró que los cromosomas son unidades separadas dentro del núcleo de las células. Con WALTER S. SUTTON fueron los primeros en proponer que los genes se ubicaban en los cromosomas. Boveri confirmó la teoría de Edouard von Beneden de que el óvulo (huevo) y el espermio contribuyen con igual número de cromosomas a la nueva célula que se forma durante la fecundación. Más tarde introdujo el término *centrosoma* y demostró que esta estructura es el centro de división de la célula huevo en este proceso.

bóvido Cualquier RUMIANTE de la familia Bovidae. Los bóvidos tienen cuernos huecos, no ramificados y fijos a permanencia; son animales que pastorean o ramonean y se encuentran en los hemisferios oriental y occidental, casi siempre en praderas, chaparrales o desiertos. La mayoría de las especies viven en grandes rebaños. La alzada varía entre 25 cm (10 pulg.) en el ANTÍLOPE y los 2 m (6,5 pies) del BISONTE. Algunas de las 138 especies (incluidos el GANADO BOVINO, OVEJAS, CABRAS) son de valor económico para el hombre. Otras (incluidos el BORREGO CIMARRÓN y algunos antílopes) son cazadas para obtener alimento, por deporte, por sus cuernos o por su cuero. Ver también BÚFALO; RUMIANTE.

Bow, Clara (29 jul. 1905, Brooklyn, N.Y., EE.UU.–27 sep. 1965, Los Ángeles, Cal.). Actriz de cine estadounidense. A la edad de 16 años ganó un concurso organizado por una revista, con lo cual obtuvo un pequeño papel en una película. En 1925 fue contratada por Paramount Pictures, y realizó roles de mayor envergadura en películas mudas como *Flor de capricho* (1926) y *Kid Boots* (1926). Después de protagonizar a una joven de conducta atrevida e independiente en el popular filme *It* (1927), se hizo

Clara Bow, actriz estadounidense.
BROWN BROTHERS

conocida como "la chica It", apelativo que se refiere a una atrayente joven liberada. Posteriormente, fue la primera actriz de otras 20 películas (1927–30), pero los escándalos y colapsos nerviosos socavaron su carrera.

Bow, porcelana de PORCELANA inglesa de pasta suave fabricada en Stratford-le-Bow, Essex, c. 1744–76. Thomas Frye, grabador irlandés que inventó el proceso, utilizó ceniza de hueso para su producción a partir de 1750. La porcelana de Bow varía en apariencia y en calidad, pero en su máxima expresión tiene un suave tono blanco cremoso, con un delicado mogate. Las vajillas de porcelana de Bow fueron una de las primeras porcelanas inglesas en ser ornamentadas con decoraciones transferidas por impresión. También se produjeron grandes cantidades de figurillas en porcelana de Bow (p. ej., gobernantes, actores, pájaros, animales) en el estilo ROCOCÓ.

Bowditch, Nathaniel (26 mar. 1773, Salem, Mass., EE.UU.–16 mar. 1838, Boston, Mass.). Matemático y astrónomo estadounidense. Fue básicamente un autodidacta. Después de haber investigado la validez de la obra *The Practical Navigator* [El navegante práctico], publicó una edición revisada en 1799. En 1802 publicó *The New American Practical Navigator* [El nuevo navegante práctico americano], adoptado por el Departamento de la armada de EE.UU. y reconocido como el mejor texto de navegación de su época. Tradujo y actualizó cuatro volúmenes de la obra *Mécanique céleste* [Mecánica celeste] (1829–39) de PIERRE-SIMON LAPLACE. Descubrió las curvas de Bowditch (que describen el movimiento de un péndulo), que tienen importantes aplicaciones en astronomía y física. Rechazó el puesto de profesor en varias universidades y trabajó en cambio para compañías de seguros.

Bowdoin College Colegio universitario privado de artes liberales o humanidades, ubicado en Brunswick, Me., EE.UU. Fue fundado en 1794 como un *college* exclusivamente para varones, y debe su nombre a James Bowdoin (n. 1726–m. 1790), primer presidente de la American Academy of Arts and Sciences (Academia estadounidense de artes y ciencias). Pasó a ser mixto en 1971. Otorga licenciaturas en artes, humanidades, ciencias naturales y ciencias sociales. Sus instalaciones académicas incluyen una estación de investigación marina y un museo ártico. Entre sus edificios históricos cabe mencionar el Walker Art Building, diseñado por CHARLES FOLLEN MCKIM y STANFORD WHITE. Entre sus ex alumnos más destacados se cuentan NATHANIEL HAWTHORNE y FRANKLIN PIERCE, ex presidente de EE.UU.

Bowen, Elizabeth (Dorothea Cole) (7 jun. 1899, Dublín, Irlanda–22 feb. 1973, Londres, Inglaterra). Novelista y cuentista británica de origen irlandés. Entre sus novelas se cuentan *La casa en París* (1935), *La muerte del corazón* (1938) y *El calor del día* (1949). Entre sus obras como cuentista destaca *El amante del demonio* (1945). Su obra narrativa posee un estilo de gran pulimiento y suele tratar sobre las relaciones difíciles y frustradas entre personajes de la clase media alta. Sus ensayos aparecen en *Collected Impressions* [Impresiones] (1950) y *Afterthought* [Reconsideración] (1962).

Bowen, Norman L(evi) (21 jun. 1887, Kingstone, Ontario, Canadá–11 sep. 1956, Washington, D.C., EE.UU.). Geólogo canadiense. Por más de 35 años trabajó en forma intermitente para el Geophysical Laboratory en Washington, D.C., donde estudió los sistemas de silicatos. Durante la primera guerra mundial realizó pequeñas incursiones en óptica, pero después del conflicto regresó a sus estudios de los sistemas de silicatos. En 1928 publicó *The Evolution of the Igneous Rocks* [La evolución de las rocas ígneas], que tuvo gran influencia en la petrología. En la Universidad de Chicago (1937–47) desarrolló una escuela de PETROLOGÍA experimental. Sus logros le valieron honores tanto en EE.UU. como en Europa.

Bowie, David *orig.* **David Robert Jones** (n. 8 ene. 1947, Londres, Inglaterra). Cantante de rock británico. A mediados de la década de 1960 cantó con numerosas bandas en Londres, su ciudad natal. En 1966 cambió su nombre para evitar que se confundiera con el del cantante principal del grupo The Monkees. Su primer éxito grabado "Space Oddity" (1969) y álbumes como *The Rise and Fall of Ziggy Stardust and the Spiders From Mars* (1972) se ubicaron en la corriente del "glam rock", marcado por la teatralidad y la androginia. Su estilo varió ampliamente, desde el romanticismo "disco"

David Bowie, cantante de rock y compositor británico.
O. HALE/REPORTAGE/GETTY IMAGES

de *Young Americans* (1975) pasando por la austeridad vanguardista de *Low* (1977), hasta el pop convencional de *Let's Dance* (1983). Bowie también actuó en obras de teatro y en películas como *The Man Who Fell to Earth* (1976). Continúa grabando y actuando en el s. XXI.

Bowie, Jim *orig.* **James Bowie** (¿1796? cond. de Logan, Ky., EE.UU.–6 mar. 1836, San Antonio, Texas). Militar estadounidense. Migró con sus padres a Missouri (1800) y luego a Luisiana (1802), donde posteriormente fue dueño de una plantación de caña de azúcar y ocupó un cargo en el poder legislativo del estado. En 1828 se estableció en Texas, adoptó la ciudadanía mexicana, adquirió mercedes de tierra y contrajo matrimonio con la hija del vicegobernador. Se opuso a las leyes mexicanas dirigidas a frenar la inmigración de colonos estadounidenses e ingresó al movimiento revolucionario de Texas, llegando al rango de coronel en el ejército tejano. Se lo recuerda por su gallarda figuración en la defensa de El ÁLAMO. Inventó el puñal que lleva su nombre. Las canciones y baladas del oeste lo convirtieron en figura legendaria.

Bowles, Chester (Bliss) (5 abr. 1901, Springfield, Mass., EE.UU.–25 may. 1986, Sussex, Conn.). Ejecutivo publicitario y diplomático estadounidense. Titulado en la Universidad de Yale, fundó, junto con WILLIAM BENTON, la empresa publicitaria Benton and Bowles (1929), que llegó a ser una de las más grandes del mundo. Vendió su parte en 1941 y ocupó el cargo de director de la Administración Federal de Precios (1943–46). Fue elegido gobernador de Connecticut en 1948, pero en 1950 fue derrotado debido a su postura liberal en materia de derechos civiles. Fue dos veces embajador en India (1951–53 y 1963–69); entre ambos períodos se desempeñó en la Cámara de Representantes (1953–61).

Bowles, Paul (Frederick) (30 dic. 1910, Nueva York, N.Y., EE.UU.–18 nov. 1999, Tánger, Marruecos). Compositor, escritor y traductor estadounidense-marroquí. Bowles estudió composición con AARON COPLAND y compuso la música para más de 30 obras de teatro y películas. Se trasladó a Marruecos en la década de 1940. Su novela más conocida, *El cielo protector* (1948; película, 1990), transcurre en Tánger. Sus protagonistas, tanto en la novela mencionada como en otras obras, suelen ser occidentales afectados por el contacto con culturas tradicionales que los desconciertan; los acontecimientos violentos y el colapso psicológico también son temas recurrentes, narrados con un estilo imparcial y elegante. Su esposa, Jane Bowles (n. 1917–m. 1973), es conocida por su novela *Dos damas muy serias* (1943) y la obra de teatro *In the Summer House* [En la casa de verano] (1953).

bowling ver BOLOS

bowling en césped ver BOCHAS DE CÉSPED

Bowman, Sir William (20 jul. 1816, Nantwich, Cheshire, Inglaterra–29 mar. 1892, cerca de Dorking, Surrey). Cirujano e histólogo inglés. Sus estudios de los tejidos de los órganos con su profesor Robert Todd condujeron a importantes publicaciones sobre la estructura y función de los músculos voluntarios y los riñones, y a una detallada anatomía del hígado. En los riñones descubrió que la cápsula (cápsula de Bowman) que rodea a cada glomérulo (ovillo de capilares) en los nefrones es continua con los túbulos renales. Esto era de primera importancia para su teoría de la formación de la orina por filtración y clave para comprender la función renal. Bowman y Todd publicaron *The Physiological Anatomy and Physiology of Man* [Anatomía fisiológica y fisiología humana] (2 vol., 1845–56), trabajo pionero en fisiología e histología. Posteriormente, Bowman se dedicó al estudio de la visión y pasó a ser uno de los científicos más destacados en investigación oftalmológica, un notable cirujano ocular y el primero en describir varias estructuras del ojo y sus funciones.

boxeo Deporte que consiste en defenderse y atacar con los puños. En su forma moderna, los boxeadores usan guantes acolchados y libran combates de hasta 12 asaltos (*rounds*) de tres minutos cada uno, en un cuadrilátero delimitado por cuerdas llamado *ring*. En la antigua Grecia, los pugilistas utilizaban tiras de cuero en sus manos y antebrazos, mientras que en Roma, los GLADIADORES empleaban guanteletes con incrustaciones metálicas (denominados cestos) y peleaban, generalmente, hasta la muerte. No fue sino hasta la implementación de las reglas del London Prize Ring, en 1839, que se eliminaron del repertorio de los boxeadores las patadas, las extirpaciones de ojos, los cabezazos, las mordidas y los golpes bajo el cinturón. En 1867, las reglas de QUEENSBERRY prescribieron el uso de guantes, pero el boxeo a puño desnudo prosiguió hasta fines de la década de 1880. El último gran boxeador a puño desnudo fue JOHN L. SULLIVAN. Desde él en adelante, EE.UU. se convirtió en el polo más importante de desarrollo del boxeo, en parte porque los emigrantes eran una fuente de suministro constante de pugilistas. El boxeo fue incluido como disciplina olímpica en 1904. En la actualidad existen 17 categorías de competencia a nivel profesional, las que se dividen según el peso: paja, hasta 48 kg (105 lb); minimosca, hasta 49 kg (108 lb); mosca, hasta 51 kg (112 lb); supermosca, hasta 52 kg (115 lb); gallo, hasta 53,5 kg (118 lb); supergallo, hasta 55 kg (122 lb); pluma, hasta 57 kg (126 lb); superpluma, hasta 59 kg (130 lb); ligero, hasta 61 kg (135 lb); superligero, hasta 63,5 kg (140 lb); welter, hasta 67 kg (147 lb); superwelter, hasta 70 kg (154 lb); mediano, hasta 72,5 kg (160 lb); supermediano, hasta 76 kg (168 lb); mediopesado, hasta 79 kg (175 lb); crucero, hasta 86 kg (190 lb); y peso pesado, de más de 86 kg (210 lb). Un combate puede ser ganado noqueando o derribando al oponente, sin que este se pueda parar tras una cuenta de diez (un *knock out* o KO), o asestando mejores golpes y, por lo tanto, acumulando mayor cantidad de puntos. El árbitro, además, puede detener una pelea cuando uno de los contrincantes ha sido duramente castigado (*knock out* técnico o KOT), o puede descalificar a uno de los contrincantes por infracción de las reglas y dar la victoria al rival.

bóxer Raza canina de trabajo, de pelo suave, que se caracteriza por su actitud de "boxeador" con sus robustas patas delanteras cuando empieza a pelear. Fue desarrollado en Alemania; lleva la casta del BULLDOG y del TERRIER en su herencia. Por su reputación de coraje, agresividad e inteligencia, se ha usado en la labor policial. También es apreciado como perro guardián y de compañía. Esbelto

Bóxer, perro conocido por su actitud de "boxeador".
SALLY ANNE THOMPSON—EB INC.

y fornido, de hocico corto y cuadrado, presenta una máscara negra en la cara y un pelaje corto y lustroso de color pardo rojizo o moteado. Tiene una alzada de 53–61 cm (21–24 pulg.) y pesa 27–32 kg (60–70 lb).

bóxers, rebelión de los Sublevación campesina que, con apoyo gubernamental, intentó en 1900 expulsar de China a todos los extranjeros. "Bóxer" fue el nombre inglés dado a una sociedad secreta china cuyos miembros practicaban boxeo y rituales calisténicos en la creencia de que estos los harían insensibles a las balas. El apoyo a la sociedad aumentó en el norte de China a fines del s. XIX, época en que el pueblo chino sufría por el creciente empobrecimiento económico y el país era obligado a otorgar humillantes concesiones a las potencias occidentales. En junio de 1900, después de que los bóxers dieron muerte a occidentales y cristianos chinos, se envió a una fuerza de socorro internacional para reprimir los ataques. La emperatriz viuda, CI XI, ordenó a las fuerzas imperiales impedir su avance; el conflicto se agravó, cientos de personas murieron y el problema no fue resuelto sino hasta agosto, cuando Beijing fue capturada y saqueada. Las hostilidades finalizaron mediante un protocolo (1901) que obligó a China a pagar una costosa indemnización a once países. Gran Bretaña y EE.UU. devolvieron más tarde parte importante de lo recibido, aunque este último la utilizó para fomentar la educación superior en China. Ver también política de PUERTAS ABIERTAS.

boyardo Miembro masculino de la clase alta de la sociedad medieval rusa y de la burocracia estatal. En RUS DE KÍEV (s. X–XII) pertenecían al séquito del príncipe y controlaban los cargos en el ejército y la administración civil, aconsejando

al príncipe en asuntos de Estado a través de un consejo boyardo o duma. En los s. XIII–XIV, conformaban una clase privilegiada de ricos terratenientes en el nordeste de Rusia. En los s. XV–XVII, los boyardos de Moscovia gobernaban el país junto con el gran príncipe (más tarde ZAR) y legislaban a través del consejo boyardo. Su importancia disminuyó en el s. XVII y el título fue abolido por PEDRO I a principios del s. XVIII.

Boyer, Charles (28 ago. 1897, Figeac, Francia–26 ago. 1978, Phoenix, Ariz., EE.UU.). Actor francoestadounidense. Después de graduarse como filósofo en la Sorbona, debutó como actor en 1920, en París. Se convirtió en un popular galán del cine y teatro francés. Su acento y profunda voz, junto con sus finos modales, lo convirtieron en una estrella internacional. A su primera película exitosa en EE.UU., *Mundos privados* (1935), le siguieron largometrajes como *Argel* (1938) y *Luz que agoniza* (1944).

boyero Cualquiera de seis especies PASERIFORMES emparentadas con los mirlos del Nuevo Mundo (familia Icteridae) que presentan parasitismo de nidada. Los boyeros ponen huevos en los nidos de otras aves, generalmente un huevo en cada nido. Los boyeros jóvenes, que desplazan a los polluelos o los eliminan compitiendo por el alimento, pueden crecer

Boyero cabecipardo (*Molothrus ater*).
© ENCYCLOPÆDIA BRITANNICA, INC.

más que los padres adoptivos. En partes de América del Norte, el boyero cabecipardo (*Molothrus ater*) parasita los nidos de más de otras 200 especies de aves; otros usan los nidos de sólo una o dos especies de OROPÉNDOLA. Los boyeros buscan alimento en el suelo, asociándose a menudo con el ganado bovino para atrapar insectos que se arremolinan al ser levantados por las pezuñas. El macho de la mayoría de las especies es de color negro lustroso y uniforme, la hembra es pardo grisácea.

Boyle, Robert (25 ene. 1627, castillo de Lismore, cond. de Waterford, Irlanda–31 dic. 1691, Londres, Inglaterra). Filósofo naturalista y químico inglés de origen irlandés. Hijo de Richard Boyle, el "gran conde de Cork" (n. 1566–m. 1643), se estableció en Oxford en 1654. Con su asistente ROBERT HOOKE inició sus experimentos pioneros sobre las propiedades de los GASES, como aquellos expresados en la ley de Boyle (ver leyes de los GASES). Demostró las características físicas del AIRE y probó que es necesario para la combustión, respiración y la transmisión del sonido. En *El químico escéptico* (1661) atacó la teoría de los cuatro elementos de ARISTÓTELES (tierra, aire, fuego y agua), adoptando un punto de vista corpuscular de la materia, que presagió la teoría moderna de los elementos químicos. Miembro fundador de la Royal Society de Londres, alcanzó gran renombre en vida. Su hermano Roger Boyle, conde de Orreri (n. 1621–m. 1679), fue un general a la orden de OLIVER CROMWELL, pero terminó ayudando a asegurar Irlanda para CARLOS II.

Boyne, batalla del (jul. 1690). Victoria obtenida en Irlanda por el rey protestante GUILLERMO III de Inglaterra sobre el anterior rey JACOBO II, católico que con la ayuda de franceses e irlandeses intentaba recuperar su trono. En esta batalla, librada en las orillas del río Boyne, unos 35.000 hombres dirigidos por Guillermo derrotaron a los cerca de 21.000 de Jacobo, forzándolo a huir del país. La batalla es celebrada en Irlanda del Norte como una victoria de la causa protestante.

BP PLC *ant.* **Anglo-Persian Oil Co., Ltd., British Petroleum Co. PLC** y **BP Amoco** Corporación petroquímica británica. Se formó en 1909 bajo el nombre Anglo-Persian Oil Co., Ltd., de manera de financiar la concesión de un yacimiento petrolífero otorgado a William Knox D'Arcy por el gobierno iraní. BP es actualmente una de las empresas petroleras más grandes del mundo, con yacimientos de petróleo y refinerías en Alaska y el mar del Norte. El gobierno británico fue por muchos años el mayor accionista individual de BP, pero a fines de la década de 1980 la compañía se privatizó. En 1987, BP consolidó su participación en EE.UU. con la compra de STANDARD OIL COMPANY AND TRUST. En 1998 se fusionó con Amoco (anteriormente Standard Oil de Indiana) y formaron BP-Amoco. Además de petróleo y gas natural, BP produce químicos, plásticos y fibras sintéticas. Sus oficinas centrales se encuentran en Londres.

Brabante Antiguo ducado del noroeste de Europa. Ubicado en la que es actualmente la zona más austral de los Países Bajos y el centro y norte de Bélgica, en el s. IX la región formaba parte del reino de Lotaringia. A fines del s. XII se independizó y en 1430 pasó finalmente a depender de la casa de BORGOÑA. Heredado por la casa de HABSBURGO en 1477, se transformó en un centro cultural y comercial (ver AMBERES; BRUSELAS). La región más al norte de Brabante participó en una revuelta contra España y en 1609 fue cedida a las Provincias Unidas, en tanto que el territorio más austral permaneció parte de los Países Bajos españoles (posteriormente austríacos). Actualmente la región más al norte conforma la provincia holandesa de Brabante del Norte. La zona más austral pasó a ser parte de Bélgica y se encuentra dividida entre las provincias de Brabante Flamenco y Brabante Valón.

Bracciolini, Gian Francesco Poggio ver Gian Francesco POGGIO BRACCIOLINI

bráctea Estructura foliforme modificada, generalmente pequeña, situada con frecuencia debajo de una flor o INFLORESCENCIA. Los que a menudo parecen ser los pétalos de la flor, en realidad son brácteas. Por ejemplo, las grandes brácteas coloridas de la POINSETIA o las llamativas brácteas blancas o rosadas de las flores del CORNEJO.

Poinsetia: brácteas coloridas que parecen pétalos.
GRANT HEILMAN—EB

Bradbury, Ray (Douglas) (n. 1920, Waukegan, Ill., EE.UU.). Escritor estadounidense. Bradbury es conocido por sus imaginativas historias de ciencia ficción y por sus novelas que mezclan la crítica social con la conciencia de los peligros de una tecnología desenfrenada. *Crónicas marcianas* (1950; miniserie de televisión, 1980) es considerada un clásico de la ciencia ficción. Otros de sus libros de cuentos son *El hombre ilustrado* (1951; película, 1969), *El país de octubre* (1955), *I Sing the Body Electric!* [Canto al cuerpo eléctrico] (1969; teatro para televisión, 1981) y *Más rápido que el ojo* (1996); entre sus novelas se cuentan *Fahrenheit 451 (1953; película, 1966), El vino del estío* (1957; película, 1997) y *La muerte es un asunto solitario* (1985).

Ray Bradbury, escritor estadounidense de ciencia ficción.
FOTOBANCO

Braddock, Edward (1695, Perthshire, Escocia–13 jul. 1755, Great Meadows, Pa., EE.UU.). Militar británico durante la guerra FRANCESA E INDIA. Luego de servir en Europa, llegó a Virginia en 1755 para ponerse al mando de las fuerzas británicas en América del Norte contra los franceses. Dirigió una expedición para atacar Fort Duquesne (hoy Pittsburgh, Pa.), en manos francesas. Su contingente, compuesto de soldados regulares británicos y milicianos de las provincias, entre ellos GEORGE WASHINGTON, abrió el primer camino para cruzar las montañas Allegheny y llegó hasta un lugar sobre el río Monongahela, próximo al fuerte. En ese sitio, su ejército de más de 1.400 hombres fue emboscado y derrotado por un grupo de 254 franceses y 600 indios. En la posterior desbandada fue herido mortalmente.

Bradford Ciudad y municipio metropolitano (pob., 2001: 467.668 hab.) de YORKSHIRE OCCIDENTAL, al norte de Inglaterra. La fabricación de productos de lana ha sido importante para su economía desde 1311; a fines del s. XVII comenzó el comercio de sus finas telas de lana peinada. En 1900 surgió como el principal centro de compra de lana en Yorkshire. La ciudad sigue siendo un centro importante de industria textil y es la sede de la Universidad de Bradford.

Bradford, William (mar. 1590, Austerfield, Yorkshire, Inglaterra–9 may. 1657, Plymouth, Mass.). Gobernador durante 30 años de la colonia de Plymouth, en América del Norte. Miembro del movimiento separatista dentro del puritanismo, salió de Inglaterra en 1609 y pasó a Holanda en busca de libertad religiosa. Como no había ahí oportunidades económicas, en 1620 ayudó a organizar una expedición de unos 100 peregrinos al Nuevo Mundo. Colaboró en la redacción del pacto del *MAYFLOWER*, llamado así porque se efectuó a bordo del barco que transportaba al grupo, y se desempeñó como gobernador de la colonia de Plymouth entre 1621 y 1656, con una interrupción de sólo cinco años. Ayudó a establecer y promover los principios de autogobierno y libertad religiosa que caracterizaron posteriormente al gobierno colonial en América del Norte. Su detallado diario ofrece una fuente singular de informaciones acerca tanto de la travesía del *Mayflower* como de las dificultades que encararon los colonos.

Bradlee, Benjamin C(rowninshield) (n. 26 ago. 1921, Boston, Mass., EE.UU.). Editor estadounidense de periódicos. Bradlee fue reportero del diario *The Washington Post* en París y luego en Washington, antes de trabajar en *Newsweek*. Más tarde volvió a trabajar en el *Post* como director editorial entre 1968–91. Mientras ejerció su cargo, el *Post* publicó los papeles del PENTÁGONO, aclaró gran parte de la historia en torno al escándalo de WATERGATE y llegó a ser reconocido como uno de los periódicos más importantes e influyentes de EE.UU. Entre los libros de Bradlee se cuentan *Conversations with Kennedy* [Conversaciones con Kennedy] (1975) y la autobiografía *A Good Life* [Una buena vida] (1995).

Bradley, Bill *p. ext.* **William Warren Bradley** (n. 28 jul. 1943, Crystal City, Mo., EE.UU.). Basquetbolista y político estadounidense. Fue alumno de la Universidad de Princeton (1961–65), donde como conductor y alero de gran conversión, y con 1,96 m de estatura (6 pies 5 pulg.), fue nombrado el jugador universitario del año en 1964–65. En un partido de semifinales anotó 58 puntos, récord de los torneos de la National Collegiate Athletic Association (NCAA). En 1964 formó parte de la selección de baloncesto de EE.UU. que obtuvo la medalla de oro en los Juegos Olímpicos de ese año. Estudió en la Universidad de Oxford con la beca Rhodes, para luego volver a jugar, esta vez por los New York Knicks hasta 1977, con quienes ganó dos títulos de la NBA, en 1970 y 1973. Como prominente senador estadounidense por Nueva Jersey (1979–97), buscó aumentar la conciencia del público respecto de las relaciones raciales y la pobreza, y fue crítico de las prácticas de financiamiento de campañas. Entre 1999 y 2000 buscó sin éxito la nominación del Partido Demócrata a la presidencia de su país.

Bradley, F(rancis) H(erbert) (30 ene. 1846, Clapham, Surrey, Inglaterra–18 sep. 1924, Oxford). Filósofo idealista británico. Influido por G.W.F. HEGEL, consideró que la mente era más fundamental que la materia. En *Ethical Studies* [Estudios éticos] (1876) trató de poner en evidencia las confusiones del UTILITARISMO. En *The Principles of Logic* [Los principios de la lógica] (1883) condenó la psicología de los empiristas. Su obra más ambiciosa, *Appearance and reality: a metaphysical essay* [Apariencia y realidad: un ensayo de metafísica] (1893), sostiene que, aunque la realidad es espiritual, la tesis no puede demostrarse debido a la naturaleza fatalmente abstracta del pensamiento humano. En vez de ideas, que no pueden contener adecuadamente la realidad, recomendó los sentimientos, cuya inmediatez podía abarcar la naturaleza armoniosa de la realidad. Fue el primer filósofo inglés condecorado con la Orden al Mérito. Su hermano fue el eminente crítico de poesía A.C. Bradley (n. 1851–m. 1935).

Bradley, Omar N(elson) (12 feb. 1893, Clark, Mo., EE.UU.–8 abr. 1981, Nueva York, N.Y.). Militar estadounidense. Luego de egresar de West Point, dirigió la escuela de infantería del ejército a comienzos de la segunda guerra mundial. En 1943 estuvo al mando de fuerzas estadounidenses durante las campañas de ÁFRICA DEL NORTE y tuvo participación directa en la caída de Túnez en manos de los aliados; al poco tiempo dirigió con éxito la invasión de Sicilia. Al mando del 1er ejército, ayudó a planificar la invasión de Francia y participó en la campaña de NORMANDÍA y en la liberación de París. Como líder del 12° ejército, la fuerza estadounidense más numerosa jamás puesta a cargo de un solo general, supervisó las operaciones en Europa hasta la rendición alemana. Terminada la guerra, estuvo encargado de los asuntos de los veteranos de guerra (1945–47) y fue jefe del estado mayor militar (1948–49). Admirado por oficiales y tropa, fue elegido primer presidente del estado mayor conjunto (1949–53) y ascendido a general de ejército (1950).

Bradley, Thomas (29 dic. 1917, Calvert, Texas, EE.UU.–29 sep. 1998, Los Ángeles, Cal.). Alcalde de Los Ángeles (1973–93). Hijo de un campesino mediero, a los siete años de edad se trasladó con su familia a Los Ángeles, donde vivió en la pobreza cuando su padre los abandonó. En 1940 inició una carrera en la policía de la ciudad, que duró 22 años, durante los cuales siguió cursos nocturnos y se tituló de abogado (1956). En 1963 fue el primer concejal afroamericano de la ciudad y, en 1973, fue elegido uno de los dos primeros alcaldes de color de una ciudad importante del país (el otro fue COLEMAN YOUNG, de Detroit). Cumplió cinco períodos como alcalde, durante los cuales ayudó a transformar Los Ángeles en un bullente centro de comercio y negocios, de inmenso desarrollo, y a convertirse en sede de los Juegos Olímpicos de 1984. Se jubiló en 1992, luego de los tumultos que se produjeron en la ciudad cuando se absolvió a varios policías que participaron en la paliza del automovilista afroamericano Rodney King.

Bradman, Don (27 ago. 1908, Cootamundra, Nueva Gales del Sur, Australia–25 feb. 2001, Adelaida). Jugador de críquet australiano. Uno de los grandes anotadores en la historia de este deporte. En partidos internacionales, Bradman anotó 6.996 carreras para Australia, e impuso un récord con su promedio de 99,94 carreras por partido. En 1948 fue el capitán australiano del equipo que salió victorioso en Inglaterra por cuatro juegos a cero. Se retiró del críquet de primer nivel en 1949 y ese mismo año fue nombrado caballero. Es considerado el mejor jugador de críquet del s. XX.

Bradstreet, Anne *orig.* **Anne Dudley** (c. 1612, Northampton, ¿Northhamptonshire?, Inglaterra–16 sep. 1672, Andover, Massachusetts Bay Colony, EE.UU.). Poetisa estadounidense de origen inglés y una de las primeras de las colonias americanas. A los 18 años llegó en barco desde Inglaterra junto a su esposo, sus padres y otros puritanos para establecerse en la bahía de Massachusetts. Escribió muchos de sus poemas mientras criaba a sus ocho hijos. Sin su conocimiento, su cuñado llevó sus poemas a Inglaterra, donde fueron publicados en 1650. Fue reconocida por la crítica en el s. XX, particularmente por "Contemplations" [Contemplaciones], una secuencia de poemas religiosos publicados por primera vez en el s. XIX. Su obra en prosa incluye una colección de aforismos, "Meditations" [Meditaciones].

Brady, Mathew B. (c. 1823, cerca del lago George, N.Y., EE.UU.–15 ene. 1896, Nueva York, N.Y.). Fotógrafo estadounidense. Aprendió a hacer daguerrotipos con SAMUEL F.B. MORSE. En 1844 abrió los primeros dos estudios en la ciudad de Nueva York, y comenzó a fotografiar a gente famosa (entre ellos DANIEL WEBSTER, EDGAR ALLAN POE y HENRY CLAY). En 1847, Brady abrió un estudio en Washington, D.C., y ahí creó, copió y coleccionó retratos de presidentes estadounidenses. Adquirió fama internacional con *Galería de estadounidenses ilustres* (1850). En 1861 comenzó a realizar un completo registro de la guerra de Secesión, con un personal compuesto por más de 20 fotógrafos, que incluían a TIMOTHY H. O'SULLIVAN y ALEXANDER GARDNER. Es probable que haya fotografiado él mismo las batallas de BULL RUN, ANTIETAM y GETTYSBURG.

Bragg, Braxton (22 mar. 1817, Warrenton, N.C., EE.UU.–27 sep. 1876, Galveston, Texas). Oficial del ejército estadounidense y confederado. Egresó de West Point y participó

en las guerras SEMINOLAS y en la guerra MEXICANO-ESTADOUNIDENSE. Ante la secesión de Carolina del Norte, ingresó al ejército confederado y combatió en la guerra de SECESIÓN. Ascendió a general en 1862, en la batalla de SHILOH. Al mando del ejército de Tennessee, condujo a sus tropas a la victoria en la batalla de CHICKAMAUGA. Sus fuerzas sitiaron a las tropas de la Unión en Chattanooga, pero terminaron derrotadas. Se le privó del mando, pero se le nombró asesor militar del presidente confederado JEFFERSON DAVIS.

Braxton Bragg, grabado de George E. Perine.
GENTILEZA DE LA BIBLIOTECA DEL CONGRESO, WASHINGTON, D.C.

Bragg, ley de Relación entre el espaciamiento de los planos atómicos en los cristales y los ángulos de incidencia para los cuales esos planos producen las reflexiones más intensas de RADIACIÓN ELECTROMAGNÉTICA y de ondas cuánticas de partículas. Esta ley, formulada por primera vez por Lawrence Bragg, es útil, entre otras cosas, para medir LONGITUDES DE ONDA y para determinar los espaciamientos entre átomos en las REDES CRISTALINAS, y es la manera principal para hacer mediciones precisas de energía de los RAYOS X, y de los RAYOS GAMMA de baja energía. Ver también WILLIAM BRAGG.

Bragg, Sir William (Henry) (2 jul. 1862, Wigton, Cumberland, Inglaterra–12 mar. 1942, Londres). Científico británico, pionero de la física del estado sólido. En 1915 compartió con su hijo (William) Lawrence Bragg (n. 1890–m. 1971) el Premio Nobel por su investigación en la determinación de estructuras del CRISTAL, y por el descubrimiento de Lawrence (1912) de la ley de BRAGG de la difracción de los RAYOS X. William diseñó y construyó el

Sir William Bragg.
GENTILEZA DE LA NOBELSTIFTELSEN, ESTOCOLMO

espectrómetro de ionización de Bragg, prototipo de todos los difractómetros modernos de rayos X y neutrones; ambos lo utilizaron para hacer las primeras mediciones exactas de longitudes de onda de los rayos X y de datos de cristales.

Brahe, Tycho (14 dic. 1546, Knudstrup, Scania, Dinamarca–24 oct. 1601, Praga). Astrónomo danés. Secuestrado por un acaudalado tío que no tenía hijos, fue criado en su castillo; se educó en las universidades de Copenhague y Leipzig. Viajó por Europa (1565–70) comprando instrumentos matemáticos y astronómicos, y cuando heredó los bienes de su padre y de su tío, construyó un pequeño observatorio. En 1573 comunicó su descubrimiento de una nueva estrella (más tarde reconocida como una SUPERNOVA), noticia que remeció la creencia en un cielo inmutable. Con la ayuda del rey de Dinamarca, Federico II, construyó un gran observatorio (Uraniborg), el cual se transformó en el centro de estudios y descubrimientos astronómicos de Europa del norte. Ahí inició un estudio detallado del sistema solar y confeccionó un mapa muy

Tycho Brahe, grabado de Hendrik Goltzius, a partir de un dibujo de un artista desconocido, c. 1586.
GENTILEZA DEL DET NATIONALHISTORISKE MUSEUM PÅ FREDERIKSBORG, DINAMARCA

preciso de la posición de más de 777 estrellas fijas. Después de su muerte, los datos de sus observaciones fueron usados por su pupilo y asistente Johannes Kepler, para establecer los fundamentos del trabajo posterior de ISAAC NEWTON.

Brahma Una de las deidades de la tríada mayor del HINDUISMO védico tardío c. 500 AC–c. 500 DC. Fue gradualmente eclipsado por los otros dos dioses, VISNÚ y SHIVA. En el hinduismo clásico, la doctrina de la TRIMURTI identificó a esas tres divinidades como aspectos de una deidad suprema. Brahma era asociado con PRAJAPATI, el dios creador, cuya identidad llegó a asumir. Todos los templos de Shiva o Visnú tienen una imagen de Brahma; sin embargo, en la actualidad no hay ninguna secta o culto dedicado exclusivamente a él.

Brahmagupta (598–c. 665, posiblemente en Bhillamala, Rajastán, India). Matemático y astrónomo indio. Su obra principal, el *Brahma-sphuta-siddhanta* [La apertura del universo], que trata principalmente acerca del movimiento planetario, también contiene importantes comprobaciones de varios teoremas de geometría sobre ECUACIONES CUADRÁTICAS, la geometría de triángulos rectángulos y las propiedades de sólidos geométricos.

brahma-loka En el HINDUISMO y BUDISMO, el reino de los espíritus piadosos celestiales. En el budismo THERAVADA comprende los 20 planos más elevados de la existencia. De estos, los 16 niveles inferiores son los *rupa-brahma-loka*, reinos materiales habitados por dioses progresivamente radiantes. Los cuatro superiores, los *arupa-brahma-loka*, están desprovistos de toda sustancia. Renacer en esos reinos es la retribución por gran virtud y meditación; el nivel alcanzado se determina según la fidelidad a BUDA, al DHARMA y a la SANGHA. Ver también ARUPA-LOKA; RUPA-LOKA.

Brahman En los UPANISAD, la eterna, infinita y omnipresente fuente espiritual del universo finito y cambiante. Las escuelas de VEDANTA difieren al interpretar el término Brahman. La escuela ADVAITA define a Brahman como categóricamente diferente de cualquier fenómeno, concibiéndolo como una realidad absoluta sobre la que se proyectan las percepciones humanas de diferenciación. La escuela bhedabheda afirma que Brahman no es diferente del mundo que produce. La

escuela VISISTADVAITA sostiene que la fenomenalidad es una manifestación gloriosa del Brahman. La escuela dvaita supone que ambas, alma y materia, están separadas de Brahman, pero dependen de él.

brahmán *o* **brahmín** Cualquier miembro de la más alta de las cuatro VARNAS, o clases sociales hindúes. Su existencia como una CASTA sacerdotal data del período védico tardío; han sido considerados de antaño como poseedores de una mayor pureza ritual que los miembros de otras castas y los únicos capaces de realizar ciertas tareas religiosas, como la preservación de las colecciones de himnos védicos. Debido a su alto prestigio y tradición de instruidos, han dominado el saber indio por siglos. Como elite espiritual e intelectual, fueron consejeros de la casta guerrera poseedora del poder político; tras la independencia de India, de ellos procedió gran parte de los jefes de Estado. Todavía conservan los privilegios tradicionales, aunque ya no están legalmente sancionados. La pureza ritual se mantiene a través de tabúes, el vegetarianismo y la abstención de ciertas ocupaciones.

brahmán *o* **cebú** Cualquiera de las variedades de GANADO BOVINO originarias de India y que fueron cruzadas en EE.UU. con razas cárnicas mejoradas para producir el robusto animal conocido como SANTA GERTRUDIS. Con una cruza similar realizada en América Latina se obtuvo la raza conocida como Indo-Brasil. El brahmán se caracteriza por su pronunciada giba sobre la cruz, sus cuernos generalmente curvados hacia arriba y atrás, y sus orejas caídas. El color predominante es el gris, con una tonalidad más oscura en los cuartos delanteros y traseros. También se ha desarrollado una raza de color rojo.

Brahmán o cebú (*Bos indicus*).
© ENCYCLOPÆDIA BRITANNICA, INC.

Brahmana Cualquiera de varios comentarios acerca de los VEDAS, que explican el significado de los sacrificios rituales y el simbolismo de los actos de los sacerdotes. Se remontan a 900–600 AC, y constituyen las fuentes históricas más antiguas del ritual indio. El *Aitareya* y el *Kausitaki Brahmana*, compilados por seguidores del *Rigveda*, incluyen el análisis de los sacrificios diarios, el fuego sacrificial, los ritos de la luna nueva y llena, y los ritos para la entronización de los reyes. Los *Pancavimsa*, *Sadvimsa* y *Jaiminiya Brahmana* comentan acerca de la "marcha de las vacas", las ceremonias del soma y las expiaciones por los errores rituales. El *Satapatha Brahmana* introduce elementos de ritual doméstico y el *Gopatha Brahmana* trata sobre la supervisión sacerdotal de los sacrificios.

Brahmaputra, río Río de Asia central y meridional. Tiene sus fuentes en el Tíbet (con el nombre de Zangbo) y fluye a través del sur de este para cruzar los HIMALAYA por grandes desfiladeros (donde se le conoce como el Dihang). Discurre hacia el sudoeste a través del valle de ASSAM y continúa al sur a través de Bangladesh (con el nombre de Jamuna). Allí se une al GANGES (Ganga) para formar el delta del Ganges-Brahmaputra. El río tiene una extensión de 2.900 km (1.800 mi) y es un importante recurso para el riego y el transporte. Su curso superior fue desconocido por mucho tiempo y su identidad con el Zangbo sólo se estableció en exploraciones en los años 1884–86.

Brahmo Samaj Movimiento monoteísta dentro del HINDUISMO fundado en Calcuta (actual Kolkata) en 1828 por RAM MOHUN ROY. Rechazó la autoridad de los VEDAS y la doctrina de los AVATARES, no insistió en la creencia en el KARMA o renacimiento, denunció el POLITEÍSMO y el sistema de CASTAS, y adoptó algunas prácticas cristianas. La intención de Roy era reformar el hinduismo desde dentro, pero su sucesor, DEBENDRANATH TAGORE, rechazó la autoridad védica. En 1866, Keshab Candra Sen organizó el Brahmo Samaj más radical de India; su facción hizo campaña en favor de la educación de las mujeres y contra los matrimonios infantiles. Sin embargo, como el mismo Candra Sen arregló el matrimonio de su hija menor de edad, un tercer grupo, el Sadharan Brahmo Samaj, se formó en 1878. Este volvió gradualmente a la enseñanza de los UPANISAD, y a la vez continuó trabajando por una reforma social. El movimiento siempre fue un grupo de elite, sin apoyo popular significativo, por lo que perdió fuerza en el s. XX.

Brahms, Johannes (7 may. 1833, Hamburgo, Alemania– 3 abr. 1897, Viena, Austria-Hungría). Compositor alemán. Hijo de un músico, se convirtió en un joven prodigio del piano. En 1853 conoció al compositor ROBERT SCHUMANN y a su esposa pianista, CLARA SCHUMANN; Robert lo proclamó inmediatamente un genio, y Clara fue objeto de su cariño durante toda su vida. En 1863, Brahms se trasladó a Viena, ciudad que fue su residencia principal hasta su muerte. Tuvo varios puestos como director de coros y de orquesta y se presentaba también como solista. El éxito del *Réquiem alemán* (1868) le otorgó reputación internacional; su primera sinfonía (1876) le trajo aún más fama, y su concierto para violín (1879) y el segundo concierto para piano (1882) llevaron a muchos a proclamarlo como el más grande de los compositores vivientes. Su música complementó y contrarrestó el rápido crecimiento del individualismo romántico en la segunda mitad del s. XIX. Fue un tradicionalista en el sentido de que admiró mucho la sutileza y el poder de movimiento desplegado por los compositores del clasicismo vienés como Haydn, Mozart y Beethoven. Sus obras orquestales comprenden cuatro sinfonías (1876, 1877, 1883, 1885), dos conciertos para piano (1858, 1881), un concierto para violín (1878) y un doble concierto para violín y violonchelo (1887). Su música de cámara incluye cuatro cuartetos de cuerdas, dos sextetos de cuerdas, dos quintetos de cuerdas, tres cuartetos de piano, tres tríos de piano y sonatas para violín, violonchelo, piano y clarinete. Escribió además música coral y más de 250 *lieder* (ver LIED).

braille Sistema universal de escritura e impresión para ciegos. El francés LOUIS BRAILLE inventó el sistema en 1824. Los caracteres estampados en relieve en papel se leen deslizando los dedos sobre el manuscrito. El sistema se basa en una matriz de seis puntos dispuestos en dos columnas de tres. Las 63 combinaciones posibles en este esquema representan letras, números, signos de puntuación y palabras comunes como "*y*" y "*el*". No se adoptó un código braille para el inglés sino

Alfabeto y dígitos del 0 al 9 en el sistema braille moderno. Cada letra o dígito consta de una matriz de seis puntos, en relieve o en blanco, para formar un patrón único. Los puntos grandes son aquellos en relieve; los más pequeños son los que se han dejado en blanco.

© 2006 MERRIAM-WEBSTER INC.

hasta 1932. También existen modificaciones para otras lenguas, para textos de matemática y técnicos, y para la notación musical. El braille puede ser manuscrito –de derecha a izquierda– empleando un estilo (punzón) para marcar puntos a presión en una hoja de papel ubicada entre planchas metálicas con bisagras. Cuando se da vuelta la hoja, los puntos quedan en relieve y se leen de izquierda a derecha. También se utilizan máquinas de escribir con sistema braille y máquinas eléctricas para estampar los puntos en relieve.

Braille, Louis (4 ene. 1809, Coupvray, cerca de París, Francia– 6 ene. 1852, París). Educador francés que inventó el sistema BRAILLE de impresión y escritura para los no videntes. Quedó ciego a la edad de tres años tras sufrir un accidente, y en 1819 se mudó a París para asistir al Institut National pour Enfants Aveugles (Instituto nacional para niños ciegos), donde enseñó desde 1826. Braille adaptó un método creado por Charles Barbier, a partir del cual ideó su propio sistema simplificado.

Louis Braille, busto de un artista desconocido.
ARCHIV FUR KUNST UND GESCHICHTE, BERLÍN

Brain Trust Nombre que se dio al grupo de asesores de FRANKLIN D. ROOSEVELT durante su campaña presidencial de 1932. Sus principales integrantes fueron dos profesores de la Universidad de Columbia, Raymond Moley, Rexford Tugwell y Adolf A. Berle, Jr. (n. 1895–m. 1971). El grupo presentó a Roosevelt diversos análisis de los problemas sociales y económicos de la nación y le ayudaron a idear soluciones de política pública. Tras la elección de Roosevelt no volvieron a reunirse, pero algunos de sus miembros ocuparon diversos cargos en el gobierno. Ver también NEW DEAL.

bramadera Pedazo de madera delgado, cuya longitud puede alcanzar hasta treinta centímetros, atada por un extremo a una cuerda con la que se hace girar la tabla en el aire; produce un zumbido o sonido semejante al aullido de animales o al que emitirían unos espíritus. Se la encuentra en Australia, América y otras regiones, donde subsisten sociedades indígenas. Puede simbolizar los ancestros totémicos, o también se cree que puede causar o curar enfermedades, advertir a las mujeres y los niños que deben mantenerse alejados de las ceremonias sagradas de los hombres, y controlar el clima o promover la fertilidad en animales y cultivos.

Bramah, Joseph (13 abr. 1748, Stainborough, Yorkshire, Inglaterra–9 dic. 1814, Londres). Ingeniero e inventor británico. Originalmente un ebanista, ideó en 1784 una cerradura a prueba de ganzúa, que desafió todos los esfuerzos por violarla durante 67 años. Como el éxito de sus cerraduras dependía de su complejidad, sólo se podían producir en cantidad después de haber creado un conjunto de MÁQUINAS HERRAMIENTA de precisión, para lo cual contrató a un joven y brillante herrero, HENRY MAUDSLAY. Sus máquinas prototipo fueron esenciales en la fundación de la industria de la máquina herramienta. La prensa hidráulica de Bramah encontró muchos usos industriales y condujo al desarrollo de la maquinaria hidráulica.

Bramante, Donato (1444, probablemente en Monte Asdruvaldo, ducado de Urbino–11 abr. 1514, Roma). Arquitecto y pintor perspectivista italiano. Hijo de un granjero, en 1477 ya trabajaba como pintor. Sus primeros trabajos arquitectónicos son la iglesia de Santa Maria presso San Satiro (c. 1480), en la cual el coro está pintado en perspectiva para dar la ilusión de un espacio mucho más grande. En 1499 fue a Roma, donde pasó el resto de su vida. Su TEMPIETTO fue la primera obra maestra del Alto Renacimiento. Bajo el mecenazgo del papa JULIO II, dibujó los planos del inmenso patio del Belvedere del Vaticano (comenzado c. 1505) y para la nueva basílica de SAN PEDRO (comenzada en 1506), su trabajo más importante. Estos ambiciosos proyectos estaban lejos de completarse al momento de su muerte. A pesar de la tremenda empresa que significaba San Pedro, Bramante continuó trabajando en otros proyectos y jugó un rol importante en los planes de Julio II para reconstruir Roma.

Tempietto del convento de San Pietro in Montorio, diseñado por Donato Bramante, Roma, 1502.
ANDERSON–ALINARI DE ART RESOURCE

Brampton Ciudad (pob., 2001: 325.428 hab.) del sudeste de Ontario, Canadá. Ubicada al oeste de TORONTO, fue fundada c. 1830. Se constituyó en poblado en 1873 y en ciudad en 1976. Entre sus industrias se incluye el cultivo de flores, el curtido de cuero, la explotación maderera y la fabricación de automóviles, así como la elaboración de zapatos, artículos de escritorio, muebles y equipos ópticos.

Brân En la religión CELTA, una deidad gigantesca descrita en los *Mabinogion* como rey de Britania. Era tan grande que él y su corte vivían en una tienda en lugar de una casa. Cuando Brân fue mortalmente herido, pidió a sus compañeros que cortasen su cabeza y la guardasen, diciéndoles que les proporcionaría diversión y les permitiría olvidar las penas. Se supone que sus compañeros siguieron sus instrucciones y pasaron 80 años gozosos; enterraron al fin la cabeza en el White Mount de Londres, desde donde protegió a Inglaterra de los invasores hasta que finalmente fue desenterrada.

Brancusi, Constantin (21 feb. 1876, Hobiţa, Rumania– 16 mar. 1957, París, Francia). Escultor francés de origen rumano. De niño se dedicó a tallar herramientas agrícolas en madera. Posteriormente estudió en Bucarest, Munich y en la École des Beaux-Arts en París, donde llegó después de caminar la mayor parte del trayecto desde Munich. En 1906 exhibió por primera vez en París. En 1908 realizó *La musa dormida*, influenciado por AUGUSTE RODIN, y *El beso*, su primera obra verdaderamente original. Desarrolló un estilo geométrico que se transformó en su sello distintivo, y que reducía las formas naturales a una simplicidad abstracta. En 1913 exhibió cinco obras en el ARMORY SHOW, entre ellas, *Mademoiselle Pogany*. Uno de sus temas favoritos era un pájaro en vuelo; el más famoso fue el celebrado bronce pulido titulado *Pájaro en el espacio* (1919). A través de numerosas exposiciones en EE.UU. y Europa, adquirió gran fama y éxito. Es considerado el pionero de la escultura abstracta moderna.

Brandán, san (484/486, Tralee, Irlanda–578, Annaghdown, cond. de Galway; festividad: 16 de mayo). Santo y héroe celta que realizó legendarias travesías por el Atlántico. Educado por santa Ita en su escuela del sudoeste de Irlanda, se hizo monje y sacerdote y fue puesto a cargo de la abadía de Ardfert. Más tarde fundó monasterios en Irlanda y en Escocia, entre los que destaca Clonfert (561). Viajero famoso, llegó hasta las Hébridas y quizás a Gales y Bretaña. Fue inmortalizado en *El viaje de san Brandán*, una epopeya irlandesa traducida al latín en el s. X que relataba su travesía a una "Tierra Prometida de los Santos". La isla de san Brandán fue buscada durante mucho tiempo por los exploradores.

Brandeburgo Región histórica y provincia de PRUSIA. Los primeros habitantes germánicos fueron reemplazados por wendos eslavos, los que, a su vez, fueron vencidos en el s. XII por Alberto el Oso, margrave de Brandeburgo. Esta región se convirtió en uno de los siete electorados del SACRO IMPERIO ROMANO en 1356. Bajo el elector FEDERICO GUILLERMO (1640–88), Brandeburgo-Prusia llegó a ser una gran potencia. Se convirtió en provincia de Prusia en 1815 y permaneció como tal luego de la unidad alemana (1871) y hasta el fin de la segunda guerra mundial. Después de la guerra, la porción oriental pasó a ser parte de Polonia y la porción occidental, parte de Alemania Oriental. Después de la reunificación de Alemania en 1990, la porción occidental se convirtió en un estado alemán. La ciudad de Brandeburgo o Brandeburgo sobre el Havel (*Brandenburg an der Havel*) (pob., est. 2002: 76.400 hab.) fue antiguamente la residencia de la familia reinante de Prusia.

Brandeburgo, puerta de La única puerta urbana que queda en Berlín, localizada en el extremo occidental de la avenida Unter den Linden. Carl G. Langhans (n. 1732– m. 1808), quien construyó la puerta (1789–93), se inspiró en el PROPILEO de la Acrópolis de Atenas. Corona la puerta la "Cuadriga de la Victoria", la estatua de un carro tirado por cuatro caballos. Muy dañada en la segunda guerra mundial, la puerta fue restaurada en 1957–58. Desde 1961 hasta 1989, el muro de Berlín cerró el acceso a ella tanto para los alemanes orientales como occidentales; la puerta fue reabierta en 1989 con la reunificación de Berlín Oriental y Occidental.

La puerta de Brandeburgo, obra de Carl G. Langhans, Berlín, Alemania.
FOTOBANCO

Brandeis, Louis (Dembitz) (13 nov. 1856, Louisville, Ky., EE.UU.–5 oct. 1941, Washington, D.C.). Jurista estadounidense. Hijo de inmigrantes judíos provenientes de Bohemia, asistió a la escuela en Kentucky y Alemania antes de graduarse en derecho en Harvard (1877). Como jurisconsulto en Boston (1877–1916), fue conocido como el "abogado del pueblo", por su defensa de la constitucionalidad de varias leyes estaduales sobre salarios y jornada de trabajo, por su concepción de bancos de ahorro y planes de seguros de vida para los trabajadores y por sus esfuerzos para fortalecer las atribuciones del gobierno en materia de legislación antimonopolios. Su obra influyó en la aprobación, en 1914, de la ley Clayton antimonopolios y de la ley de la Comisión federal de comercio. También desarrolló lo que vino a denominarse como el "Informe Brandeis", sistema en el que se clasifican los datos económicos y sociológicos, los antecedentes históricos y la opinión del experto para apoyar la argumentación jurídica. Designado para la Corte Suprema de los ESTADOS

Louis Brandeis, jurista estadounidense.
GENTILEZA DE LA BIBLIOTECA DEL CONGRESO, WASHINGTON, D.C.

UNIDOS DE AMÉRICA (1916), se distinguió por su aprecio a la LIBERTAD DE EXPRESIÓN. Muchos de sus votos de minoría, en los que a menudo estaba alineado con OLIVER WENDELL HOLMES, JR., fueron aceptados con posterioridad por la corte en la época del Nuevo Trato. Su nombramiento como primer juez judío fue vigorosamente resistido por algunos intereses empresariales y grupos antisemitas. Sirvió en la corte hasta 1939. La Universidad de BRANDEIS fue llamada así en su honor.

Brandeis, Universidad de Universidad privada con sede en Waltham, Mass., EE.UU. Fundada en 1948, fue la primera universidad no confesional del país patrocinada por judíos. Debe su nombre a LOUIS BRANDEIS. Su *college* (colegio universitario) de pregrado ofrece programas en ciencias, ciencias sociales, humanidades y artes creativas. Sus programas de posgrado abarcan pensamiento judío antiguo y moderno, historia y cultura, como también política social, economía internacional e investigación biomédica.

Brandes, Georg (Morris Cohen) (4 feb. 1842, Copenhague, Dinamarca–19 feb. 1927, Copenhague). Crítico y erudito danés. La publicación de una serie de conferencias que dictó en la Universidad de Copenhague, *Høvedstrømninger i det 19 de aarhundredes litteratur*, 6 vol. [Las grandes corrientes de la literatura europea del siglo XIX] (1872–90), aceleró la transición del romanticismo al realismo en la literatura danesa. Su llamado a los escritores para que trabajaran al servicio de ideas progresistas y reformaran la sociedad moderna, junto a su defensa de escritores como HENRIK IBSEN y AUGUST STRINDBERG, le valieron una fuerte oposición por parte de los conservadores; aun así ejerció una enorme influencia en toda Escandinavia. Entre sus otras obras de

Georg Brandes, 1866.
GENTILEZA DE LA KONGELIGE BIBLIOTEK, COPENHAGUE

crítica se cuentan *Det moderne gjennembruds mænd* [Hombres de la irrupción moderna] (1883) y *Danske gigtere* [Poetas daneses] (1877).

Brando, Marlon, (Jr.) (3 abr. 1924, Omaha, Neb., EE.UU.–1 jul. 2004, Los Ángeles, Cal.). Actor estadounidense. Logró el estrellato en Broadway como Stanley Kowalski en la obra *Un tranvía llamado deseo* (1947). Fue uno de los primeros miembros del ACTOR'S STUDIO e introdujo su estilo de actuación llamado "el método", en su primera película, *Hombres* (1950). Su difuso hablar y pronunciación irregular fueron su rúbrica de rechazo a la formación tradicional actoral, y sus interpretaciones plenas de verdad y pasión lo establecieron como uno de los grandes actores de su generación. Después de protagonizar la versión cinematográfica de *Un tranvía...* (1951), actuó en películas como *Salvaje* (1954), *Nido de ratas* (1954, premio de la Academia), *El padrino* (1972, premio de la Academia), *El último tango en París* (1972) y *Apocalipsis ahora* (1979).

Brandt, Bill *orig.* **Hermann Wilhelm Brandt** (may. 1904, Hamburgo, Alemania–20 dic. 1983, Londres, Inglaterra). Fotógrafo británico de origen alemán. En 1929 trabajó en el estudio de MAN RAY en París. Regresó a Inglaterra en 1931 y se dedicó al reportaje fotográfico, a retratar trabajadores industriales ingleses en la década de 1930, y a cubrir el frente civil durante la segunda guerra mundial. Su obra revela la influencia de EUGÈNE ATGET, BRASSAÏ y HENRI CARTIER-BRESSON. Es conocido por sus fotografías de la vida británica y especialmente por sus originales desnudos; ubicaba su cámara con gran angular muy cerca del cuerpo, ocasionando un efecto deformador que transformaba el cuerpo humano en una serie de diseños abstractos.

Willy Brandt.
AUTHENTICATED NEWS INTERNATIONAL

Brandt, Willy *orig.* **Herbert Ernst Karl Frahm** (18 dic. 1913, Lübeck, Alemania–8/9 oct. 1992, Unkel, cerca de Bonn). Estadista alemán. Siendo un joven socialdemócrata, huyó a Noruega para evitar ser arrestado después de que los nazis ascendieron al poder en la década de 1930. Ahí utilizó el nombre de Willy Brandt y trabajó como periodista. Regresó a Alemania después de la segunda guerra mundial, y fue elegido al parlamento en 1949, para luego convertirse en alcalde de Berlín Occidental (1957–66), cargo en el cual alcanzó fama mundial. Encabezó un gobierno de coalición como canciller de la República Federal de Alemania (1969–74). Siendo canciller, mejoró las relaciones con Alemania Oriental, otros países comunistas de Europa del Este y la Unión Soviética y ayudó a fortalecer la COMUNIDAD ECONÓMICA EUROPEA. Debido a estos esfuerzos recibió el Premio Nobel de la Paz en 1971. Continuó como líder del Partido Socialdemócrata hasta 1987.

brandy *o* **aguardiente** BEBIDA ALCOHÓLICA destilada de VINO o de otro jugo de fruta fermentado. El nombre inglés brandy proviene del holandés *brandewijn*, "vino destilado". La mayor parte de los aguardientes son envejecidos y contienen alrededor de un 50% de alcohol por volumen. Algunos son oscurecidos con caramelo. Habitualmente se sirven solos, como bajativo, pero a veces se usan en tragos combinados y en dulces, o como combustible en postres flambeados como los llamados "crêpes Suzette" y cerezas jubileo. También se ocupan como base para diversas MISTELAS. Generalmente se considera que el brandy más fino es el COÑAC francés.

Brandywine, batalla de (11 sep. 1777). Batalla de la guerra de independencia de los ESTADOS UNIDOS DE AMÉRICA. El general británico WILLIAM HOWE intentó eliminar a Pensilvania de la guerra con un ataque a las tropas del gral. GEORGE WASHINGTON en el arroyo de Brandywine, a 40 km (25 mi) de la capital revolucionaria de Filadelfia. Aunque las tropas británicas ocuparon el campo de batalla, no lograron vencer al ejército de Washington ni aislarlo de Filadelfia. Este fracaso contribuyó a la posterior derrota británica en la batalla de SARATOGA.

Brant, Joseph (1742, ribera del río Ohio–24 nov. 1807, en las cercanías de Brantford, Ontario, Canadá). Jefe indígena MOHAWK y misionero cristiano. Se convirtió a la fe anglicana mientras asistía a un colegio para indígenas en Connecticut. Peleó a favor de los británicos en la última guerra FRANCESA E INDIA (1754–63). Agrupó bajo su mando a cuatro de las seis naciones iroquesas (ver IROQUÉS) que estuvieron del lado de los británicos en la guerra de la independencia de los ESTADOS UNIDOS DE AMÉRICA, ganando varias batallas célebres. Después de este conflicto recibió

Joseph Brant, retrato de Charles Willson Peale, 1797; Independence National Historical Park, Filadelfia, EE.UU.
GENTILEZA DE LA INDEPENDENCE NATIONAL HISTORICAL PARK COLLECTION, FILADELFIA, EE.UU.

tierras junto al río Grand en Ontario, Canadá, donde gobernó en forma pacífica y continuó con su trabajo misionero.

Brant, Sebastian (¿1458?, Estrasburgo, Alemania–10 may. 1521, Estrasburgo). Poeta alemán. Impartió clases de leyes y posteriormente fue designado consejero imperial y palatino de la corte de MAXIMILIANO I. Sus escritos abordan una gran variedad de temas, en particular los relacionados con derecho, religión, política y, especialmente, moral. Su obra más conocida es *La nave de los necios* (1494), alegoría sobre locos en un barco con destino a un "paraíso de locos". Es la obra literaria alemana más famosa del s. XV y en ella ridiculiza los vicios de la época. Dio origen a toda una tradición literaria sobre locos.

Braque, Georges (13 may. 1882, Argenteuil, Francia– 31 ago. 1963, París). Pintor francés. Estudió pintura en Le Havre, luego en París, en una academia privada, y por breve tiempo en la École des Beaux-Arts. Aunque sus primeras obras estuvieron influenciadas por el impresionismo, sus primeras pinturas importantes (1905–07) fueron realizadas en el estilo fauvista (ver FAUVISMO), cuyos pioneros fueron ANDRÉ DERAIN y HENRI MATISSE; en 1907 exhibió y vendió seis de esas pinturas en el SALÓN DE LOS INDEPENDIENTES. Abandonó el fauvismo en 1907 e inventó, junto con PABLO PICASSO, el revolucionario estilo nuevo conocido como CUBISMO. Pintó principalmente naturalezas muertas, caracterizadas por formas geométricas y armonías de colores de baja intensidad. En 1912 introdujo el collage, o *papier collé* (pinturas de papel pegado), al adosar tres trozos de papel mural al dibujo *Frutera y vaso*. En la década de 1920 ya era un próspero y bien establecido maestro moderno. En 1923 y 1925 diseñó escenografías para el Ballet ruso de SERGEI DIÁGUILEV. Disfrutó de una larga y prestigiosa carrera y en sus últimos años fue honrado con importantes exposiciones en todo el mundo. En 1961 se convirtió en el primer artista vivo en exhibir su obra en el Louvre.

Bras d'Or, lago Lago salino en Nueva Escocia, Canadá. Ubicado en la isla CABO BRETÓN, tiene 80 km (50 mi) aprox. de largo y una superficie de 932 km² (360 mi²). La continuación de este lago, Little Bras d'Or, lo conecta con el océano Atlántico por el norte, mientras que un canal artificial lo conecta con el Atlántico por el sur. El lago es un centro turístico y de vacaciones muy visitado.

BRASIL

▸ **Superficie:** 8.514.877 km² (3.287.612 mi²)

▸ **Población:** 184.016.000 hab. (est. 2005)

▸ **Capital:** BRASILIA

▸ **Moneda:** real

Brasil *ofic.* **República Federativa de Brasil** País del centro-oriente de América del Sur. Los grupos étnicos de Brasil se han mezclado entre sí desde el comienzo de su etapa colonial. La ausencia de mestizaje es poco común; aquellos indígenas que no han sido afectados por la inmigración están restringidos a las zonas más remotas de la cuenca del AMAZONAS. Idioma: portugués (oficial). Religiones: católica y creencias tradicionales de origen africano e indígena. El país puede ser dividido en varias regiones, pero las tierras bajas amazónicas y la meseta brasileña (a menudo denominada meseta Central) dominan el paisaje. Esta última, que tiene una altura promedio de 1.000 m (3.300 pies), está situada principalmente en el sudeste, en tanto que las tierras bajas del Amazonas, con una altura bajo los 250 m (800 pies), se ubican en el norte. La cuenca del AMAZONAS, con más de 1.000 afluentes conocidos, comprende cerca de la mitad de la superficie total del país. Otros ríos de Brasil son el São Francisco, el Parnaíba, el PARAGUAY, el alto Paraná y el URUGUAY. A excepción de las islas de Marajó y Caviana, existentes en la desembocadura del Amazonas, y Maracá en el norte, no hay grandes islas a lo largo de la abrupta costa atlántica, que se extiende por 7.400 km (4.600 mi). Existen buenos puertos

Vista de la ciudad portuaria de Belém y la catedral de Nossa Senhora das Mercês, Brasil.
ARCHIVO EDIT. SANTIAGO

en BELÉM, Salvador, RÍO DE JANEIRO, Santos y Pôrto Alegre. Los extensos bosques dan origen a muchos productos, mientras que la sabana permite la crianza de ganado. La agricultura es importante y las reservas minerales son abundantes. Brasil tiene una economía de mercado en vías de desarrollo, basada principalmente en las manufacturas, los servicios financieros y el comercio. Es una república bicameral; el jefe de Estado y de Gobierno es el presidente. Poco se sabe de los primeros habitantes indígenas. Aunque la región fue teóricamente asignada a Portugal en 1494 mediante el tratado de TORDESILLAS, se tomó posesión formal de ella en 1500, cuando el navegante portugués PEDRO ÁLVARES CABRAL desembarcó en forma accidental en sus costas. Fue primero colonizada por los portugueses, a inicios de la década de 1530 en la costa nordeste y en São Vicente (cerca de la actual SÃO PAULO); los franceses y los holandeses crearon pequeños asentamientos en el siglo siguiente. Un virreinato se creó en 1640, y Río de Janeiro se transformó en capital en 1673. En 1808, Brasil pasó a ser el refugio y sede de gobierno de Juan VI de Portugal, cuando Napoleón I invadió ese país; finalmente, se proclamó el Reino de Portugal, Brasil y Algarve, y Juan gobernó desde Brasil (1815–21). Cuando Juan regresó a Portugal, PEDRO I proclamó la independencia brasileña. En 1889, su sucesor, Pedro II, fue depuesto y se promulgó una constitución que dio origen a una república federal. A partir del s. XX aumentó la inmigración, se incrementó la actividad manufacturera y hubo frecuentes golpes militares y suspensión de las libertades civiles. La construcción de una nueva capital en BRASILIA, propuesta para estimular el desarrollo del interior del país, empeoró los niveles de inflación. Después de 1979, el gobierno militar comenzó un gradual retorno a las prácticas democráticas, y en 1989 se produjo la primera elección popular de presidente de la república en 29 años, siendo elegido FERNANDO COLLOR DE MELLO. En septiembre de 1992, Collor dimitió tras ser acusado de corrupción por la Cámara de Diputados, asumiendo el mando del país el vicepresidente Itamar

Edificio del Congreso en Brasilia, capital y centro gubernamental de Brasil.
FOTOBANCO

Franco. Bajo su mandato se aplicó en 1994 un plan para reducir la deuda externa de Brasil, llamado Plan Real, concebido por el entonces ministro de Hacienda Fernando Cardoso, quien meses más tarde asumiría como nuevo pdte. de Brasil. Una grave crisis económica comenzó en 1999 bajo el segundo mandato de Cardoso, seguida de otra en 2001. En 2003, el sindicalista y líder de la izquierda brasileña, LUÍZ INÁCIO DA SILVA, accedió a la jefatura de Estado.

Brasil, Universidad de *o* **Universidad Federal de Río de Janeiro** Universidad pública de Brasil fundada en 1920 como parte de las conmemoraciones de la independencia del país. Inicialmente denominada Universidad de Río de Janeiro, su nombre fue modificado en 1937 por el de Universidad de Brasil. En 1965 pasó a llamarse Universidad Federal de Río de Janeiro, nombre que mantuvo hasta 2000, cuando recuperó en fallo judicial el derecho a utilizar el nombre de Universidad de Brasil. Fue establecida para reunir en una sola institución unidades de enseñanza superior independientes, entre ellas, la facultad de medicina y la escuela politécnica. En la actualidad es una institución integral de enseñanza e investigación, que ofrece programas de licenciatura y posgrado en las principales disciplinas. Su estructura se compone de seis centros universitarios: ciencias matemáticas y de la naturaleza, letras y artes, filosofía y ciencias humanas, ciencias jurídicas y económicas, ciencias de la salud, y tecnología.

Brasilia Ciudad (pob., 2000: 2.043.169 hab.), capital de Brasil. Se levanta a orillas del río PARANÁ. Si bien la idea de tener la capital ubicada en el interior se propuso mucho antes, en 1789, sólo en 1956 se comenzó la construcción de Brasilia. Fue diseñada por los arquitectos brasileños Lúcio Costa y OSCAR NIEMEYER. El gobierno empezó su traslado desde RÍO DE JANEIRO en 1960. La ciudad, más que un centro industrial, es un centro de gobierno, aunque muchas compañías brasileñas tienen su sede en Brasilia. Cerca de la ciudad se encuentra el parque nacional de Brasilia.

Brasov *alemán* **Kronstadt** Ciudad (pob., 2002: 588.366 hab.) de Rumania. Se encuentra a los pies de los Alpes de Transilvania, al norte de BUCAREST. Fundada en 1211 por la orden de los Caballeros Teutónicos, llegó a ser el centro de una colonia sajona que comerciaba telas y productos metálicos en gran parte de VALAQUIA y MOLDAVIA. En 1876 se puso fin a la considerable autonomía de sus habitantes germanos con la abolición de su condición de nacionalidad aparte. En la actualidad Brasov constituye un centro de manufactura pesada.

"'Bijoux' en un bar de Place Pigalle", de Brassaï, 1932.
BRASSAI—RAPHO/PHOTO RESEARCHERS

Brassaï *orig.* **Gyula Halász** (9 sep. 1899, Brassó, Transilvania, Austria-Hungría–8 jul. 1984, Eze, Francia). Fotógrafo, poeta y escultor francés de origen húngaro. Su seudónimo deriva de su ciudad natal. En 1924 se estableció en París, donde conoció a PABLO PICASSO, JOAN MIRÓ y SALVADOR DALÍ. Se ganaba la vida como periodista y consideró que era necesario usar una cámara para sus labores. En la década de 1930 se hizo conocido por sus notables fotografías de la vida nocturna de París. Los libros de sus fotografías, como *Paris de nuit* (1933) y *Placeres de París* (1935), le trajeron fama internacional.

Brassica Género extenso de la familia de las CRUCÍFERAS, con cerca de 40 especies del Viejo Mundo, que incluye la COL, la mostaza y la COLZA. La especie *B. oleracea* tiene muchas variedades comestibles, como el BRÉCOL, la COL DE BRUSELAS, la COLIFLOR, la BERZA y el COLINABO. También figuran en este género el NABO (*B. rapa*), la RUTABAGA (*B. napobrassica*) y la COL CHINA (*B. pekinensis* y *B. chinensis*).

Bratislava *alemán* **Pressburg** *húngaro* **Pozsony** Capital (pob., est. 2001: 428.672 hab.) de Eslovaquia. Colonizada primero por los celtas y los romanos, fue finalmente poblada por los eslavos en el s. VIII. Con el nombre de Presburgo, se desarrolló como centro de intercambio y en 1291 se convirtió en una ciudad libre dependiente de la corona. Aquí se fundó, en 1467, la primera universidad de lo que en ese entonces era Hungría. Fue la capital húngara (1541–1784) y la sede de la Dieta hasta 1848. En este lugar, después de la batalla de AUSTERLITZ, firmaron el tratado de Presburgo (1805) NAPOLEÓN I y FRANCISCO II. Tras la primera guerra mundial, con la formación de Checoslovaquia, se convirtió en la capital de la provincia de Eslovaquia y en 1992, después de la independencia de Eslovaquia, pasó a ser su capital.

Walter H. Brattain, científico estadounidense.
GENTILEZA DE AT&T BELL LABORATORIES/AT&T ARCHIVES

Brattain, Walter H(ouser) (10 feb. 1902, Amoy, China–13 oct. 1987, Seattle, Wash., EE.UU.). Científico estadounidense de origen chino. Después de obtener su Ph.D. en la Universidad de Minnesota, en 1929 comenzó sus investigaciones para los Laboratorios Bell. Junto con JOHN BARDEEN y WILLIAM B. SHOCKLEY, compartió en 1956 el Premio Nobel de Física por el desarrollo del TRANSISTOR y por sus investigaciones acerca de las propiedades de los SEMICONDUCTORES.

Brauchitsch, (Heinrich Alfred) Walther von (4 oct. 1881, Berlín, Alemania–18 oct. 1948, Hamburgo). Oficial del ejército alemán. Miembro del estado mayor general durante la primera guerra mundial, ascendió hasta convertirse en mariscal de campo y comandante en jefe del ejército (1938). Durante la segunda guerra mundial dirigió eficazmente las fuerzas terrestres de Alemania hasta que ADOLF HITLER lo forzó a renunciar después de sufrir grandes pérdidas en Rusia en 1941. Sobrevivió a la guerra, pero murió poco antes de que se le iniciara un juicio como criminal de guerra.

Braudel, (Paul Achille) Fernand (24 ago. 1902, Luméville, Francia–28 nov. 1985, Alta Saboya). Historiador y educador francés. Mientras era prisionero de los alemanes durante la segunda guerra mundial, Braudel escribió de memoria su tesis sobre historia de la región mediterránea en el s. XVI, que sería publicada más tarde con el título *El Mediterráneo y el mundo mediterráneo en la época de Felipe II* (1949). Junto con MARC BLOCH y Lucien Febvre, fue uno de los historiadores que más influyeron en la escuela de los ANNALES, corriente que destacó los efectos de factores como el clima, la geografía y la demografía en la historia. Su segunda obra en importancia es *Civilización, material, economía y capitalismo, siglos XV-XVIII* (1967–69).

Braun, Eva (6 feb. 1912, Munich, Alemania–30 abr. 1945, Berlín). Amante de ADOLF HITLER. Vendedora en la tienda del fotógrafo de Hitler, se convirtió en su amante en la década de 1930. Primero vivió en una residencia que él le proporcionó en Munich y luego en la pequeña residencia de campo que él tenía en Berchtesgaden. Hitler nunca le permitió que la vieran junto a él en público y ella no ejerció influencia en su vida política. En abril de 1945, cuando las potencias aliadas estaban cercando la capital, se le unió en Berlín contrariando sus órdenes. En

Eva Braun, 1944.
HEINRICH HOFFMANN, MUNICH

reconocimiento a su lealtad, Hitler se casó con ella en una ceremonia civil en el búnker de la cancillería el 29 de abril. Al día siguiente, se suicidó ingiriendo veneno; su esposo se pegó un tiro. De acuerdo con las instrucciones de Hitler, sus cuerpos fueron incinerados.

Braun, Sanford ver Sandy KOUFAX

Braun, Wernher von (23 mar. 1912, Wirsitz, Alemania–16 jun. 1977, Alexandria, Va., EE.UU.). Ingeniero estadounidense de COHETES, de origen alemán. Descendiente de una familia aristocrática, recibió su doctorado en la Universidad de Berlín. En 1936, fue director técnico de la nueva instalación de desarrollo militar en Peenemünde, un centro esencial para el rearme de la Alemania nazi, prohibido por el tratado de Versalles. Allí se efectuaron demostraciones exitosas de aviones cohete de combustible líquido y despegues asistidos por reactores. También se desarrollaron el misil V-2 de largo alcance y el misil antiaéreo supersónico Wasserfall. Alrededor de 1944, la sofisticación de los cohetes y misiles que se estaban probando en Peenemünde llevaba una ventaja de muchos años sobre cualquier otro país. Después de la segunda guerra mundial, Von Braun y su equipo se rindieron a EE.UU.; de inmediato el ejército estadounidense los puso a trabajar en misiles guiados, y en 1952 llegó a ser director técnico (más tarde jefe) del programa de armas balísticas del ejército. Bajo su mando se desarrollaron los misiles Redstone, Júpiter-C, Juno y Pershing. En 1958, él y su grupo lanzaron el primer satélite estadounidense, el EXPLORER 1. Después de formada la NASA, Von Braun dirigió el desarrollo de algunos de los grandes vehículos de lanzamiento espacial SATURNO; el éxito de ingeniería de cada uno de los cohetes aceleradores espaciales de la clase Saturno sigue inigualado hasta hoy.

Wernher von Braun, 1962.
NASA; FOTOGRAFÍA, © FABIAN BACHRACH

Bravo, río *en México o* **río Grande del Norte** *en EE.UU.* Uno de los ríos más largos de EE.UU., recorre 3.000 km (1.900 mi) desde su origen en las montañas ROCOSAS en el sudoeste del estado de Colorado en EE.UU., hasta el golfo de MÉXICO. Sube por los montes SAN JUAN y en general se desplaza hacia el sur, en dirección sudeste, dando forma a todo el límite entre Texas y México. Los primeros asentamientos europeos se encontraban a lo largo del curso inferior del río en el s. XVI, pero muchos de los asentamientos de los indios PUEBLO del estado de Nuevo México datan de antes de la conquista de los españoles. Durante el período español, se denominó río del Norte a las partes media y superior del río, mientras que el curso inferior recibió el nombre de río Bravo. Es una de las fuentes más importantes de riego. En la frontera entre EE.UU. y México define el borde del parque nacional BIG BEND, en Texas.

brazo Extremidad superior de los bípedos, especialmente los primates. Los brazos de los primates tienen un hueso largo, el húmero, en su parte superior, encima del codo, y dos huesos más delgados, el radio y el cúbito, en el antebrazo. El músculo tríceps extiende el antebrazo en la articulación del codo; el braquial y el bíceps lo doblan. Los músculos del antebrazo y pequeños músculos de la mano mueven las manos y los dedos. El término también puede denotar la extremidad u órgano locomotor o prensil de un invertebrado (p. ej., uno de los rayos de una estrella de mar o el tentáculo de un octópodo o pulpo).

Brazos, río Río en la parte central del estado de Texas, EE.UU. Formado en el norte de Texas, recorre 1.351 km (840 mi) en dirección sudeste hacia el golfo de MÉXICO. Una de las ciudades más grandes a orillas del río es WACO. Cerca de su desembocadura conecta con el CANAL INTRACOSTAL DEL GOLFO. El valle del río fue un lugar de importancia en los primeros asentamientos angloamericanos en Texas. En 1882, STEPHEN AUSTIN fundó allí una de las primeras colonias de habla inglesa, en San Felipe de Austin. El nombre original del río era Brazos de Dios ("Arms of God").

Brazza, Pierre (-Paul-François-Camille) Savorgnan de (16 ene. 1852, cerca de Roma [Italia]–14 sep. 1905, Dakar, Senegal, África Occidental Francesa). Explorador y funcionario colonial francés. Nacido de una familia noble italiana establecida en Brasil, se incorporó a la armada de Francia y se nacionalizó francés. En 1875–78 exploró el río Ogooué (en el actual Gabón). Compitiendo con su contraparte angloestadounidense, HENRY MORTON STANLEY, fue enviado a explorar la región del río Congo. Allí estableció el Congo (Medio) francés, exploró Gabón y fundó la ciudad de BRAZZAVILLE (1883), agregando unos 500.000 km² (200.000 mi²) al imperio colonial francés. Desde 1886 hasta 1897 dirigió una colonia establecida en ese lugar.

Brazzaville Puerto fluvial (pob., est. 1992: 937.579 hab.), capital de la República del Congo. Situado en la ribera norte del río CONGO frente a KINSHASA. Fue fundado en 1883 por PIERRE SAVORGNAN DE BRAZZA. Convertido en un centro administrativo y residencial europeo, fue utilizado como fundamento de las posteriores reivindicaciones de Francia de las tierras del nordeste; se convirtió en la capital de ÁFRICA ECUATORIAL FRANCESA. El puerto fluvial constituye la terminal del sistema de transporte entre el océano y el interior con un servicio de barcos que atiende las áreas del curso superior del río Congo y un ferrocarril que llega hasta POINTE-NOIRE a 394 km (245 mi) al oeste.

Brébeuf, san Juan de (25 mar. 1593, Condé-sur-Vire, Normandía, Francia–16 mar. 1649, Saint-Ignace, Nueva Francia; canonizado en 1930; festividad: 19 de octubre). Misionero jesuita francés en NUEVA FRANCIA. Ordenado en 1623, llegó a Nueva Francia en 1625 para trabajar como misionero entre los indios HURONES. En 1629, los ingleses lo expulsaron y volvió en 1634 a evangelizar en tierras huronesas. En 1648, los iroqueses iniciaron una guerra contra los hurones y, en 1649, capturaron y torturaron a Brébeuf hasta la muerte. Sus escritos son narraciones históricas y una gramática del idioma de los hurones. Se lo considera el santo patrono de Canadá.

brecha Roca sedimentaria gruesa formada por fragmentos angulosos o casi angulosos, mayores de 2 mm (0,08 pulg.). Comúnmente la brecha es el resultado de procesos como desprendimientos de tierra o la formación de fallas geológicas, en los cuales las rocas se fracturan. También puede tener un origen ígneo explosivo (p. ej., brecha volcánica).

Brecht, Bertolt *orig.* **Eugen Berthold Friedrich Brecht** (10 feb. 1898, Augsburgo, Alemania–14 ago. 1956, Berlín Oriental, Alemania Oriental). Poeta, dramaturgo y director de teatro alemán. Estudió medicina en Munich (1917–21) antes de escribir sus primeras obras, como *Baal* (1922). Le siguieron otras como *Un hombre es un hombre* (1926), así como una considerable colección de poesía. Junto con el compositor KURT WEILL escribió el drama satírico musical *La ópera de tres centavos* (1928, película 1931), que tuvo una amplia aceptación, y la ópera teatral *Ascensión y caída de la ciudad de Mahagonny* (1930). Durante estos años abrazó el marxismo y desarrolló su teoría del TEATRO ÉPICO. Con la llegada al poder del nazismo se exilió, primero en Escandinavia (1933–41), luego en EE.UU., donde escribió sus ensayos más importantes y las obras *Madre Coraje y sus hijos* (1941), *La vida de Galileo Galilei* (1943), *El alma buena de Se-Chuan* (1943) y *El círculo de tiza caucasiano* (1948). Acosado por sus ideas políticas, retornó a Alemania Oriental en 1949, donde fundó la compañía de teatro Berliner Ensemble con la cual representó sus propias obras, entre ellas *La resistible ascensión de Arturo Ui* (1957). Esbozó su teoría del drama en *Breviario de estética teatral* (1949).

Bertolt Brecht, 1931.
ULLSTEIN BILDERDIENST

Breckinridge, John C(abell) (21 ene. 1821, cerca de Lexington, Ky., EE.UU.–17 may. 1875, Lexington). Político, vicepresidente de EE.UU. (1857–61) y oficial del ejército confederado. Ejerció como abogado y luego perteneció a la Cámara de Representantes (1851–55). En 1856 fue elegido vicepresidente junto al presidente JAMES BUCHANAN. En 1860, cuando el Partido Demócrata se dividió por el asunto de la esclavitud, fue el candidato a la presidencia por el ala sureña del partido. Derrotado por ABRAHAM LINCOLN, buscó la transacción, pero, luego del tiroteo sobre el fuerte Sumter, instó a la secesión de Kentucky. Fue general del ejército confederado y participó en las campañas de Vicksburg y valle del Shenandoah. En 1865 fue secretario de guerra del gobierno confederado. Terminada la guerra, huyó a Inglaterra, donde permaneció tres años antes de regresar a Kentucky y retomar su profesión de abogado.

Brécol o bróculi (*Brassica oleracea*, grupo Botrytis).
© ENCYCLOPÆDIA BRITANNICA, INC.

brécol o **bróculi** o **brócoli** Planta anual (*Brassica oleracea*, grupo Botrytis) de la familia de las CRUCÍFERAS muy emparentada con la COL. Es de crecimiento rápido erecta, y ramificada y posee ramilletes compactos de yemas florales comestibles. Originaria del Mediterráneo oriental y Asia menor, fue introducida en EE.UU. talvez en la época colonial. El brécol prospera en los climas fríos y templados. Su sabor es similar al repollo, pero es algo más suave. Es una de las hortalizas comunes más nutritivas.

Breda, Declaración de (1660). Documento emitido por el exiliado rey CARLOS II en Breda, Países Bajos, en el que hacía ciertas promesas a cambio de su restauración en el trono inglés. Expresaba sus deseos de promulgar una amnistía general, la libertad de conciencia, un acuerdo equitativo en las disputas de tierras y la total cancelación de los pagos atrasados al ejército. Dejó las especificaciones en manos de la convención parlamentaria. Ver también RESTAURACIÓN INGLESA.

Breedlove, Sarah ver Sarah Breedlove WALKER

Brel, Jacques (8 abr. 1929, Bruselas, Bélgica–9 oct. 1978, Bobigny, cerca de París, Francia). Cantautor belga. Comenzó su carrera cantando en cafés franceses. Sus canciones, a menudo de una mordacidad aguda y una religiosidad implícita, fueron muy populares en Europa. En 1967–73 actuó y dirigió numerosas películas. Su reputación en EE.UU. se debió a la revista de variedades *Jacques Brel Is Alive and Well and Living in Paris* [Jacques Brel está vivito y coleando en París] (1968).

brema Pez europeo de consumo y pesca deportiva (*Abramis brama*) de la familia Cyprinidae (ver CARPA). Habita en lagos y ríos lentos; vive en cardúmenes y se alimenta de gusanos,

Brema (*Abramis brama*).
W.S. PITT – ERIC HOSKING

moluscos y otros animales pequeños. Su cuerpo es robusto, de lados aplanados y de cabeza pequeña, de color plateado con el dorso azuloso o pardo. Suele medir unos 30–50 cm (12–20 pulg.) de largo y pesa hasta 6 kg (13 lb). Otras especies llamadas brema incluyen el brema plateado (*Blicca bjoorkna*), la SARDINITA dorada y el brema marino (familia Sparidae).

Bremen Antiguo ducado situado en Alemania. Emplazado entre los cursos inferiores de los ríos WESER y ELBA y el noroeste del antiguo ducado de BRUNSWICK-Lüneburg, cubre una superficie de cerca de 5.200 km² (2.000 mi²). Se convirtió en arzobispado en el s. XIII, y en 1648 se transformó en ducado bajo la supremacía de Suecia. En 1715 pasó a formar parte del electorado de la casa de HANNOVER.

Bremen Ciudad (pob., est. 2002: ciudad, 540.950 hab.; área metrop., 849.800 hab.) del noroeste de Alemania. Está situada sobre el río WESER. CARLOMAGNO la instituyó como diócesis en 787 y fue sede de un arzobispado desde 845. En el s. X se convirtió en un centro económico del norte de Alemania, especialmente luego de su ingreso a la Liga HANSEÁTICA en 1358. Se unió a la CONFEDERACIÓN GERMÁNICA en 1815 y al reconstituido Imperio alemán en 1871. Sufrió graves daños en la segunda guerra mundial; después de la guerra, Bremen, con el cercano Bremerhaven (pob., est. 2002: 195.863 hab.), se convirtió en un estado de Alemania Occidental. En la actualidad, el estado, que cubre 404 km² (156 mi²), es parte importante de la economía de Alemania y sede de muchas industrias.

Brennan, William J(oseph), Jr. (25 abr. 1906, Newark, N.J., EE.UU.–24 jul. 1997, Arlington, Va.). Jurista estadounidense. Estudió con FELIX FRANKFURTER en la escuela de derecho de Harvard, y se graduó en 1931. Ejerció como abogado laboralista en Nueva Jersey hasta 1949, cuando fue designado para la Corte Superior del estado. Hizo carrera en los tribunales de Nueva Jersey, donde se distinguió por sus habilidades administrativas. Aunque era demócrata, fue nombrado para la Corte Suprema de los ESTADOS UNIDOS DE AMÉRICA por el presidente republicano DWIGHT D. EISENHOWER en 1956. Llegó a ser considerado como uno de los juristas más influyentes en la historia de dicha corte. Partidario de la interpretación libre de la LEY y defensor del articulado del BILL OF RIGHTS, es quizás mejor recordado por su rol en una serie de causas por obscenidad, comenzando con Roth v. United States (1957), muchas de las cuales ampliaron la protección otorgada a los editores al buscar equilibrar las libertades individuales con los intereses de la comunidad. En el *NEW YORK TIMES V. SULLIVAN* (1964) señaló que incluso las afirmaciones falsas acerca de funcionarios públicos están protegidas por la I y la XIV enmiendas, a menos de que pueda demostrarse la existencia de dolo o malicia reales. También redactó el voto de mayoría en *BAKER V. CARR* (1962). Se opuso a la PENA CAPITAL y apoyó el derecho al aborto, la DISCRIMINACIÓN POSITIVA y la supresión de la segregación racial en las escuelas. Sirvió en el cargo hasta 1990; sus fallos suman más de 1.350.

Brent, Margaret (c. 1600, Gloucestershire, Inglaterra–1669/71, cond. de Westmoreland, Va.). Propietaria colonial inglesa en América del Norte. Llegó a Maryland en 1638 y obtuvo una patente por 70 acres (28 ha), con lo que fue la primera mujer en tener tierras a su nombre en la colonia. En 1657 se contaba entre los terratenientes más grandes de la colonia. En un conflicto fronterizo con Virginia, ocurrido en 1646, organizó un grupo de voluntarios armados en apoyo del gobernador de la colonia de Maryland, LEONARD CALVERT. Al morir este, en 1647, fue su albacea y resolvió un conflicto con los soldados, por pagos pendientes, que casi había ocasionado una guerra civil.

Brentano, Clemens (9 sep. 1778, Ehrenbreitstein, cerca de Coblenza–28 jul. 1842, Aschaffenburg, Baviera). Poeta, novelista y dramaturgo alemán. Fue uno de los fundadores de la escuela romántica de Heidelberg, que daba una importancia especial a la historia y el folclor alemán. Junto con su cuñado, Achim von Arnim (n. 1781–m. 1831), publicó *Der Knaben Wunderhorn* [El cuerno maravilloso] (1805–08), una compilación de poemas folclóricos alemanes que incluye además varias imitaciones muy logradas del estilo folclórico. Esta compilación sería más tarde una gran fuente de inspiración para poetas líricos y compositores como GUSTAV MAHLER. Entre sus obras más populares se destacan sus cuentos de hadas, particularmente *Gockel, Hinkel und Gackeleia* (1838).

Brentano, Franz (Clemens) (16 ene. 1838, Marienberg, Hesse-Nassau–17 mar. 1917, Zurich, Suiza). Filósofo alemán. Sobrino de CLEMENS BRENTANO, se ordenó sacerdote en 1864 y enseñó en la Universidad de Würzburg (1866–73). Las dudas religiosas lo hicieron abandonar el sacerdocio en 1873. Para presentar una psicología sistemática que pudiera servir como una ciencia del alma, escribió la influyente obra *Psychologie von empirischen Standpunkte* [Psicología desde un punto de vista empírico] (1874). Se convirtió en el fundador de la psicología del acto o del intencionalismo, que se ocupa de los actos o procesos mentales (p. ej., percepción, juicio, amor y odio) más que de sus contenidos. Posteriormente fue docente en la Universidad de Viena (1874–80, 1881–95) y publicó trabajos como *Untersuchungen zur Sinnespsychologie* [Investigación sobre la psicología de los sentidos] (1907) y *Von der Klassifikation der psychischen Phänomene* [De la clasificación de los fenómenos psíquicos].

Brescia *antig.* **Brixia** Ciudad (pob., est. 2001: 187.865 hab.) de la región de LOMBARDÍA, en el norte de Italia. Esta ciudad, originalmente una plaza fuerte celta, fue ocupada por los romanos c. 200 AC y se convirtió en una colonia romana, en 27 AC. Fue asolada por los GODOS (412 DC) y saqueada por ATILA (452). Desde 936 hasta 1426 fue una ciudad libre. Posteriormente, perteneció a Venecia, Francia y Austria antes de unirse a Italia, en 1860. Las construcciones históricas incluyen ruinas romanas y catedrales de los s. XI y XVII. Entre los tesoros artísticos de sus numerosas iglesias, se encuentran las obras de los pintores de la escuela de Brescia, de los s. XV y XVI.

Breshkovski, Catalina (1844–12 sep. 1934, cerca de Praga, Checoslovaquia). Revolucionaria rusa. Después de participar en el grupo revolucionario NARÓDNIK (o populista) en la década de 1870, fue arrestada y exiliada a Siberia durante los años 1874–96. En 1901 ayudó a organizar el PARTIDO SOCIALISTA REVOLUCIONARIO y su participación nuevamente la llevó al arresto y el exilio en Siberia (1910–17). Aunque llegó a ser conocida como la "abuelita de la Revolución", se opuso a los bolcheviques después de su victoria en 1917 y emigró a Praga.

Breslau ver WROCŁAW

Breslin, Jimmy *orig.* **James Earl Breslin** (n. 17 oct. 1929, Jamaica, Nueva York, N.Y., EE.UU.). Columnista y novelista estadounidense. Durante su larga trayectoria como columnista, Breslin se hizo conocido como la voz dura que representaba la comunidad de Queens, municipio donde nació y en el que se concentra parte de la clase trabajadora de la ciudad de Nueva York. Comenzó como copista, para luego consolidarse como periodista deportivo y, más tarde, como columnista y colaborador en varias publicaciones. Escribió con pasión, se involucró personalmente en temas políticos y sociales y denunció sin cesar la injusticia y la corrupción. En 1986 ganó el Premio Pulitzer por su defensa de los ciudadanos comunes y corrientes en sus columnas en periódicos. Entre sus obras se cuenta la novela *The Gang That Couldn't Shoot Straight* [La pandilla que no podía disparar con puntería] (1969).

Bresson, Henri Cartier- ver Henri CARTIER-BRESSON

Bresson, Robert (25 sep. 1901, Bromont-Lamonthe, Puy-de Dôme, Francia–18 dic. 1999, París). Director de cine francés. Trabajó como pintor y fotógrafo antes de realizar su primera película en 1934. Su primer largometraje *Los ángeles del pecado* (1943) estableció su estilo austero e intelectual. Reconocido por su intensa indagación psicológica y por someter la trama a la imagen visual, también dirigió *Diario de un cura de campaña* (1950), *Un condenado a muerte se ha fugado* (1956), *Pickpocket* (1959), *El azar de Baltasar* (1966), *Lancelot du Lac* (1974) y *El dinero* (1983).

Brest-Litovsk, tratado de (3 mar. 1918). Tratado de paz firmado en Brest-Litovsk (actualmente en Belarús) por las POTENCIAS CENTRALES y la Rusia soviética, poniendo fin a las hostilidades entre estos países en la primera GUERRA MUNDIAL. Al firmar este tratado, Rusia perdió Ucrania, sus territorios polacos y bálticos, y Finlandia. Más tarde el tratado fue anulado por el ARMISTICIO.

Bretaña *francés* **Bretagne** Península que conforma una región histórica y gubernamental, en el noroeste de Francia. Conocida antiguamente como Armorica, comprendía la zona costera entre los ríos SENA y LOIRA. Habitada por los celtas cambrianos, fue conquistada por JULIO CÉSAR y organizada como la provincia romana de Lugdunensis. Invadida en el s. V DC por los bretones (pueblo celta proveniente de Gran Bretaña), la parte extrema noroccidental fue posteriormente denominada Bretaña. Sometida por CLODOVEO I, nunca fue efectivamente parte de la dinastía MEROVINGIA o de la dinastía CAROLINGIA. Reclamada por Francia en el s. XIII, permaneció como estado independiente hasta el s. XV. En 1532 fue incorporada a Francia y tuvo régimen de provincia hasta la REVOLUCIÓN FRANCESA. De una extensión similar a la de la región histórica pero más pequeña, la región administrativa actual de Bretaña (pob., 1999: 2.906.200 hab.) abarca 27.209 km^2 (10.505 mi^2). Su capital es Rennes.

Vista aérea de Dinard, situada en la costa septentrional de Bretaña, en el golfo de Saint-Malo, Francia.

Brétigny, paz de (1360). Tratado entre Inglaterra y Francia que dio término a la primera etapa de la guerra de los CIEN AÑOS. Significó un serio revés para los franceses; el tratado fue firmado después de que EDUARDO EL PRÍNCIPE NEGRO derrotó y capturó a JUAN II de Francia en la batalla de POITIERS (1356). Los franceses cedieron a Inglaterra extensos territorios en el noroeste de Francia y acordaron pagar tres millones de coronas de oro por el rescate de Juan, mientras que el rey EDUARDO III renunció a sus pretensiones al trono francés. El tratado fracasó en cuanto a establecer una paz duradera y la guerra comenzó nuevamente en 1369.

bretón Lengua CELTA hablada en BRETAÑA, Francia. Fue introducida en los s. V–VI por emigrantes provenientes del sur de Gran Bretaña. Hay testimonios del bretón en glosas de manuscritos latinos de los s. VIII–X, pero no se conoce ningún texto continuo anterior al s. XV. La lengua moderna se divide en cuatro grupos de dialectos muy diferentes. Esta falta de unidad ha obstaculizado los esfuerzos para establecer estándares ortográficos y literarios. Aunque el bretón puede tener medio millón de hablantes, se estima que el uso de la lengua entre los más jóvenes está en franca declinación a pesar del resurgimiento del particularismo regional en Europa occidental.

Breton, André (18 feb. 1896, Tinchebray, Francia–28 sep. 1966, París). Escritor, crítico y editor francés. En 1919 ayudó a fundar la revista *Littérature*, la publicación más importante del DADAÍSMO. Influenciado por la psiquiatría y por el movimiento SIMBOLISTA, escribió poesía usando la técnica de la escritura automática. En 1924 adelantó en su *Manifiestos del surrealismo* una definición de SURREALISMO, del que fue el principal promotor. En la década de 1930 se afilió al Partido Comunista y a los pocos años se retiró; en 1938 fundó en México con LEÓN TROTSKI la Federación de Arte Revolucionario Independiente. Pasó la segunda guerra mundial en EE.UU. y regresó a Francia en 1946. Su libro *Poemas* se publicó en 1948. También escribió ensayos, crítica literaria y novelas, entre ellas *Nadja* (1928).

Bretton Woods, Conferencia de *ofic.* **Conferencia Monetaria y Financiera de las Naciones Unidas** (1–22 jul. 1944). Reunión celebrada en Bretton Woods, N.H., EE.UU., para alcanzar acuerdos en materia de disposiciones financieras para el período de posguerra, luego de la esperada derrota de Alemania y Japón. Los representantes de 44 países, incluida la Unión Soviética, acordaron crear el BANCO INTERNACIONAL DE RECONSTRUCCIÓN Y FOMENTO (BANCO MUNDIAL) y el FMI. Ver también JOHN MAYNARD KEYNES.

bretwalda *o* **brytenwalda** Cualquiera de los varios reyes anglosajones con señorío en otros reinos además del propio. Usado en la *Crónica anglosajona*, el título probablemente significa "señor de los britanos". Le fue concedido a Egberto (m. 839) de Wessex y a siete reyes anteriores: Aelle de Sussex (floreció a fines del s. V), Celin de Wessex (m. 593), Etelberto de Kent (m. 616), Raedwald de Anglia del Este (m. 616/27), Edwin de Northumbria (m. 632), Oswald de Northumbria (m. 641) y Oswiu de Northumbria (m. 670).

Breuer, Marcel (Lajos) (21 may. 1902, Pécs, Hungría–1 jul. 1981, Nueva York, N.Y., EE.UU.). Arquitecto y diseñador de muebles estadounidense de origen húngaro. Estudió y posteriormente enseñó en la BAUHAUS (1920–28), donde en 1925 inventó la famosa silla de acero tubular. En 1937 emigró a Cambridge, Mass., EE.UU., para dar clases en la Universidad de Harvard y ejercer con WALTER GROPIUS. Juntos lograron la síntesis del internacionalismo de la Bauhaus con la construcción sobre la base de marcos de madera de Nueva Inglaterra, que influyó fuertemente en la arquitectura de EE.UU. Breuer fue uno de los exponentes más influyentes del estilo INTERNACIONAL. Sus principales encargos arquitectónicos comprenden la sede de la UNESCO en París (1953–58) y el Whitney Museum of American Art (1966).

Brewer, David J(osiah) (20 jun. 1837, Esmirna, Imperio otomano–28 mar. 1910, Washington, D.C., EE.UU.). Jurista estadounidense. Hijo de misioneros de este país, se crió en Connecticut y ejerció como abogado en Kansas a partir de 1858. Ocupó cargos en la judicatura local (1861–70), la corte suprema del estado (1870–84) y el tribunal federal del distrito. En 1889, el pdte. BENJAMIN HARRISON lo nombró juez de la Corte Suprema de los ESTADOS UNIDOS DE AMÉRICA; en general, junto con los conservadores, se opuso a la tendencia a incrementar el poder y la responsabilidad federales. En 1895-97 presidió la mesa que resolvió el conflicto fronterizo entre Venezuela y la Guayana Británica.

Brewster, William (1567, Inglaterra–abr. 1644, Plymouth, Mass.). Dirigente PURITANO angloamericano de la colonia de Plymouth en Massachusetts. Estudió breve tiempo en la Universidad de Cambridge y se convirtió en la cabeza de una pequeña congregación puritana en Scrooby. La persecución gubernamental obligó a Brewster y sus seguidores a emigrar a Holanda en 1608, donde imprimió libros religiosos en Leiden. Se unió al primer grupo de peregrinos que en 1620 se embarcaron en el *Mayflower* con rumbo a América del Norte.

Cuando los colonos pisaron tierra en Plymouth, Brewster se transformó en el patriarca de la colonia, y fue su jefe religioso y consejero del gobernador WILLIAM BRADFORD.

Breyer, Stephen (Gerald) (n. 15 ago. 1938, San Francisco, Cal., EE.UU.). Jurista estadounidense. Se graduó en la escuela de derecho de Harvard en 1964. Después de trabajar como asistente para ARTHUR J. GOLDBERG (1964–65), enseñó en Harvard (1967–81). Se desempeñó como asesor jurídico especial (1974–75) y asesor jurídico jefe (1979–81) del Comité Judicial del Senado de EE.UU. antes de ser designado para la Corte de Apelaciones del 1er Territorio Jurisdiccional (1980); se convirtió en su presidente en 1990. Desde 1985–89 se desempeñó en la comisión que elaboró pautas para la dictación de sentencias a nivel federal. Fue nominado para la Corte Suprema de los ESTADOS UNIDOS DE AMÉRICA en 1994 por el pdte. BILL CLINTON. Es conocido como una persona pragmática y moderada, aceptable tanto para republicanos como para demócratas.

Brézhnev, Leonid (Ilich) (19 dic. 1906, Kámenskoie, Ucrania, Imperio ruso–10 nov. 1982, Moscú, Rusia, U.R.S.S.). Líder soviético. Trabajó como ingeniero y director de una escuela técnica en Ucrania y ocupó cargos locales en el Partido Comunista; se convirtió en secretario regional del partido en 1939. En la segunda guerra mundial fue comisario político en el Ejército Rojo y ascendió a mayor general (1943). En la década de 1950 apoyó a NIKITA JRUSCHOV e integró el Politburó, aun cuando en 1964 fue el líder de la coalición que desplazó a Jruschov y poco después fue designado secretario general del partido (1966–82). Formuló la doctrina Brézhnev, que sostuvo el derecho soviético a intervenir en los países del pacto de VARSOVIA, como sucedió con Checoslovaquia

(1968). En la década de 1970 procuró normalizar las relaciones con Occidente y promover la DISTENSIÓN con EE.UU. Fue nombrado mariscal de la Unión Soviética en 1976 y presidente del Presidium del soviet supremo en 1977; llegó así a ser el primero en desempeñar el liderazgo tanto del partido como del Estado. Expandió en forma considerable el complejo militar-industrial de la Unión Soviética, y con ello debilitó al resto de la economía. A pesar de su frágil salud, mantuvo el control del poder hasta el final.

Leonid Brézhnev, secretario general del Partido Comunista soviético (1966-82).
FOTOBANCO

brezo Arbusto bajo, siempreverde (*Calluna vulgaris*) de la familia de las ERICÁCEAS, ampliamente distribuido en Europa y Asia occidental, Norteamérica y Groenlandia. Es la vegetación principal en muchos eriales de Europa septentrional y occidental. *C. vulgaris* se distingue de los brezos genuinos, por los lóbulos de su cáliz (ver FLOR), que ocultan los pétalos; en los genuinos, los pétalos cubren el cáliz. El brezo escocés tiene tallos púrpuras, yemas verdes de hojas cerradas y espigas plumosas de flores acampanadas. Tiene varias aplicaciones económicas: con los tallos grandes se hacen escobas, los más cortos se atan en manojos que sirven como cepillos y con los tallos largos rastreros se tejen cestas.

Brian Boru (941, cerca de Killaloe, Irlanda–23 abr. 1014, Clontarf, cerca de Dublín). Gran rey de Irlanda (1002–14). Se convirtió en rey de Munster en 976, obtuvo el control de la mitad sur de Irlanda, perteneciente al gran rey Maelsechlainn en 997 y lo sucedió en 1002. Leinster y los nórdicos (ver VIKINGO) de Dublín se unieron en su contra en 1013 con ayuda extranjera. En la batalla de Clontarf, ganada por su hijo Murchad, fue asesinado en su tienda de campaña por nórdicos en fuga. Los O'Brien, una línea de príncipes, descendían de él.

Briand, Aristide (28 mar. 1862, Nantes, Francia–7 mar. 1932, París). Estadista francés. Se convirtió en secretario general del PARTIDO SOCIALISTA FRANCÉS en 1901 y fue miembro de la Cámara de Diputados (1902–32). Entre 1909 y 1929 fue once veces primer ministro de Francia y ocupó 26 cargos ministeriales entre 1906 y 1932. Sus realizaciones incluyeron los pactos de LOCARNO y KELLOGG-BRIAND. Por sus esfuerzos en pro de la cooperación internacional, la SOCIEDAD DE NACIONES y la paz mundial, compartió en 1926 el Premio Nobel de la Paz con GUSTAV STRESEMANN.

Brice, Fanny *orig.* **Fannie Borach** (29 oct. 1891, Nueva York, N.Y., EE.UU.–29 may. 1951, Los Ángeles, Cal.). Cantante y comedianta estadounidense. Actuó en vodeviles y burlesques, espectáculos en los que el productor FLORENZ ZIEGFELD la descubrió en 1910. Llegó a ser la artista principal

Fanny Brice encarnando el personaje Baby Snooks.
CULVER PICTURES

en su *Follies* con sus números musicales y rutinas cómicas, además de sus escenas satíricas sobre el ballet clásico, las bailarinas con abanicos y melosas canciones de amor, como "My Man". El personaje de Baby Snooks, una incorregible niña que creó para entretener a sus amigos, se convirtió en la favorita del espectáculo *Follies*, y Brice la representó desde 1936 en la radio hasta su muerte. La comedia musical *Funny Girl* (1964, película 1968) de Broadway se basó en su vida.

Bricker, John W(illiam) (6 sep. 1893, cond. de Madison, Ohio, EE.UU.–22 mar. 1986, Columbus, Ohio). Político estadounidense, gobernador de Ohio (1939–45) y senador de EE.UU. (1947–59). Se tituló en la Ohio State University (1916), ejerció como abogado y luego ocupó el cargo de procurador del estado (1933–37). Fue elegido gobernador y se convirtió en el primer republicano en ganar tres elecciones consecutivas. Acompañó a THOMAS DEWEY como candidato a vicepresidente en la elección presidencial de 1944. En su calidad de senador encabezó iniciativas para frenar el poder presidencial en asuntos exteriores. En 1953 patrocinó una modificación constitucional cuyo objeto era limitar la participación de EE.UU. en tratados internacionales; debido a la oposición de JOHN FOSTER DULLES, la iniciativa fracasó por escaso margen.

bridge Juego de naipes similar al WHIST. El bridge es cualquiera de varios juegos –entre ellos el *auction bridge* y el *contract bridge*–, los que retienen las características esenciales del *whist*: cuatro jugadores asociados en parejas. Se juega con una baraja de 52 naipes (baraja francesa), que se reparten boca abajo y de a uno, siguiendo el sentido de los punteros del reloj. Cuando comienza el juego, el objetivo es ganar la baza, que consiste en cuatro cartas jugadas en su turno, una por cada jugador que va rotando. Los jugadores deben, si pueden, contribuir con una carta de la pinta que lidera, y la baza la obtiene la carta más alta. Todas las bazas que se juegan más allá de las seis primeras se conocen como bazas declaradas. Antes de comenzar el juego, una pinta puede designarse como la pinta de triunfo, en cuyo caso cualquier naipe de esa pinta gana a todo el resto. En todos los tipos de bridge es necesario cierto número de puntos para ganar un juego, y dos juegos ganados por el mismo equipo permiten ganar la competencia (conocida como "rubber").

Bridgeport Ciudad (pob., 2000: 139.529 hab.) en el sudoeste del estado de Connecticut, EE.UU. Ubicada sobre el estrecho de LONG ISLAND en la desembocadura del río Pequonnock, fue fundada en 1639. Sus primeros nombres fueron Newfield y Stratford; en 1800 se optó por Bridgeport. P.T. BARNUM fue su alcalde en alguna ocasión y su atracción principal, "Tom Thumb", nació allí. La ciudad se convirtió en centro industrial después de la guerra de SECESIÓN. A fines del s. XX, su base industrial se debilitó y provocó problemas financieros a la ciudad.

Bridger, Jim *orig.* **James Bridger** (17 mar. 1804, Richmond, Va., EE.UU.–17 jul. 1881, cerca de Kansas City, Mo.). Explorador en la frontera estadounidense. A partir de 1822 dirigió expediciones de caza de pieles a Utah e Idaho. Fue el primer hombre de raza blanca en visitar el Gran Lago Salado (1824) y de los primeros en explorar la zona del río Yellowstone, en Wyoming. En 1843 instaló un centro de comercio de pieles en Fort Bridger, Wyo., en la senda de OREGÓN. Después del decenio de 1850 se desempeñó como explorador del gobierno. Ganó fama legendaria por su amplio conocimiento del territorio y de los indios que lo habitaban.

Bridges, Calvin Blackman (11 ene. 1889, Shuyler Falls, N.Y., EE.UU.–27 dic. 1938, Los Ángeles, Cal.). Genetista estadounidense. Ingresó a la Universidad de Columbia en 1909 y colaboró con THOMAS HUNT MORGAN en el diseño de experimentos con *Drosophila* que demostraron que las variaciones en los insectos podían rastrearse a cambios observables en sus genes. Estos experimentos condujeron a la confección de mapas genéticos y permitieron comprobar la teoría cromosómica de la herencia. En 1928, Bridges y Morgan se trasladaron al Instituto Tecnológico de California, donde Bridges siguió haciendo mapas genéticos y más tarde descubrió una clase importante de mutantes de drosófila debida a la duplicación de genes.

Bridges, Harry *orig.* **Alfred Bryant Renton** (28 jul. 1901, Kensington, cerca de Melbourne, Victoria, Australia–30 mar. 1990, San Francisco, Cal., EE.UU.). Líder laboral estadounidense de origen australiano. Llegó a EE.UU. en 1920 como marinero, estableciéndose pronto en San Francisco; tuvo una participación activa en la rama local de la Asociación internacional de estibadores (ILA). En 1937 desafilió del ILA a la división de la costa del Pacífico, la que posteriormente se reorganizó como la Unión internacional de estibadores y almacenadores (ILWU), afiliándola al CIO (ver AFL-CIO). Sus tácticas laborales agresivas y sus conexiones con el Partido Comunista hicieron que la ILWU fuera expulsada del CIO en 1950 durante una purga de sindicatos supuestamente comunistas. Sus opositores trataron entonces de deportar a Bridges sin conseguirlo. Jubiló como presidente de la ILWU en 1977.

Bridges, Robert (Seymour) (23 oct. 1844, Walmer, Kent, Inglaterra–21 abr. 1930, Boar's Hill, Oxford). Poeta inglés. Publicó varios poemas largos y dramas líricos, pero su fama se debe a sus piezas líricas recogidas en *Shorter Poems* [Poemas breves] (1890, 1894), donde se hace evidente su maestría en el uso de la métrica y el ritmo lírico. La edición que publicó en 1916 de la poesía de su amigo GERARD MANLEY HOPKINS la rescató del olvido. Fue poeta laureado de Inglaterra desde 1913 hasta su muerte.

Robert Bridges, dibujo por W. Strang.
GENTILEZA DE LA NATIONAL PORTRAIT GALLERY, LONDRES

Bridgetown Capital (pob., 1990: 6.070 hab.) de BARBADOS, en las Antillas. Ubicada en la bahía de Carlisle en el extremo sudoccidental de Barbados, es el único puerto de ingreso a la isla. Fundada en 1628, su nombre original fue Indian Bridge. El nombre de St. Michael's Town surgió c. 1660 y permaneció en uso hasta el s. XIX. El poblado fue devastado repetidas veces por incendios y en 1854 una epidemia de cólera mató a unas 20.000 personas. La catedral anglicana de St. Michael's, construida en roca de coral, es uno de sus atractivos principales. Entre los pilares económicos se incluye la refinación de azúcar, la destilación de ron y el turismo.

Brienne, Juan de ver JUAN DE BRIENNE

brigada UNIDAD MILITAR al mando de un brigadier general o de un coronel, y compuesta de dos o más unidades subordinadas, como REGIMIENTOS O BATALLONES. Dos o más brigadas conforman una división.

Brigadas internacionales Grupos de voluntarios extranjeros que lucharon en el bando republicano contra las fuerzas nacionalistas en la guerra civil ESPAÑOLA (1936–39). Denominadas así debido a que sus miembros provenían inicialmente de unos 50 países, las Brigadas internacionales fueron reclutadas, organizadas y dirigidas por el KOMINTERN, con cuartel general en París. El contingente estadounidense se denominó a sí mismo Batallón Abraham Lincoln. Muchos de sus miembros, en su mayoría jóvenes, ya eran comunistas antes de que participaran en la guerra; otros se incorporaron al partido en el transcurso de ella. El número total de voluntarios llegó a unos 60.000. Las brigadas fueron retiradas oficialmente de España a fines de 1938.

Cartel clamando por la lucha, publicado por las Brigadas internacionales, 1936–37.

GENTILEZA DE LA ABRAHAM LINCOLN BRIGADE ARCHIVES, BIBLIOTECA DE LA UNIVERSIDAD BRANDEIS, EE.UU.

Brigadas Rojas *italiano* **Brigate Rosse** Organización terrorista italiana de extrema izquierda. Proclamó como objetivo socavar el Estado italiano y allanar el camino para un levantamiento marxista encabezado por un "proletariado revolucionario". Según la opinión generalizada, fue fundada por Renato Curcio (n. 1945) y comenzó realizando actos violentos con bombas incendiarias (1970), para luego proseguir con secuestros (1971) y asesinatos (1974), siendo el más importante el de ALDO MORO (1978). En su etapa más activa, tuvo probablemente entre 400 y 500 miembros de tiempo completo, quizás unos 1.000 miembros esporádicos y unos pocos miles de partidarios. El arresto y prisión de muchos de sus cabecillas y militantes de base debilitó en forma importante a la organización en la década de 1980. Sin embargo, un grupo que se autodenomina Brigadas Rojas se ha responsabilizado de varios ataques violentos en la década de 1990 y a principios del s. XXI.

Brigham Young, Universidad Universidad privada ubicada en Provo, Utah, EE.UU. Fue fundada en 1875 por BRIGHAM YOUNG, presidente de la Iglesia mormona (ver MORMÓN), y continúa siendo financiada por la misma Iglesia. La institución está compuesta por nueve *colleges* (colegios universitarios), además de escuelas de administración de negocios y derecho. Cuenta con importantes instalaciones de investigación, como los laboratorios de física nuclear, del plasma y del estado sólido, ecología acuática y patologías veterinarias, como asimismo, con institutos para el estudio de los alimentos y la agricultura y la industria manufacturera computarizada.

Bright, John (16 nov. 1811, Rochdale, Lancashire, Inglaterra–27 mar. 1889, Rochdale). Orador y político reformista británico. Ingresó al parlamento en 1843 y fue tres veces miembro del gabinete de WILLIAM E. GLADSTONE. Participó de manera activa en campañas por la libertad de comercio, la disminución de los precios de los cereales y la reforma parlamentaria. Sus creencias cuáqueras dieron forma a su ideario político, que consistió principalmente en exigir el fin de las desigualdades entre las personas y entre los pueblos. Denunció la guerra de Crimea, apoyó la ley de REFORMA DE 1867 y fue cofundador (junto con RICHARD COBDEN) de la LIGA CONTRA LAS LEYES CEREALISTAS.

El Royal Pavilion, palacio real de estilo oriental, Brighton, Inglaterra.
JOHN MILLER/ROBERT HARDING WORLD IMAGERY/GETTY IMAGES

Brighton Ciudad (pob., est. 1995: 143.000 hab.) del sur de Inglaterra. Situada a orillas del canal de la MANCHA al sur de Londres, durante varios siglos fue un pequeño pueblo de pescadores, pero se popularizó a fines del s. XVIII cuando el príncipe de Gales (luego JORGE IV) realizó la primera de muchas visitas a Brighton. Su fuerte patrocinio le dio un sello de carácter distinguido a la ciudad que aún se aprecia en sus plazas y manzanas de estilo REGENCIA. El Brighton victoriano creció rápidamente con la inauguración del ferrocarril que lo conectó con Londres (1841).

Brígida, santa (c. 1303, Suecia–23 jul. 1373, Roma; canonizada el 8 oct. 1391; festividad: 23 de julio). Mística y santa patrona de Suecia. Tuvo visiones religiosas desde temprana edad, pero contrajo matrimonio y tuvo ocho hijos, entre ellos santa Catalina de Suecia. A la muerte de su esposo (1344), se retiró a una vida de oración. Vivió en Roma después de 1350, esforzándose por traer al papa de regreso de Aviñón. En respuesta a una revelación, fundó una nueva orden religiosa en 1370, la orden de Santa Brígida. En 1372, inspirada por otra visión, viajó a Tierra Santa y murió poco después de regresar a Roma.

Brigit En la religión CELTA, diosa de la poesía, la artesanía, la profecía y la adivinación. Era equivalente a la MINERVA romana, la ATENEA griega y sustancialmente idéntica a la diosa Brigantia del norte de Britania. En Irlanda le rendían culto los *filid*, una casta poética y sacerdotal. Era una de las tres hijas de Dagda, todas llamadas Brigit; las otras estaban asociadas a la sanación y a la herrería. Algo de la tradición popular que circundaba a Brigit se transfirió a santa Brígida, abadesa irlandesa del s. V. Su festividad es el 1 de febrero, día en que se celebra el Imbolc, festival pagano relacionado con el tiempo en que las ovejas comienzan a dar leche. Su gran monasterio de Kildare probablemente fue fundado sobre un santuario pagano. Muchos pozos sagrados de las islas Británicas están dedicados a la santa.

Brillat-Savarin, (Jean-) Anthelme (1 abr. 1755, Belley, Francia–2 feb. 1826, París). Abogado y gastrónomo francés. Alcalde del pueblo de Belley, huyó de Francia durante el reinado del TERROR, pero retornó para integrar la más alta corte de Francia, cargo en que permaneció el resto de su vida. Su célebre *Physiologie du goût* [Fisiología del gusto], publicada en 1825, es más un ingenioso compendio de anécdotas y observaciones destinadas a aumentar los placeres de la mesa, que un tratado sobre cocina.

brillo nocturno ver GEGENSCHEIN

brillo terrestre Luz del Sol reflejada por la Tierra, en especial aquella dirigida hacia la cara oscura de la LUNA. Algunos días antes y después de la luna nueva, esta luz doblemente reflejada tiene la potencia suficiente para hacer visible todo el disco lunar, produciendo el efecto llamado "la luna nueva lleva a la luna vieja en sus brazos".

Brinkman, Johannes Andreas (22 mar. 1902, Rotterdam, Países Bajos–6 may. 1949, Rotterdam). Arquitecto holandés. Luego de graduarse en la Universidad Técnica de Delft, ayudó a diseñar la fábrica de tabaco Van Nelle (1928–30) en Rotterdam, uno de los edificios industriales más importantes de la década de 1920. Es un ejemplo sobresaliente de la arquitectura modernista, por sus extensiones vidriadas continuas que comunican una fuerte sensación de ligereza y transparencia.

briófita Cualquiera de las plantas terrestres verdes, sin semillas, que conforman la división Briofita. Existen por lo menos 18.000 especies divididas en tres clases: MUSGOS, HEPÁTICAS y ANTOCEROTES. Se diferencian de las PLANTAS VASCULARES y de las ESPERMATÓFITAS por la producción de un solo órgano que contiene ESPORAS en su fase esporífera. La mayoría de las briófitas alcanzan 2–5 cm (0,8–2 pulg.) de alto, o tendidas, menos de 30 cm (12 pulg.) de largo. Presentes en todo el mundo, desde las regiones polares hasta las zonas tropicales, abundan más en ambientes húmedos, aunque ninguna es marina. Las briófitas tienen una excelente tolerancia a condiciones de sequía y congelamiento. La TURBA está compuesta por briófitas y tiene importancia económica para los humanos en horticultura y como fuente de energía. Algunas briófitas son de uso ornamental, en los jardines de musgo. En la naturaleza, las briófitas inician la formación del suelo en terrenos estériles y mantienen su humedad, y reciclan los nutrientes en los ecosistemas forestales. Se encuentran en rocas, leños y en el humus de los bosques.

briozoo INVERTEBRADO acuático del filo Bryozoa ("animal musgo"), cuyos miembros (llamados zooides) forman colonias. Cada zooide es un animal completo y totalmente organizado. Las especies varían de tamaño desde la "colonia" de un solo zooide lo suficientemente pequeña (1 mm de largo o menos de 0,04 pulg.) como para vivir entre partículas de arena hasta colonias que cuelgan en grupos o cadenas de hasta 0,5 m (1,6 pies) de diámetro. La textura de las colonias va desde suave y gelatinosa hasta dura con esqueletos calcáreos. Los briozoos de agua dulce se adhieren principalmente a hojas, tallos y raíces de árboles de aguas someras. Los briozoos marinos tienen una gran variedad de hábitats, desde las áreas costeras hasta las grandes profundidades oceánicas, pero son más comunes justo por debajo de la línea mareal. Los briozoos se alimentan capturando plancton con sus tentáculos.

Brisbane Ciudad (pob., 1996: aglomeración urbana, 1.291.117 hab.) de QUEENSLAND, Australia. Ocupa la ribera norte del río del mismo nombre cerca de su desembocadura en la bahía de MORETON; el sector fue explorado por primera vez por los ingleses en 1823. Se fundó en 1824 como colonia penal y fue declarada ciudad en 1834, fecha en que fue bautizada en honor a Sir Thomas Brisbane,

Vista de la ciudad de Brisbane y el río del mismo nombre, Australia.
DAVID JOHNSON

ex gobernador de Nueva Gales del Sur. Pasó a ser la capital de Queensland en 1859 y en la década de 1920 se fusionó con Brisbane del Sur para formar el Gran Brisbane. La ciudad, conectada por puentes y transbordadores, es la tercera más populosa de Australia; es un puerto muy activo y centro de vías férreas y carreteras. Es la sede del Centro Cultural de Queensland y de una universidad.

Brisbane, Albert (22 ago. 1809, Batavia, N.Y., EE.UU.–1 may. 1890, Richmond, Va.). Reformador social estadounidense. Hijo de terratenientes acaudalados viajó a Europa en 1828 a estudiar la reforma social con los grandes pensadores

de la época. Desilusionado de FRANÇOIS GUIZOT, en París, y de G.W.F. HEGEL, en Berlín, descubrió luego las obras de CHARLES FOURIER, con quien estudió durante dos años. En 1834 regresó a EE.UU. y más adelante fundó una comunidad Fourier en Nueva Jersey. Su libro *Social Destiny of Man* [Destino social del hombre] (1840) despertó amplio interés. En su columna en el diario *New York Tribune* explicó el sistema Fourier de comunidades autosuficientes, que él llamó "asociacionismo". Su hijo Arthur (n. 1864–m. 1936) fue director del *New York Evening Journal* (1897–1921) y del *Chicago Herald and Examiner* (a partir de 1918).

brise-soleil *o* **quiebrasol** Deflector de la luz solar compuesto de celosías verticales u horizontales fuera de las ventanas o que se extiende sobre la superficie completa de la fachada de un edificio, en especial, las cuadrículas de hormigón prefabricado del tipo desarrollado por LE CORBUSIER. Existen muchos métodos tradicionales para reducir los efectos del brillo del sol, como la ventana de celosías que sobresale del piso superior (*mashrabiyah* o *mushrabiyah*), usada en la arquitectura islámica, las pantallas perforadas como las utilizadas en el TAJ MAJAL o las persianas de bambú partido (*sudare*) empleadas en Japón.

Brisgovia *alemán* **Breisgau** Región histórica del sudoeste de Alemania. Se ubica entre el río RIN y la SELVA NEGRA, y en el pasado fue parte del Imperio romano. A partir del s. III DC fue ocupada por los alamanes, tribu germánica. A comienzos de la Edad Media se transformó en un condado y en 1120 se fundó el poblado de Friburgo de Brisgovia (Freiburg im Breisgau). En el s. XIV, la dinastía HABSBURGO la incorporó casi en su totalidad a sus dominios. Brisgovia sufrió asedios destructivos durante su guerra de los TREINTA AÑOS, y por algún tiempo estuvo en poder de los suecos. Actualmente forma parte del estado de Baden-Württemberg.

Brissot (de Warville), Jacques-Pierre (15 ene. 1754, Chartres, Francia–31 oct. 1793, París). Político revolucionario francés. Fundó el periódico popular *Le Patriote Français* y se convirtió en líder de los GIRONDINOS (a menudo llamados "brissotinos") en la REVOLUCIÓN FRANCESA. Elegido a la Asamblea Legislativa en 1791, abogó por la guerra contra Austria, argumentando que consolidaría la Revolución. Junto a otros girondinos, fue arrestado y guillotinado durante el reinado del TERROR.

Bristol Ciudad (pob., 2001: 380.615 hab.) del sudoeste de Inglaterra. Ubicada en la confluencia de los ríos AVON y Frome, esta ciudad recibió su primera carta fundacional en el año 1155. Ha sido por mucho tiempo un centro comercial, y en 1497 fue el punto de partida de GIOVANNI CABOTO en su búsqueda de una ruta a Asia. Durante los siglos XVII–XVIII se enriqueció con el comercio triangular (ron, melaza y esclavos) entre África occidental y las colonias con plantaciones de las Antillas y EE.UU. A pesar de que se redujo el intercambio comercial en Bristol a comienzos del s. XIX, pronto se recuperó con la llegada del ferrocarril. Sufrió grandes daños con los bombardeos durante la segunda guerra mundial, pero fue reconstruida. En la actualidad es un importante centro de transporte marítimo, especialmente de petróleo y productos alimenticios.

Bristol, canal de Ensenada del océano Atlántico, en el sudoeste de Inglaterra. Se extiende aprox. 135 km (85 mi), entre Gales del Sur y el sudoeste de Inglaterra y alcanza entre 8 y 69 km (5–3 mi) de ancho. Lundy Island, otrora una fortaleza pirata, se ubica en el centro del canal, isla que se mantiene como una reserva protegida. Los barcos que utilizan el puerto inglés de BRISTOL y los puertos galeses de SWANSEA y CARDIFF atraviesan el canal.

Bristol, Universidad de Universidad pública de Inglaterra fundada en 1876 como un COLLEGE (colegio universitario) de la Universidad de Londres, bajo el nombre de Bristol University College. En 1893 se fusionó con la Escuela de medicina de Bristol y, en 1909, con el Merchant Venturers' Technical College, para formar la actual Universidad de Bristol, al tiempo que recibía su decreto real. Fue la primera universidad del Reino Unido en aceptar mujeres en igualdad de condiciones. Está organizada en 45 departamentos, distribuidos en seis facultades: artes, ingeniería, ciencias médicas y veterinarias, medicina y odontología, ciencias y derecho, y ciencias sociales. Ofrece programas de pregrado y posgrado, además de cursos de educación continua. Las distintas facultades se encuentran en la ciudad de Bristol, destacando las de medicina, derecho e ingeniería, que gozan de gran prestigio. Sir WINSTON CHURCHILL fue canciller de la Universidad de Bristol en 1929–65.

Antiguo grabado de la isla de Gran Bretaña, cuna del Imperio británico, mapa cartografiado por John Speed, 1616.

FOTOBANCO

Britania Nombre que históricamente se ha utilizado para denominar la isla de GRAN BRETAÑA. Se emplea en forma especial para referirse a sus períodos prerromano, romano y anglosajón temprano. Proviene de la expresión latina *Britannia*. Ver también REINO UNIDO.

británico, Imperio Sistema mundial de colonias, protectorados y otros territorios que durante tres siglos estuvo a cargo del gobierno británico. La expansión territorial se inició a comienzos del s. XVII con varios asentamientos en América del Norte y las Antillas, las Indias Orientales y factorías comerciales en África instaladas por particulares y empresas mercantiles. En el s. XVIII, los británicos ocuparon GIBRALTAR, establecieron colonias a lo largo del litoral Atlántico, y comenzaron a adicionar territorio en India. Con su victoria en la guerra FRANCESA E INDIA (1763), el Imperio aseguró Canadá y el valle oriental del Mississippi y ganó supremacía en India. Desde fines del s. XVIII, comenzó a hacerse fuerte en Malasia y adquirió el cabo de Buena Esperanza, Ceilán (ver SRI LANKA) y MALTA. Los ingleses se establecieron en Australia en 1788, y más tarde en Nueva Zelanda. ADÉN fue asegurada en 1839 y HONG KONG en 1842. Gran Bretaña pasó a tomar el control del canal de SUEZ (1875–1956). En la partición europea de África, ocurrida en el s. XIX, adquirió Nigeria, Egipto, los territorios que se transformarían en ÁFRICA ORIENTAL BRITÁNICA, y parte de la futura Unión (más tarde República) Sudafricana. Después de la primera guerra mundial, Gran Bretaña aseguró sus mandatos sobre África Oriental Alemana, una parte de las dos Camerún, una parte de Togo, África Sur Oc-

cidental Alemana, MESOPOTAMIA, PALESTINA y parte de las islas alemanas del Pacífico. Antes de 1783, Gran Bretaña reclamó la autoridad absoluta para legislar sobre las colonias; después de que EE.UU. alcanzó su independencia, gradualmente desarrolló un sistema de autogobierno para algunas colonias, como quedó establecido a partir del informe de Lord Durham en 1839. Se otorgó la condición de dominio a Canadá (1867), Australia (1901), Nueva Zelanda (1907), la Unión Sudafricana (1910) y el Estado Libre de Irlanda (1921). En 1914, Gran Bretaña declaró la guerra a Alemania en nombre de todo el Imperio; después de la primera guerra mundial, los dominios firmaron por sí mismos los tratados de paz y se incorporaron a la SOCIEDAD DE NACIONES como estados independientes. En 1931, el estatuto de WESTMINSTER los reconoció como estados independientes "dentro del Imperio británico", en referencia a la "Comunidad Británica de Naciones". Al momento de su fundación, la Comunidad estaba compuesta por el Reino Unido, Australia, Canadá y el Estado Libre de Irlanda (que se retiró en 1949; Ver IRLANDA), TERRANOVA Y LABRADOR (transformada en provincia canadiense en 1949), Nueva Zelanda y la Unión Sudafricana (retirada en 1961). Después de la segunda guerra mundial, sin utilizar más la denominación oficial de "británica", la Comunidad estaba integrada por los siguientes países: India, Pakistán (1947; retirado en 1972 y reincorporado en 1989); Ceilán (1948; actual Sri Lanka); Ghana (1957); Nigeria (1960); Sierra Leona (1961); Jamaica, Trinidad y Tobago, Uganda, Samoa Occidental (1962); Kenia, Malasia (1963); Malawi, Malta, Tanzania, Zambia (1964); Gambia, Singapur (1965); Barbados, Botswana, Guyana, Lesotho (1966); Mauricio, Nauru (con condición especial), Swazilandia (1968); Tonga (1970); Bangladesh (1972); Las Bahamas (1973); Granada (1974); Papúa Nueva Guinea (1975); Seychelles (1976); islas Salomón, Tuvalu (con condición especial), Dominica (1978); Santa Lucía, Kiribati, San Vicente y las Granadinas (1979); Zimbabwe, Vanuatu (1980); Belice, Antigua y Barbuda (1981); Maldivas (1982); Saint Kitts y Nevis (1983); Brunei (1984); República de Sudáfrica (reincorporada en 1994); Camerún, Mozambique (1995). La última colonia británica de importancia, Hong Kong, fue devuelta a la soberanía china en 1997.

British Airways Línea aérea internacional de pasajeros, con destinos a más de 80 países. Sus oficinas centrales se encuentran en Londres. La empresa nacionalizada British Overseas Airways Corporation (BOAC) y la empresa British European Airways (BEA) fueron sus predecesoras. En 1974, BEA y BOAC se unieron para formar British Airways. La aerolínea fue privatizada en 1987. Ese mismo año se fusionó con British Caledonian.

British American Tobacco PLC *ant.* **British-American Tobacco Company Ltd. (1902–76)** *y* **B.A.T Industries PLC (1976–98)** Conglomerado de empresas británico, uno de los mayores fabricantes de productos de tabaco a nivel mundial. Tiene sus oficinas centrales internacionales en Londres, en tanto que las oficinas de su subsidiaria principal en EE.UU., Brown & Williamson Tobacco Corporation, se ubican en Louisville, Ky. Entre sus adquisiciones figuran American Tobacco Company (1994), que representa a marcas de cigarrillos como Pall Mall y Lucky Strike; Rothmans International (1999), conocida por sus marcas Dunhill y Rothmans, y la compañía de cigarrillos más grande de Canadá, Imperial Tobacco (2000).

British Broadcasting Corp. ver BBC

British Columbia ver COLUMBIA BRITÁNICA

British Columbia, University of Universidad pública situada en Vancouver, Canadá. Es una de las universidades más grandes del país y la más antigua de la provincia (fundada en 1908). Incluye facultades de agronomía, ciencias aplicadas, artes, comercio y administración de empresas, odontología, educación e ingeniería forestal. Asimismo, ofrece estudios de posgrado en derecho, medicina, farmacia, teología y ciencias. En el UBC Botanical Garden (jardín botánico de la universidad), que se encuentra abierto al público, se llevan a cabo investigaciones sobre las plantas. La universidad dicta además extensos programas de estudio en el extranjero y programas de educación permanente.

British Invasion (español: "Invasión británica"). Movimiento musical. A mediados de la década de 1960, la popularidad de varios grupos británicos de rock-and-roll ("beat") se expandió rápidamente por EE.UU.; comenzó en 1964 con la llegada triunfante de The BEATLES de Liverpool a Nueva York y continuó con The ROLLING STONES, The Animals y otros. Estos grupos, basándose en modelos musicales estadounidenses de la década de 1950, incorporaron tradiciones locales como el *skiffle* (conjuntos acústicos sin batería), la música de los salones de baile y el folclore celta.

British North America Act (inglés: "ley para la América del Norte británica") (1867). Ley del parlamento británico por medio de la cual tres colonias británicas –Nueva Escocia, Nueva Brunswick y Canadá– fueron unificadas como "un dominio bajo el nombre de Canadá". También dividió la provincia de Canadá en las provincias de Quebec y Ontario. Hizo las veces de "constitución" de Canadá hasta 1982, cuando se convirtió en el fundamento de la ley constitucional de CANADÁ.

Britten de Aldeburgh, (Edward) Benjamin Britten, barón (22 nov. 1913, Lowestoft, Suffolk, Inglaterra–4 dic. 1976, Aldeburgh, Suffolk). Compositor británico. Estudió en el Royal College of Music, donde conoció al tenor Peter Pears (n. 1910–m. 1986), quien sería su compañero de toda la vida. Sus auspiciosas *Variaciones sobre un tema de Frank Bridge* (1937) para orquesta de cuerdas, le valieron renombre internacional. Su ópera *Peter Grimes* (1945) lo consagró como uno de los principales compositores de este género. En 1948 fue uno de los fundadores del festival de Aldeburgh, que se convirtió en uno de los festivales de música ingleses más importantes y en el centro de la actividad musical de Britten. Sus óperas incluyen *El rapto de Lucrecia* (1946), *La vuelta de tuerca* (1954) y *Muerte en Venecia* (1973), las

Benjamin Britten, 1960.
CAMERA PRESS

cuales son admiradas por su diestra adaptación de textos en inglés y por sus interludios orquestales, así como por su idoneidad dramática y profunda caracterización psicológica. Su gran obra coral *War Requiem* (1961) fue muy aclamada y su pieza orquestal más conocida es *The Young Person's Guide to the Orchestra* (1946). En 1976 se convirtió en el primer compositor británico ennoblecido.

Brno *alemán* **Brünn** Ciudad (pob., est. 2001: 379.185 hab.) del sudeste de la República Checa. Ubicada al sudeste de PRAGA, la ciudad está en una zona donde existen indicios de vida prehistórica y vestigios de asentamientos celtas y eslavos, de los s. V–VI DC. Gracias a la colonización alemana en el s. XIII, Brno creció y en 1243 alcanzó la condición de ciudad. Durante las numerosas guerras de los s. XVI–XIX, la sitiaron los suecos, los prusianos y los franceses. Antes de la primera guerra mundial, fue la capital de MORAVIA, provincia de la corona austríaca. Los habitantes, predominantemente alemanes antes de la segunda guerra mundial, son en la actualidad checos en su mayoría. GREGOR MENDEL desarrolló su teoría sobre la herencia (1865) en el monasterio de Brno.

Broadway Barrio teatral en Nueva York. Su nombre proviene de la avenida que atraviesa el sector de Times Square, que se encuentra en el centro de Manhattan, y donde se ubica la mayoría de los más importantes teatros. Broadway atrajo a productores teatrales y empresarios desde mediados del s. XIX, y a medida que prosperaba la ciudad, el número y tamaño de las salas teatrales aumentaba; en la década de 1890, la avenida de vistosa iluminación se hizo conocida como "la Gran Vía Blanca". En 1925, la actividad teatral tuvo su auge con aproximadamente 80 salas en la avenida o en sus alrededores; en 1980, sólo quedaban 40. En la década de 1990, la revitalización del deteriorado barrio de Times Square atrajo mayor cantidad de público; sin embargo, los altos costos de producción limitaron la viabilidad de propuestas teatrales más profundas, y se ha optado a menudo por presentar comedias musicales de gran factura, además de otras apuestas comerciales de gusto masivo. Ver también OFF-BROADWAY.

Barrio teatral de Broadway, Nueva York, EE.UU.
ARCHIVO EDIT. SANTIAGO

broca Herramienta para perforar agujeros mediante un mecanismo giratorio. Las brocas y las BARRENAS tienen aristas cortantes que desprenden material para dejar un agujero. El taladrado suele requerir una alta velocidad, pero bajo TORQUE, de manera que se retira poco material en cada revolución de la herramienta. Las primeras brocas para taladro (quizás de la EDAD DEL BRONCE) tenían aristas afiladas, las que posteriormente evolucionaron hacia formas en flecha con dos marcadas aristas cortantes. La eficacia de esta forma conservó su popularidad hasta fines del s. XIX, cuando se comenzaron a fabricar brocas con estrías en espiral a un costo razonable, que desplazaron a las artesanales. Para perforar rocas (p. ej., para túneles o pozos de petróleo) se usan brocas rotatorias que contienen diamantes u otros materiales duros. Ver también PRENSA TALADRADORA.

Broca, Paul (28 jun. 1824, Sainte-Foy-la-Grande, Francia–9 jul. 1880, París). Cirujano francés. Sus estudios de las lesiones cerebrales contribuyeron significativamente a la comprensión del origen de las afasias. El grueso de la investigación de Broca se ocupó del estudio comparado de los cráneos de las razas humanas, trabajo que ayudó al desarrollo de la moderna antropología física. Creó métodos para estudiar la forma, la estructura y la superficie del cerebro y las características superficiales y secciones de cráneos prehistóricos. Su descubrimiento (1861) del centro del habla en el cerebro (circunvolución de Broca) fue la primera prueba anatómica de la localización de una función cerebral.

brocado Tela tejida con un diseño floral u otras figuras en relieve que se introduce durante el proceso de TEJEDURA. El diseño, que aparece solamente en el anverso de la tela, se hace por lo general en un tejido de SATÉN o SARGA. El fondo puede ser de satén, sarga o de otro tejido liso. Esta tela rica y bastante pesada se usa con frecuencia para vestidos de noche, cortinajes y tapicería.

Detalle de seda italiana tejida a mano y decorada con brocado de motivos florales, c. 1730–50.
GENTILEZA DE SCALAMANDRE, NUEVA YORK

Broch, Hermann (1 nov. 1886, Viena, Austria–30 may. 1951, New Haven, Conn., EE.UU.). Escritor alemán. Estudiante de física, matemáticas y filosofía, Broch publicó su primera obra importante, *Los sonámbulos* (1931–32), ya cumplidos los 40 años. Una trilogía en la que narra la desintegración de la sociedad europea entre 1888 y 1918 y que ejemplifica, por el uso que hace de diversas formas narrativas para presentar una amplia gama de experiencias, lo que son sus innovadoras novelas multidimensionales. Sus otras novelas incluyen *La muerte de Virgilio* (1945), que describe las últimas 18 horas de la vida de VIRGILIO, y *Die Verzauberung* [El hechizo] (1953), que narra la dominación que un extranjero hitleriano ejerce sobre una aldea. También escribió ensayos, cartas y reseñas.

brochadora MÁQUINA HERRAMIENTA, por lo general operada en forma hidráulica, para acabar superficies mediante la tracción o el empuje de una pieza cortante, llamada brocha, que recorre toda la superficie y la rebasa. Una brocha tiene una serie de dientes cortantes dispuestos en una hilera o en hileras, de altura escalonada desde el diente que corta primero hasta aquellos que cortan último. Cada diente quita solamente unas pocas milésimas de centímetro y la profundidad total del corte se distribuye a lo largo de todos los dientes. El brochado es particularmente apropiado para superficies internas, como agujeros y ENGRANAJES internos, pero también puede usarse para dar forma a engranajes externos y superficies planas.

Brocken El punto más alto del macizo HARZ, ubicado en el centro de Alemania. Su pico de granito alcanza 1.142 m (3.747 pies). Cuando el sol está bajo, las sombras de la cima se magnifican y proyectan siluetas gigantescas en las superficies superiores de las nubes que yacen bajas o de la neblina bajo la montaña. Este efecto, que se conoce como arco de Brocken o espectro de Brocken, tiene un significado místico en el folclore de la montaña. Los ritos tradicionales representados allí durante la noche de WALPURGIS se conectaron con la leyenda de FAUSTO.

Brodsky, Joseph *orig.* **Iosip Aleksandrovich Brodsky** (24 may. 1940, Leningrado, Rusia, U.R.S.S.–28 ene. 1996, Nueva York, N.Y., EE.UU.). Poeta estadounidense de origen ruso. Por su espíritu independiente y su desempeño laboral irregular, recibió en la Unión Soviética una condena a cinco años de trabajos forzados. Exiliado en 1972, se instaló en Nueva York. Fue poeta laureado de EE.UU. de 1991 a 1992. Su poesía lírica y elegíaca aborda los problemas universales de la vida, la muerte y el sentido de la existencia. La creación poética de Brodsky incluye los libros *Parte de la oración* (1980), *Historia del siglo veinte* (1986) y *A Urania* (1988). Fue galardonado con el Premio Nobel de Literatura en 1987.

Joseph Brodsky, Premio Nobel de Literatura, 1987.
FOTOBANCO

Broglie, familia Familia noble francesa, descendiente de una familia piamontesa del s. XVII, que tuvo entre sus miembros a muchos militares de alto rango, políticos y diplomáticos. Entre los más importantes están François-Marie, 1er duque de Broglie (n. 1671–m. 1745), general y mariscal de Francia; Victor-François, 2° duque de Broglie (n. 1718–m. 1814), militar y mariscal de Francia; Victor, 3er duque de Broglie (n. 1785–m. 1870), primer ministro que luchó contra las fuerzas reaccionarias, y Albert, 4° duque de Broglie (n. 1821–m. 1901), quien fue primer ministro en los primeros años de la Tercera República francesa. La familia también incluyó al físico Louis Victor, duque de BROGLIE.

Broglie, Louis-Victor (-Pierre–Raymond), duque de (15 ago. 1892, Dieppe, Francia–19 mar. 1987, París). Físico francés. Descendiente de la familia BROGLIE de diplomáticos y políticos, fue motivado a estudiar física atómica por el trabajo de MAX PLANCK y ALBERT EINSTEIN. En su tesis de doctorado describió su teoría de las ondas del electrón, y después extendió la teoría de la DUALIDAD ONDA-PARTÍCULA de la luz a la materia. Es renombrado tanto por su descubrimiento de la naturaleza ondulatoria de los electrones como por sus investigaciones en teoría cuántica. Einstein se basó en la idea de Broglie de "ondas de materia". Apoyándose en este trabajo, ERWIN SCHRÖDINGER construyó el sistema de la mecánica ondulatoria. De Broglie permaneció en la Sorbona después de 1924 y enseñó física teórica en el Instituto Henri Poincaré (1928–62). Obtuvo el Premio Nobel de Física en 1929, y el Premio Kalinga de la UNESCO, en 1952.

Bromeliáceas Única familia de angiospermas del orden Bromeliales, con casi 2.600 especies. Todas las especies, salvo una, son nativas de América tropical y de las Indias Occidentales. Las flores de las Bromeliáceas son trímeras, como los lirios, pero con sépalos y pétalos contrastantes. Muchas Bromeliáceas son EPÍFITAS de tallos cortos. Muchas especies dan flores en una espiga larga, con BRÁCTEAS coloridas debajo o a lo largo de la espiga. La mayoría tienen frutos carnosos, aunque algunas producen vainas secas. La BARBA DEL ESPAÑOL y el fruto comestible de la ANANÁS son los productos comerciales principales de la familia. Las hojas de ciertas especies contienen fibras con las cuales se fabrican cuerdas, telas y mallas. La bromeliácea más grande conocida es la gigantesca *Puya raimondii* del Perú y Bolivia, que puede alcanzar más de 9 m (30 pies) de alto. Ciertas especies se cultivan como plantas de interior ornamentales por sus flores y follaje coloridos.

bromo ELEMENTO QUÍMICO no metálico, símbolo químico Br, número atómico 35. Uno de los HALÓGENOS, es un líquido de color rojo intenso, humeante a temperatura ambiente (punto de congelación –7,2 °C [19 °F]; punto de ebullición 59 °C [138 °F]) que contiene moléculas diatómicas (Br_2) y no se encuentra en estado libre en la naturaleza. Se obtiene del agua de mar y salmueras o de salares. Es en extremo irritante y tóxico, y un agente oxidante fuerte (ver OXIDACIÓN-REDUCCIÓN). Sus compuestos, en los cuales puede tener VALENCIA 1, 3, 5 ó 7, presentan múltiples usos, como aditivos de petróleo (dibromuro de etileno), en EMULSIONES fotográficas (bromuro de plata), como sedantes y en la harina (bromato de potasio).

Bromus Género que agrupa a unas 100 especies anuales y perennes de malezas o HIERBAS forrajeras, de la familia Poaceae (Gramíneas). Crece en las regiones frías y templadas. Posee hojas planas y delgadas, las espigas pueden ser abiertas, erectas o péndulas. En EE.UU. viven más de 40 especies; cerca de la mitad son hierbas nativas. Hay dos especies de importancia económica; *B. catharticus*, una hierba forrajera y de pastizales y *B. inermis*, una planta forrajera y aglomerante del suelo. Las especies *B. tectorum*, *B. diandrus* y *B. rubens* son muy peligrosas para el ganado que apacienta, ya que sus espinas pueden herirles los ojos, hocicos e intestinos, causándoles una infección e incluso la muerte.

B. inermis, género Bromus.
© ENCYCLOPÆDIA BRITANNICA, INC.

bronce ALEACIÓN que tradicionalmente se compone de COBRE y ESTAÑO. El bronce se fabricó por primera vez antes de 3000 AC (ver EDAD DEL BRONCE) y todavía se sigue usando en abundancia, aun cuando el hierro a menudo reemplazó al bronce en herramientas y armas después de 1000 AC, a causa de la abundancia del hierro en comparación con el cobre y el estaño. El bronce es más duro que el cobre, se funde a menor temperatura y es más fácil de moldear por fundición. También es más duro que el hierro y mucho más resistente a la corrosión. El bronce de las campanas (cuya percusión produce gratos sonidos) tiene un contenido de estaño de 20–25%. El bronce de las estatuas, con menos de un 10% de estaño y una mezcla de cinc y plomo, es prácticamente un LATÓN. La adición de menos de un 1% de fósforo aumenta la dureza y la resistencia del bronce; esta formulación se usa para émbolos de bombas, válvulas y bujes. También son útiles en la ingeniería mecánica los bronces al manganeso, con poco o nada de estaño, pero bastante cinc y hasta un 4,5% de manganeso. Los bronces al aluminio, que contienen hasta un 16% de aluminio y pequeñas cantidades de otros metales, como hierro o níquel, son especialmente firmes y resistentes a la corrosión; se moldean por fundición o se forjan para formar accesorios para tuberías, bombas, engranajes, hélices de barcos y álabes de turbinas. La mayoría de las monedas de "cobre" son en realidad de bronce, comúnmente con más o menos 4% de estaño y 1% de cinc, o bien son enchapadas en cobre sobre un metal base.

bronce, edad del ver EDAD DEL BRONCE

bronces de India meridional Cualquiera de las imágenes de culto que figuran entre los mejores logros del arte visual indio. La mayoría de las figuras representa divinidades hindúes, en especial, varias formas iconográficas del dios Shiva y de Visnú, con sus consortes y asistentes. Las imágenes fueron producidas en grandes cantidades desde el s. VIII hasta el s. XVI, principalmente en los distritos de Thanjavur y Tiruchirappalli de la moderna Tamil Nadu, y mantuvieron un alto nivel de excelencia por casi 1.000 años. Los iconos varían desde pequeñas imágenes domésticas hasta esculturas de tamaño casi real realizadas con el propósito de ser llevadas en procesiones.

El dios Shiva con la vestimenta de un mendicante, bronces de India meridional, de Tiruvengadu, inicios del s. XI; Museo y galería de arte de Thanjavur, Tamil Nadu, India.
P. CHANDRA

bronces de India occidental Estilo de escultura en metal que prosperó en India desde el s. VI hasta el XII y con posterioridad, principalmente en el área de los estados modernos de Gujarat y Rajasthan. La mayoría de los bronces se asocian con el JAINISMO; comprenden representaciones de figuras redentoras y objetos rituales como quemadores de incienso y portalámparas. En su mayoría son pequeños, ya que se destinaban al culto privado. Se fabricaban con la técnica de fundición a la CERA PERDIDA, y los ojos y ornamentos están generalmente incrustados con plata y oro.

bronces de India oriental o **bronces Pala** Esculturas en metal producidas a partir del s. IX en el área de las actuales Bihar y Bengala occidental en India, extendiéndose hasta Bangladesh. Hechas con una aleación de ocho metales y producidas por fundición a la CERA PERDIDA, representan varias divinidades (p. ej., SHIVA, VISNÚ), y son pequeñas y portátiles. Se elaboraron en los grandes monasterios budistas y se distribuyeron en todo el sur de Asia. Influenciaron el arte de Birmania (Myanmar), Siam (Tailandia) y Java.

bronces de Luristán o **bronces de Lorestán** Objetos excavados a partir de fines de la década de 1920 en los valles de las montañas Zargos, en la región de Luristán, en el oeste de Irán. Datan de c. 1500 a 500 AC, y consisten en utensilios, armas, joyería, arreos de caballerías, hebillas de cinturón y objetos rituales y votivos. Se cree que fueron elaborados por los CIMERIOS o por los pueblos indoeuropeos de MEDIA o PERSIA.

bronquiectasia Dilatación anormal de los bronquios en los PULMONES. Habitualmente es el resultado de enfermedades pulmonares preexistentes que causan INFLAMACIÓN y obstrucción de los bronquios. Las fibras de las paredes bronquiales se degeneran, los bronquios se dilatan o paralizan, se dificulta la eliminación de las secreciones, que se estancan, y las infecciones se extienden e intensifican. Las manifestaciones de la enfermedad incluyen la presencia de agentes infecciosos, el exceso de secreciones mucosas, y en niños, la fatiga y el retardo del crecimiento. Entre las complicaciones están las NEUMONÍAS recidivantes, los abscesos pulmonares, la expectoración con sangre, y, en los casos crónicos, dedos y ortejos en palillo de tambor. El tratamiento implica drenaje frecuente y prolongado o (si la enfermedad es unilateral) extirpación de los segmentos pulmonares afectados y antibióticos.

bronquitis INFLAMACIÓN de los bronquios. Los microbios y sustancias extrañas que han penetrado a la vía aérea producen inflamación bronquial y estimulan la secreción excesiva de mucus. Los síntomas comprenden tos productiva y sensación de congestión en el pecho. En el largo plazo, agresiones reiteradas, como fumar, pueden causar bronquitis crónica, en la que el daño grave e irreversible del PULMÓN lo expone a infecciones y fibrosis. La bronquitis crónica relacionada con el hábito de fumar se asocia a menudo con enfisema (juntos se denominan enfermedad pulmonar obstructiva crónica). El tratamiento incluye medicamentos para dilatar los bronquios y promover la tos, antibióticos y adaptaciones del estilo de vida (p. ej., dejar de fumar).

Brontë, hermanas Familia de escritoras inglesas. Hijas de un clérigo anglicano, fueron educadas en Haworth, en los páramos de Yorkshire. Su madre murió joven. Charlotte Brontë (n. 21 abr. 1816–m. 31 mar. 1855) asistió al Clergy Daughter's School junto con su hermana Emily y más tarde fue maestra de escuela e institutriz. Ella y Emily intentaron sin éxito abrir una escuela. Su novela *Jane Eyre* (1847), que causó sensación apenas fue publicada, era la impactante historia de una mujer en conflicto con sus deseos naturales y su posición social, y tuvo el mérito de infundir una renovada autenticidad en la novela victoriana. Fue seguida por las novelas *Shirley* (1849) y *Villette* (1853). En 1864 se casó con el asistente de su padre, y murió poco después de los 38 años. Emily (Jane) Brontë (n. 30 jul. 1818–m. 19 dic. 1848) fue de las tres escritoras quizás la más talentosa. *Poemas por Currer, Ellis y Acton Bell* (1846), publicado en conjunto por las hermanas (quienes utilizaron seudónimos para eludir el trato discriminatorio que a su modo de ver les darían los reseñadores de libros por ser mujeres), contenía 21 de sus poemas. Muchos críticos opinan que estos revelan un genio poético indiscutible. Su única novela, *Cumbres borrascosas* (1847), es un imaginativo relato de pasión y odio en los páramos de Yorkshire. Si bien no fue mayormente destacada por la crítica cuando apareció, fue considerada más tarde una de las más hermosas novelas inglesas. Poco después de su publicación, la salud de Emily comenzó a decaer y murió de tuberculosis a los 30 años. Anne Brontë (n. 17 ene. 1820–m. 28 may. 1849) contribuyó con 21 poemas a *Poemas por Currer, Ellis y Acton Bell*; escribió dos novelas, *Agnes Grey* (1847) y *La dama de Wildfell Hall* (1848). Murió de tuberculosis a los 29 años.

Brontosaurus ver APATOSAURUS

Bronx Municipio (pob., 2000: 1.332.650 hab.) de la ciudad de NUEVA YORK, EE.UU. Uno de los cinco distritos municipales de Nueva York, es el único de ellos que está en territorio continental y una docena de puentes y túneles carreteros lo conectan con MANHATTAN, mientras que los puentes Triborough, Bronx-Whitestone y Throgs Neck lo conectan con QUEENS. Los indios denominaron a este lugar Keskesbeck y lo vendieron en 1639 a la compañía Dutch West India. El municipio fue parte del condado de Westchester hasta 1898, cuando se incorporó a la ciudad de Nueva York. Si bien es un lugar principalmente residencial, gran parte de sus 130 km (80 mi) de litoral se usa para embarques marítimos, almacenes de depósito e industria. Es la sede del recinto de béisbol Yankee Stadium. Tiene un gran sistema de parques e incluye el parque zoológico y los jardines botánicos de NUEVA YORK.

Bronx, zoológico del ver parque zoológico de NUEVA YORK

Bronzino, Il *orig.* **Agnolo di Cosimo** (17 nov. 1503, Monticelli, ducado de Milán–23 nov. 1572, Florencia). Pintor italiano activo en Florencia. Fue alumno e hijo adoptivo de JACOPO DA PONTORMO. Sobresalió como retratista y fue pin-

tor de la corte de COSME I la mayor parte de su carrera. Sus retratos eran emocionalmente inexpresivos, pero con su elegancia y sus cualidades decorativas encarnaban el ideal cortesano de los duques de Médicis. Su obra influenció la pintura de retrato cortesana europea durante el siglo siguiente, mientras que sus sofisticadas y refinadas pinturas de temas religiosos y mitológicos resumen el estilo manierista de su época (ver MANIERISMO). En 1563 se convirtió en miembro fundador de la Accademia del Disegno.

"Retrato de un hombre joven", pintura al óleo de Il Bronzino.
MUSEO METROPOLITANO DE ARTE DE NUEVA YORK; THE H.O. HAVEMEYER COLLECTION, 1929 (29.100.16), © 1981

Brook Farm Experimento utópico de vida comunitaria, de corta duración (1841–47), en West Roxbury, Mass. (cerca de Boston), fundado por GEORGE RIPLEY. La más conocida de las numerosas comunidades utópicas que se fundaron en EE.UU. a mediados del s. XIX, debía combinar al pensador con el trabajador, con el fin de garantizar la mayor libertad mental y formar una sociedad de personas liberales y cultas, cuyas vidas serían más sanas y sencillas que lo que podrían ser en medio de la presión de instituciones competitivas. Se la recuerda por las destacadas figuras literarias e intelectuales relacionadas con ella, como Charles A. Dana, NATHANIEL HAWTHORNE, MARGARET FULLER, HORACE GREELEY, JAMES RUSSELL LOWELL, John Greenleaf Whittier y RALPH WALDO EMERSON (aunque no todos ellos fueron miembros). También tuvo notoriedad por la moderna teoría educacional de su excelente escuela.

Brook, Sir Peter (Stephen Paul) (n. 21 mar. 1925, Londres, Inglaterra). Director y productor británico. Después de dirigir algunas obras en Stratford-upon-Avon, se convirtió en director de la Royal Opera House, COVENT GARDEN (1947–50). Dirigió diversas innovadoras producciones de obras shakesperianas que causaron polémica. En 1962 fue nombrado codirector de la ROYAL SHAKESPEARE COMPANY y dirigió *El rey Lear* (1962) y *Sueño de una noche de verano* (1970), que fueron aclamadas por la crítica. Se consagró internacionalmente con una propuesta vanguardista para la obra *Marat/Sade* (1964) de PETER WEISS. Entre sus películas se cuentan *El señor de las moscas* (1962), *El rey Lear* (1969) y *Mahabharata* (1989), cuya duración es de seis horas. En 1970 fundó, junto con JEAN-LOUIS BARRAULT, el Centro internacional de investigación teatral.

Brooke, Alan Francis ver 1er vizconde ALANBROOKE

Brooke, rajá (1841–1946). Dinastía de rajás británicos que gobernó Sarawak (actualmente un estado de Malasia) durante un siglo. Sir James Brooke (n. 1803–m. 1868) sirvió en la COMPAÑÍA INGLESA DE LAS INDIAS ORIENTALES y combatió en la primera de las guerras ANGLO-BIRMANAS (1824–26), antes de utilizar su fortuna familiar para equipar una goleta y zarpar a las Indias (1838). Fue recompensado con el título de rajá de Sarawak por el sultán de Brunei por ayudarlo a sofocar una rebelión. Estableció un firme gobierno en Sarawak, y fue sucedido por su sobrino, Sir Charles Anthony Johnson Brooke (n. 1829–m. 1917), quien había pasado gran parte de su vida en Sarawak, conocía la lengua nativa y respetaba las costumbres y creencias locales. En su gobierno, los cambios económicos y sociales fueron limitados. Fue sucedido por su hijo mayor, Sir Charles Vyner de Windt Brooke (n. 1874–m. 1963), quien inició un programa de modernización después de la primera guerra mundial. Dio por finalizado el gobierno de la dinastía Brooke en 1946, cediendo Sarawak a Gran Bretaña.

Brooke, Rupert (3 ago. 1887, Rugby, Warwickshire, Inglaterra–23 abr. 1915, Skiros, Grecia). Poeta inglés. Su obra más conocida, la secuencia de sonetos *1914* (1915), que incluye el conocido poema "The Soldier" ["El soldado"], expresa un idealismo ante la presencia de la muerte, que contrasta con la poesía que escribió posteriormente sobre la guerra vista desde las trincheras. Su muerte a los 27 años durante la primera guerra mundial contribuyó a exaltar su figura en el período de entreguerras.

Rupert Brooke, retrato póstumo dibujado por J.H. Thomas; National Portrait Gallery, Londres.
GENTILEZA DE LA NATIONAL PORTRAIT GALLERY, LONDRES

Brooklyn Municipio (pob., 2000: 2.465.326 hab.) de la ciudad de NUEVA YORK, EE.UU. Separado de MANHATTAN por el EAST RIVER, limita al sur con el océano Atlántico. Está conectado a Manhattan por medio de puentes (entre los que se incluye el puente de BROOKLYN), un túnel para vehículos y servicios de transporte rápido. Primer asentamiento de agricultores holandeses en la zona, en 1636 fue pronto seguido por otros poblados, entre ellos Breuckelen (1645). En 1776 tuvo lugar en Brooklyn la batalla de Long Island. Se convirtió en municipio de la ciudad de Nueva York en 1898. Brooklyn es una zona residencial e industrial y tiene también un tráfico de navegación oceánica considerable. Entre sus instituciones educacionales se cuenta el PRATT INSTITUTE. CONEY ISLAND está también ubicada aquí.

Brooklyn, puente de Puente colgante construido (1869–83) sobre el llamado río Este para unir Brooklyn con la isla de Manhattan en Nueva York. Fue diseñado por el fabricante de

El puente de Brooklyn en Nueva York, hazaña de la ingeniería del s. XIX, fue el primero en usar cables de acero.
FOTOBANCO

cables JOHN A. ROEBLING y su hijo Washington. Una brillante hazaña de la ingeniería del s. XIX, el puente fue el primero en usar acero para el alambre de los cables y el primero en el cual se emplearon explosivos dentro de un CAJÓN neumático durante su construcción. En 1869, John murió en uno de los al menos 27 accidentes fatales ocurridos durante la obra; su hijo dirigió el proyecto hasta su finalización. La luz principal del puente, de 486 m (1.595 pies), fue la más larga en el mundo en esa época. Su inauguración fue tan celebrada que se dice que un cuarto de millón de personas cruzó por él en las primeras 24 horas, usando una pasarela elevada diseñada para darles a los peatones una vista espectacular de la ciudad.

Brooks, cordillera de Cordillera del norte de Alaska, EE.UU. Se extiende por aprox. 1.000 km (600 mi) desde el estrecho de Kotzebue hasta la frontera con Canadá. Su cumbre más alta es el monte Isto, a 2.670 m (9.060 pies). Al formar parte del extremo norte de las montañas ROCOSAS, se encuentra dentro del parque nacional GATES OF THE ARCTIC. En la bahía de PRUDHOE se descubrieron enormes reservas de petróleo. El oleoducto de ALASKA cruza esta cordillera por el paso de Atigon.

Brooks, Gwendolyn (Elizabeth) (7 jun. 1917, Topeka, Kansas, EE.UU.–3 dic. 2000, Chicago, Ill.). Poetisa estadounidense. Criada en los suburbios de Chicago, Brooks publicó su primer poema a los 13 años. En 1949 ganó el Premio Pulitzer por *Annie Allen* (1949), una serie de poemas vagamente relacionados entre sí sobre la experiencia de crecer en Chicago, y se convirtió en la primera mujer de color en recibir ese premio. *The Bean Eaters* [Los comedores de habas] (1960) contiene algunos de sus mejores poemas. Entre sus otros libros figuran *In the Mecca* [En La Meca] (1968), el autobiográfico *Report from Part One* [Reporte de la primera parte] (1972), *Primer for Blacks* [Cartilla para negros] (1980), *Young Poets' Primer* [Cartilla para poetas jóvenes] (1981) y *Children Coming Home* [Los niños vuelven a casa] (1991).

Brooks islas ver islas MIDWAY

Brooks, James L. (n. 9 may. 1940, Brooklyn, N.Y., EE.UU.). Guionista, productor y director estadounidense. Comenzó a trabajar en la televisión en 1964. Fue uno de los creadores y produjo la exitosa serie de televisión *Mary Tyler Moore Show* (1970–77), además de otros diversos programas y series como *The Tracey Ullman Show* (1986–90) y *Los Simpsons* (desde 1989). También escribió, produjo y dirigió las películas *La fuerza del cariño* (1983, tres premios de la Academia), *Al filo de la noticia* (1987) y *Mejor imposible* (1997).

Brooks, Louise (14 nov. 1906, Cherryvale, Kan., EE.UU.– 8 ago. 1985, Rochester, N.Y.). Actriz de cine estadounidense. Bailó en el *Follies* de FLORENZ ZIEGFELD en 1925 y pronto logró un contrato en Hollywood. Se destacó por su magnética presencia escénica, su corto y negro cabello, y personificó a la muchacha liberada de la década de 1920 en las películas mudas *Una novia en cada puerto* (1928) y *Mendigos de la vida* (1928). En Alemania realizó actuaciones legendarias en filmes de G.W. PABST *La caja de Pandora* (1928) y *Tres páginas de un diario* (1929). Sin embargo, de regreso a Hollywood (1930), sólo recibió ofertas para papeles secundarios, por lo que se retiró en 1938 con poca fama y nada de fortuna. Sus películas fueron redescubiertas en la década de 1950 y su libro *Lulú en Hollywood* (1982) obtuvo elogiosos comentarios de la crítica.

Brooks, Mel *orig.* **Melvin Kaminsky** (n. 28 jun. 1926, Brooklyn, N.Y., EE.UU.). Director, productor y actor estadounidense. Escribió rutinas cómicas para los programas de televisión de SID CAESAR (1949–59) y fue uno de los creadores de la serie de televisión *El súper agente 86* (1965). Escribió y dirigió su primera película, *Los productores* (1968, premio de la Academia al mejor guión), la que posteriormente se adaptó como musical, y que tuvo un gran éxito en Broadway. Fue productor, director, coautor y en ocasiones actor de diversos largometrajes como *Sillas de montar calientes* (1974), *El jovencito Frankenstein* (1974) y *La loca historia de las galaxias* (1987).

Brooks, Rodney Allen (n. 30 dic. 1954, Adelaida, Australia Meridional, Australia). Científico computacional australiano. Cuando terminó su doctorado (1981) en la Universidad de Stanford, Cal., EE.UU., Brooks estaba desilusionado con el enfoque tradicional de la INTELIGENCIA ARTIFICIAL, basado en modelos. En 1984 se trasladó al Laboratorio de robótica móvil del MIT; construyó robots simples que podían ejecutar acciones imitando insectos, bajo la premisa de que el aprendizaje práctico se logra por la interacción con el mundo real. En 1997 se convirtió en el director del Laboratorio de investigación sobre inteligencia artificial del MIT.

Mel Brooks durante el doblaje de un personaje animado de *Robots*, 2005.
FOTOBANCO

Brooks, Romaine Goddard *orig.* **Beatrice Romaine Goddard** (1 may. 1874, Roma, Italia–7 dic. 1970, Niza, Francia). Pintora estadounidense. Nacida en el seno de una familia acomodada, estudió pintura en Italia. Después de un breve matrimonio, en 1905 se mudó a París, donde se hizo conocida en círculos literarios, artísticos y homosexuales. Su reputación alcanzó su apogeo en 1925, con varias exposiciones importantes. Sus retratos de sombras grises, tocados ocasionalmente con color, destilaban la personalidad de sus personajes hasta un nivel perturbador. *La amazona* (c. 1920), retrato de la amante de Brooks de toda una vida, Natalie Clifford Barney (n. 1876–m. 1972), se considera una de sus mejores obras.

Brooks, Van Wyck (16 feb. 1886, Plainfield, N.J., EE.UU.–2 may. 1963, Bridgewater, Conn.). Crítico, historiador de literatura y biógrafo estadounidense. Brooks asistió a la Universidad de Harvard. Su secuencia de libros *Discoverers and inventors* [Descubridores e Inventores], en la que traza la historia de la literatura estadounidense con abundantes detalles biográficos desde 1800 a 1915, incluye *The Flowering of New England, 1815–1865* [El florecimiento de Nueva Inglaterra, 1815–1865] (1936, Premio Pulitzer); *New England: Indian Summer, 1865–1915* [Nueva Inglaterra: el veranito de San Martín, 1865–1915] (1940); *The World of*

Washington Irving [El mundo de Washington Irving] (1944); *The Times of Melville and Whitman* [Los tiempos de Melville y Withman] (1947) y *The Confident Years: 1885–1915* [Los años de confianza: 1885–1915] (1952).

brosmio Pez comestible de cuerpo alargado (*Brosme brosme*) de la familia Gadidae (ver BACALAO), que se encuentra en el fondo de aguas profundas mar adentro en ambos lados del océano Atlántico norte. Es un pez de escamas pequeñas con una gran boca y una barbilla (apéndice táctil carnoso) en su mandíbula. Tiene una aleta dorsal y una anal, ambas largas y unidas a la cola redondeada. Puede alcanzar 90–110 cm (3–3,5 pies) de longitud. Su color varía de amarillento o pardusco a negro pizarra y, en su estado juvenil, puede tener franjas verticales amarillas.

Brouwer, Adriaen (1605/06, Oudenaarde, Flandes–ene. 1638, Amberes). Pintor flamenco. Luego de estudiar con FRANS HALS en Haarlem c. 1623, regresó a Flandes y en 1631 ya se había establecido en Amberes. Sus pinturas, la mayoría pequeñas y pintadas sobre paneles, se caracterizan por representar a campesinos bebiendo y riñendo en tabernas. La vulgaridad de sus personajes estaba en directo contraste con su delicada técnica; su pincelada virtuosa y sus resplandecientes valores tonales no han sido superados. Brouwer popularizó la pintura de género en Flandes y en Holanda. ADRIAEN VAN OSTADE y DAVID TENIERS fueron algunos de sus muchos seguidores.

Browder, Earl (Russell) (20 may. 1891, Wichita, Kan., EE.UU.–27 jun. 1973, Princeton, N.J.). Dirigente del Partido Comunista estadounidense (1930–44). Estuvo preso en 1919–20 por oponerse a la participación de EE.UU. en la primera guerra mundial. En 1921 ingresó al Partido Comunista estadounidense, donde se desempeñó como secretario general entre 1930 y 1944, y fue su candidato presidencial en 1936 y en 1940. En 1944 debió renunciar al cargo por declarar que el capitalismo y el socialismo podían coexistir, y en 1946 fue expulsado del partido.

Brown, Capability *orig.* **Lancelot Brown** (1715, Kirkharle, Northumberland, Inglaterra–6 feb. 1783, Londres). Maestro británico del diseño naturalista de jardines. Trabajó por años en Stowe, Buckinghamshire, uno de los más renombrados jardines de la época, bajo William Kent (n. 1685–m. 1748). En 1753 era el "mejorador de terrenos" líder en Inglaterra. En el palacio de BLENHEIM creó lagos magistrales y borró casi totalmente el diseño formal anterior. Sus diseños consistían en extensiones de pasto, cuerpos de agua de formas irregulares y árboles aislados o en grupos. A menudo, su estilo se considera como la antítesis del de ANDRÉ LE NÔTRE, el diseñador de los formales jardines de VERSALLES. El apodo Capability surgió de su hábito de decir que un lugar tenía "capabilities" (potencial).

Brown, Charles Brockden (17 ene. 1771, Filadelfia, Pa., EE.UU.–22 feb. 1810, Filadelfia). Escritor estadounidense. Brown abandonó sus estudios de derecho para dedicarse a escribir. Sus novelas góticas ambientadas en escenarios estadounidenses fueron las primeras de una tradición retomada más tarde por EDGAR ALLAN POE y NATHANIEL HAWTHORNE.

Wieland (1798), su obra más conocida, muestra cuán fácil resulta perder la cordura cuando el sentido común se ve enfrentado con la experiencia de lo siniestro. Sus escritos reflejan un liberalismo ponderado y al mismo tiempo explotan el horror y el terror. Se le ha llamado el "padre de la novela estadounidense".

Brown, Clifford (30 oct. 1930, Wilmington, Del., EE.UU.–26 jun. 1956, Pa.). Trompetista de jazz estadounidense. Fue el trompetista más influyente de su generación. Inspirado por FATS NAVARRO, combinó en sus interpretaciones una técnica brillante con gracia lírica. Fue una figura principal del estilo *hard-bop* (ver BEBOP). Después de realizar giras con la gran orquesta de LIONEL HAMPTON en 1953, trabajó con ART BLAKEY. En 1954, junto con el baterista MAX ROACH formó un quinteto que se convirtió en uno de los grupos destacados del jazz moderno. Murió en un accidente automovilístico a los 25 años.

Brown, Ford Madox (16 abr. 1821, Calais, Francia–6 oct., 1893, Londres, Inglaterra). Pintor británico. Estudió en Brujas, Amberes, París y Roma. En Italia (1845) conoció a Peter von Cornelius, un miembro de los NAZARENOS, quien influenció su paleta y su estilo. Su uso del color brillante, su meticuloso desenvolvimiento y su gusto por los temas literarios tuvieron un fuerte efecto en los prerrafaelistas (ver PRERRAFAELISMO), de manera más notable en DANTE GABRIEL ROSSETTI. Sus pinturas más famosas son *El adiós a Inglaterra* (1852–55), un vivaz tributo a la emigración, y *El trabajo* (1862–65), un comentario social victoriano. En 1861 fue miembro fundador de la compañía de WILLIAM MORRIS, para la cual diseñó vitrales y mobiliario.

James Brown en un recital en Hyde Park, junto a un integrante de su banda.
FOTOBANCO

Brown, George (29 nov. 1818, Edimburgo, Escocia–9 may. 1880, Toronto, Ontario, Canadá). Periodista y político canadiense. Emigró a Nueva York en 1837 y en 1843 se trasladó a Toronto, donde fundó *The Globe* (1844), periódico político reformista. Como miembro de la asamblea canadiense (1857–65), abogó por la representación proporcional, la confederación de América del Norte británica, la adquisición de los Territorios del Noroeste y la separación de la Iglesia y el Estado. Más adelante fue dirigente del movimiento CLEAR GRITS y en 1873 fue designado miembro del Senado de Canadá, aunque continuó administrando su influyente y popular periódico (más tarde *The Globe and Mail*).

Brown, James (n. 3 may. 1933, Barnwell, S.C., EE.UU.). Cantautor estadounidense. Creció en Georgia durante la depresión; Brown cantó y bailó primero en la calle por dinero. Más tarde formó un trío que se presentó en clubes pequeños por todo el sur del país. Evolucionó gradualmente a un estilo muy personal, que combina elementos del BLUES y del GOSPEL con su propia entrega de gran carga emocional y altamente rítmica, acentuada por un fuerte sentido de la teatralidad. Su primer éxito, "Please, Please, Please" (1956), fue seguido por otros singles con ventas de un millón de copias, como "Papa's Got a Brand New Bag". Su estilo, marcado por ritmos fuertes orientados al baile y por síncopas pesadas, llegó a conocerse como *funk*. En 1988, su accidentada vida personal quedó al descubierto al recibir una condena de tres años de cárcel por varios cargos.

Brown, Jim *orig.* **James Nathaniel Brown** (n. 17 feb. 1936, St. Simons, Ga., EE.UU.). Jugador estadounidense de fútbol americano y lacrosse, considerado uno de los más grandes zagueros acarreadores de todos los tiempos. En su paso por la Universidad de Syracuse, fue elegido All-American (selección de los mejores del país) en los deportes de fútbol americano y lacrosse. En sus nueve temporadas con los Cleveland Browns (1957–65) impuso el récord de yardas combinadas (corridas y de pases recibidos) en la NFL, marcas que se mantuvieron hasta 1984. Con un promedio récord de 5,22 yd por acarreo en su carrera, Brown lideró la NFL en acarreos, en ocho de los nueve años que jugó. Después de retirarse del fútbol se convirtió en actor de cine.

Brown, John (1735, Buncle, Berwickshire, Escocia–17 oct. 1788, Londres, Inglaterra). Médico británico. Propuso la teoría de la "excitabilidad", publicándola en *Elementa medicinae* (1780), que clasificaba las enfermedades conforme a estimulaciones excesivas o estimulaciones deficientes y sostenía que sobre los tejidos vivos actuaban "poderes excitantes" internos y externos. Brown consideraba que las enfermedades eran estados de excitabilidad disminuida, que requerían estimulantes; o bien, de excitabilidad aumentada, que requerían sedantes. HERMANN VON HELMHOLTZ desacreditó esta teoría.

Brown, John (9 may. 1800, Torrington, Conn., EE.UU.–2 dic. 1859, Charles Town, Va.). Abolicionista estadounidense. Se crió en Ohio, donde su madre murió demente cuando él tenía ocho años de edad. Viajó por el país, ejerciendo diversos oficios y crió a una numerosa familia de 20 hijos. Aunque de raza blanca, en 1849 se estableció con su familia en una comunidad de negros fundada en North Elba, N.Y. Ardiente defensor de medidas claras para poner fin a la esclavitud, viajó a Kansas en 1855, con cinco de sus hijos, para contraatacar las medidas en favor de la esclavitud en Lawrence. Su grupo formado por más de veinte personas asesinó a cinco colonos pro esclavistas (ver BLEEDING KANSAS). En 1858 propuso instalar una fortaleza en la montaña en Maryland destinada a los esclavos fugitivos, con financiamiento de los abolicionistas. Confiaba en que al tomar el arsenal federal de Harpers Ferry, W.Va., los esclavos se entusiasmarían por ingresar a su "ejército de emancipación". En 1859, su pequeña fuerza dominó a la guardia del arsenal, pero a los dos días fue derrotada a su vez por fuerzas federales al mando del coronel ROBERT E. LEE. Fue juzgado por traición, condenado y ahorcado. Su hazaña lo convirtió en mártir a los ojos de los abolicionistas del norte y acrecentó las animosidades entre facciones que condujeron a la guerra de SECESIÓN.

Brown, Joseph Rogers (26 ene. 1810, Warren, R.I., EE.UU.–23 jul. 1876, Isles of Shoals, N.H.). Inventor y fabricante estadounidense. En 1850 perfeccionó y produjo una máquina de graduación lineal muy precisa, y luego desarrolló un calibrador NONIO, aplicando posteriormente los métodos del nonio al TRANSPORTADOR. Con Lucian Sharpe fundó la compañía Brown and Sharpe Manufacturing Co. Su calibre micrométrico (ver MICRÓMETRO) apareció en 1867. Inventó una máquina talladora de engranajes de reloj, una máquina fresadora universal y (quizás su mejor innovación) una máquina de amolar o rectificadora universal, en la cual se procedía primero a endurecer los artículos y luego se amolaban o rectificaban, aumentando al mismo tiempo la exactitud y eliminando los desechos.

Brown, Molly *orig.* **Margaret Tobin** (18 jul. 1867, Hannibal, Mo., EE.UU.–26 oct. 1932, Nueva York, N.Y.). Filántropa, reformadora social y figura destacada de la sociedad estadounidense. Hija de emigrantes irlandeses, estudió en una escuela primaria y luego trabajó en una fábrica de tabaco. En 1884 siguió a su hermano a Colorado, donde conoció a James Brown, un minero, con quien se casó. Cuan-do él descubrió oro en 1894, se trasladaron a Denver, donde la sociedad les dio la bienvenida. Fue una de las fundadoras del Club de mujeres de Denver, que formaba parte de una red nacional de asociaciones de mujeres, dedicadas a mejorar las condiciones de vida de estas y de los niños. Cuando su marido la abandonó, se trasladó a Nueva York y Newport, donde logró gran prestigio social. Como pasajera en la desastrosa primera travesía del *TITANIC* (1912), ayudó a dirigir un bote salvavidas y la prensa estadounidense la celebró como la "Unsinkable Mrs Brown" (la insumergible Molly Brown). Su

Molly Brown, filántropa estadounidense y sobreviviente del *Titanic*, 1927.
FOTOBANCO

vida, en la forma semilegendaria como ella misma la narró, fue tema popular de una comedia musical y de una película.

Brown, Robert (21 dic. 1773, Montrose, Angus, Escocia–10 jun. 1858, Londres, Inglaterra). Botánico escocés. Hijo de un clérigo, estudió medicina en Aberdeen y Edimburgo, posteriormente entró al ejército británico como portaestandarte y cirujano asistente (1795). Obtuvo el cargo de naturalista a bordo de un barco destinado a hacer un estudio topográfico de las costas australianas (1801), y durante el viaje recolectó cerca de 3.900 especies de plantas. Publicó parte de los resultados de su viaje en 1810 en su clásico *Prodromus Florae Novae Hollandiae...*, que sentó las bases de la botánica australiana y perfeccionó los sistemas imperantes de clasificación de plantas. En 1827 traspasó la colección botánica de JOSEPH BANKS al Museo Británico y pasó a ser el encargado del departamento de botánica recién formado. Al año siguiente publicó sus observaciones sobre el fenómeno que sería llamado MOVIMIENTO BROWNIANO. En 1831 descubrió la existencia del NÚCLEO en la célula vegetal. Fue el primero en reconocer la distinción entre GIMNOSPERMAS y ANGIOSPERMAS.

Brown, Universidad de Universidad privada ubicada en Providence, R.I., EE.UU., miembro tradicional de la IVY LEAGUE. Fue fundada en 1764 como Rhode Island College y en 1804 cambió de nombre en honor a uno de sus benefactores, Nicholas Brown. En 1971 pasó a ser una institución mixta, al fusionarse con Pembroke, un *college* (colegio universitario) para mujeres, fundado en 1891. Actualmente ofrece títulos de pregrado y posgrado en los campos de estudio más importantes; su escuela de medicina otorga el grado de doctor en medicina (M.D.). Las instalaciones de investigación incluyen centros para la investigación en geología, astronomía y educación.

Brown v. Board of Education (de Topeka) (1954). Causa sustanciada ante la Corte Suprema de EE.UU., en la que esa corte resolvió unánimemente que la SEGREGACIÓN RACIAL en las escuelas públicas violaba la XIV enmienda de la Constitución de EE.UU. De acuerdo con dicha enmienda, ningún estado puede negar igual protección de la ley a las personas que se encuentran dentro de su jurisdicción. La corte declaró que los establecimientos educacionales separados eran de por sí desiguales, revirtiendo así la sentencia que había pronunciado en 1896 en el caso PLESSY V. FERGUSON. El fallo recaído en *Brown* se limitaba a las escuelas públicas, pero se interpretó en el sentido de que no permitía la segregación en otras instalaciones públicas. Se dieron a conocer directrices para poner término a la segregación y se recomendó a los consejos de administración de las escuelas que procedieran "con toda celeridad". Ver también THURGOOD MARSHALL.

Brown, William Wells (¿1814?, cerca de Lexington, Ky., EE.UU.–6 nov. 1884, Chelsea, Mass.). Escritor estadounidense. Nació esclavó y escapó; se radicó en las cercanías de Boston. Fue autodidacta; escribió su autobiografía, *Narrative of William W. Brown, A Fugitive Slave* [Narración de William W. Brown, un esclavo fugitivo] (1847), una obra que gozó de gran popularidad y dio conferencias sobre el abolicionismo y la reforma a la ley de alcoholes. *Clotel* (1853), su única novela, sobre los descendientes de THOMAS JEFFERSON y una esclava, fue la primera publicada por un afroamericano. Su única obra de teatro, *The Escape* [La fuga] (1858), presenta la historia de dos esclavos que se casan en secreto.

Browne, Sir Thomas (9 oct. 1605, Londres, Inglaterra– 19 oct. 1682, Norwich, Norfolk). Médico y escritor británico. Mientras practicaba la medicina, desarrolló una carrera paralela como escritor. Su trabajo más conocido, *Religio Medici* (1642), es un diario de meditaciones sobre el hombre, la naturaleza y los misterios de Dios. Una obra más extensa, conocida comúnmente como *Vulgar Errors* [Errores vulgares] (1646), intenta corregir varias creencias y supersticiones populares. También escribió sobre antigüedades y la bella y sutil *A Letter to a Friend* [Carta a un amigo] (1690).

Sir Thomas Browne, grafito sobre vitela al estilo de R. White.
GENTILEZA DE LA NATIONAL PORTRAIT GALLERY, LONDRES

browniano, movimiento Cualquiera de diversos fenómenos físicos en los cuales algunas partículas experimentan en forma constante pequeñas fluctuaciones al azar. Recibió su nombre por ROBERT BROWN, quien estaba investigando el proceso de fertilización de las flores, en 1827, cuando notó un "rápido movimiento oscilatorio" de los granos de polen suspendidos en agua. Más tarde descubrió que movimientos similares podían observarse en partículas de humo o de polvo suspendidas en el aire y en otros FLUIDOS. La idea de que las moléculas de un fluido están en constante movimiento es una parte clave de la teoría CINÉTICA DE LOS GASES, desarrollada por JAMES MAXWELL, LUDWIG BOLTZMANN y Rudolf Clausius (n. 1822–m. 1888) para explicar el fenómeno del CALOR.

Browning, Elizabeth Barrett *orig.* **Elizabeth Barrett** (6 mar. 1806, cerca de Durham, Inglaterra–29 jun. 1861, Florencia, Italia). Poetisa británica. A pesar de ser inválida y sentirse cohibida delante de extraños, su poesía cobró celebridad en los círculos literarios con la publicación de sus libros de poemas en 1834 y 1844. Conoció a ROBERT BROWNING en 1845 y, tras un noviazgo que mantuvo oculto a su despótico padre, se casaron y se establecieron en Florencia. Su fama se debe en gran medida a los poemas de amor que escribió durante su noviazgo, *Sonnets from the Portuguese*

Elizabeth Barrett Browning, detalle de una pintura al óleo de Michele Gordigiani, 1858.
GENTILEZA DE LA NATIONAL PORTRAIT GALLERY, LONDRES

[Sonetos del portugués] (1850). Su obra más ambiciosa, la novela en verso libre *Aurora Leigh* (1857), fue enormemente popular.

Browning, Robert (7 may. 1812, Londres, Inglaterra– 12 dic. 1889, Venecia, Italia). Poeta británico. Sus primeras obras incluyen dramas en verso, entre ellas *Pippa Passes* (1841), y poemas extensos, como *Sordello* (1840). En los años de su matrimonio (1846–61) con ELIZABETH BARRETT BROWNING, que pasó en Italia, sólo escribió *Men and Women* [Hombres y mujeres] (1855), que contiene poemas dramáticos como "Love Among the Ruins" ["Amor entre las ruinas"] y los grandes monólogos "Fra Lippo Lippi" y "Bishop Blougram's Apology" ["La apología de Bishop Blougram"]. *Dramatis Personae* (1864), que incluye "Rabbi Ben Ezra" y "Caliban upon Setebos" ["Calibán en Setebos"], le granjeó finalmente el reconocimiento popular. *The Ring and the Book* [El anillo y el libro] (1868–69), un poema extenso, se inspira en un juicio por asesinato celebrado en Roma en 1698. Browning influyó en muchos poetas modernos por su cultivo del género del monólogo dramático (con su énfasis en la psicología individual) y por su acertada descripción de la diversidad de la vida moderna en un lenguaje que sus contemporáneos a menudo consideraron difícil, y a la vez original.

Browning, Tod *orig.* **Charles Albert Browning** (12 jul. 1880, Louisville, Ky., EE.UU.–6 oct. 1962, Malibú, Cal.). Director de cine estadounidense. Fue artista de circo y humorista de vodevil antes de incorporarse al estudio cinematográfico Biograph en 1915. Escribió varios guiones y luego dirigió melodramas y películas de aventuras (1917–25). Dirigió el macabro filme *El trío fantástico* (1925), protagonizado por LON CHANEY, y los posteriores *Drácula* (1931) y *La parada de los monstruos* (1932), que establecieron su reputación como cineasta del horror y lo grotesco.

Brownsville, caso Incidente racial ocurrido en 1906, en Brownsville, Texas, en el cual participaron ciudadanos blancos de Brownsville y soldados afroamericanos, destacados en el vecino fuerte Brown. En la noche del 13–14 de agosto, unos disparos de rifle mataron a un hombre blanco e hirieron a otro. El alcalde y otros ciudadanos blancos acusaron del delito a los uniformados de color. Aunque sus oficiales blancos declararon que estos estuvieron en su cuartel, los investigadores aceptaron la tesis del alcalde y el pdte. THEODORE ROOSEVELT dispuso la destitución deshonrosa de 167 soldados afroamericanos por su supuesta conjura de silencio. En 1972, una investigación parlamentaria dejó a los soldados limpios de culpa.

browser ver NAVEGADOR

Brubeck, Dave *orig.* **David Warren Brubeck** (n. 6 dic. 1920, Concord, Cal., EE.UU.). Pianista y compositor de jazz estadounidense. Brubeck estudió composición con DARIUS MILHAUD antes de trabajar como pianista de jazz. En 1951 formó un cuarteto con el saxofonista Paul Desmond. Su uso de una métrica poco convencional contribuyó a su inmenso atractivo: la grabación de "Take Five" de Desmond se convirtió en la primera pieza instrumental de jazz en vender más de un millón de copias. Esta revelación atrajo a muchos nuevos auditores de jazz durante las décadas de 1950–60, particularmente universitarios.

Bruce, Blanche K(elso) (1 mar. 1841, cond. de Prince Edward, Va., EE.UU.–17 mar. 1898, Washington, D.C.). Senador estadounidense de Mississippi durante la RECONSTRUCCIÓN. Hijo de padre blanco y madre esclava, fue educado por su padre. Se trasladó a Mississippi, donde se convirtió en destacada figura política en el estado y compró una plantación. En el Senado de EE.UU. (1875–81) abogó por el trato justo a los afroamericanos y a los indios, y se opuso a la política de excluir a los inmigrantes chinos. Más adelante se desempeñó como secretario del tesoro de EE.UU. (1881–85,

1895–98), conservador de documentos del Distrito de Columbia (1889–95) y miembro del consejo de administración de la Universidad de Howard.

Bruce, Lenny *orig.* **Leonard Alfred Schneider** (13 oct. 1925, Mineola, N.Y., EE.UU.–3 ago. 1966, Hollywood, Cal.). Humorista estadounidense. Estudió actuación y comenzó a presentar rutinas humorísticas en clubes nocturnos en la década de 1950, y en breve desarrolló un estilo que se distinguió por el humor negro salpicado de obscenidades. A medida que obtenía notoriedad, centró su material en críticas a las instituciones sociales y legales, la religión organizada y otros temas polémicos. Tras su muerte, a causa de una sobredosis de droga, su figura se elevó a la condición de icono, en calidad de artista provocativo y activista de la libertad de expresión.

Bruce Mathias, Robert ver Bob MATHIAS

brucelosis *o* **fiebre ondulante** Enfermedad infecciosa de humanos y animales domésticos. Se caracteriza por fiebre de inicio gradual, escalofríos, sudoración, debilidad y dolores, y habitualmente pasa en seis meses. Su nombre viene del médico británico David Bruce (n. 1855–m. 1931), quien identificó por primera vez la bacteria causante (1887). La enfermedad es causada comúnmente por tres especies del género *Brucella* en los humanos, quienes la contraen de animales infectados (cabras, ovejas, cerdos, vacunos). La brucelosis se transmite raras veces entre humanos, pero se propaga rápidamente en los animales, produciendo graves pérdidas económicas. El tratamiento con medicamentos no es práctico en la brucelosis animal, pero es útil la vacunación de los especímenes jóvenes. Los animales infectados deben ser apartados de los rebaños. Los ANTIBIÓTICOS son útiles en la enfermedad aguda humana, la que puede causar problemas en el hígado y el corazón si no es tratada.

Bruch, Max (Karl August) (6 ene. 1838, Colonia, Prusia–2 oct. 1920, Friedensau, cerca de Berlín, Alemania). Compositor alemán. Bruch ocupó varios cargos como director de orquesta y enseñó durante 20 años en la Academia de Berlín. Durante su vida fue conocido principalmente por su gran cantidad de piezas corales sacras y profanas, como *Odysseus* (1872) y *Das Lied von der Glocke* (1879). En la actualidad es recordado especialmente por su primer concierto para violín (1868). Escribió también otros dos conciertos para violín, las variaciones para violonchelo *Kol Nidrei* (1881), óperas y sinfonías.

Brücke, Die (alemán: "El puente"). Organización de artistas expresionistas (ver EXPRESIONISMO) alemanes. Fue fundada en 1905 por cuatro estudiantes de arquitectura en la Escuela Técnica de Dresde, entre ellos, ERNST LUDWIG KIRCHNER y KARL SCHMIDT-ROTTLUFF, a quienes muy pronto se les unieron otros artistas alemanes y europeos. Su nombre refleja la esperanza de que su obra pudiera ser un puente para el arte del futuro. Estaban en gran medida influenciados por el arte primitivo, las xilografías góticas alemanas y los grabados de EDVARD MUNCH. Realizaron pinturas de figuras y retratos que presentaban el sufrimiento y la ansiedad humana, así como naturalezas muertas y paisajes caracterizados por formas dramáticamente distorsionadas y colores violentos. Contribuyeron al renacimiento de la xilografía del s. XX. El grupo se disolvió en 1913.

"Dodo y su hermano", pintura al óleo de Ernst Ludwig Kirchner, artista del *Die Brücke*, c. 1908; Smith College Museum of Art, Northampton, Mass., EE.UU.

GENTILEZA DEL SMITH COLLEGE MUSEUM OF ART, NORTHAMPTON, MASS.

Bruckner, (Josef) Anton (4 sep. 1824, Ansfelden, Austria–11 oct. 1896, Viena). Compositor austríaco. Hijo de un maestro de escuela rural que murió cuando Anton era joven. Fue miembro del coro de un monasterio donde aprendió a tocar el órgano. Gracias a su gran talento se convirtió en organista de la catedral de Linz en 1855. A lo largo de su carrera como compositor, sus orquestaciones serían comparadas con las sonoridades del órgano. En 1865 escuchó *Tristán e Isolda* en Munich y desde entonces idolatró a RICHARD WAGNER, aunque sus obras quedaron en deuda con LUDWIG VAN BEETHOVEN. En 1868 fue nombrado profesor en el conservatorio de Viena y se estableció en esa ciudad para siempre. Tenía 60 años cuando alcanzó la fama con su *Sinfonía Nº 7 en mi mayor* (1884). Fue una persona excéntrica y socialmente difícil, sin embargo fue un cristiano muy devoto hasta su muerte. Su reputación descansa en sus nueve sinfonías de madurez (1866–96), sus tres misas y su *Te Deum* (1884).

"La torre de Babel", pintura al óleo de Pieter Bruegel el Viejo; Kunsthistorisches Museum, Viena, 1563.
FOTOBANCO

Bruegel, Pieter, el Viejo (c. 1525, probablemente en Breda, ducado de Brabante–5/9 sep. 1569, Bruselas). El pintor flamenco más importante del s. XVI. Se desconocen los inicios de su vida, pero en 1551 partió a Italia donde realizó su primera pintura firmada, *Paisaje con Cristo y los apóstoles en el mar de Tiberíades* (c. 1553). Al regresar a Flandes, en 1555, adquirió algo de fama con una serie de grabados satíricos y moralizadores al estilo de HIERONYMUS BOSCH, encargados por un grabador de Amberes. Es reconocido por sus pinturas de proverbios flamencos, paisajes estacionales y representaciones realistas de la vida campesina y del folclore, pero también por su novedosa aproximación a los temas religiosos que representan acontecimientos bíblicos en escenarios panorámicos, frecuentemente vistos desde arriba. Tuvo muchos mecenas importantes; la mayoría de sus obras eran encargos de coleccionistas. Además de muchos dibujos y grabados, de su enorme producción han perdurado cerca de 40 pinturas que están autentificadas. Sus hijos, Peter Brueghel, el Joven y JAN BRUEGHEL EL VIEJO (quienes devolvieron la *h* a su apellido, que su padre había eliminado), e imitadores posteriores llevaron su estilo hacia el s. XVIII.

Brueghel, Jan, el Viejo *llamado* **Brueghel de Velours** (c. 1568, Bruselas–1625, Amberes). Pintor y dibujante flamenco, segundo hijo de PIETER BRUEGEL. Al inicio de su carrera partió a Italia, donde pintó bajo el mecenazgo del cardenal Federigo Borromeo. Luego de regresar a Amberes en 1596, disfrutó de una muy exitosa y prestigiosa carrera. En 1608 fue nombrado pintor de la corte de los archiduques de Habsburgo, gobernantes del sur de los Países Bajos. Es conocido por sus paisajes de pequeño formato y sus exquisitas pinturas de flores, todas pintadas en un estilo miniaturista sobre cobre o madera. Su habilidad para representar texturas delicadas le valió el apodo de "Terciopelo". Solía colaborar con otros artistas, entre ellos su amigo PETER PAUL RUBENS. Sus hijos, Jan el Joven y Ambrosius, también fueron pintores.

Brugghen, Hendrick ter ver Hendrik TERBRUGGHEN

Brugmann, (Friedrich) Karl (16 mar. 1849, Wiesbaden, Nassau–29 jun. 1919, Leipzig, Alemania). Lingüista alemán. Profesor de sánscrito y de lingüística comparada, perteneció a la escuela de los neogramáticos, quienes sostenían la inviolabilidad de las leyes fonéticas y adherían a una metodología de investigación estricta. Entre las más conocidas de sus 400 publicaciones se encuentran los dos volúmenes acerca de fonética y morfología con que contribuyó a la obra *Grundriss der vergleichenden Grammatik der indogermanishen Sprachen* [Compendio de la gramática comparada de las lenguas indoeuropeas] (1886–93).

Bruhn, Erik *orig.* **Belton Evers** (3 oct. 1928, Copenhague, Dinamarca–1 abr. 1986, Toronto, Ontario, Canadá). Bailarín danés. A partir de 1937 estudió en la escuela del Ballet real danés y en 1947 se incorporó a la compañía. Se presentó como solista invitado en muchas otras compañías, como el American Ballet Theatre en las décadas de 1950–60, y ejecutó el papel principal en ballets como *La sílfide, El lago de los cisnes* y *Carmen.* Fue admirado por su técnica clásica. Más tarde se desempeñó como director de la Ópera real de Suecia (1967–72) y como director asistente (1973–81) y, en los últimos años de su vida, como director del Ballet nacional de Canadá (1983–86).

Erik Bruhn en el papel de Romeo, 1967.
FRED FEHL

Brujas Ciudad (pob., est. 2000: 116.200 hab.) del noroeste de Bélgica. Los primeros antecedentes de la ciudad datan del s. VII; fue el emplazamiento de un castillo del s. IX construido por los primeros condes de FLANDES contra los invasores normandos. Pasó a integrar la Liga HANSEÁTICA y durante el s. XIII fue una importante plaza de mercado. Como centro de la industria textil flamenca, fue el centro comercial del norte de Europa. En el s. XV se establecieron allí JAN VAN EYCK y otros pintores de la escuela flamenca (ver arte FLAMENCO). A pesar de declinar como centro portuario y textil, posteriormente recuperó su importancia con la construcción de canales que la unen con el mar del Norte. Las actividades principales son la construcción naval, el procesamiento de alimentos, los productos químicos, la electrónica y el turismo.

brujería y hechicería Uso de poderes supuestamente sobrenaturales, por lo general para controlar personas o eventos. En ocasiones la hechicería se diferencia de la brujería porque la primera puede ser practicada por cualquier persona con el conocimiento apropiado; por medio de encantamientos, conjuros o pociones, mientras que la brujería se considera proviene de poderes místicos inherentes y se practica por medios invisibles. Sin embargo, las brujas modernas señalan que su oficio es aprendido y, por lo tanto, otra distinción entre brujería y hechicería es que esta última siempre se utiliza con la intención de hacer daño. Las controversias sobre brujería y hechicería han sido frecuentes, especialmente en comunidades cerradas que experimentan situaciones de decadencia o infortunios, y que se han visto envueltas en conflictos sociales mezquinos y en la búsqueda de chivos expiatorios.

Ya Homero, en la Grecia antigua, mencionaba la brujería (ver CIRCE). La hechicera más conocida de la época clásica fue la legendaria MEDEA. El romano Horacio menciona dos brujas en sus *Sátiras.* La Biblia contiene numerosas referencias a brujas, resaltando la Bruja de Endor citada en Saúl (1 Samuel 28). Los primeros padres de la Iglesia señalaron que la brujería era un engaño y denunciaron su práctica. En la Edad Media se creía que la brujería involucraba la posesión demoníaca. También estaba asociada con la herejía y por ello fue condenada por la INQUISICIÓN. En Europa, durante las cacerías de brujas de los s. XVI y XVII, los tribunales europeos consideraban por igual a brujos y hechiceros como candidatos a la hoguera. A pesar de que las estimaciones del número de personas ajusticiadas por esta causa varían ampliamente, es probable que se hayan ejecutado entre 40.000 y 60.000 personas y muchas más, torturadas y encarceladas, durante las cacerías de brujas. En el s. XX se estableció el movimiento moderno de la brujería, llamado WICCA, que promovió el respeto por la naturaleza y una visión panteística del mundo. La creencia en la brujería puede observarse en las sociedades tradicionales de todo el mundo. Los navajos se protegen contra la brujería con pinturas de arena o polen, y los miembros de sociedades africanas buscan ayuda tanto de los médicos modernos como de los doctores brujos, los primeros para el tratamiento de las causas "externas" de la enfermedad y los segundos para las causas "internas". Ver también MAGIA; juicio a las brujas de SALEM.

brújula En NAVEGACIÓN o TOPOGRAFÍA, el principal dispositivo para determinar las direcciones en la superficie terrestre. Las brújulas funcionan basándose en principios magnéticos o giroscópicos (ver GIRÓSCOPO), o bien, determinando la dirección del Sol o de una estrella. El tipo más antiguo y más popular es la brújula magnética, usada en diferentes formas en aviones, naves y vehículos terrestres, y por los topógrafos. Las brújulas magnéticas funcionan así porque la Tierra propiamente tal es un IMÁN, con un campo norte-sur (ver CAMPO GEOMAGNÉTICO) que hace que un imán que puede moverse libremente se alinee con el campo terrestre.

brumario, golpe de Estado del 18–19 de (1799). Golpe de Estado francés que derrocó al DIRECTORIO y lo sustituyó por el CONSULADO, allanando el camino al régimen despótico de NAPOLEÓN I. Planificado por EMMANUEL-JOSEPH SIEYÈS y CHARLES-MAURICE DE TALLEYRAND con la ayuda de Napoleón, el golpe se efectuó el 9–10 de noviembre (18–19 de brumario según el calendario republicano francés). A menudo se considera el verdadero final de la REVOLUCIÓN FRANCESA.

Brummell, Beau *orig.* **George Bryan** (7 jun. 1778, Londres, Inglaterra–30 mar. 1840, Caen, Francia). Dandi inglés. Hijo del secretario privado de Lord NORTH, asistió a Oxford y se hizo célebre por su vestuario y su ingenio así como por su amistad con Jorge, príncipe de Gales (más tarde JORGE IV). Líder de la moda inglesa de su tiempo, en 1816 había agotado la fortuna heredada, dilapidándola en juegos de azar y extravagancias, y sus mordaces comentarios le habían hecho perder el apoyo de su protector. Huyó a Calais, Francia, para eludir a sus acreedores y ahí también se debatió durante 14 años antes de ser nombrado cónsul británico en Caen (1830–32). En 1835 sus amigos lo

Brummell, grabado de John Cooke basado en un retrato en miniatura, 1844.
GENTILEZA DEL DIRECTORIO DEL MUSEO BRITÁNICO; FOTOGRAFÍA, J.R. FREEMAN & CO. LTD.

rescataron de la prisión a la que lo llevaron sus deudas, pero pronto perdió todo interés por su apariencia personal y pasó sus últimos años en un asilo de caridad.

Brun, Charles Le ver Charles LE BRUN

Brundage, Avery (28 sep. 1887, Detroit, Mich., EE.UU.– 8 may. 1975, Garmisch-Partenkirchen, Alemania Occidental). Dirigente deportivo estadounidense. Compitió como decatleta en los JUEGOS OLÍMPICOS de 1912. Fue presidente de la Asociación y Comité Olímpico de EE.UU. en 1929–53, vicepresidente (1945–52) y presidente (1952–72) del Comité Olímpico Internacional (COI). Controvertido y dominante, exigió estricto apego a las reglas de competencia *amateur* y a menudo descartó que los sucesos políticos tuvieran alguna relación con las competiciones olímpicas, posición que reafirmó frente al asesinato de atletas israelíes por terroristas, en 1972.

Brundtland, Gro Harlem *orig.* **Gro Harlem** (n. 20 abr. 1939, Oslo, Noruega). Política noruega, primera mujer en desempeñar el cargo de primera ministra de Noruega (1981, 1986–89, 1990–96). De profesión médico, trabajó en varios servicios de salud gubernamentales y luego fue ministra del medio ambiente (1974–79). Fue miembro del parlamento noruego (1977–97). Como líder del Partido Laborista, fue primera ministra en tres ocasiones. En 1987 presidió la Comisión Mundial de la ONU sobre Medio Ambiente y Desarrollo, y en 1998 fue elegida directora general de la Organización Mundial de la Salud.

Brunehilda ver BRUNILDA

BRUNEI

▸ **Superficie:** 5.765 km² (2.226 mi²)

▸ **Población:** 364.000 hab. (est. 2005)

▸ **Capital:** Bandar Seri Begawan

▸ **Moneda:** dólar de Brunei

Brunei *ofic.* **Estado de Brunei Darussalam** Sultanato independiente del nordeste de BORNEO. El país está dividido en dos regiones, rodeadas por el estado malayo de Sarawak; ambas regiones tienen su litoral en el mar de CHINA meridional y la bahía de Brunei. En Brunei existe una mezcla de grupos étnicos del Asia sudoriental: cerca del 66% son malayos, 20% chinos y el resto pueblos autóctonos e indios. Idiomas: malayo (oficial) e inglés (ampliamente difundido). Religiones: Islam (oficial), budismo, cristianismo y animismo. La estrecha planicie costera del norte da paso a accidentadas colinas en el sur. En la zona occidental del país se sitúan los valles de los ríos Belait, Tutong y Brunei; está dominada por colinas que sobrepasan los 500 m (1.640 pies). En la zona oriental se encuentran las cuencas de los ríos Pandaruan y Temburong y el punto más alto del país, la cumbre Pagan (1.850 m [6.070 pies]). La mayor parte de Brunei está cubierta por un denso bosque lluvioso tropical; una mínima parte de la tierra es cultivable. Su economía está dominada por la producción de grandes yacimientos petrolíferos y de gas natural. El país tiene uno de los más altos niveles de ingreso per cápita de Asia. Es una monarquía en la cual el sultán es el jefe de Estado y de Gobierno. Brunei comerció con China en el s. VI DC. Debido a su lealtad, el reino javanés de MAJAPAHIT (s. XIII–XV) cayó bajo la influencia hindú. A principios del s. XV, con la decadencia del reino Majapahit, muchos habitantes se convirtieron al Islam y Brunei pasó a ser un sultanato independiente. Cuando las naves de FERNANDO DE MAGALLANES arribaron en 1521, el sultán de Brunei controlaba casi todo Borneo y las islas vecinas. A fines del s. XVI, perdió poder debido a la actividad de los portugueses y holandeses en la región; pronto se sumaron los británicos. En el s. XIX, el sultanato de Brunei incluía Sarawak, la actual Brunei y parte de Borneo septentrional (en la actualidad parte de Sabah). En 1841 se produjo una revuelta contra el sultán y el militar británico, James Brooke, contribuyó a sofocarla; más tarde fue nombrado gobernador (ver rajá BROOKE). En 1847, el sultanato firmó un tratado con Gran Bretaña y en 1906 había entregado toda la administración a un residente británico. En 1963, Brunei rechazó su pertenencia a la Federación de Malaya, negoció un nuevo tratado con Gran Bretaña en 1979 y alcanzó su independencia en 1984, pasando a formar parte de la COMMONWEALTH. El país ha procurado diversificar su economía, fomentando especialmente el turismo.

El *Great Eastern,* vapor creado por Isambard Kingdom Brunel, que tendió el primer cable transatlántico exitoso.
FOTOBANCO

Brunel, Isambard Kingdom (9 abr. 1806, Portsmouth, Hampshire, Inglaterra–15 sep. 1859, Londres). Ingeniero civil y mecánico británico. Era hijo de MARC BRUNEL. Su introducción del ferrocarril de trocha ancha, con rieles separados 2 m (7 pies) entre sí, posibilitó alcanzar altas velocidades y proporcionó un gran estímulo al progreso del ferrocarril. Le cupo la responsabilidad de construir más de 1.600 km (1.000 mi) de vía férrea en Gran Bretaña y supervisó también la construcción de líneas férreas en Italia, Australia e India. Su uso de un CAJÓN neumático (de aire comprimido) para sumergir los cimientos de los pilares de un puente contribuyó a aceptar las técnicas de aire comprimido en la construcción subacuática y subterránea. Brunel hizo un extraordinario aporte a la ingeniería naval, con tres vapores –el *Great Western,* el *Great Britain* y el *Great Eastern*–, cada uno de ellos el más grande del mundo a la fecha de su botadura. El *Great Western* estableció el primer servicio transatlántico regular y el *Great Eastern* tendió el primer cable transatlántico exitoso.

Brunel, Sir Marc (Isambard) (25 abr. 1769, Hacqueville, Francia–12 dic. 1849, Londres, Inglaterra). Ingeniero e inventor británico de origen francés. Perfeccionó un método para hacer las POLEAS de los motones de los barcos por medios mecánicos en vez de manuales; el sistema de 43 máquinas, manejado por diez hombres, producía motones superiores en calidad y consistencia a los que antes hacían a mano más de 100 hombres. Esta instalación fue un ejemplo inicial de una producción completamente mecanizada (ver MECANIZACIÓN). En 1818 patentó el escudo para la construcción de túneles, un dispositivo que posibilitó una faena segura al construirlos a través de estratos acuíferos. En 1825 comenzaron las faenas de construcción del túnel diseñado por Brunel por debajo del TÁMESIS, una hazaña sin precedentes concluida en 1842. Fue el padre de I.K. BRUNEL.